팟캐스트 영어 학습 부문 1위 **전대건**의

단디 해라!!
수능VOCA

210개의 대화식 에피소드를 통한 손쉬운 연상 암기방식

팟캐스트 형식의 음성 강의로 10분에 10단어가 쏙!

이룸이앤비
Education & Books

단디해라!! 수능 VOCA

1판 1쇄 발행일 : 2016년 2월 29일
지은이 : 전대건
펴낸이 : 이동준, 정재현
기획 및 편집 : 박희라, 최원준, 이은정, 김다래
디자인 : 굿윌디자인

펴낸곳 : (주)이룸이앤비
출판신고번호 : 제2009-000168호
주소 : 서울시 강남구 논현로 16길 4-3 이룸빌딩 (우 06312)
대표전화 : 02-424-2410
팩스 : 02-424-5006
홈페이지 : www.erumenb.com
ISBN : 978-89-5990-359-7

이 책을 접하는 꿈 많은 청춘들에게

안녕하세요, 그대! 계기야 어찌 되었던건 간에 이 책을 집어 들고 이래저래 훑어보다가 앞 장에서 이 부분을 발견하였다면 잠시만 시간 내어 제 이야기 좀 들어주세요.

안 그래도 공부할 게 많을 텐데 영어 단어까지 힘들게 외우느라 고생이 많지요. 지금 이 편지를 쓰고 있는 저는 여러분들보다는 쪼~끔 나이가 더 들었지만 그래도 아직 동네 형뻘이랍니다. 이런 제가 여러분들을 위한 단어 책을 쓰게 되다니 뭔가 신기하면서도 또 뭔가 조금이나마 더 도움이 될 수 있는 책을 만들어야만 한다는 의무감마저 생기네요.

저는 학교 다닐 때 단어를 잘 외우지 못했습니다. 아, 물론 그때도 지금만큼이나 좋은 책들이 시중에 많이 나와 있었지만요. 왜 그랬던 걸까요? 돌이켜 생각해보면 아무리 좋은 책일지라도 여러분들에게 필요한 건 집을 때마다 부담감만 더해주는 책이 아닌, 한 번이라도 더 훑어볼 수 있도록 해주는 책이 좋은 책이라고 생각해요. 그러려면 훌륭한 내용만큼이나 중요한 게 재미! 저는 이를 돕기 위해 제가 사는 지역 사투리를 적극적으로 활용하였습니다.

단어 설명에 쓰인 에피소드나 예문들을 보시면 아시겠지만 가능한 범위 내에서 동네 친구들 혹은 동네 형이나 누나, 동생과 이야기를 나누듯이 구성하였습니다. 이것은 단어가 쓰일 법한 그 상황에 여러분들이 좀 더 몰입할 수 있게 도와줄 거에요.

예문뿐만 아니라 팟캐스트 또한 정성스레 만들었으니 책만 가지고 공부하기 답답한 친구들은 팟캐스트 들으면서 좀 더 즐겁게 단어 공부를 할 수 있기를 바랍니다.

어휘책은 생각보다 방대한 작업인데 기획부터 마무리까지 고생해주신 이룸이앤비 영어팀에게 감사 말씀 드립니다. 그리고 그 누구보다도 이 책으로 공부하게 될 꿈 많은 여러분! 진심으로 감사합니다. 그리고 응원합니다! 즐겁게 공부하는 데에 꼭 도움이 되길 바랍니다.

2016년 2월의 끝자락에, 전대건

단디해라!! 수능 VOCA, 무슨 특징이 있을까?

하루 30개, 70일이면 2,100단어를 내 것으로!

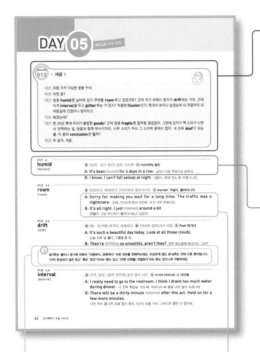

1 유쾌한 에피소드

재미있고 유쾌하고 때론 조금 황당한(?) 에피소드가 preview 기능을 합니다. 대화 내용을 읽고 연상하는 활동을 통해 자연스럽게 스토리텔링 방식의 어휘 연상 학습을 하도록 설계하였습니다. 또한, 학습 후에는 에피소드를 보며 단어의 뜻을 확인하는 복습 자료로 활용하실 수도 있습니다. 그리고 팟캐스트 형식의 저자 음성 강의와 함께 하면 더욱 효과적으로 학습을 할 수 있습니다.

2 표제어 및 관련 어휘

교육부 권장 어휘 및 수능 빈출 어휘 중에 엄선하여 표제어로 선정했습니다. 3개의 별 모양으로 수능 빈출도를 표시하여 학습에 참고가 되도록 하였습니다. 파생어, 유·반의어 및 숙어를 추가로 제시하여 어휘 확장에 도움이 되도록 하였습니다.

3 예시 대화문

딱딱한 문장으로 된 예문 대신 실생활에서 접할 수 있는 내용의 대화문 형식을 도입하여 좀 더 쉽고 정확하게 단어의 뉘앙스를 이해하는 데 도움이 되도록 하였습니다. 중간중간에 사투리와 친구간의 말투를 살려 현실감 있는 해석을 실었습니다.

4 10초 Tip

어원 설명, 관련된 어휘 설명, 잘 외워지는 방법 등의 요점을 콕콕 짚어서 어휘 학습에 더 도움이 되도록 하였습니다.

일러두기

동 동사	명 명사	형 형용사	부 부사	전 전치사
반 반의어	유 유의어	파 파생어	숙 숙어·구문	참 참고

5 Review

각 DAY 끝에 리뷰 테스트를 실었습니다. 크게 2가지의 유형으로 구성하여 간단하고 빠르게 학업 성취도를 확인할 수 있도록 하였습니다.

▶저자 음성 강의

팟캐스트 영어 부문 1위 달성의 저자 전대건의 재미있는 음성 강의를 들으며 공부하세요.

에피소드 하나당 10분 정도의 분량으로 되어 있어서 부담 없이 들을 수 있습니다. 등·하굣길, 학원 가는 길, 친구 만나러 가는 길에 들어 보세요. 감칠맛 나는 사투리와 함께 영단어가 착착 달라 붙습니다.

"10분에 10단어 암기, 누구나 가능합니다. 더 이상 지루하게 공부하지 마세요."

저자 음성 강의는 팟캐스트 사이트와 이룸이앤비 홈페이지 듣기 자료실에서 만나실 수 있습니다.

C . O . N . T . E . N . T . S

이 책의 차례

이 책의 차례

❖ 학습 여부 확인을 위해 공부한 날짜를 쓰거나 체크 표시를 해서 진도 확인용으로 활용하세요.

Period 1		DAY 01	DAY 02	DAY 03	DAY 04	DAY 05	DAY 06	DAY 07	DAY 08	DAY 09	DAY 10
학습 확인	Episode										
	Review										

Period 2		DAY 11	DAY 12	DAY 13	DAY 14	DAY 15	DAY 16	DAY 17	DAY 18	DAY 19	DAY 20
학습 확인	Episode										
	Review										

Period 3		DAY 21	DAY 22	DAY 23	DAY 24	DAY 25	DAY 26	DAY 27	DAY 28	DAY 29	DAY 30
학습 확인	Episode										
	Review										

Period 4		DAY 31	DAY 32	DAY 33	DAY 34	DAY 35	DAY 36	DAY 37	DAY 38	DAY 39	DAY 40
학습 확인	Episode										
	Review										

Period 5	DAY 41	DAY 42	DAY 43	DAY 44	DAY 45	DAY 46	DAY 47	DAY 48	DAY 49	DAY 50
학습 확인 — Episode										
학습 확인 — Review										

Period 6	DAY 51	DAY 52	DAY 53	DAY 54	DAY 55	DAY 56	DAY 57	DAY 58	DAY 59	DAY 60
학습 확인 — Episode										
학습 확인 — Review										

Period 7	DAY 61	DAY 62	DAY 63	DAY 64	DAY 65	DAY 66	DAY 67	DAY 68	DAY 69	DAY 70
학습 확인 — Episode										
학습 확인 — Review										

A smooth sea never made a skilled mariner.

잔잔한 바다에서는 좋은 뱃사공이 만들어지지 않는다.

- 영국 속담 -

팟캐스트 영어 학습 부문 1위 **전대건의**

단디 해라!!
수능VOCA

DAY

01 - 70

Episode 001 • 흉내의 귀재

대건: 뭐 하고 있었어?

유진: 야, 이리 와 봐. 태훈이가 지금 **bamboo** 먹는 판다 **mimic**할 거래.

대건: 와! 어떻게 한 거야? 난 거도 보여줘.

태훈: 뭐 해줄까? 말만 해.

대건: 음… 저기 허공에서 날개를 쫙 펴고 **hover**하고 있는 까치도 돼?

태훈: 물론이지. '까악 까악!'

대건: 와우! 완전 흉내계의 **wizard**, **heritage**구만. 어떻게 하는 거야?

태훈: 대상에 대해 **comprehend**하고 **character**만 잘 살리면 쉬워. 까치 우는 소리를 특징으로 잡고 호흡을 **swallow**하면서 흉내 내면 돼.

대건: 들어도 잘 모르겠다. 너처럼 할 줄 아는 사람 **few**일 걸? 난 이번 생엔 글렀어. 니 성대를 **transplant**하면 모를까.

0001 ★

bamboo
[bæmbú:]

(명) 대나무

A: What are your plans this weekend? 이번 주말에 뭐 할 거야?

B: I'm going to the bamboo grove in Danyang with Mom and Dad.
엄마 아빠랑 단양에 있는 대나무 숲에 갈 거야.

0002 ★★

mimic
[mímik]

(동) 흉내 내다 (유) imitate 모방하다, 흉내 내다

A: Hey, stop mimicking me. It's so annoying.
야, 내 흉내 그만 좀 내. 완전 짜증나거든.

B: Hey, stop mimicking me. It's so annoying.
야, 내 흉내 그만 좀 내. 완전 짜증나거든.

0003 ★★

hover
[hávər]

(동) (새 · 헬리콥터 등이 허공을) 맴돌다, (사람이) 서성이다

A: Look at that hawk hovering over the hill!
저기 언덕 위에서 맴돌고 있는 매를 좀 봐!

B: No way! Is that a real hawk? It's my first time to see one.
말도 안 돼! 저거 진짜 매야? 나 매는 처음 봤어.

0004 ★

wizard
[wízərd]

(명) 귀재, 마법사 (유) shaman 무당, 주술사

A: I can't install this application and I really don't know why.
이 프로그램 깔 수가 없네. 그리고 정말 이유도 모르겠고.

B: Why don't you ask Daegun for advice? He's a computer wizard.
대건이한테 조언 좀 구해보는 건 어때? 걔 컴퓨터 귀재야.

0005 ★★

heritage
[hérɪtɪdʒ]

(명) (국가 · 사회의) 유산 (유) legacy (죽은 사람이 남긴) 유산, (과거의) 유물

A: Hey, take a picture of me with that statue.
야, 나 저 동상이랑 같이 사진 좀 찍어 줘.

B: Why do you want to take a picture with that? Oh! That's a national heritage! 왜 저 동상이랑 같이 사진 찍으려고? 아! 저거 국가 유산이구나!

0006 ★★★

comprehend
[kàmprɪhénd]

(동) 이해하다 (반) misunderstand 오해하다

A: Is it only me that finds it hard to solve these questions?
이 문제 풀기가 나만 이렇게 어려운 거야?

B: You have to comprehend the article first.
먼저 글을 이해해야지.

0007 ★★

character
[kǽrɪktər]

(명) 특징, 성격 (유) personality 성격, 인격

A: How was the movie? I loved the movie! Especially all those action scenes. What did you think of it?
영화 어땠어? 난 완전 좋았어. 특히 액션 장면들 말이야. 넌 어떻게 생각해?

B: It was really great. I liked the main actor's character.
진짜 재밌었어. 주인공 성격도 맘에 들었고.

0008 ★★

swallow
[swálou]

(동) (음식 등을) 삼키다, (사실로) 받아들이다

A: Are you already done with your Jjajangmyeon? I still have half a bowl left.
너 짜장면 벌써 다 먹었어? 난 아직 반이나 남았는데.

B: I was so hungry that I just swallowed the entire bowl!
너무 배고파서 그냥 삼켰다.

0009 ★★

few
[fju:]

(형) 거의 없는, 많지 않은

A: How's your class going? Have you been enjoying teaching students? 수업은 어때? 애들 가르치는 건 재밌어?

B: Very few students enrolled in my class. I sometimes feel like crying. 내 수업에 등록한 학생들이 거의 없어. 가끔 울고 싶다니깐.

0010 ★★

transplant
[trænsplǽnt] (동)
[trǽnsplæ̀nt] (명)

(동) 이식하다, 옮겨 심다 (명) 이식, 이전 (유) implant (의학적 목적으로) 심다, 주입하다

A: Did you transplant the flowers to your garden?
정원에다가 꽃 옮겨 심었니?

B: I did. You should come by and check it out. You'll be impressed.
응. 들러서 한번 봐. 감동 받을 거야.

 transplant에서 접두사 trans- 에는 '어떤 한 곳에서 다른 곳으로 이동하다'라는 느낌이 묻어있답니다. plant는 '무언가를 심다'라는 뜻이 있고요. 이 두 개가 합쳐져서 transplant, 이동해서 심겨지는 거니까 '이식하다'가 되는 거겠죠?

대건: 야, 나 왔어.

찬규: 어? 왔나. 잠깐만.

대건: 으… 방이 **mess**네. 좀 쓸고 **mop**해라! 청소 좀 하고 살자, 인간적으로. **juvenile**한 짓은 이제 그만!

찬규: 마이크 **install**하고 있었어. 다 하고 할 거야.

대건: 갑자기 마이크는 왜?

찬규: 나 옛날부터 개인방송 하고 싶어 했잖아. 내가 자주 보는 개인방송이 있는데 거기서 **inspiration**을 받았거든. 내 꿈을 **fulfill**하려는 거지. 내 스스로를 포장하거나, 가식 없이 **express**해보고 싶어. 말 나온 김에 너도 같이 할래? **cooperation**하면 나한테 **boost**도 될 거 같은데.

대건: 난 **coward**여서 안 돼. 암튼 잘 해봐라.

0011 ★★
mess
[mes]

(명) 엉망인 상태, 난장판 (동) 엉망을 만들다 (숙) mess up ~을 다 망치다, 엉망으로 만들다

A: Look at what you did while I was out. You made a **mess** in the kitchen.
외출했던 동안 한 것 좀 봐라. 주방을 난장판으로 만들어 놨구나.

B: I'm sorry. I just made a snack.
죄송해요. 간식을 좀 만든 것 뿐인데 이렇게 됐어요.

0012 ★
mop
[map]

(동) 걸레로 닦다 (명) 대걸레, 자루걸레 (유) wipe (먼지, 물기 등을) 닦다

A: I thought I asked you to **mop** the floor.
내가 너한테 바닥 좀 걸레로 닦으라고 했을 텐데.

B: You did? Sorry, I totally forgot.
그랬어? 미안, 완전히 잊고 있었어.

0013 ★
juvenile
[dʒúːvənl]

(형) 어린애 같은 (명) 청소년

A: It's too dark and spooky to go outside alone. Can you come with me? 밖에 혼자 나가기에는 너무 어둡고 으스스해. 나랑 같이 가줄 수 있어?

B: Don't be so **juvenile**. You're older than me.
어린애처럼 굴지 좀 마. 나보다 나이도 많으면서.

0014 ★★
install
[instɔ́ːl]

(동) (장비·가구를) 설치하다 (유) set up (기계·장비를) 설치하다

A: Can you come by my house tonight? I got a new router, but I don't know how to **install** it.
오늘 밤 우리 집에 들을 수 있어? 새 공유기를 샀는데 어떻게 설치하는지 모르겠어.

B: Sure. I'll stop by around 8 p.m. 물론이지. 8시쯤 들릴게.

0015 ★★
inspiration
[ìnspəréiʃən]

명 영감, 기발한 생각

A: You know what? You always give me a lot of inspiration. Thank you. 그거 아나? 넌 항상 나한테 많은 영감을 줘. 고마워.

B: I'm glad I do. Keep up the good work.
내가 그렇다니 기쁘네. 앞으로도 열심히 해.

0016 ★★
fulfill
[fulfíl]

동 실현하다, 성취하다, 이행하다 숙 fulfill oneself in ~에서 자신의 역량을 발휘하다

A: I really want to fulfill my dream of studying abroad.
나는 정말 해외에서 공부하고 싶은 내 꿈을 실현하고 싶어.

B: You can make it happen! But you should start studying English first. 해낼 수 있을 거야. 근데 먼저 영어 공부부터 시작해야지.

이 단어 외우실 때엔 이렇게 생각해보세요. 내가 염원하는 모든 것들을(full) 가득히 채워내길(fill) 바라는 것, fulfill, 즉 '무언가를 성취하다, 실현하다'라는 뜻을 지니게 되겠죠?

0017 ★★★
express
[iksprés]

동 (감정 · 의견 등을) 표현하다, 나타내다

A: Do you really love me? Sometimes I wonder about our relationship.
정말 날 사랑하는 거니? 가끔, 우리 사이 지속해야 하는지 잘 모르겠어.

B: I do! Oh, I'm sorry you feel that way. I'll express how much I love you more often!
좋아하고말고! 니가 그렇게 느낀다니 정말 미안해. 내가 널 얼마나 사랑하는지 좀 더 자주 표현할게!

0018 ★★
cooperation
[kouàpəréiʃən]

명 협력, 협동 숙 in cooperation with ~와 협력(협동)하여

A: How did the presentation go? 발표 어떻게 됐어요?

B: Thanks to your cooperation, it went really well.
협력해 주신 덕분에 정말 잘 되었네요.

0019 ★
boost
[bu:st]

명 (신장시키는) 힘, 격려 동 북돋우다 유 encourage 격려하다, 용기를 북돋우다

A: I heard you got a job recently. Congratulations! You must feel proud of yourself.
너 최근에 취업했다고 들었어. 축하해! 완전 자랑스러울 것 같아.

B: Thanks. It really boosted my confidence.
고마워. 취업하니까 정말 자신감을 북돋아 주네.

0020 ★
coward
[káuərd]

명 겁쟁이 참 chicken out 겁먹고 도망가다

A: Dad! There's a cockroach in the bathroom! Do something!
아빠! 화장실에 바퀴벌레가 있어요! 어떻게든 좀 해주세요!

B: You're such a coward. Just catch it like this!
이거 완전 겁쟁이네. 그냥 이렇게 잡으면 되지!

기범: 너 얼굴이 왜 이렇게 **pale**해? 뭔 일 있어?

대건: 별다른 **symptom**은 없는데… 잘 모르겠어. 최근에 나 이사했잖아. 내가 **reside**하는 곳 근처 공기가 안 좋거든. 그것 때문인가 싶어.

기범: 음… 요새 밥을 잘 못 챙겨 먹어서 **nutrition**이 **deficient**한 상태라서 그런 거 아이라? 맨날 라면만 먹는다면서. 잘 챙겨먹는 거 진짜 **matter**해. **protein** 섭취도 하고.

대건: 요새 일 때문에 너무 바쁘다. 이럴 땐 **twin**이 있어서 일만 대신해주고 나는 놀고 먹고 이랬으면 좋겠다. 이런 **miserable**한 생활은 이제 그만…. 일단 **supplement**라도 챙겨 먹어야겠다.

0021 ★★
pale
[péil]

(형) 창백한 (숙) turn pale 창백해지다

A: Why do you look so **pale**? Are you okay?
너 왜 그렇게 창백해 보여? 괜찮아?

B: I just had a bad scare. I can't even move right now.
나 정말 놀랐어. 지금 심지어 움직이지도 못하겠어.

0022 ★★
symptom
[símptəm]

(명) 증상, 징후 (유) sign 징후, 조짐

A: Looks like you've got flu **symptoms**. Don't you think you should see a doctor? 너 독감 증상이 있어 보이는데. 병원 가봐야 된다고 생각하지 않니?

B: I plan to, but, I don't think it's that serious.
그럴 계획인데, 그 정도로 심하진 않아.

0023 ★★
reside
[rizáid]

(동) 거주하다, 살다 (유) dwell ~에 살다, 거주하다

A: Welcome back to Korea! How long have you **resided** in London by the way? 한국에 돌아온 걸 환영한다! 근데, 런던에서 몇 년 거주했지?

B: Hey! I think it's been 3 years. I'm so happy to be back.
반가워! 3년만인 것 같아. 돌아오니 정말 좋다.

0024 ★★
nutrition
[njuːtríʃən]

(명) 영양, 음식물, 영양학 (유) nutritious 영양가가 높은

A: Isn't it time-consuming for you to always prepare low-fat meals?
항상 저지방 식사를 준비하는 거 시간이 많이 걸리지 않아?

B: It is but you know what? To me, **nutrition** comes first.
그렇긴 하지. 근데, 나한텐 영양이 먼저야.

0025 ★
deficient
[díffʃənt]

ⓗ (필수적인 것이) 부족한, 결핍된 ⓢ deficient in ~가 부족한

A: Is that your lunch? Just an apple and a cup of tea? It's a diet that is deficient in protein.
그게 니 점심이야? 사과 하나랑 차 한 잔? 단백질이 부족한 식습관인데.

B: I guess I should add something else. Any suggestions?
그럼 뭘 좀 추가해야 되겠네. 뭐 조언해 줄만한 거 있어?

0026 ★★★
matter
[mǽtər]

ⓥ 중요하다, 문제가 되다 ⓝ 문제, 사안 ⓨ count 중요하다

A: Doesn't money matter to you? 돈이 너한테 중요하지 않니?

B: Of course it does! But you're more important to me than money.
물론 중요하지! 근데 돈보단 니가 나한텐 더 중요해.

0027 ★
protein
[próuti:n]

ⓝ 단백질

A: Why is my hair not growing fast? I really want long hair!
왜 이렇게 머리카락이 빨리 안 자라지? 진짜 긴 머리 하고 싶은데!

B: Maybe you need to consume more protein.
단백질 섭취량을 늘려야 할 거 같아.

0028 ★★
twin
[twin]

ⓝ 쌍둥이 ⓐ 한 쌍의

A: When is the baby due? 출산 예정일이 언제야?

B: The day after tomorrow and she's expecting twins!
내일 모렌데 쌍둥이 낳을 것 같대!

0029 ★★
miserable
[mízərəbl]

ⓐ 비참한, 빈약한, 형편없는 ⓨ pathetic 불쌍한, 애처로운

A: You look miserable. What's up? 너 비참해 보여. 뭔 일이야?

B: My girlfriend stood me up again. This is the third time in a row!
여자 친구가 또 나를 바람맞혔어. 그것도 연속으로 세 번째야!

> misery라는 단어는 정신적, 육체적으로 심한 '고통'이라는 뜻이 있어요. 누군가 나에게 이런 느낌을 전해준다면 얼마나 비참해질까요? 그래서 miserable이라는 단어는 '비참한'이라는 뜻을 지니고 있답니다.

0030 ★★
supplement
[sʌ́pləmənt]

ⓝ 보충제, 보충

A: What's in that jar on top of the fridge?
냉장고 위에 저 병 안에 든 건 뭐야?

B: Oh, you mean the white one? It's my dietary supplement.
아, 저기 하얀 거 말야? 내 영양 보충제야.

DAY 01 Review

1 다음 단어에 맞도록 우리말 또는 영어로 바꿔 쓰시오.

01 heritage   _____   **11** 영양   _____

02 transplant   _____   **12** (허공을) 맴돌다   _____

03 mimic   _____   **13** 거의 없는, 많지 않은   _____

04 install   _____   **14** 영감, 기발한 생각   _____

05 fulfill   _____   **15** 걸레로 닦다   _____

06 coward   _____   **16** 어린애 같은, 청소년   _____

07 boost   _____   **17** 표현하다, 나타내다   _____

08 supplement   _____   **18** 협력, 협동   _____

09 reside   _____   **19** 창백한   _____

10 protein   _____   **20** 이식하다, 증상   _____

2 다음 빈칸에 알맞은 단어를 넣어서 문장을 완성하시오.

01 I think you failed to _____ how serious the situation is.
너는 상황이 얼마나 심각한지 이해하질 못한 거 같아.

02 You just _____ glutinous rice cake, didn't you?
너 방금 찹쌀떡 삼킨 거지, 그치?

03 Don't you know a diet _____ in calcium can lead to weak bones? Why don't you eat stir-fried anchovies?
칼슘이 부족한 식단은 뼈를 약하게 할 수 있다는 거 몰라? 왜 멸치볶음을 안 먹니?

04 Does it really _____ who sent the text message?
누가 그 문자 메시지를 보냈는 지가 정말 중요한 거야?

05 I don't want to work with her any more. She always makes my life _____!
저는 더 이상 그녀와 일하기 싫어요. 그녀는 늘 제 삶을 비참하게 만들거든요!

DAY 02

에피소드 004~006

Episode 004 • 나도 이제 대학생, 얍!

대건: **freshman** 환영회 잘 다녀왔나?

용호: 음, **facility** 엄청 좋던데? **dormitory**도 새로 지어서 호텔 같아. 총 학생 3분의 1은 거뜬히 **accommodate** 하겠더라. 위에서 멋진 호수도 **overlook**하고 정말 좋았어. 아! 음식점도 **adjacent**한 곳에 있어서 더 좋고.

대건: 맞나, 부럽네. 우리 학교는 내년에 기숙사 **renovation** 들어간다 카던데… 뭐 그런 아쉬움에도 **despite**하고 난 우리 학교 마음에 들어. 빨리 개강했으면 좋겠다. 그나저나 3월까지 **plenty**한 시간이 있는데 뭐 할 거야?

용호: 난 그림 좋아하잖아. **exhibition** 좀 챙겨보려고. 문화생활이 최고지!

0031 ★
freshman
[fréʃmən]

몡 신입생, 신참자

A: I can't believe you're already a university **freshman**.
　 니가 벌써 대학교 신입생이라니 믿기질 않네.

B: I know. Time flies so fast.
　 맞아요. 시간이 참 빨리 흐르네요.

0032 ★★
facility
[fəsíləti]

몡 시설, 설비

A: What kind of **facilities** do you have here?
　 여기 시설에는 어떤 것들이 있나요?

B: We have a fitness center, a swimming pool and a sky lounge.
　 헬스장, 수영장 그리고 스카이 라운지가 있습니다.

0033 ★★
dormitory
[dɔ́ːrmətɔ̀ːri]

몡 기숙사, 공동 침실

A: What is it like to live in a **dormitory**?
　 기숙사 생활은 어때?

B: I thought it would be very boring but so far so good.
　 굉장히 지루할 줄 알았는데 지금까지는 좋아.

0034 ★★
accommodate
[əkámədèit]

동 수용하다, 공간을 제공하다　파 accommodation 숙소, 거처

A: Wow, look at that amphitheater. I heard it's just been constructed.
　 와, 저 원형 극장 좀 봐. 최근에 완공되었다고 들었어.

B: I think it's big enough to **accommodate** more than 2,000 people.
　 2,000명 넘는 인원도 충분히 수용할 만큼 큰 거 같다.

0035 ★★
overlook
[óuvərluk]

[동] (건물 등이) 내려다보다, 간과하다 [숙] overlook the opportunity of ~의 기회를 놓치다

A: You know what? It seems that you have **overlooked** one important thing.
그거 아나? 너 중요한 한 가지를 간과한 것 같아.

B: Oh, I missed the fact that we don't have enough money.
아, 우리가 충분한 돈이 없다는 사실을 생각 못했네.

어떤 문제에 대해서 다룰 때 신중하게 봐야 하는데 바로 앞에 있는 건 보지(look) 않고 그 너머에 있는(over) 걸 바라봅니다. overlook, 즉 '간과하다'라는 뜻이 있지요. 또한 '(어떤 위치에서) 내려다보다'라는 뜻도 많이 쓰입니다.

0036 ★
adjacent
[ədʒéisnt]

[형] 인접한, 가까운 [유] close 가까운

A: I heard you've started exercising. Did you join a gym?
너 운동 시작했다고 들었어. 체육관에 등록한 거야?

B: No, there's a huge park **adjacent** to our house. It's great for morning jogs.
아니, 우리 집 가까이에 큰 공원이 있거든. 아침 조깅 하기에 참 좋은 곳이야.

0037 ★
renovation
[renəvéiʃən]

[명] 보수, 수선 [파] renovate 개조하다, 보수하다

A: Don't you think our gym is in need of **renovation**? It's so old.
우리 체육관 보수할 필요 좀 있지 않냐? 너무 오래됐어.

B: Tell me about it. I don't even want to work out here. Look at all those cracks in the wall.
내말이. 여기서 운동 하기조차 싫어. 벽에 금 간 것들 좀 봐.

0038 ★★
despite
[dispáit]

[전] ~에도 불구하고 [숙] in spite of ~에도 불구하고

A: How is your job-hunting going?
직장 구하는 건 잘 돼가?

B: **Despite** applying for hundreds of jobs, I still haven't gotten any work.
수 백 군데에 지원했는데도 불구하고 아직 어떤 일도 못 구했어.

0039 ★★★
plenty
[plénti]

[명] 풍부, 풍부한 양 [형] 풍부한 [부] 충분히 [유] abundance 풍부, an abundance of 많은

A: Can I have some of this fruit? I'm kind of hungry now.
이 과일 좀 먹어도 될까? 지금 좀 배고픈데.

B: Oh sure. Help yourself. We have **plenty** more in the fridge.
물론이지. 맘껏 먹어. 냉장고에도 충분히 더 있어.

0040 ★★
exhibition
[èksəbíʃən]

[명] 전시회, 전람회 [숙] be on exhibition 전시 중이다

A: How was your weekend? Did you do anything special?
주말 어땠어? 뭐 특별한 거 있었어?

B: I went to my favorite artist's **exhibition** on Saturday. It was really good.
토요일에 내가 제일 좋아하는 아티스트 전시회에 다녀왔어. 진짜 좋더라.

Episode 005 • 나도 나간다 미국으로!

대건: 방학 때 뭐 할 거냐?

미정: 배우고 있는 영어도 써볼 겸 미국 다녀 오려고. **metropolis** 위주로 갔다 올 거야. UN **conference** 장도 꼭 가보고 말이지.

대건: 학원 샘한테 **inform** 해드려야겠네. 그나저나 니 돈 없다메. 잘 나간다?

미정: **discount** 엄청 받고 가는 거거든? **budget** 이 빡빡해서 **luxury** 는 꿈에서나 부려야 될 판이야. 고급 레스토랑에서 **chef** 가 만든 음식은 커녕, 핫도그만 먹다 올 듯.

대건: 나이 좀 먹디만 **mature** 한 구석이 있네. 관광 목적이 아니라 **education** 목적으로 가는 거니까 쓸 때는 좀 쓰고.

미정: 맞았어. 역시 여행만큼 어학에 효과적인 것도 없지. 아 근데 가지고 갈 짐 좀 **lessen** 해야 하는데, 좀 도와줄래?

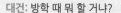

0041 ★★
metropolis
[mitrápəlis]

  명 주요 도시, 중심지

A: How was your trip to Paris? Was it good?
파리여행 어땠어? 좋았어?

B: It was awesome! Paris is definitely the fashion **metropolis** of the world.
완전 좋았지! 파리는 확실히 세계 패션의 중심지인 것 같아.

0042 ★★
conference
[kánfərəns]

  명 회의, 학회   숙 hold a press conference 기자 회견을 열다

A: Don't forget that we have to attend the **conference** on Wednesday.
수요일에 회의에 참석해야 하는 거 잊지 마세요.

B: I'm pretty sure it's going to be boring.
분명히 지루할 거예요.

0043 ★★★
inform
[infɔ́ːrm]

  동 알리다, 통지하다   유 notify 통보하다

A: By the way, you were **informed** that the meeting got canceled, right?
그런데, 회의 취소되었다는 거 들었지, 그치?

B: Wait a minute. Our meeting got canceled? Nobody said anything to me!
잠깐만. 우리 회의가 취소되었다고? 아무도 나한테 얘기 안 해줬는데!

0044 ★★
discount
[dískaunt]

  명 할인 동 할인하다, 할인해서 팔다

A: I love your jacket. When did you get it? Was it expensive?
재킷 멋있네. 언제 산 거야? 그거 비싼 거야?

B: I got this last week. They are offering a 40% **discount** on jackets at the mall.
지난주에 샀어. 쇼핑 몰에서 재킷류 40퍼센트 할인하고 있거든.

0045 ★★
budget
[bʌ́dʒit]

[명] 예산 [동] 예산을 세우다 [형] 저가의 [숙] balance the budget 수지 균형을 맞추다

A: I'm so thrilled to be going to New York next month! I'll shop for clothes and cosmetics and enjoy lots of delicious food!
다음 달에 뉴욕 가는 거, 완전 신나! 옷이랑 화장품도 사고 맛있는 음식도 많이 먹어야지.

B: I'm jealous of you. My **budget** is so tight. I won't go shopping at all.
부럽다. 내 예산은 너무 빡빡해. 쇼핑은 전혀 못 할 거 같다.

0046 ★★
luxury
[lʌ́kʃəri]

[명] 호화, 사치 [형] 고급의, 사치의

A: Wow, you booked such a **luxury** hotel. You must have spent a lot of money!
와, 너 완전 고급 호텔로 예약했네. 돈 많이 썼겠다!

B: It's our anniversary. Let's just celebrate!
기념일이잖아. 그냥 기념하자!

0047 ★
chef
[ʃef]

[명] 요리사, 주방장

A: Is it true that your brother is a **chef** in that fancy restaurant?
너네 형 그 고급 레스토랑에 주방장이라는 게 사실이야?

B: Yeah, he's been working there for more than 5 years.
응, 우리 형 거기서 일한지 5년 넘었어.

0048 ★★
mature
[mətjúər]

[형] 어른스러운, 숙성된 [동] 어른이 되다, 숙성하다(시키다) [파] maturity 성숙함, 원숙함

A: How old is your younger brother again? He's so **mature**.
너 남동생 몇 살이라고 그랬지? 완전 어른스러운데?

B: He turned 16 this year. Sometimes I feel like he's older than I am.
올해 16살이야. 가끔 얘가 나보다 나이가 더 많은 것 같다니까.

0049 ★★★
education
[èdʒukéiʃən]

[명] 교육, 교육계, 교육학

A: I didn't know you could play the piano, too. You're so talented!
너 피아노도 칠 줄 아는 줄은 몰랐네. 정말 다재다능해!

B: Thanks. I spend a lot of money on **education**.
고마워. 내가 교육에는 돈을 많이 쓰거든.

0050 ★★
lessen
[lesn]

[동] (크기, 강도, 중요도 등을) 줄이다, 줄다

A: I can't fall asleep easily these days. Do you have any tips?
요즘 쉽게 잠이 안 와. 어떤 비법 없을까?

B: How about drinking some lukewarm milk before bed? It will **lessen** your tension.
잠자리에 들기 전에 미지근한 우유를 좀 마셔보는 건 어때? 긴장감을 줄여 줄 거야.

무언가가 '더 적은'이라는 느낌을 전하고자 할 때 우리는 'less'라는 단어의 도움을 받곤 하지요. 여기에 '~로 만들다, ~되다'라는 의미의 접미사 -en을 붙이면 lessen, 더 적어지도록 만드는 거니까, '줄이다'라는 뜻이 되겠죠?

Episode 006 • 내 친구는 패션왕?

대건: 너 **forehead**에 두른 거 뭔데?
영수: 이거? 땀받이용 밴드, 멋있지?
대건: 복장 **unify**하기로 했잖아. 기억 안 나?
영수: 기억나지. 옷은 똑같이 입었어, 봐!
대건: 야, 옷 색깔만 같고 아예 다른 거구만. 넌 왜 이렇게 **selfish**한 건데?
영수: **flexible**한 거지. 내가 뭐 **regulation**이라도 어겼냐? **envious**하는 거 다 안다만 참 답답하다. 넌 융통성이 너무 **lack**해.
대건: 너 진짜… **helpless**다. 마음 속에서 지금 당장 니를 **spank**하고 싶다는 **impulse**가 들지만 참는다.

0051 ★★
forehead
[fɔ́:rhèd]

(명) 이마

A: Why don't you look in the mirror?
너 거울 좀 보는 게 어때?

B: Why? Is there anything on my face? Oh my! What is this on my forehead?
왜? 내 얼굴에 뭐 묻었어? 이런! 이마에 이게 뭐지?

 이마는 머리의(head) 앞쪽에 위치해 있죠? '앞쪽의, 앞부분의'라는 의미를 지닌 fore와 head가 만나서 forehead, 이마가 되겠습니다.

0052 ★
unify
[jú:nəfài]

(통) 통일(통합)하다 (유) combine 결합하다

A: Don't you think we need to unify our transportation system? It's so inefficient now.
우리 교통 체계를 통합해야 한다고 생각하지 않아? 지금 너무 비효율적인 거 같아.

B: You're right. Besides, it is very uncomfortable.
맞아. 게다가 너무 불편해.

0053 ★★
selfish
[sélfiʃ]

(형) 이기적인, 제멋대로의 (반) generous 관대한, 너그러운

A: You only did your dishes. How can you be so selfish?
설거지 니 그릇만 딱 해놨네. 넌 어떻게 그렇게 이기적이냐?

B: What should I do your dishes? You used them, then you should wash them by yourself!
내가 왜 니 설거지를 해야 되는데? 니가 썼으면 니가 씻어야 될 거 아냐!

0054 ★
flexible
[fléksəbl]

(형) 융통성 있는, 잘 구부러지는 (파) flexibility 융통성, 유연성

A: How's your new boss? Is he nice to you?
새로 오신 상사 분 어떠냐? 너한테는 잘 해주고?

B: Not only is he nice, but he is also very flexible. I finally have a boss who's not bossy and stubborn!
잘 해주시는 거뿐만 아니라 아주 융통성도 있으셔. 드디어 권위적이거나 고집 세지 않은 상사를 만나게 되었어!

regulation
0055 ★

[règjuléiʃən]

ⓝ 규정, 규제 ⓟ regulate 규제하다 ⓢ adopt a regulation 규칙을 정하다

A: Hey, what are you doing now? That's against regulations!
야, 너 지금 뭐하고 있는 건데? 그거 규정에 어긋나잖아!

B: Shh. Don't tell anybody what I just did.
쉬잇. 아무한테도 방금 내가 한 거 말하지 마.

envious
0056 ★★

[énviəs]

ⓗ 부러워하는, 시기하는 ⓤ jealous 질투하는 ⓢ be envious of ~을 부러워하다

A: Did you hear that Daegun won first prize in the lottery?
대건이가 복권 일등 당첨 됐다는 거 들었어?

B: I did. Everybody in the neighborhood is so envious of him.
들었지. 마을에 있는 사람들 전부 다 부러워하고 있잖아.

lack
0057 ★★★

[læk]

ⓝ 부족, 결핍 ⓥ ~이 없다, 부족하다 ⓤ shortage 부족, 결핍

A: How did the event go? Was it successful?
행사 어떻게 진행됐어? 성공적이었어?

B: It didn't go well due to the lack of volunteers.
자원봉사자들이 부족해서 잘 안 됐어.

helpless
0058 ★★

[hélplis]

ⓗ 속수무책인, 무력한 ⓤ hopeless 가망 없는

A: Did you see the soccer game last night? Our national team was great!
어젯밤에 축구경기 봤어? 우리나라 국가대표팀 정말 잘하던데!

B: I know. The opposing team was just helpless against our team!
그러게. 상대팀이 우리 팀한테 아주 속수무책이더만!

spank
0059 ★

[spǽŋk]

ⓥ (엉덩이 등을) 찰싹 때리다

A: Hey, look at this photo of you. You smiled like an angel.
야, 이 사진 좀 봐. 너 완전 천사처럼 웃고 있네.

B: You know what? That reminds me of my mom. She would spank me if I didn't smile in front of the camera. That's why I smiled.
그거 아나? 그 사진 울 엄마 생각나게 하네. 카메라 앞에서 안 웃으면 내 엉덩일 때리곤 하셨는데 말이지. 그래서 웃었던 거야.

impulse
0060 ★★

[ímpʌls]

ⓝ 충동, 자극 ⓟ impulsive 충동적인 ⓢ on (an) impulse 충동적으로

A: Wait a minute. Something's different. You got another watch?
잠깐만. 뭔가 다른데. 너 시계 또 샀어?

B: It was an impulse purchase, but look how pretty it is!
충동구매이긴 했지만, 얼마나 멋진지 봐!

1 다음 단어에 맞도록 우리말 또는 영어로 바꿔 쓰시오.

01 freshman _____ 11 보수, 수선 _____

02 exhibition _____ 12 풍부, 풍부한 양 _____

03 lessen _____ 13 시설, 설비 _____

04 mature _____ 14 인접한, 가까운 _____

05 metropolis _____ 15 ~에도 불구하고 _____

06 conference _____ 16 기숙사, 공동 침실 _____

07 budget _____ 17 할인, 할인하다 _____

08 helpless _____ 18 요리사, 주방장 _____

09 unify _____ 19 이기적인, 제멋대로의 _____

10 lack _____ 20 규정, 규제 _____

2 다음 빈칸에 알맞은 단어를 넣어서 문장을 완성하시오.

01 That hotel can _____ up to 1,200 guests! Isn't it amazing?
저 호텔 1,200명까지 수용할 수 있대. 놀랍지 않아?

02 You seem to have _____ one important fact. I'm not your friend.
너는 뭔가 중요한 사실 하나를 간과한 거 같아. 난 너의 친구가 아니야.

03 Have I _____ you that I will get married next year?
내가 내년에 결혼할 거라고 알려줬던가?

04 You were so funny on the stage. It was really hard for me to resist the
_____ to laugh.
너 무대 위에서 너무 웃겼어. 웃고 싶은 충동 참는 거 정말 힘들었다.

05 Why are you being so stubborn right now? You have to be more _____
in your approach.
왜 그렇게 고집만 부리는 거야? 접근 방법에 있어서 좀 더 융통성 있을 필요가 있어.

Episode **007** • 우화에도 혁신이 필요해.

대견: 이거 우리가 옛날에 보던 **fable** 책이네. 표지 디자인은 더 귀여워졌다. 어릴 때 이런 거 보면서 인생의 **moral** 같은 것도 많이 배웠는데. 그쟈?

태훈: 난 별로… 우화 책에도 뭐가 **innovation** 이 필요하다고 생각해. 예를 들어, **starvation** 에 허덕이던 주인공이 자신의 **fate** 를 바꾸기 위해 군대를 창설해서 적국 영토를 **invade** 힌다든지 말이야. 애들이 영웅 이야기 좋아하잖아.

대견: **objective** 한 시각에서 보면 누가 그런 **negative** 한 이야기로 엮인 책을 아이들에게 사주겠어?

태훈: 어허! 전쟁영화는 안 보는가? 보는 우리를 **entertain** 해주고, 애들한테 모험심을 길러주고. 이야말로 혁신인 거지.

대견: 아무튼, 난 **uncertain** 이다.

0061 ★★
fable
[féibl]

명 우화, 꾸며낸 이야기

A: You really don't know the lesson of the story? Come on. It's one of Aesop's **fables**. 너 진짜 이 이야기 교훈을 모른다고? 야, 이거 이솝우화 중의 하나잖아.

B: Sorry. I don't even know what you're talking about now. Aesop? Who is that?
미안. 난 니가 지금 무슨 얘기하는 지도 모르겠어. 이솝? 그게 누군데?

0062 ★★
moral
[mɔ́:rəl]

명 교훈 형 도덕(상)의, 도의(도덕)적인 파 morality 도덕성

A: What is your new boss like?
새로 온 상사는 어때?

B: She's a very **moral** person. I don't think she has ever lied in her whole life.
굉장히 도덕적인 분이셔. 살면서 한 번도 거짓말 안 해보신 분 같던데.

'moral'이란 단어는 '도덕과 관련된'의 의미를 갖고 있는데요, 비슷하게 생긴 단어 'morale'은 이와는 전혀 다른 '사기, 의욕'의 뜻을 가지고 있으니 꼭 구분해서 외워보세요.

0063 ★
innovation
[ìnəvéiʃən]

명 혁신, 쇄신 유 revolution 혁명

A: Isn't it amazing that we are living in an age of technological **innovation**? 우리가 기술 혁신 시대에 살고 있다는 게 참 놀랍지 않아?

B: I know. I'm so happy that I can take advantage of it.
맞아. 그 이점을 활용할 수 있다는 게 참 좋네.

0064 ★
starvation
[staːrvéiʃən]

ⓜ 굶주림, 기아 ⓟ starve 굶주리다, 굶어 죽다

A: Ugh, the food here is just not delicious at all. I can't eat any more of this. 윽, 여기 음식 진짜 맛없어. 이거 더 이상 못 먹겠다.

B: Come on. There are lots of people who die from **starvation**. Just finish your meal. 야, 기아로 죽는 사람들도 많아. 그냥 다 먹어.

0065 ★★
fate
[feit]

ⓜ 운명, 숙명 ⓤ destiny

A: Are you really going to go there? It seems very dangerous.
너 진짜 거기 가려고? 완전 위험해 보이는데.

B: I'm going to tempt **fate** this time. Just wish me luck.
이번에 내 운명을 한번 시험해봐야지. 그냥 행운이나 빌어주시게.

0066 ★★
invade
[invéid]

ⓢ 침입(침략)하다, 쳐들어가다 ⓢ invade someone's right 누군가의 권리를 침해하다

A: Are you aware that you're about to **invade** my privacy? Don't enter my room without my permission!
너 지금 내 사생활 침해하려던 참인 거 알아? 내 허락 없이 내 방에 들어가지 말라고!

B: Oh, sorry. I just wanted to see what your room looks like.
아, 미안. 난 그냥 네 방이 어떻게 생겼는지 보고 싶었어.

0067 ★★
objective
[əbdʒéktiv]

ⓗ 객관적인, 목적의 ⓜ 목적, 목표 ⓑ subjective 주관적인, 개인의

A: Hey, you're not supposed to be subjective on that matter. You should be **objective**.
야, 너 그 사안에 대해서는 주관적이면 안 돼. 객관적이어야 해.

B: I know I should, but I can't. Our client is my ex-girlfriend.
그래야 되는 건 알겠는데 그럴 수가 없어. 우리 고객이 내 전 여자 친구라고.

0068 ★★★
negative
[négətiv]

ⓗ 부정적인, (테스트 결과가) 음성의

A: Why are you so concerned about the test? Don't worry so much.
너 그 시험에 대해서 왜 그렇게 걱정하는 거야? 너무 걱정 하지 마.

B: It will have a **negative** effect on my career if I don't get a high score.
높은 점수를 얻지 못하면 내 경력에 부정적인 영향을 미칠 거야.

0069 ★★
entertain
[èntərtéin]

ⓢ 즐겁게 해주다, 접대하다 ⓤ amuse (사람을) 즐겁게 하다

A: How was your trip with your daughter? Was it fun?
딸이랑 여행은 어땠어? 재밌었어?

B: It was so much fun! She brought a friend of hers along and she **entertained** us for the entire trip.
엄청 즐거웠지! 딸이 친구도 한 명 데려왔더라고 근데 그 애가 여행 내내 우릴 즐겁게 해줬어.

0070 ★★
uncertain
[ʌnsə́ːrtn]

ⓗ 잘 모르는, 확신이 없는 ⓤ unsure 확신하지 못하는

A: Why are you just sitting there? Aren't you supposed to be working? 자네 왜 그냥 거기 앉아 있는 건가? 일하고 있어야 되는 거 아닌가?

B: I am but I'm actually **uncertain** about what to do. This is only my second day on the job.
예, 그런데요. 사실 아직 뭘 해야 할지 잘 모르겠어요. 이제 겨우 이틀째거든요.

Episode **008** • 인생 설계는 17살부터

현실: 대건아, 공부 하니?
대건: 응, 학생인데 당연한 거 아니라?
현실: **formula** 모음집이네. 너랑 전혀 **irrelevant**한 책은 왜 보는 건데? 언제는 또 **veterinarian**할 거라며.
대건: 다 투자라고 볼 수 있지. 대학교는 **abroad**로 갈 거야. 꿈을 정했거든. 회계사가 될 거야.
현실: 거짓말 잘하는 **shepherd** 소년도 웃겠다. 산수도 잘 못 하면서 무슨 소리야. 너한테 일 맡긴 회사가 **bankrupt**하는 거 보고 싶어? 너 때문에 회사가 살아남으려고 **struggle**하는 거 보고 싶으냐고.
대건: 매사에 **critical**한 친구야! **morale**을 북돋워 줘도 모자란데… 뭐라고? 적어도 난 너처럼 내 인생을 **neglect**하시는 않을 거니까 맘데로 생각해. 난 나의 길을 갈거야.

0071 ★★
formula
[fɔ́:rmjulə]

[명] (수학) 공식, 화학식, 제조법 [파] formulate (세심히) 만들어 내다

A: Do I have to memorize this **formula**?
이 공식 꼭 외워야 돼?
B: Of course. It is used to calculate the area of a circle, which we will learn soon.
당연하지. 그 공식은 원의 면적 계산하는 데 쓰이잖아, 우리가 곧 배울 것이기도 하고.

0072 ★
irrelevant
[iréləvənt]

[형] 무관한, 상관없는 [파] irrelevance 무관함 [숙] be irrelevant to ~와 무관하다

A: Professor, can I ask you something?
교수님, 뭐 좀 질문해도 될까요?
B: Sure, but if it's **irrelevant** to what we have learned today, don't.
물론이지 근데 우리가 오늘 배운 거랑 상관없는 거라면 하지 말고.

'(어떤 것과) 관련 있는'이라는 의미를 지닌 형용사 relevant가 있습니다. 이 앞에 부정 접두사인 ir-을 붙이면 irrelevant가 되는데요, '관련이 있지 않은', '무관한, 상관없는'이라는 뜻이 되는 거지요.

0073 ★
veterinarian
[vètərənɛ́əriən]

[명] 수의사

A: I used to dream of becoming a **veterinarian**.
나 한때엔 수의사 되길 꿈꾸곤 했었는데 말이지.
B: Then why did you not follow your dream? It would be a perfect job for you since you love animals.
근데 왜 니 꿈을 안 좇은 거야? 너 동물 좋아하니까 진짜 니 직업으로 딱 맞았을 거 같은데.

0074 ★★
abroad
[əbrɔ́:d]

[부] 해외로, 해외에 [유] overseas 해외의

A: Your English is perfect! What's the secret?
영어 완벽하네! 비결이 뭐야?
B: Thanks. Actually, I lived **abroad** for a few years.
고마워. 사실, 해외에서 몇 년 살았었어.

0075 ★

shepherd
[ʃépərd]

명 양치기

A: What do you think you were in your past life?
전생에 넌 어떤 일을 했을 거 같냐?

B: Well, I must have been a shepherd! You know I love to protect animals. 음, 난 아마 양치기였을 거야! 너도 알다시피 내가 또 한 동물 보호 하잖냐.

0076 ★

bankrupt
[bǽŋkrʌpt]

형 파산한 명 파산자 숙 go bankrupt 파산하다

A: Does your uncle work for a food company?
너희 삼촌 식품회사에 다니시니?

B: He did. But the company went bankrupt a couple of months ago and has fired everyone.
다니셨지. 그런데 몇 달 전에 회사가 부도나서 직원 모두가 해고 되었어.

0077 ★★

struggle
[strʌ́gl]

동 투쟁(고투)하다, 발버둥 치다 명 투쟁 유 strive 분투하다

A: Why is it so difficult for us to live well?
잘 산다는 게 왜 이리 힘든 걸까?

B: Life itself is a struggle. It's supposed to be difficult.
삶이란 건 그 자체가 투쟁인 거야. 어려운 게 당연한 게지.

0078 ★★

critical
[krítikəl]

형 비판적인, (앞으로의 상황에 영향을 미치므로) 대단히 중요한

유 crucial 중대한, 결정적인

A: Hmm... I don't think I can accept your proposal. Actually it just doesn't make any sense. 음… 자네가 제안한 사항을 받아들이긴 좀 어렵겠구만.
사실 이게 그냥 말 자체가 안 되는 거 같아.

B: You haven't even gone through the entire proposal. Why are you always so critical?
제안서 전부 다 읽어 보시지도 않으셨잖아요. 왜 항상 그리 비판적이신 거죠?

0079 ★

morale
[mərǽl]

명 사기, 의욕

A: Why are you being lazy these days? You're not who you used to be.
너 요즘 왜이리 게으르냐? 예전 너 같지가 않네.

B: I need something to boost my morale. I just don't want to do anything these days.
나 뭔가 사기를 좀 북돋아줄 무언가가 필요해. 요샌 그냥 아무것도 하기 싫어.

0080 ★★★

neglect
[niglékt]

동 방치하다, 등한시하다 파 neglectful 태만한, 등한한

A: I can't believe you neglected my puppy! She's just four months old and you promised you would take care of her for a couple of hours. 우리 강아지를 그냥 방치해뒀다니 믿을 수가 없다. 이제 겨우 4개월 됐고 니가 약속했잖아. 몇 시간 동안 잘 돌봐주겠다고.

B: I'm so sorry. I have nothing to say.
미안하다. 내가 할 말이 없다.

Episode 009 • 어젯밤 꿈속에서

대건: 이거 내가 **spontaneous**하게 지어낸 게 아니고 꿈 꾼 거야. 잘 들어봐.

미정: 그래.

대건: 내가 어떤 숲 속을 **stroll**하고 있었는데 누가 **tickle**하는 지 발바닥이 간지러운 거야. 그래서 발을 들었더니만 글쎄, 개미 한 마리가 왕관을 쓰고는 자기가 **emperor**이라면서 여긴 자기네 **territory**니까 썩 물러나라는 거야.

미정: 개미가 말을 했다고?

대건: 어, 계속 들어봐. 이렇게 **encounter**해서 유감이긴 한데 지금 안 물러서면 자기네 **fortress**에서 활을 쏠 거라나 뭐라나.

미정: 그래서 니는 뭐랬는데?

대건: 속으로는 '뭐 이런 **insolent**한 개미가 다 있나' 싶었는데 지금 안 도망치면 **funeral**에서나 보게 될 거라고, 침입자한테 **mercy**는 없다고 하길래 무서워서 도망쳤지.

0081 ★

spontaneous
[spantéiniəs]

(형) 즉흥적인, 자연스러운, 자발적인 (파) spontaneously 자발적으로, 자연스럽게

A: Thank you so much for helping my mom this morning.
오늘 아침에 우리 엄마 도와준 거 정말 고마워.

B: Well, actually I didn't even know it was your mom. It was just a **spontaneous** act.
사실 난 그분이 너네 엄마인 줄도 몰랐어. 그냥 자발적인 행동이었어.

0082 ★

stroll
[stroul]

(동) 거닐다, 산책하다 (명) 산책 (숙) take a stroll 산책하다

A: Do you want to go for a **stroll**? 산책 갈래?

B: Sounds great. The weather is perfect today.
좋지. 오늘 날씨 정말 좋네.

stroll은 '산책하다'라는 의미를 지닌 동사인데요. 유사한 표현으로는 'take a walk', 'go for a walk' 등이 있답니다. 이 표현들도 잘 챙겨두세요!

0083 ★

tickle
[tíkl]

(동) 간지럼을 태우다 (명) 간지러움 (파) ticklish 간지럼을 잘 타는, 간질간질한

A: Can you just stop **tickling** me? It's pretty annoying.
나 좀 그만 간지럽히지? 상당히 거슬려.

B: Sorry, I just wanted to have some fun.
미안, 그냥 재밌게 하려고 그랬던 거야.

0084 ★★

emperor
[émpərər]

(명) 황제

A: What would it feel like to be an **emperor**?
황제가 된다는 건 어떤 기분일까?

B: Well, it would feel like the whole world is yours.
음, 전 세계가 네 것인 것 같은 그런 기분일 것 같은데.

0085 ★★
territory
[térətɔ̀ːri]

(명) 영토, 지역 (유) district 지구, 지역

A: Don't cross the line. This is my territory!
선 넘어오지 마. 여긴 내 영토야!

B: How childish of you. All right, I won't enter your space!
아우 유치해. 알았어, 니 자리에 안 들어가!

0086 ★★
encounter
[inkáuntər]

(동) 맞닥뜨리다, 접하다 (숙) have an encounter with ~와 우연히 만나다

A: How is your school life going? Is everybody nice to you?
학교생활은 어때? 사람들은 다 잘해주고?

B: I've already encountered a couple of difficulties. Can you help me deal with them?
나 벌써 몇 가지 어려움에 부딪혔어. 어떻게 처리해야 할 지 좀 도와줄래?

0087 ★★
fortress
[fɔ́ːrtris]

(명) 요새, 안전한 곳

A: Look how big and tall that fortress is.
저 요새 얼마나 크고 높은지 좀 봐.

B: I know. It must be a thirteenth-century fortress.
그러게. 저거 13세기 요새가 분명해.

0088 ★
insolent
[ínsələnt]

(형) 버릇없는, 무례한 (파) insolence 건방짐, 무례 (숙) insolent to ~에 무례한

A: Why are you being so insolent to your mom? You're grounded for the whole weekend!
너 엄마한테 왜 그렇게 버릇없게 구는 거니? 이번 주말 내내 외출 금지야!

B: Come on, Dad. That's unfair!
아 아빠. 불공평해요!

0089 ★★
funeral
[fjúːnərəl]

(명) 장례식 (유) burial 매장, 장례식

A: Did you go to your friend's funeral?
너 친구 장례식엔 다녀왔어?

B: I did. There were more people than I expected. I'm really going to miss him.
다녀왔지. 사람들도 생각보다 훨씬 더 많이 왔더라. 진짜 그리울 거 같다.

0090 ★★
mercy
[mə́ːrsi]

(명) 자비, 다행스러운 일

A: The contest is tomorrow! My hands and legs are already shaking.
내일이면 대회 날이네! 손이랑 다리랑 벌써 떨린다.

B: God, please have mercy on us!
신이시여, 제발 우리에게 자비를 베푸소서!

DAY 03 Review

1 다음 단어에 맞도록 우리말 또는 영어로 바꿔 쓰시오.

01 innovation _____ 11 우화, 꾸며낸 이야기 _____

02 invade _____ 12 잘 모르는, 확신이 없는 _____

03 entertain _____ 13 교훈, 도덕(상)의 _____

04 formula _____ 14 해외로, 해외에 _____

05 irrelevant _____ 15 투쟁하다, 발버둥 치다 _____

06 morale _____ 16 파산한 _____

07 insolent _____ 17 비판적인, 대단히 중요한 _____

08 funeral _____ 18 양치기 _____

09 emperor _____ 19 영토, 지역 _____

10 tickle _____ 20 자비, 다행스러운 일 _____

2 다음 빈칸에 알맞은 단어를 넣어서 문장을 완성하시오.

01 I admit that I have _____ my studies for too long.
내가 정말 오랫동안 학업을 등한시 해온 거 인정해.

02 I've never _____ such obstacles before.
난 전에 그런 장애물을 맞닥뜨린 적이 전혀 없었어.

03 My mother loved to _____ along the beach.
나의 어머니는 해변을 거니는 것을 좋아하셨어.

04 It is impossible for me to be completely _____ about that matter.
내가 그 사안에 대해서 완전히 객관적으로 대하는 건 불가능한 일이야.

05 Are you aware that millions of people face _____ every day?
매일 수백만 명의 사람들이 굶주림에 처해 있다는 건 알고 있어?

에피소드 010~012

Episode 010 · 봉쥬르?

영수: 니 요새 뭐 배우나? 뭘 자꾸 혼자서 웅얼거리는데?

대건: 어 왔나? 내 **lately** 프랑스어 **tuition** 받기 시작했거든. 예전부터 프랑스어 정말 잘하길 **yearn**했었어. 지금 프랑스 숙제 하고 있었다. 뭔가 영어랑 다르게 **vowel** 발음하는 게 어렵네.

영수: 내가 몰라서 그런가? 니 **pronounce** 들어보니까 꽤 **fluent**한데? 그리고 말이 좀 **feminine**한 그런 느낌? 좀 있어 보이네. 암튼 요샌 제2 외국어가 **essential**한 세상인데 난 시간만 **waste**하고 있으니….

대건: 그런 **proverb**이 있잖아. '하늘은 스스로 돕는 자를 돕는다.' 뭐라도 하나 정해서 열심히 해봐라. 그러면 될 거다.

0091 ★★

lately
[léitli]

(부) 최근에 (유) recently 최근에, not long ago 얼마 전에

A: You look very tired these days. What's going on?
너 요새 엄청 피곤해 보인다. 뭔 일 있어?

B: I think I have insomnia. I haven't been sleeping well **lately**.
나 요새 불면증 있나봐. 최근에 잠을 잘 못 자네.

0092 ★

tuition
[tjuːíʃən]

(명) 교습, 수업 (숙) get tuition 수업을 받다, pay tuition for ~의 수업료를 내다

A: I didn't know that you can speak French. When did you learn it?
너가 프랑스어도 할 수 있는지 몰랐어. 언제 배운 거야?

B: Actually, I've been receiving private **tuition** in French for a year.
사실, 나 프랑스어 개인 교습 일 년째 받고 있어.

0093 ★★

yearn
[jəːrn]

(동) 갈망하다, 동경하다 (유) long 간절히 바라다, desire 몹시 바라다

A: Finally! We have our own apartment! I still can't believe this is ours.
드디어! 아파트를 샀구나! 이게 우리 거라는 게 아직 믿기질 않네.

B: Yeah, we did it! We have **yearned** for this for a long time.
어, 드디어 해냈어! 정말 오랫동안 내 집 마련을 갈망해 왔는데 말이지.

0094 ★★

vowel
[váuəl]

(명) 모음, 모음자

A: I'm so nervous now that I can't read the script well. What should I do?
나 지금 너무 긴장해서 대본을 잘 읽을 수가 없네. 어떡하지?

B: You have to release your tension. Let's make some **vowel** sounds together. Say 'Ah~~.'
너 긴장 좀 풀어야겠다. 같이 모음 좀 발음해보자. 자 '아…' 해봐.

0095 ★★

pronounce
[prənáuns]

(동) 발음하다, 표명하다　(파) pronunciation 발음

A: Is your Korean name Daegun or Daigun?
너 한국 이름이 대건이었나 아님 다이건이었나?

B: It's Daegun. Very few foreigners are able to **pronounce** my name correctly.
대건이야. 내 이름 제대로 발음할 줄 아는 외국인은 거의 드물어.

0096 ★★

fluent
[flú:ənt]

(형) 유창한, 능숙한　(숙) be fluent in ～에 유창하다

A: Did you see the notice? Our proposal got approved!
공지 봤어? 우리 제안 승인 받았대!

B: Really? We did it! It's all thanks to you! You were such a **fluent** speaker at the meeting.
진짜? 우리가 해냈구나! 이게 다 니 덕이야! 회의 때 너 정말 능숙한 발표자였어.

0097 ★

feminine
[fémənin]

(형) 여성스러운, 여자의　(파) feminize 여성스럽게 만들다

A: I love your dress! It makes you look very **feminine**.
드레스 예쁘다! 그걸 입으니 너 정말 여성스러워 보여.

B: Thanks, I'm glad you like it. Okay, let's hurry before we are late!
고마워. 니가 좋다니 나도 좋네. 자, 늦게 전에 서두르자!

 우선 feminine이라는 단어는 '여성스러운, 여성의' 즉, 여성과 관련된 의미를 지닌 단어라는 점을 기억하세요. 이 단어와 비슷한 famine은 '기근'이라는 뜻을 갖고 있으니 주의하세요.

0098 ★★

essential
[isénʃəl]

(형) 필수적인, 근본적인　(명) 핵심 사항　(파) essence 본질, 정수

A: How many part-time jobs do you have these days? You should take care of yourself first. Money is not everything.
너 요새 아르바이트 몇 개나 해? 몸부터 챙겨야지. 돈이 전부는 아니다.

B: Yeah, maybe you're right. Money is not **essential** to happiness, but it is necessary to pursue happiness.
그래, 니 말이 맞을 수도 있어. 돈이 행복에 필수적인 건 아니지만 행복을 추구하려면 필요하지.

0099 ★★★

waste
[wéist]

(동) 낭비하다　(명) 쓰레기　(파) wasteful 낭비하는, 낭비적인

A: You're playing games again? It's two in the morning! Why do you always **waste** your time?
또 게임해? 새벽 2시야! 넌 왜 그렇게 시간을 낭비하는 건데?

B: I just finished my work and I need a break!
나 방금 일 끝내서 나도 휴식이 필요하다고!

0100 ★★

proverb
[právə:rb]

(명) 속담

A: I still don't understand why my girlfriend dumped me. I thought we were a match made in heaven.
아직도 왜 여자 친구가 날 찼는지 이해할 수 없어. 우린 하늘에서 맺어 준 인연인줄 알았는데.

B: There's an old **proverb** that goes 'Out of sight, out of mind.' That's why.
옛 속담에 이런 말이 있지, '눈에서 멀어지면 마음에서도 멀어진다.' 그래서 그런 거지.

Episode 011 • 돈 많아봤자 아프면 답 없음.

대건: 또 **delivery** 음식 먹었나? 어제도 짜장면 먹었다며? 그러고 보이 니 요새 살이 좀 찐 것 같다.

우식: **admit**하기 싫지만 그렇네. 매일매일 과다 지방을 내 배로 **absorb**하는 기분이야.

대건: 요즘 운동도 **barely**하지? 정신 차려. 그러다가 **patient** 신세 못 면한다. 이참에 **checkup**도 좀 받아보고.

우식: 그래야 되는데, 지금 내 **period**가 좀 그래. 한참 바쁠 때잖아.

대건: 시기 타령은 됐고. **circumstance** 탓 할 때야? 아프고 **regret**할래? 그렇게 돈 벌어봤자 아프면 다 **vain** 되는 거다.

DAY **04**

0101 ★★
delivery
[dilívəri]

명 배달, 전달, 출산 파 deliver 배달하다

A: I got a question. Do **delivery** services work on Saturdays in Korea?
궁금한 게 있어. 한국에선 토요일에도 배달 서비스를 해?

B: They do. I think Korea is heaven for those who love shopping!
당연하지. 내가 봤을 때 한국은 쇼핑 좋아하는 사람들한테 천국이야!

0102 ★★★
admit
[ædmít]

동 인정하다, 시인하다 유 confess (죄, 잘못을) 자백하다, 고백하다

A: Did you get the money back from that guy you told me about?
나한테 말했던 그 남자한테 돈 돌려받았어?

B: Not yet, but he **admitted** he still owed me and promised that he would wire the money within this week.
아직, 그래도 나한테 아직 빚 있는 거 다 인정했고 이번 주 중에 돈 부쳐 줄 거라고 약속했어.

0103 ★★
absorb
[æbsɔ́ːrb]

동 흡수하다, 받아들이다 유 soak up 흡수하다, 빨아들이다

A: You put on a lot of cosmetics. What are you applying right now?
화장품 많이 바르네. 지금 바르고 있는 그건 뭔데?

B: This is a moisturizer. It is easily **absorbed** into the skin. It's one of my beauty secrets.
이건 수분 크림이야. 피부에 잘 흡수돼. 내 미용 비결 중 하나지.

0104 ★★
barely
[béərli]

부 거의 ~아니게, 간신히

A: We have a very important test tomorrow but I've **barely** studied so far. What am I going to do?
우리 내일 진짜 중요한 시험 있잖아. 근데 나 지금까지 거의 공부를 안 했어. 어떡하지?

B: Let me give you a few words of consolation. I don't even know what the test will be on.
내가 위로의 말 몇 마디 건네주지. 난 심지어 시험 범위도 몰라.

 부사 barely는 '거의 ~아니게, 간신히' 이런 뜻을 가미해주는 단어랍니다. 이것과 비슷하게 생긴 단어 중에 **barley**가 있는데요. 전혀 다른 뜻인, 우리가 평소에 먹는 '보리'의 의미니까 주의하세요!

0105 ★★★

patient

[péiʃənt]

(형) 참을성 있는 (명) 환자 (파) patience 참을성, 인내심

A: What do you want me to do? Should I help you clean the house?

내가 뭐 해주면 돼? 집 청소하는 거 도와주면 되는 거야?

B: No, you don't have to. Take care of my nephew for a few hours. You should be **patient** with him. He's very naughty.

아냐, 그럴 필요는 없어. 우리 조카 몇 시간 동안 봐 줘. 조카랑 있을 때 참을성 가져야 해. 애가 굉장히 버릇없거든.

0106 ★

checkup

[ʧɛ́kʌp]

(명) (건강) 검진

A: Why aren't you eating anything? Are you okay?

너 왜 아무 것도 안 먹어? 괜찮아?

B: I'm alright. I'm going for a **checkup** tomorrow, so I can't eat anything.

괜찮아. 내일 건강 검진이 있거든 그래서 아무것도 먹을 수가 없어.

0107 ★★★

period

[píːəriəd]

(명) 시기, 기간, 시대 (파) periodical 정기 간행물

A: I heard you finally got a new job! Congratulations!

너 드디어 새 직장 구했다며? 축하해!

B: Thanks. I've been through a long **period** of uncertainty and I'm really glad that I'm no longer unemployed.

고마워. 오랜 기간 불확실한 상황을 지나왔어. 더 이상 실직자가 아니라서 참 다행이야.

0108 ★★★

circumstance

[sə́ːrkəmstæns]

(명) 환경, 상황 (숙) without circumstance 허물없이, 격식을 차리지 않고

A: Thank you so much for lending me your car. I will drive it very carefully.

차 빌려줘서 정말 고맙다. 진짜 조심히 몰게.

B: It's nothing. You always help me in difficult **circumstances**.

별거 아니야. 내가 힘든 상황일 때에 너도 늘 도와주잖아.

0109 ★★

regret

[rigrét]

(동) 후회하다, 유감스럽게 생각하다 (명) 후회, 유감 (유) remorse 회한

A: I really want to learn how to play the guitar but the tuition is kind of expensive.

나 진짜 기타 치는 거 배우고 싶은데 수업료가 좀 비싸.

B: You know what? If you don't do it now, you'll only **regret** it. So just do it.

있잖아. 니가 지금 그거 안 하면 후회만 하게 된다. 그러니까 그냥 배워.

0110 ★★★

vain

[vein]

(형) 헛된, 소용없는 (파) vanity 자만심, 허영심 (숙) be in vain 허사가 되다

A: What did she say? Is she going to come with us?

걔가 뭐래? 우리랑 같이 갈 거래?

B: Well, I tried hard to persuade her but it was all in **vain**. She's not coming.

뭐, 설득하려고 엄청 노력했건만 다 허사였어. 같이 안 간대.

Episode 012 • 꽃집에서

현실: 웬 꽃다발이야?

대건: 어, 우리 집 앞에 꽃집 있잖아. 지나가는데 **florist**가 나와서 물 주고 있더라고. 인사하고 지나가려는데 너무 **fragrant**한 거야. 그래서 나도 모르게 사버렸지.

현실: 니 빠졌구나?

대건: 뭔 소린데?

현실: 그 여자한테 말야.

대건: 아, 몰라 눈망울이 완전 **cosmos**라니까, 쑥 빨려 들어간다. 진심 잘 해보고 싶다.

현실: 음, 그럼 우선 그 **dusty**한 신발부터 빨고. **criminal**같은 수염도 깎은 다음에 **beverage**라도 사서 다시 한 번 가봐. 그래도 **attempt**해보고 포기하든가 해야지. 그건 그거고 그 꽃은 어쩔 거야? 니 얼굴이랑 완전 **disharmony**한데.

대건: 내 방에 **decorate**하지 뭐. 이거 **bloom**하는 거래. 예쁘겠다.

0111 ★

florist
[flɔ́:rist]

ⓜ 꽃집 주인, 꽃집

A: I didn't know you like flowers. Where did you get these?
난 니가 꽃 좋아하는 줄은 몰랐네. 어디서 사 온 거야?

B: Aren't they beautiful? I got them from the **florist**'s right in front of my house.
예쁘지 않아? 우리 집 바로 앞에 있는 꽃집에서 사 온 거야.

0112 ★★

fragrant
[fréigrənt]

ⓗ 향기로운, 향긋한 ⓨ aromatic 향이 좋은

A: Isn't the air **fragrant** in the mountains?
산이라 그런지 공기가 향긋하지 않니?

B: This is why I love hiking. The air is totally different from what we breathe in the city.
이래서 내가 등산을 좋아하지. 공기가 도시와는 완전히 다르니깐.

0113 ★

cosmos
[kɑ́zməs]

ⓜ 우주 ⓟ cosmic 우주의

A: Don't you want to learn the structure of the **cosmos**? It would be awesome.
우주의 구조에 대해서 배워보고 싶지 않아? 진짜 멋있을 거 같은데.

B: I do but it must be very complicated. I don't want to spend a lot of time on something I probably won't understand.
그렇지 근데 그거 엄청 복잡할 거야. 이해도 못할 법한 그런 데에 시간 소비 많이 하고 싶진 않다.

0114 ★★

dusty
[dʌ́sti]

ⓗ 먼지투성이의

A: Look how **dusty** bookcase is. Aren't you embarrassed?
책장이 먼지투성이네. 부끄럽지도 않나?

B: All right. I'll dust the bookcase.
알았어. 먼지 털게.

0115 ★★
criminal
[krímənl]

몡 범죄자 혱 범죄의, 형사상의

파 crime 범죄 숙 track down a criminal 범인을 추적하여 잡다

A: Someone broke into my house and stole my jewelry again! What should I do? 누가 우리 집에 들어와서 내 보석 또 훔쳐갔어! 어쩌지?

B: You have to report it to the police! He or she must be a habitual **criminal**. 일단 경찰에 신고해야지! 완전 상습범인가 보네.

0116 ★
beverage
[bévəridʒ]

몡 음료, 마실 것 숙 a carbonated beverage 탄산 음료

A: I'm going to the grocery store. Do you want me to get you anything?
니 식료품점 갈 건데. 뭐 좀 사다 줘?

B: Um... I want a **beverage** and some apples!
어… 음료수랑 사과 좀.

0117 ★★★
attempt
[ətémpt]

동 애써보다, 시도하다 몡 시도 숙 make an attempt 시도하다

A: My laptop hasn't been working since last night and tomorrow is Sunday. Should I try to fix it on my own?
내 노트북이 어젯밤부터 작동을 안 하고 게다가 내일은 일요일이야. 직접 고쳐야 되나?

B: No! Don't **attempt** to repair that yourself. Just wait until the customer service center opens on Monday.
아니! 혼자서 고치려고 하지 마. 그냥 월요일에 고객 서비스 센터 열 때까지 기다려.

0118 ★
disharmony
[dishá:rməni]

몡 부조화, 불화

A: Remember we are meeting Muslims for lunch today, so please don't order any pork. It will stir up religious **disharmony**.
오늘 점심 때 이슬람교도들 만나는 거 알지? 돼지고기 요리 시키지 마. 그랬다간 종교 불화를 일으킬 거야.

B: Ugh, I'm craving some pork cutlet now.
아, 지금 돈가스 먹고 싶은데.

harmony라는 단어가 있습니다. 이 단어는 '조화, 화합'의 의미를 지니고 있는데요. 여기다가 '반대, 부정'의 뜻을 나타내는 접두사 dis- 를 붙인 형태, disharmony 즉 '부조화, 불화'라는 뜻이 되는 거지요.

0119 ★★
decorate
[dékərèit]

동 장식하다, 꾸미다 파 decorative 장식이 된, 장식용의

A: Wait, are you going to **decorate** your room with those balloons? Why?
잠깐만, 너 저기 있는 풍선들 가지고 방 꾸미려고? 도대체 왜?

B: Why not? I love balloons and my birthday is also coming!
왜 안 되는데? 나 풍선 좋아해. 내 생일도 다가오고 있고!

0120 ★
bloom
[blu:m]

동 꽃이 피다, 혈색이 돌다 유 blossom 꽃이 피다, 꽃을 피우다

A: What kind of flowers do you like the most? Let me get you some.
어떤 꽃 제일 좋아해? 너한테 사 주고 싶어.

B: Freesias are my favorite, but they won't begin to **bloom** until April or May.
프리지아를 제일 좋아해. 근데 이건 4월이나 5월 전에는 꽃이 안 피는데.

1 다음 단어에 맞도록 우리말 또는 영어로 바꿔 쓰시오.

01	tuition	_____	11	속담	_____
02	vowel	_____	12	시기, 기간, 시대	_____
03	lately	_____	13	참을성 있는, 환자	_____
04	feminine	_____	14	부조화, 불화	_____
05	essential	_____	15	먼지투성이의	_____
06	circumstance	_____	16	향기로운, 향긋한	_____
07	barely	_____	17	범죄자, 범죄의	_____
08	absorb	_____	18	꽃이 피다, 혈색이 돌다	_____
09	cosmos	_____	19	음료, 마실 것	_____
10	decorate	_____	20	꽃집 주인, 꽃집	_____

2 다음 빈칸에 알맞은 단어를 넣어서 문장을 완성하시오.

01 These words are spelled differently but _____ the same.
이 단어들은 철자는 다르지만 발음은 같다.

02 My older sister is _____ in four languages.
우리 누나는 4개 국어에 능숙하다.

03 I'm not going to live in _____.
난 삶을 헛되게 살진 않을 거야.

04 I don't want to make a decision that I will _____ later.
난 나중에 후회할 그런 결정은 내리고 싶지 않아.

05 I'll _____ to answer all your questions.
당신 질문에 전부 답할 수 있게 애써볼게요.

Episode 013 • 개꿈 1

대건: 요즘 자꾸 이상한 꿈을 꾸네.

미정: 어떤 꿈?

대건: 엄청 **humid**한 날씨에 강가 주변을 **roam**하고 있었거든? 근데 저기 위에서 뭔가가 **drift**하는 거야. 근데 이게 **interval**을 두고 **glitter**하는 거 있지? 처음엔 **illusion**인가, 헛것이 보이나 싶었는데 내 코앞까지 내려왔길래 건졌더니 맞더라고.

미정: 뭐였는데?

대건: 한 20년 후에 우리가 쓸법한 **goods**? 근데 엄청 **fragile**한 알처럼 생겼었어. 그런데 갑자기 쩍 소리가 나면서 번쩍하는 빛, 굉음과 함께 부서지더라. 너무 소리가 커서 그 소리에 꿈에서 깼어. 내 진짜 **deaf**가 되는 줄. 이 꿈의 **conclusion**은 뭘까?

미정: 두 글자, 개꿈.

0121 ★
humid
[hjú:mid]

圈 (날씨 · 공기 등이) 습한, 눅눅한 파 humidity 습도

A: It's been **humid** for 4 days in a row. 날씨가 4일 연속으로 습하네.

B: I know. I can't fall asleep at night. 내말이. 밤에 잠도 못 자겠다니깐.

0122 ★★
roam
[roum]

동 방랑하다, 배회하다, (이리저리) 돌아다니다 유 wander 거닐다, 돌아다니다

A: Sorry for making you wait for a long time. The traffic was a nightmare. 오래 기다리게 해서 미안해. 차가 너무 막히더라.

B: It's all right. I just **roamed** around a bit.
괜찮아. 그냥 여기저기 돌아다녀보고 있었어.

0123 ★★
drift
[drift]

동 (물 · 공기에) 떠가다, 표류하다 명 (서서히 일어나는) 이동 유 float 떠가다

A: It's such a beautiful day today. Look at all those clouds.
오늘 진짜 날 좋다. 구름들을 좀 봐.

B: They're **drifting** so smoothly, aren't they? 완전 부드럽게 떠다닌다. 그치?

> **drift**는 물이나 공기에 의해서 '이동하다, 표류하다' 이런 의미를 전해주는데요. 비슷하게 생긴 **draft**는 전혀 다른 뜻이랍니다. '아직 완성되지 않은 원고' 혹은 '초안'이라는 뜻도 있고 '(어떤 인원을) 선발하다'라는 뜻도 있으니까 구분하세요.

0124 ★★
interval
[íntərvəl]

명 간격, 음정, (음악 연주의) 중간 휴식 시간 숙 in the interval 그 사이에

A: I really need to go to the restroom. I think I drank too much water during dinner. 나 진짜 화장실 가야 돼. 저녁식사 때 물을 너무 많이 마셨나봐.

B: There will be a thirty-minute **interval** after this act. Hold on for a few more minutes.
이번 막이 끝나면 30분 중간 휴식 시간이 있을 거야. 그러니까 좀만 더 참아봐.

0125 ★
glitter
[glítər]

(동) 반짝이다, 반짝반짝 빛나다 (명) 반짝거림, 빛남 (유) shine 빛나다, 반짝이다

A: The water is **glittering** in the sunlight. I really need to take a picture of it.
물이 햇빛 받아서 반짝반짝 빛나네. 저런 건 사진으로 찍어 남겨야지.

B: Let me see that. Wow... it is beyond words.
어디 보자. 와… 어떤 단어들로 형용할 수 없을 만큼 예쁘네, 그렇지 않아?

0126 ★★
illusion
[ilúːʒən]

(명) 환상, 환각, 착각

A: Look how large the moon appears tonight. 오늘 달 뜬 거 엄청 크게 보이네.

B: It's a cool **illusion**, isn't it? 멋진 착시인 것 같아, 그치?

0127 ★★
goods
[gúdz]

(명) 물건, 제품 (유) merchandise 물품, 상품

A: My dad is crazy about collecting sporting **goods**.
우리 아빠 스포츠 제품 모으는 데 꽂히셨어.

B: My mom is really into K-pop idols. She has even joined lots of fan clubs.
우리 엄마는 케이팝 아이돌에 완전 빠지셨잖아. 팬클럽도 여러 개 가입하셨다니까.

0128 ★
fragile
[frǽdʒəl]

(형) 깨지기 쉬운, 취약한, 허술한 (유) vulnerable 취약한

A: Be careful! That china is very **fragile** and expensive.
조심해! 그 도자기 아주 깨지기 쉽고 비싼 거야.

B: No worries. I used to work for a delivery service company. I'm a professional!
걱정 마. 나 택배 회사에서 일했었잖아. 전문가란 말이지!

0129 ★
deaf
[def]

(형) 귀가 먹은, 청각 장애가 있는

A: Why don't you turn down the volume a little bit? It's too loud and you can go **deaf** in a couple of years.
볼륨 좀 낮추는 게 어때? 너무 시끄러워. 너 그러다 몇 년 안에 귀 먹을 수도 있다고.

B: I can't hear you. What did you just say? 안 들려. 방금 뭐라고 했어?

0130 ★★
conclusion
[kənklúːʒən]

(명) 결론, 결말 (파) conclude 결론을 내리다

A: I got a job offer from the company I used to work for. But why? They fired me and now want me back? They must have made a mistake.
전에 일하던 회사에서 일자리를 제안 받았어. 근데 왜? 나를 해고하더니 이제 와서 다시 일하라고? 분명 실수한 것 같은데.

B: Let's not rush to any **conclusion** yet. Maybe they really need you now.
너무 성급하게 결론짓지 말자. 아마도 지금 니가 정말 필요해서 그런 걸 수도 있잖아.

대건: **recently** 나 되게 이상한 꿈을 꿨어.

효진: 뭔데?

대건: 큰 주머니가 달린 **shabby**한 옷을 입고 있었는데, 뭔가 이상한 낌새를 **perceive**했지. 갑자기 하늘에서 **witch**가 내려와서는 **web**으로 날 꽁꽁 묶어서 어디론가 데려 가는 거야.

효진: 그래서?

대건: 꿈속인데도 그 무서운 분위기가 날 완전 **overwhelm**하더라고. 그래도 살아야지! 정신 차리고 큰 주머니를 뒤졌는데 총이 한 자루 있네? 그래서 마녀 뒤꽁무니에 대고 방아쇠를 힘껏 잡아땡겼지. 그랬더니 **radiation**이 띠용씨용 나가더라? 마녀는 헤롱헤롱대고…. 그때 한 번 더 방아쇠를 당기니까 **flame**이 나가더라고. 마녀는 기체로 **evaporate**했지. 나는 다른 주머니에 있던 **parachute**으로 탈출했고.

효진: 그러니까 평소에 게임 좀 그만 하라니깐! 뭔 개꿈이야 그게.

0131 ★★★
recently
[rí:sntli]

(부) 최근에

A: Have you heard from Daegun **recently**?
최근에 대건이한테 연락 받은 거 있어?

B: No, I haven't. I tried to call him the other day and I found out that his phone number has changed.
아니. 안 그래도 며칠 전에 전화해봤었는데 전화번호가 바뀐 거 같더라고.

0132 ★
shabby
[ʃǽbi]

(형) 허름한, 낡은 (유) worn 해진, 닳은

A: Why is he wearing old **shabby** jeans and a washed-out button-down shirt? Those jeans must be more than 10 years old.
왜 저렇게 허름한 청바지에 색이 다 바랜 셔츠를 입고 있는 거지? 저 청바지 10년은 훨씬 더 된 거 같은데.

B: He actually doesn't care about his clothes.
옷에는 사실 신경을 안 쓰는 친구야.

0133 ★★
perceive
[pərsí:v]

(동) 감지하다, 인지하다 (파) perception 자각, 통찰력, 인식

A: What's going on between you and your girlfriend? Your relationship isn't what it used to be.
너랑 여자 친구 사이에 무슨 일 있어? 예전 같지가 않은 것 같은데.

B: Well, I've **perceived** a change in her behavior recently. I haven't talked to her about yet this but I will.
최근에 여자 친구 행동에 변화를 감지했어. 아직 이거에 대해서 얘기 나눠보진 않았는데 한 번 말해 봐야지.

단어가 쉽게 잘 안 외워진다고요? 그렇다면 '알아채다'라는 의미를 전달해주는 상대적으로 쉬운 동사 notice와 함께 연결 지어 챙겨두는 건 어떨까요? perceive, 감지하다!

0134 ★

witch
[witʃ]

명 마녀

A: You know what? When you laugh out loud, you sound like a witch.
그거 알아? 너 크게 웃을 때 마녀가 웃는 거 같애.

B: And you know that? A witch can put a spell on you!
그거 알아? 마녀가 너한테 주문을 걸 수도 있어!

0135 ★★

web
[web]

명 거미줄, -망

A: When was the last time you swept? A spider has spun several webs over here.
언제 마지막으로 바닥 쓴 거야? 여기 거미줄 여러 개 쳐져 있네.

B: Hold on. Let me get them. Where did I put the broom?
잠깐만. 내가 처리할게. 내가 빗자루를 어디 뒀더라?

0136 ★★

overwhelm
[òuvərwélm]

동 압도하다, 제압하다

A: How were the volunteer program for rural communities?
시골 봉사 잘 다녀왔냐? 어땠어?

B: Everything was great. Especially the landscape there overwhelmed me.
완전 좋았지. 특히나 거기 풍경이 완전 날 압도했다니깐.

0137 ★

radiation
[rèidiéiʃən]

명 방사선, (열·에너지 등의) 복사   숙 be exposed to radiation 방사선에 노출되다

A: Are you aware that smart phones can give off small amounts of radiation? The less you use yours, the better.
스마트폰을 사용하다 보면 적은 양이라도 방사선이 나온다는 거 알고 있니? 스마트폰은 더 적게 사용할수록 더 좋은 법이야.

B: Is it that bad? Well... it's hard for me to stay away from the phone.
그렇게 안 좋은 거야? 음… 전화를 멀리하는 거 나한테는 너무 힘든데.

0138 ★★

flame
[fleim]

명 불길, 화염   동 활활 타오르다   숙 kindle a flame 불을 붙이다

A: How was the party last night? 어젯밤에 파티는 어땠어?

B: It was the worst ever. My dress caught flame in a fire!
내 생에 최악이었어. 글쎄 내 드레스에 불이 붙었다니깐!

0139 ★

evaporate
[ivǽpərèit]

동 (액체를) 증발시키다, 증발하다   파 evaporation 증발

A: Dad, how long should I keep the gas on for?
아빠, 언제까지 가스레인지 켜놔야 되는 거예요?

B: Until all the water has evaporated. 수분이 모두 증발할 때까진 켜놔야 돼.

0140 ★

parachute
[pǽrəʃùːt]

명 낙하산   동 낙하산으로 투하하다   파 parachutist 낙하산 부대원

A: Is it really true that you served in a parachute regiment?
너 정말 낙하산 부대에서 복무했던 거야?

B: Sure. Do you want to see the photos where I jumped from the helicopter?
당연하지. 헬기에서 뛰어내리는 사진 보여줄까?

Episode 015 ● 지금, 만나러 갑니다.

대건: 오늘같이 더운 날에 꼭 **summit**까지 가야 되나? 그만하고 하산하지?

영수: 나약하긴! 이럴 때일수록 스스로를 **whip**해서 **progress**해야지! 날 **reprove**한다고 뭐가 달라지겠니?

대건: 정말 **ruthless**하네. 햇빛 때문에 내 **treasure**인 잘생긴 얼굴도 다 익겠다. 게다가 여기서부터 길 **surface**도 안 좋네. 이렇게 **risk**가 많은데도 강행할 거야?

영수: 방금 누가 잘생겼다고? 너의 **vanity**가 하늘을 찌르는구나. 그리고 우리 여기 고산지대에 사는 **tribe** 꼭 만나보기로 했었잖아. 목표를 세웠으면 달성해야지.

0141 ★★
summit
[sʌ́mit]

(명) 산꼭대기, 정상 회담 (숙) hold a summit 정상 회담을 열다

A: Is this on the right way? Please don't say that we are lost!
우리 제대로 가고 있는 거 맞아? 제발 우리가 길을 잃었다고 말하지 마!

B: Don't worry. This path will lead to the **summit**.
걱정 마. 이 길 따라가면 산꼭대기로 이어질 거야.

0142 ★
whip
[wip]

(동) 채찍질하다, (크림 등을) 휘젓다 (명) 채찍

A: Don't touch that **whip**. Only people with permission are allowed to hold it.
그 채찍 건들지 마. 허가 받은 사람만 사용하도록 되어 있어.

B: Wow, it is quite bigger and heavier than I thought.
우와, 이거 내가 생각했던 거보다 훨씬 더 크고 무겁네.

0143 ★★★
progress
[prágrəs]

(동) (앞으로) 나아가다, 진전을 보이다 (명) 진전 (파) progressive 진보적인

A: I'm so happy that you're making **progress** in English.
너 영어 공부하는 거 진전을 보여서 너무 기쁘다.

B: Thanks. I know I'm a slow learner but I won't give up.
고마워. 내가 비록 좀 늦게 익히는 편이지만 그래도 포기란 없지.

접두사 pro- 는 '앞으로(forward)'라는 의미를 가지고 있답니다. 여기에 라틴어에서 '가다(go), 걷다'라는 의미를 지닌 gress를 붙여서 progress라는 단어가 탄생했지요. '앞으로 나아가다, 진전을 보이다' 이런 뜻을 전달해주고요!

0144 ★
reprove
[riprúːv]

(동) 나무라다, 꾸짖다, 책망하다 (숙) reprove for ~에 대해 야단치다

A: How could you eat my sandwich without telling me? Huh?
어떻게 나한테 말도 안하고 내 샌드위치를 먹을 수가 있나? 응?

B: I'm sorry but please don't **reprove** me. I was so hungry and there was nothing else to eat in the house.
미안해 근데 너무 나무라진 말아줘. 너무 배가 고팠고 집에 그거 말고는 먹을 게 아무 것도 없었어.

0145 ★
ruthless
[rúːθlis]

형 무자비한, 가차 없는　파 ruthlessness 무자비함, 잔인함

A: You are as **ruthless** as they say!
넌 사람들이 말하는 것처럼 무자비하구나!

B: So what? In this crazy world, you have to be strong to survive!
그래서 뭐? 이 험한 세상에서 살아남으려면 강해져야 되는 거지!

0146 ★★★
treasure
[tréʒər]

명 보물　동 소중히 하다

A: Why are you always wearing that ring? Does it mean something special to you?
너 왜 항상 그 반지를 끼고 있는 거야? 너한테 뭔가 특별한 거야?

B: My granny gave it to me when I was just 20. Although she's not around any more, it makes me feel like she's with me all the time. So it's like my **treasure**.
우리 할머니가 나 스무 살 됐을 때 주신 거야. 지금은 더 이상 곁에 안 계시지만, 이걸 끼면 할머니가 항상 내 곁에 있는 것 같은 느낌이랄까. 그래서 나한텐 보물 같은 거지.

0147 ★★★
surface
[sə́ːrfis]

명 표면　동 수면으로 올라오다　숙 on the surface 외견상으로

A: Let's just take a detour. The road over there has an uneven **surface**.
우리 그냥 우회하자. 저쪽 길 표면이 고르질 못해.

B: Thanks for the heads-up. Let's take another road.
귀띔해 줘서 고마워. 다른 길로 가자.

0148 ★★
risk
[rísk]

명 위험 (요소)　동 ~을 각오하고 해보다, ~의 위험을 무릅쓰다

A: Are you really going to do that?
너 진짜 그거 해 보려고?

B: Yeah, I know it must be very difficult but I've decided to **risk** it.
응, 엄청 힘들 거란 건 알고 있지만 그래도 한번 각오하고 해 보려고.

0149 ★★
vanity
[vǽnəti]

명 자만심, 허영심　유 arrogance 오만, 거만

A: You got another new bag? Do you actually need all of them or do you just want to feed your **vanity**?
너 가방 또 샀어? 실제로 그게 전부 다 필요한 거야, 아니면 단지 니 허영심을 채우고 싶은 거야?

B: Just admit that you're jealous of all my bags.
그냥 내가 가지고 있는 가방들이 부러운 거라고 인정해.

0150 ★★★
tribe
[tràib]

명 부족, 종족　파 tribal 부족의, 종족의

A: Sometimes I think that if we had been born quite a long time ago in a **tribal** society, you would have led a tribe really well. You're the best leader ever in my life.
가끔 드는 생각인데 우리가 오래전 부족사회에서 태어났었다면 넌 진짜 부족을 잘 이끌었을 것 같아. 내 인생에 있어 니가 최고의 리더거든.

B: Hey, you don't have to flatter me.
아이고. 아첨할 필요 없어.

DAY 05 Review

1 다음 단어에 맞도록 우리말 또는 영어로 바꿔 쓰시오.

01 interval _____

02 glitter _____

03 reprove _____

04 summit _____

05 progress _____

06 ruthless _____

07 surface _____

08 witch _____

09 perceive _____

10 evaporate _____

11 방랑하다, 배회하다 _____

12 결론, 결말 _____

13 깨지기 쉬운, 취약한 _____

14 (물·공기에) 떠가다, 표류하다 _____

15 거미줄, −망 _____

16 압도하다, 제압하다 _____

17 낙하산, 낙하산으로 투하하다 _____

18 방사선, (열·에너지 등) 복사 _____

19 허름한, 낡은 _____

20 불길, 화염 _____

2 다음 빈칸에 알맞은 단어를 넣어서 문장을 완성하시오.

01 He has been _____ since birth.
그는 날 때부터 청각 장애가 있었어.

02 The book says that love is nothing but an _____.
그 책에서 그러는데 사랑이란 건 환상에 불과하대.

03 I haven't seen you studying in your room _____.
나는 최근에 네가 방에서 공부하는 것을 못 봤다.

04 You are the most precious _____ to me.
그대는 제게 있어 가장 소중한 보물입니다.

05 Your sister's _____ has been well known.
네 여동생의 허영심은 잘 알려져 있지.

DAY 06

에피소드 016~018

Episode 016 • 초기 증상엔 바로 병원으로

대건: 너 혹시 잘 아는 **auditory** 전문 병원 있어?

미정: 갑자기 청각 타령이야?

대건: 며칠 전에 몸무게를 **weigh**했는데 장난 아닌 거야. **belly**도 전보다 많이 나왔고 그래서 살 좀 빼고 몸매 **maintain**하려고 수영을 다시 시작했거든. 우리 형이 나한테 정말 **magnificent**한 호수가 있다고 가자고 해서 거기서 수영했거든. 아직 수영 초보라서 조금 **hazard**해 보이긴 했는데 잘했어. 물론 입으로, 귀로 물 **intake**도 어마어마했지만.

미정: 그러면 됐네. 뭐가 문제인데?

대건: 끝나고 강가에서 **bathe**하다가 발견했는데 귀 안쪽에서 피가 좀 났더라? **wound**가 났는지 그때부터 좀 쓰라리고 가끔 멍멍해서.

미정: 그럼 빨리 병원 가봐야 되는데. 귀는 다치면 잘 안 나아. 너 그거 **incurable**한 병이면 어떡할래.

대건: 겁주지 마. 무서워. 안 그래도 요새 잘 안 들리는데.

0151 ★
auditory
[ɔ́:ditɔ̀:ri]

[형] 청각의, 귀의 [숙] auditory difficulties 청각 장애, 난청

A: You've finally gotten your dream speakers! So, what features do they have? 너 드디어 꿈에 그리던 스피커를 샀구나! 어떤 기능들이 있는 거야?

B: One special feature is that I can turn up the volume beyond the limits of the human **auditory** range.
한 가지 특징은 볼륨을 인간 청력 범위의 한계보다도 더 높게 올릴 수 있다는 거야.

0152 ★★★
weigh
[wéi]

[동] 무게를 재다, (결정을 내리기 전에) 따져 보다 [숙] weigh in with (제안 등을) 내놓다

A: You got a new phone! Let me **weigh** it in my hand first.
새 전화기 샀네! 우선 손으로 무게 좀 재보자.

B: It must be lighter than yours. They say that it's the lightest phone available. 니꺼보다 가벼울 거야. 사용할 수 있는 전화기 중에 제일 가볍다고 하더라고.

0153 ★
belly
[béli]

[명] 배, 복부

A: Don't you think you should try to lose some weight?
너 살 좀 빼야 될 것 같지 않아?

B: Look who's talking. Look at your **belly**! 누가 할 소릴. 니 배 좀 봐라!

0154 ★★
maintain
[meintéin]

[동] 유지하다, 주장하다 [파] maintenance 유지, 생활비

A: You'd better slow down a little. This pace can't be **maintained** for a long time. You'll get tired out too fast.
속도를 좀 줄이는 게 낫겠다. 이 속도는 오래 유지할 수가 없어. 금방 지칠 거야.

B: I know but I really want to win this race!
나도 알아 근데 나 이번 레이스는 진짜 우승하고 싶단 말야!

0155 ★★

magnificent
[mægnífəsnt]

[형] 정말 아름다운, 훌륭한

A: I went to Danyang the other day and I saw a **magnificent** temple.
나 예전에 단양 갔었을 때 정말 아름다운 절 하나를 봤지.

B: Danyang is indeed a great city to visit. I wish I had gone with you.
단양은 확실히 가볼 만한 곳인 것 같아. 나도 너랑 같이 갔었으면 좋았을 것을.

0156 ★

hazard
[hǽzərd]

[명] 위험 [동] ~을 위태롭게 하다 [파] hazardous (건강 · 안전에) 위험한

A: Don't you know how harmful it is to drink soda every day? If I were you, I would quit drinking it.
너 매일 탄산음료 마시는 게 얼마나 해로운지 몰라? 내가 너였으면 난 끊었다.

B: I'm aware of the **hazards** of drinking it, but quitting is something that I just can't do.
나도 탄산음료 위험성에 대해선 잘 알고 있어. 근데 끊는 건 진짜 못 하겠다.

0157 ★

intake
[íntèik]

[명] 섭취(량), (기계의) 흡입구, 유입구

A: I don't know why I can't easily fall asleep these days.
요새 왜 이렇게 잠들기가 힘든 줄 모르겠네.

B: You drink at least 4 cups of coffee a day. You should reduce your daily caffeine **intake**.
그야 니가 적어도 하루에 커피를 네 잔씩이나 마시니까 그렇지. 카페인 섭취량 좀 줄여.

무언가를 가지고 가는데(take) 바깥쪽으로 가져가는 게 아니라 무언가의 안쪽으로(in) 가져간다고 생각해보세요. 우리 몸 안쪽으로 가지고 가는 거니까 '섭취'라는 뜻을, 그리고 기계 안쪽으로 들이는 거니까 '흡입구', 감이 오죠?

0158 ★★

bathe
[béið]

[동] (몸을) 씻다, 세척하다

A: It feels like I got something in my eyes. I can't open them.
눈에 뭐 들어간 거 같아. 눈을 뜨질 못 하겠어.

B: **Bathe** your eyes with clean water. 깨끗한 물로 눈 좀 씻어.

0159 ★★

wound
[wú:nd]

[명] 상처, 부상 [동] 마음에 상처를 입히다 [유] injury 부상

A: I'm going to meet your ex-girlfriend tonight. If it's okay with you, can you come with me?
오늘 밤에 니 전 여자 친구 만날 거 같은데. 너만 괜찮으면 나랑 같이 갈래?

B: She's the one who dumped me. Seeing her again will open up my old **wounds**.
걔가 날 찬 거라고. 그 앨 다시 본다는 건 해묵은 상처를 다시 건드리는 거야.

0160 ★

incurable
[inkjúərəbl]

[형] 불치의, 구제 불능의

A: How many times do I have to tell you not to shake your legs?
다리 좀 떨지 마라고 몇 번이나 말해줘야 되겠어?

B: It's an **incurable** habit. Just get used to it.
이건 고칠 수 없는 습관이야. 그냥 적응하는 게 나을 거야.

Episode 017 • 피부에 양보하세요.

현실: 아까 니가 내 **beside**에서 떠밀어서 나 넘어졌지? 그때 머리가 나뭇가지에 **tangle**해서 얼마나 놀란 줄 알아?

대건: 그걸 왜 또 날 **blame**해. 떠밀기는 무슨, 니가 뒤뚱거리다 넘어지더만. 이 **chaos**스러운 세상에서 제정신으로 살기 위해 매주 **cathedral**도 다니고 있다구. 착하게 살아야 돼. 쫌 전에도 점심 먹고 잠시 **meditate**하는 시간을 가졌었지,

현실: 뭔 소리야. 그냥 **nap**하더니.

대건: 그런데 내 피부에 **moisture**가 가득하지 않아? 요새 신경 좀 쓰거든. **nourish**하는 건 필수로 하고 있구.

현실: 피부? 거울 좀 봐라. 니 모공이 무슨 **volcano**송이냐? 구멍이 숭숭이네.

0161 ★★★
beside
[bisáid]

® 옆에, ~에 비해 ® next to ~ 바로 옆에

A: You should get some sleep. You sat **beside** your mom all night long. 너 잠 좀 자야지. 밤새도록 엄마 옆에 앉아 있었잖아.

B: I'm all right. Can you just get me some coffee? That would be great. 괜찮아. 커피 좀 가져다줄래? 그래주면 고맙겠어.

0162 ★
tangle
[tǽŋgl]

® 얽히다, 헝클어지다 ® (실·머리카락 등이) 엉킨 것 ® tangle with ~와 싸우다

A: Make sure all of the pockets in your backpack are closed tight before getting on this ride. 여기에 올라타기 전에 너 가방에 있는 주머니들 다 제대로 닫혀 있는지 확인해.

B: Right, I almost forgot. Oh, and you should tie your hair back. The last time I went on this my hair got all **tangled**. 맞네, 까먹을 뻔 했다. 아, 그리고 너 머리도 묶어. 전에 이거 탔을 때 내 머리 다 엉켰었어.

0163 ★★★
blame
[bleim]

® ~을 탓하다 ® (잘못의) 책임 ® be to blame ~에 대한 책임을 져야 하다

A: Should I call her now? Isn't it too late? What if she's sleeping? 얘한테 지금 전화를 해야 되나? 너무 늦은 거 아닌가? 자고 있으면 어쩌지?

B: Just call her if you want but don't **blame** me if things go wrong. 하고 싶으면 그냥 전화해. 근데 일이 잘못 되도 내 탓하진 말고.

0164 ★
chaos
[kéias]

® 혼란, 혼돈 ® fall into chaos 혼란에 빠지다

A: What happened to you? You look super tired. 무슨 일 있었던 거야? 너 완전 피곤해 보인다.

B: When I got home after work, the whole house was in **chaos**. My roommate made a mess. It was so dirty that I couldn't even sleep. 내가 일 끝나고 집에 들어갔는데, 온 집이 난리인 거야. 내 룸메이트가 난장판을 만들었어. 너무 더러워서 잠을 잘 수 없었다니깐.

0165 ★★

cathedral
[kəθíːdrəl]

(명) 대성당

A: I love this tour! So what's our next destination?
이 여행 너무 좋아요! 자, 다음 목적지는 어딘가요?

B: Our next stop is St Paul's **Cathedral**. Get ready for the magnificent Baroque church!
다음에 들를 곳은 세인트 폴 대성당이에요. 웅장한 바로크 양식의 교회, 기대하세요!

0166 ★★

meditate
[médətèit]

(동) 명상하다, ~을 계획하다 (파) meditation 명상, 묵상

A: So what's the first thing you do in the morning?
너 아침에 제일 먼저 하는 게 뭐야?

B: As soon as I wake up, I **meditate** for a while and clear my mind.
난 일어나자마자 얼마동안 명상을 해. 그러면 정신이 맑아지지.

 meditate는 '명상하다'라는 의미를 지니고 있는 단어인데요. 비슷하게 생긴 단어 중에 mediate가 있습니다. 이 단어는 어떤 해결책을 찾기 위해 '중재하다'라는 뜻이 있으니까 구분해서 알아두세요.

0167 ★

nap
[næp]

(동) 낮잠을 자다 (명) 낮잠

A: Why am I so sleepy now? Is it because I just had lunch?
지금 왜 이렇게 졸리지? 방금 점심을 먹어서 그런가?

B: Everybody feels drowsy after eating. What time is it? You can take a **nap** for about 30 minutes.
누구나 식곤증을 느끼지. 몇 시야? 너 한 30분쯤 낮잠 잘 수 있겠다.

0168 ★★

moisture
[mɔ́istʃər]

(명) 수분, 습기 (유) damp 축축한, 눅눅한

A: There's a lot of **moisture** in your house. 너네 집에 습기 너무 많다.

B: I know. I can't even dry the laundry, so I'm thinking of getting a dehumidifier.
알아. 심지어 빨래도 못 말린다니깐. 그래서 제습기 한 대 장만할까 생각 중이야.

0169 ★

nourish
[nə́ːriʃ]

(동) 영양분을 공급하다, (감정 · 생각 등을) 키우다 (유) feed 공급하다

A: You are so healthy and energetic all the time. What's your secret?
넌 항상 건강하고 활동적인 사람 같아. 비결이 뭐야?

B: I want to **nourish** my body, my mind and my soul. So I read books, exercise and meditate every day.
난 내 신체, 마음 그리고 영혼에 영양분을 공급해주고 싶거든. 그래서 매일 책을 읽고, 운동을 하고 그리고 명상을 하지.

0170 ★

volcano
[valkéinou]

(명) 화산

A: Isn't that a volcano? I don't want to go there. What if it erupts all of a sudden? 저거 화산 아냐? 난 저기 가기 싫어. 갑자기 화산이 분출하면 어떡해?

B: No worries. That's an extinct **volcano**. 걱정 마. 저거 사화산이야.

Episode **018** • 차별화가 필요해.

찬규: 우리 이번에 **past**의 **philosopher**들에 대해서 발표하는 거 알지? 어떻게 해야 교수님을 **satisfy**할 수 있을까?

대건: **questionnaire**를 만들어서 학교 돌아 다니면서 자료 수집을 해보자. 준비성 있어 보이잖아. 여기 샘플 가져왔어.

찬규: 음… 이건 그냥 **raw**한 뭐랄까, 너무 밋밋해. 그리고 뭔가 **reluctant**하는 거 같아. 이런 디자인 너무 **outmoded**해. 뭔가 **aristocrat** 나도록 문양도 넣고 하는 게 어때? 이대로 그냥 제출하면 **assure**하는데 교수님 **shrug** 하면서 '이게 뭐지?'하실 걸.

DAY 06

0171 ★★★

past
[pæst]

[형] 과거의, 이전의

A: Why isn't Daegun here yet? 대건이 왜 아직도 안 와?

B: Based on my **past** experience, I'd say he forgot that today is the day that we have a meeting. He's getting so forgetful these days.
내 이전 경험을 비춰봤을 때, 얘 오늘 우리 모임 있는 거 잊었다. 요새 건망증이 점점 심해지더라니깐.

0172 ★★

philosopher
[filάsəfər]

[명] 철학자, 현인 [유] thinker 사상가

A: Wow, the way you are reading a book under that tree makes you look like a **philosopher**. You were frowning with concentration but I like it.
오, 나무 아래서 책을 읽는 니 모습, 마치 철학자 한 명을 보는 것 같구나. 집중하느라 얼굴을 찡그리고 있었지만 그래도 멋있네.

B: Was I? Well, that's because this book is so difficult for me to understand.
내가 그랬어? 음, 이 책이 내가 이해하긴 좀 어렵거든 그래서 그랬나 봐.

0173 ★★★

satisfy
[sǽtisfài]

[동] 만족시키다, 충족시키다 [유] indulge (욕구 등을) 채우다, 충족시키다

A: Can I just try another one? This is too loose and I don't like the texture of it.
그냥 다른 거 입어볼 수 있을까? 이거 너무 헐렁하고 질감도 마음에 안 들어.

B: You've tried on more than ten already. Let's just go to another store. It seems like nothing in here **satisfies** you.
이미 열 번도 넘게 입어봤어. 그냥 다른 매장 가보자. 이 가게의 그 어떤 것도 널 만족시킬 순 없나보다.

0174 ★

questionnaire
[kwèstʃənέər]

[명] 설문지

A: How many **questionnaires** do we need for the survey?
우리가 조사하는 데 설문지가 몇 장이나 필요한 거야?

B: It may sound like a lot, but we'll need at least 350 copies.
좀 많게 들릴 수도 있겠지만, 적어도 350부는 필요할 거야.

0175 ★★

raw
[rɔː]

(형) 날것의, 가공되지 않은 (유) uncooked 익히지 않은 unrefined 정제되지 않은

A: How about we go for **raw** fish tonight?
오늘 밤에 생선회 먹으러 가는 거 어때?

B: I don't like anything uncooked. If you really want that, just go without me. 난 뭐든지 날것 먹는 건 안 좋아해. 너 정말 먹고 싶으면 나 빼고 가라.

0176 ★

reluctant
[rilʌ́ktənt]

(형) 꺼리는, 마지못한 (유) unwilling 꺼리는 hesitant 주저하는

A: Tomorrow, we will work with Dongwon, who is a professional photographer. 내일은 동원 씨랑 같이 작업하게 될 건데, 사진 전문가예요.

B: Did he say that he would love to cooperate with us? I saw some of his SNS ago and it sounds like he is **reluctant** to work with us.
그 분이 우리랑 같이 협업하길 바란다고 했나요? 조금 전에 그 분 SNS를 봤는데 우리랑 일하는 거 꺼리는 거 같더라고요.

 이 단어를 활용해서 쓰이는 표현이 있는데요, **be reluctant to~**, '~하기를 주저하다, 망설이다'라는 뜻이랍니다.

0177 ★

outmoded
[autmóudid]

(형) 시대에 뒤떨어진, 더 이상 쓸모없는

A: I don't like the way our professor teaches. Do you think it's useful?
난 우리 교수님 지도 방식이 마음에 안 들어. 너는 이게 유용하다고 생각해?

B: Not at all. He uses **outmoded** teaching methods and never tries to communicate with us.
전혀. 시대에 뒤떨어진 교수법을 쓰시는 것 같아. 게다가 우리랑 소통하려고도 전혀 안 하시고 말이지.

0178 ★

aristocrat
[ərístəkræt]

(명) 귀족, 상류 계급의 사람 (파) aristocratic 귀족적인

A: Have you ever met an **aristocrat**? 귀족 만나본 적 있어?

B: I have. It was when I was studying in London. There was a street parade going on and I got to shake hands with this lady!
있지. 내가 런던에서 공부할 때였어. 길거리 행진이 있었는데 그때 한 귀족 여성이랑 악수를 하게 되었지.

0179 ★★★

assure
[əʃúər]

(동) 장담하다, 보장하다 (숙) assure of ~을 보장하다

A: Is it safe to bungee jump there? What if the cable or the rope breaks?
저기서 번지점프하는 거 안전해요? 만약 케이블이나 줄이 끊어지면 어쩌죠?

B: I can **assure** you that it's perfectly safe.
전적으로 안전하다는 걸 제가 보장할 수 있습니다.

0180 ★

shrug
[ʃrʌ́g]

(동) (어깨를) 으쓱하다 (숙) shrug off 무시하다, 과소평가하다

A: Did Taehun say that he's in? 태훈이도 우리랑 함께한다고 말했어?

B: I don't know yet. When I asked, he just **shrugged** and said nothing.
아직 모르겠어. 내가 물어봤을 때 그냥 어깨만 으쓱하고 아무 말도 안 했어.

1 다음 단어에 맞도록 우리말 또는 영어로 바꿔 쓰시오.

01	assure	11	철학자, 현인
02	aristocrat	12	과거의, 이전의
03	raw	13	옆에, ~에 비해
04	outmoded	14	수분, 습기
05	reluctant	15	낮잠을 자다, 낮잠
06	tangle	16	화산
07	chaos	17	청각의, 귀의
08	nourish	18	상처, 부상
09	bathe	19	유지하다, 주장하다
10	weigh	20	섭취(량), 흡입구

2 다음 빈칸에 알맞은 단어를 넣어서 문장을 완성하시오.

01 I think that love is an _____ disease.
사랑은 불치병이라고 생각해요.

02 To _____ regularly will help you clear your mind.
명상을 규칙적으로 하는 것이 너의 마음을 맑게 해주는 데 도움이 될 거야.

03 I don't _____ you for the mistake.
그 실수에 대해서 내가 널 탓하는 건 아니야.

04 I would appreciate you answering this _____.
이 설문지에 응답해 주시면 감사하겠습니다.

05 Just a small apple was not enough to _____ my hunger.
단지 작은 사과 하나가 내 굶주림을 충족시키기에는 충분치 못했다.

Episode 019 • 장난이 심하잖아.

대건: 어이! 놀랐지?

미정: 이번엔 또 **bush**의 **rear**에 **lurk**해 있었어? 왜 자꾸 날 괴롭히는 건데?

대건: 너 **offend**하려는 건 아니었어. 난 단지 너한테 기억에 남을만한 하루를 만들어주고 싶어서.

미정: 기억엔 남겠지, 고통과 함께 말야. 저번에는 이상한 거 나한테 던져서 **vision** 나빠질 뻔 했지, 또 지난번에는 횡단보도에서 갑자기 자전거로 놀라게 해서 넘어뜨려 발목 **sprain**하고 무릎에 **bruise**도 생겼지. 그날 집에 **crawl**해서 갔다. 요즘엔 니 목소리만 들어도 두 다리가 **paralyze**되는 기분이야. 이젠 꿈에서도 니가 날 괴롭힐까봐 걱정이다. **nightmare**가 되겠지!

대건: 진짜 그 정도였어? 미안해. 더 친해지고 싶어 장난친 거니까 너무 미워하진 마.

0181 ★★
bush
[buʃ]

몡 덤불, 관목　숙 beat about the bush 말을 빙빙 돌리다

A: Be careful when you trim those rose **bushes** in the garden. They are thorny. 너 정원에 장미 관목들 다듬을 때 조심해. 가시 많다.

B: All right. I'll wear heavy clothes and gloves.
알겠어. 두꺼운 옷이랑 장갑 낄 거야.

0182 ★★
rear
[riər]

몡 뒤쪽　동 (아이·동물을) 기르다, 양육하다

A: You'd better check your **rear**-view mirror more often!
차 백미러 좀 더 자주 확인해야지!

B: Look who's talking. I drive better than you do.
누가 할 소리를. 내가 너 보다 운전 더 잘해.

0183 ★
lurk
[lə:rk]

동 숨다, 잠복하다　유 hide 숨다, 숨기다

A: Why were you **lurking** in that bush? 왜 덤불 속에 숨어 있었던 거야?

B: I was going to scare you but it failed! 니 겁줄라고 그랬지, 근데 실패네!

0184 ★★★
offend
[əfénd]

동 불쾌하게(기분 상하게)하다, ~을 위반하다　파 offensive 불쾌한, 공격적인

A: When you interview the actors, try not to **offend** them with silly questions, okay?
배우들 인터뷰할 때, 이상한 질문으로 배우들 불쾌하게 하면 안 돼, 알았지?

B: Don't worry. I know how important this interview is. I won't make any mistakes.
걱정하지 마세요. 이 인터뷰가 얼마나 중요한 지 저도 알아요. 실수 안 할 거에요.

0185 ★★
vision
[víʒən]

(명) 시력, 환상, 예지력　(유) eyesight 시력　illusion 환각

A: When did you start wearing glasses? I thought you had good **vision**. 너 언제부터 안경 낀 거야? 시력 좋았던 걸로 기억하는데.

B: Well, I used to. My job requires a lot of time in front of the computer and it worsens my vision.
응. 그랬었지. 내가 하는 일이 컴퓨터 앞에서 오래 앉아있어야 되는 거거든. 그래서 시력이 안 좋아졌지.

0186 ★
sprain
[sprein]

(동) (관절을) 삐다

A: Why are you limping all of a sudden? 너 갑자기 왜 다리를 절어?

B: I think I just **sprained** my ankle. 나 방금 발목 삔 거 같아.

0187 ★
bruise
[bruːz]

(명) 멍　(동) 타박상을 입다　(숙) get a bruise 타박상을 입다

A: Why are there a couple of **bruises** on your arm?
너 왜 팔에 멍이 그렇게 있어?

B: I slipped on an icy street and hit my arm.
빙판길에서 미끄러져서 팔을 부딪쳤어.

0188 ★★
crawl
[krɔːl]

(동) 기다, 기어가다

A: Are you aware that there's a spider **crawling** up your leg?
거미 한 마리가 니 다리 위로 기어 올라가는 거 알고 있어?

B: Where? Actually, I have the fear of spiders!
어디? 사실, 나 거미 공포증 있단 말이야!

0189 ★
paralyze
[pǽrəlàiz]

(동) 마비시키다, ~을 무능하게 만들다

A: Are they still on strike? Seriously? How long has it been?
저 사람들 아직도 파업 중인 거야? 정말? 파업한지 얼마나 됐지?

B: More than a month. The general strike has **paralyzed** the public transportation system in the whole country.
한 달 넘었지. 총파업 때문에 전국 대중교통 자체가 다 마비되어 버렸네.

0190 ★
nightmare
[náitmɛər]

(명) 악몽, 아주 끔찍한 일　(유) ordeal 시련

A: I've had a horrible **nightmare** for three days in a row. What should I do? 나 3일 연속으로 악몽을 꿨어. 어떡하지?

B: What? Three days in a row? You have to buy a lottery ticket.
뭐? 3일 연속으로? 너 복권 사야겠다.

Episode 020 ● 자전거 여행

영수: 자전거 종주 잘하고 왔어?

대건: 피곤해. **fatigue** 는 있지만 재밌었어.

영수: 오, 누구랑 같이 갔었는데?

대건: 어, 찬규랑 같이 갔다 왔는데, 와 정말 잘 타더라. **exaggerate** 하면 선수 급이야. 구불구불한 길을 **glide** 하는데, 진짜 멋있더라. **genetics** 적으로 봤을 때 타고 난 거 같아. 근데 코스 중간에 있었던 언덕은 진짜 **evil** 했어. 코스 중에 **harbor** 로 들어가는 데가 있었는데 **landscape** 이 진짜 멋지더라. 우릴 **fascinate** 시켰어. **jellyfish** 가 좀 떠 내려와 있었지만 그래도 최고!

영수: 나도 곧 가는데, 뭐 챙겨야 해?

대건: 무엇보다 헬멧은 **mandatory** 이고, 비상약 꼭 챙기고!

0191 ★★
fatigue
[fətíːg]

ⓜ 피로, 피곤, (금속 재료의) 약화 ⓤ tiredness 피로, 권태

A: I'm exhausted but I have to get this work done. Any ideas?
진이 다 빠졌는데 이걸 다 끝내야 해. 어쩌지?

B: Here, drink some tea. It will relieve your **fatigue**.
자, 이 차 좀 마셔. 피로가 좀 풀릴 거야.

0192 ★★
exaggerate
[igzǽdʒərèit]

ⓥ 과장하다 ⓟ exaggeration 과장

A: My boss hates me. He never smiles at me and gives me a lot of work. My job must be the worst in the world.
우리 직장 상사가 날 싫어해. 나한테 절대 웃지 않고 일만 엄청 시켜. 내 직업이 세상에서 제일 최악일 거야.

B: I'm sorry to hear that but I think you tend to **exaggerate** the difficulties.
뭐 딱하긴 하다만 넌 힘든 점들을 과장해서 말하는 경향이 있어.

0193 ★
glide
[glaid]

ⓥ 미끄러지듯 가다, (새·비행기가) 활공하다 ⓤ sail 미끄러지듯 나아가다

A: Sometimes I want to **glide** in the sky like an air plane.
나 가끔은 비행기처럼 하늘을 활공하고 싶어.

B: Just like an air plane? I want to fly in the sky like Superman!
겨우 비행기처럼? 난 슈퍼맨처럼 하늘을 날고 싶은데!

0194 ★
genetics
[dʒənétiks]

ⓜ 유전학

A: How is your school life going? By the way, what was your major again? 학교 생활은 어때? 그런데, 너 전공이 뭐였더라?

B: It's going well! And I'm studying **genetics**. I've been into it since I was in high school.
재밌어! 그리고 나 유전학 공부하고 있어. 고등학교 때부터 관심 있었잖아.

0195 ★★
evil
[íːvəl]

⟨형⟩ 사악한 ⟨명⟩ 악, 유해

A: Do not hang out with that guy again. He's such an **evil** man.
저 사람이랑 다신 어울리지 마라. 완전 사악한 사람이야.

B: Seriously? I thought he was a good guy.
진짜? 난 좋은 사람인 줄 알았는데.

0196 ★★
harbor
[háːrbər]

⟨명⟩ 항구, 피난처 ⟨동⟩ (죄인 등을) 숨겨 주다 ⟨유⟩ port 항구

A: It's so good to see you again! I can't believe you've become a billionaire! 다시 만나서 반가워! 네가 억만장자가 되다니!

B: Hey, what's up? Let's catch up on what we've been doing on my yacht. It is anchored in the **harbor**.
이봐, 잘 지냈어? 내 요트 위에서 우리 밀린 이야기 나누자고. 항구에 정박시켜 놨어.

0197 ★★
landscape
[lǽndskèip]

⟨명⟩ 풍경, 풍경화 ⟨유⟩ scenery 경치, 풍경

A: Look how beautiful the **landscape** around here is. It's like coming out of a fairy tale.
이 근처 풍경 진짜 아름답다. 동화 속에서 막 튀어나온 거 같아.

B: I read on the web that this town was chosen as the most beautiful place in Korea.
인터넷에서 읽었는데 이 마을이 한국에서 가장 아름다운 곳으로 선정됐대.

0198 ★★
fascinate
[fǽsənèit]

⟨동⟩ 매혹하다, 마음을 사로잡다 ⟨유⟩ captivate ~의 마음을 사로잡다

A: What are your plans for your summer vacation?
여름휴가 계획이 뭐야?

B: I'm going to Hawaii this time! It has always **fascinated** me. I hope that it will be fun.
나 이번엔 하와이 가려고! 내 마음을 늘 사로잡아 왔거든. 재밌으면 좋겠다.

0199 ★
jellyfish
[dʒélifiʃ]

⟨명⟩ 해파리

A: I got a question. Does a **jellyfish** sting? 질문이 하나 있어. 해파리도 쏘니?

B: Of course it does. It's very painful so you'd better be careful.
당연히 쏘지. 무척 고통스러우니까 애초에 조심하는 게 좋지.

0200 ★
mandatory
[mǽndətɔ̀ːri]

⟨형⟩ 의무적인, 법에 정해진 ⟨파⟩ mandatorily 의무적으로, 강제적으로

A: To stay here, you should study from 9 to 11 p.m. It's **mandatory**.
여기서 묵으려면 저녁 9시부터 11시까지는 공부해야 돼. 의무적인 거야.

B: You mean every day? That's crazy. 매일 말이에요? 말도 안 돼.

비슷한 의미를 전달하는 단어로 compulsory가 있답니다. 하기 싫으면 안 해도 되는 것이 아니라 무언가를 하는 것이 '의무적인'이라는 의미를 가진 단어입니다.

Episode 021 ● 예전의 너가 아니야. (상황극 1)

기범: 이제 그만 **surrender**해! 다 적으로 **surround**하고 있는데 니가 암만 훌륭한 **warrior**라고 해도 안 되는
건 안 되는 거야. 어이쿠? **eyebrow**가 파르르 떨리네. **reckless**한 짓 했다간 바로 끝이라고!

대건: 너는 **ego**도 없어?

기범: 뭐라는데 지금?

대건: 그래도 한때는 **enthusiasm** 넘쳤던 동료였는데 그깟 돈 때문에 적이 되어버린 너를 보는 거 자체가
torture다. 넌 진짜 다른 놈일 거라 믿었는데.

기범: 자존심이란 말 내 앞에서 함부로 내뱉지 마라. 아 됐고, 10분 줄게.

대건: 뭐라 하는데 또.

기범: 저쪽 **reed**밭으로 빨리 **flee**해. 사라지라고!

0201 ★★

surrender
[səréndər]

(동) 항복하다, 투항하다, (권리 등을) 포기하다 (숙) surrender to ~에 항복(굴복)하다

A: We don't want to surrender to the enemy, do we?
적에게 항복하고 싶진 않잖아, 그치?

B: Of course we don't! Let's just fight even if we die!
당연하지! 죽더라도 맞서 싸우자!

0202 ★★★

surround
[səráund]

(동) 둘러싸다, 포위하다

A: Are we surrounded by the police?
우리 경찰들테 포위당한 거야?

B: I think we are. I guess we'd better surrender.
그런 거 같다. 항복하는 게 맞는 거 같다.

0203 ★

warrior
[wɔ́ːriər]

(명) 전사 (유) gladiator 검투사

A: What costume are you going to wear for Halloween?
너 할로윈 때 어떤 의상 입을 거야?

B: I'm going with a warrior costume. It's going to look awesome!
나 전사복 입으려고. 완전 멋있을 걸!

0204 ★

eyebrow
[àibráu]

(명) 눈썹

A: I've been waiting for you for more than 30 minutes. What took you
so long?
너를 30분 이상 기다리고 있었어. 왜 이렇게 오래 걸린 거야?

B: I'm sorry. I messed up my eyebrows so I had to draw them again.
미안해. 눈썹을 망쳐서 다시 그려야 했거든.

0205 ★★
reckless
[réklis]

형 무모한, 난폭한 파 recklessness 무모함

A: I think you should learn how to drive again. The way you drive is so reckless! Watch out!
너 운전하는 법 다시 배워야겠다. 운전이 너무 난폭해! 조심해!

B: Don't be afraid and stop nagging. You know we're going to be fine.
걱정하지 말고 잔소리 좀 그만해. 아무 일 없을 거란 거 너도 잘 알잖아.

0206 ★
ego
[í:gou]

명 자존심, 자부심

A: What did you just say? You said I'm stupid? That hurts my ego!
방금 뭐라 그랬냐? 바보 같다고? 내 자존심에 상처 입었어.

B: No, I didn't say that. I just said it was a dumb mistake.
아니, 그렇게 말한 게 아니야. 난 그게 바보 같은 실수였다고 말했을 뿐이야.

DAY 07

0207 ★★
enthusiasm
[inθú:ziæzm]

명 열정, 열의 파 enthusiastic 열렬한, 열광적인

A: How can you not lose your enthusiasm for teaching?
어떻게 가르치는 일에 대한 열정을 잃지 않을 수 있으신가요?

B: That's an easy question. Because I care a lot about my students. That's what keeps me going.
쉬운 질문이네요. 전 제 학생들에게 정말 마음을 쓰거든요. 그게 저를 계속 움직이게 하는 것 같아요.

enthusiasm은 무언가에 대한 '열정, 열의'라는 의미를 전해주는 단어랍니다. 비슷한 뜻을 전하는 단어들로 passion 그리고 zeal이 있는데요. zeal은 특히 일, 종교 그리고 정치에 관한 '열의, 열성'을 표현할 때에 주로 쓰이는 단어에요.

0208 ★★
torture
[tɔ́:rtʃər]

명 고문 동 고문하다 유 torment 고통을 안겨주다, 학대하다

A: Can you please not eat that chicken in front of me? It's torture.
내 앞에서 그 통닭 안 먹을 수는 없니? 고문이라고.

B: You can have some. We can go out and burn off the calories later.
너도 좀 먹어. 나중에 먹고 나가서 칼로리 좀 태우면 되지.

0209 ★★
reed
[ri:d]

명 갈대

A: Do you remember the day you proposed to me?
자기 나한테 프러포즈한 날 기억나?

B: Of course I do. We were taking a stroll around reed beds and then I stopped you and went down on one knee, and asked "Will you marry me?"
당연히 기억나지. 갈대밭 근처에서 산책하고 있었잖아. 그러다 내가 널 세웠고 한쪽 무릎을 꿇었었지. 그리고 "나랑 결혼해 줄래?" 라고 물어봤었잖아.

0210 ★★
flee
[fli:]

동 달아나다, 도망가다

A: I've been on a diet for two months and do you know what the hardest part is? It's food! There are too many great foods in the world!
다이어트 한 지 두 달째인데, 제일 힘든 게 뭔지 알아? 음식이야! 이 세상엔 먹을 게 너무 많아!

B: I know. When it comes to food, it's hard to flee from temptation.
그렇지. 음식에 관한한 유혹으로부터 달아나는 게 어렵지.

DAY 07 Review

1 다음 단어에 맞도록 우리말 또는 영어로 바꿔 쓰시오.

01	surrender	_____	11	열정, 열의	_____
02	reckless	_____	12	달아나다, 도망가다	_____
03	torture	_____	13	갈대	_____
04	ego	_____	14	사악한, 악, 유해	_____
05	fatigue	_____	15	항구, 피난처	_____
06	genetics	_____	16	해파리	_____
07	mandatory	_____	17	풍경, 풍경화	_____
08	glide	_____	18	덤불, 관목	_____
09	paralyze	_____	19	(관절을) 삐다	_____
10	lurk	_____	20	시력, 환상, 예지력	_____

2 다음 빈칸에 알맞은 단어를 넣어서 문장을 완성하시오.

01 I didn't mean to _____ you and your boyfriend.
나 너랑 니 남자 친구 불쾌하게 하려는 의도는 없었어.

02 I have such delicate skin that I _____ easily.
저는 피부가 굉장히 약해서 멍이 쉽게 들어요.

03 I want to tell you that New York has always _____ me.
뉴욕은 늘 내 마음을 사로잡아 왔다고 말하고 싶네요.

04 You should know that my younger brother tends to _____ a little.
내 남동생은 약간 과장해서 말하는 경향이 있다는 거 알아둬야 해.

05 I like to _____ myself with positive people.
저는 긍정적인 사람들 주변에 둘러싸여 있는 걸 좋아해요.

DAY 08 에피소드 022~024

Episode 022 • 이제 자원봉사가 대세

미정: 이번 **quarter** 취업박람회 **volunteer** 지원율 들었어?

대건: 어, **tremendous**했어. 원래 모집 인원의 **triple**이라고 하던데. 작년 지원율 수치를 **surpass**했대. 어떻게 이런 일이 가능한 거지?

미정: **promotion**이 잘됐어. SNS 활용을 기가 막히게 했더라고. 근데 **participate**하는 인원은 수가 정해져 있으니까 뽑는 과정이 **rigorous**하다고 하더라.

대건: 우리나라에 자원봉사 하려는 사람이 많은 걸 보니 왠지 내가 흐뭇해지네.

미정: 맞아. 나도 해보니까 마음이 따뜻해지고 오히려 내가 **reward**받는 느낌이더라. 돈 많고 **sumptuous**한 생활하는 사람들도 자원봉사도 하고 기부도 하잖아. 이런 건 참 배울 만한 것 같아.

0211 ★★★

quarter
[kwɔ́:rtər]

(명) 분기 (동) 4등분 하다

A: Do you have to work overtime tonight? Come on, I got movie tickets. 오늘 밤에 야근해야 돼? 아, 나 영화표 끊었는데.

B: I wish I could see a movie with you but I can't. Our sales figures this **quarter** have decreased considerably. Everyone is still working. 나도 같이 영화 보고 싶은데 그럴 수가 없어. 이번 분기 우리 매출이 급 감소했거든. 다들 아직도 일하고 있어.

0212 ★★

volunteer
[vὰləntíər]

(명) 자원봉사자 (동) 자원 봉사로 하다, 자진해서 하다

A: Hey, it's been so long! How have you been? 야, 오랜만이야! 어떻게 지냈어?

B: Hey, what have you been up to? I've been **volunteering** as a tour guide. 어 그래. 넌 어떻게 지낸 거야? 난 요새 여행 가이드로 자원봉사하고 있어.

0213 ★★

tremendous
[triméndəs]

(형) 엄청난, 굉장한 (유) immense 엄청난, 어마어마한 enormous 막대한, 거대한

A: I heard you went parachuting recently. Was it fun?
최근에 낙하산 점프하러 갔었다며. 재밌었어?

B: You don't even have to ask. It gives you a **tremendous** rush that I can't even begin to explain.
물어 볼 필요도 없다. 정말 설명도 못 할 만큼 엄청난 흥분감을 준다니깐.

0214 ★

triple
[trípl]

(동) 3배가 되다 (형) 3배의

A: Did you know that this town's population has already **tripled** in size? 이 동네 인구가 벌써 세 배나 늘었다는 거 알고 있어?

B: Oh, really? That's pretty remarkable. 오, 정말? 꽤 놀라운 사실이네.

0215 ★★

surpass
[sərpǽs]

동 능가하다, 뛰어넘다   유 exceed 초과하다   숙 surpass a record 기록을 깨다

A: Tomorrow is a big day for you. Good luck with the tournament!
드디어 내일이구나. 토너먼트 잘 해!

B: Thanks! I promise that my effort will surpass your expectations.
고맙다! 내 노력이 너의 기대치를 충분히 능가할 거라고 약속할게.

0216 ★★

promotion
[prəmóuʃən]

명 승진, 홍보, 촉진   유 publicity 홍보, 광고

A: I'm sick and tired of being the youngest of the team. Everybody still treats me like a baby.
팀 막내 노릇도 질린다, 질려. 모두들 아직도 날 아기 취급하고 말이지.

B: Then you should get a promotion faster. I'd say, the faster, the better. 그럼 너 더 빨리 승진해야겠다. 더 빨리 할수록 더 좋지.

0217 ★★

participate
[pɑːrtísəpèit]

동 참가(참여)하다

A: How can I overcome shyness?
어떻게 하면 수줍음을 극복할 수 있을까?

B: How about participating in some of these events? You will end up meeting lots of new people and get to hang out. It will help.
이런 저런 행사에 참여해보는 건 어때? 자연스레 새로운 사람들을 많이 만나게 될 테고 또 어울리게 될 테지. 도움이 될 거야.

0218 ★★

rigorous
[rígərəs]

형 철저한, 엄격한   유 strict 엄격한, 엄한

A: I didn't know that we even have to take off our shoes.
신발까지 벗어야 되는 줄은 몰랐네.

B: The security check in this airport is very rigorous.
이 공항 보안 검사가 굉장히 엄격해.

0219 ★★

reward
[riwɔ́ːrd]

명 보상   동 보상(보답)하다   숙 in reward for ~에 대한 보상으로서

A: I can't take this. This is too much.
이건 못 받겠어요. 너무 과분하네요.

B: No, just take it as a token of my appreciation. You deserve a reward for being so helpful to our family.
에이, 그냥 제 감사의 표시로 받아주세요. 우리 가족한테 그만큼 도움을 주셨는데 보상 받으실 자격이 있습니다.

0220 ★

sumptuous
[sʌ́mptʃuəs]

형 호화로운   유 luxurious 호화로운

A: I'm jealous that you got invited to go to Daegun's birthday party. How was it? 대건이 생일파티 초대받았었다며? 부럽네. 어땠어?

B: It was great! They offered a sumptuous feast. I ate so much that I had to take some digestive medicine.
좋았어! 호화스러운 연회를 열더라고. 난 너무 먹어서 소화제 먹었잖아.

Episode **023** • 그분이 오셨습니다.

대건: 아침부터 어딜 가길래 그리 **bustle**하는 거야?
동현: 안녕! 나 지금 자전거 사러 간다.
대건: 자전거? 갑자기 왜?
동현: 몇 년전부터 **mirage**처럼 눈앞에서 아른거리던 모델이 있었거든. 동네 자전거 가게 지나갈 때마다 항상 눈을 **rove**하게 만든 녀석이었지. 스펙은 나한테 완전 **ideal**한 그런 거. 내가 그거 처음 봤을 때 벌써 이놈이 강아지처럼 **wag**하면서 나한테 **implore**하더라고. 나 좀 사가지고 가라고. 근데 그땐 현금이 **withdraw**했지. 근데 이번에 재발매 됐다길래 망설임 없이 사러 가는 거야. 지금 무슨 **magnet**에 끌려가는 기분이야.
대건: 옛날에 못 사서 **lament**하던 그 모델? 미리 축하해.
동현: 근데 요새 **workload**도 많은데. 탈 시간이나 있으려나 잘 모르겠다.

0221 ★★★
bustle
[bʌ́sl]

[동] 바삐 움직이다, 서두르다 [명] 북적거림 [유] rush 서두르다

A: In five years, I'll go back to my hometown and then I'll just do farming, like growing rice or something.
나 5년 뒤엔 고향으로 돌아가서 벼농사를 짓든지 뭘 하든지 농사나 지을까 싶다.

B: I guess we are typical country guys. I hate the hustle and **bustle** of a big city. 우린 전형적인 시골 사람인 거 같다. 난 이 대도시의 혼잡함이 너무 싫어.

0222 ★
mirage
[mirɑ́:ʒ]

[명] 신기루, 신기루 같은 것

A: What comes to mind when you hear 'first love'?
'첫사랑'이란 단어를 들었을 때 뭐가 떠올라?

B: Well, first love is something like a **mirage**. When you see it, you keep chasing it but it disappears in the end.
음, 첫사랑은 마치 신기루 같은 거지. 신기루를 보면 계속 쫓게 되거든 근데 결국엔 사라져버리지.

0223 ★
rove
[rouv]

[동] 헤매다, 방랑하다, (눈이) 두리번거리다

A: What would you like to do if you won the lottery?
복권 당첨되면 뭐 하고 싶어?

B: Well, first I would save half the money in my bank account and then with the other half, I would **rove** the world.
음, 우선 절반은 은행에 넣고 나머지 절반을 가지고 전 세계를 방랑할 거야.

0224 ★★
ideal
[aidí:əl]

[형] 이상적인 [명] 이상 [파] idealistic 이상주의적인

A: I can't believe Daegun has a girlfriend.
대건이 여자 친구 생긴 거 믿을 수가 없어.

B: Well, I'm sorry. You always said that he's your **ideal** type.
음, 유감이네. 그가 네 이상형이라고 항상 말했었는데 말이지.

0225 ★

wag
[wæg]

통 (꼬리·머리 등을) 흔들다

A: Look how happy your puppy is. He keeps wagging his tail.
너네 강아지 기분 좋은가 봐. 꼬리를 계속 흔드네.

B: Yeah, I just washed him. That's why. 어, 내가 방금 씻겨줬거든. 그래서 그래.

0226 ★★

implore
[implɔ́:r]

통 애원(간청)하다 파 imploratory 애원하는

A: Did you enjoy the movie? I loved the last scene.
영화 재밌게 봤어? 난 마지막 장면이 너무 좋더라.

B: Me too. The main actor said, "I implore you, do not abandon my country."
나도. 그 주인공이 그랬지, "이렇게 간청합니다. 우리 조국을 버리지 마십시오."

0227 ★★

withdraw
[wiðdrɔ́:]

통 철수하다, 인출하다 파 withdrawal 철회, 탈퇴, (계좌에서의) 인출

A: What do you think? Should we stand our ground?
어때? 우리 입장을 계속 고수해야 하나?

B: Well, I don't think the situation is good. We'd better withdraw from the negotiation.
음, 상황이 좋은 것 같지 않아. 우리가 협상에서 철수하는 게 좋을 거 같다.

0228 ★

magnet
[mǽgnit]

명 자석 파 magnetic 자성의, 자석 같은

A: Why is my favorite fridge magnet in your bag?
왜 내가 제일 좋아하는 냉장고 자석이 니 가방 안에 있어?

B: Well, I guess it must have fallen in my bag when I was at your place the other day.
어, 그게 말이지. 며칠 전 너희 집에 있었을 때 내 가방 안으로 떨어졌나 봐.

0229 ★★

lament
[ləmént]

통 애통(한탄)하다, 애도하다 유 grieve 비통해 하다

A: I didn't want to but I have to lament my hard fate. Why can't I just live a normal life? I didn't harm anyone. I didn't do anything wrong.
그러고 싶지 않았는데 내 신세 한탄 좀 해야겠다. 난 왜 그냥 평범한 삶조차 살 수 없는 걸까? 누굴 해 한 적도 없고, 잘못한 것도 없는데 말이지.

B: I'm here for you. Just let me know whenever you need me.
내가 있잖아. 언제든 도움 필요할 때 말해라.

0230 ★

workload
[wɔ́:rkloud]

명 업무량, 작업량

A: It looks like you've lost weight. Are you working out these days?
너 살 좀 빠진 거 같다. 요새 운동 하는 거야?

B: No, I'm just suffering from a heavy workload recently. You know, when you work hard, you end up not eating well and losing weight unhealthily.
아니, 그냥 과중한 업무량에 시달리고 있어. 너도 알잖아, 일을 많이 할 땐 잘 챙겨 먹질 못하고 그러다 보면 건강하지 못하게 살이 빠지게 마련이지.

Episode 024 • 내 친구는 환경오염의 주범

대건: 악! 너 방귀 꼈지? 와 냄새 한번 **brutal**하네. 공기 좀 그만 **contaminate**하라니까.

우식: 어허! 나에겐 뀌고 싶을 때 뀔 수 있는 **liberty**가 있어!

대건: 진짜 이건 **catastrophe** 수준이야. 너 어디 몸에 안 좋은데 있는 거 아니야? **liver** 라든가. 방귀 성분 **measure**해서 **laboratory**에다 분석 의뢰하고 싶다.

우식: **biology**적으로 건강하니까 배출량이 많은 거겠지 뭐. 나 **heyday** 때는 이거보다 더 독했거든. 그니까 과장하지 마.

대건: 한 번만 더 뀌어 봐. 그땐 그냥 너 혼자 **isolate** 시킬 거야.

0231 ★★
brutal
[brúːtl]

형 잔혹한, 무자비한 유 vicious 잔인한, (동물이) 사나운

A: I recently found out that the way my younger brother thinks is very brutal and violent. What should I do?
최근에 발견한 건데 내 남동생 생각하는 방식이 너무 잔혹하고 폭력적이야. 어떡해?

B: Well, just talk with him about it and make sure that he doesn't do anything stupid.
음, 걔한테 얘기해보고 바보 같은 짓 하지 말라고 확실히 해.

0232 ★★
contaminate
[kəntǽmənèit]

동 오염시키다

A: You look so sick. What's the matter?
너 아파보이는데. 무슨 일 있어?

B: I had a stomachache caused by contaminated food last night.
지난 밤 오염된 음식을 먹고 복통에 시달렸어.

0233 ★★★
liberty
[líbərti]

명 자유

A: You know what's funny? People change. I used to think that I would fight for justice and liberty. But look at me now. I don't even care about them.
웃긴 게 뭔 줄 알아? 인간은 변한다는 거야. 난 늘 정의와 자유를 위해 싸울 거라 생각해 왔었는데 말이지. 지금 날 좀 봐. 이젠 그런 거 신경도 안 쓰잖아.

B: It is also your liberty not to care about them.
그런 거 신경 안 쓰는 것도 니 자유니깐.

0234 ★
catastrophe
[kətǽstrəfi]

명 재앙, 참사 유 calamity 재앙, 재난

A: Did you watch the breaking news? 뉴스 속보 봤어?

B: About the earthquake in Japan? I did. It's a total catastrophe.
일본 지진 관련 말야? 봤지. 아 대참사더라.

0235 ★★
liver
[lívər]

[명] 간

A: You didn't forget that there's a group debate tonight, did you?
오늘 밤에 그룹 토론 잊은 건 아니지, 그렇지?

B: I know but can I pass this time? There must be something wrong with my **liver**. I feel so exhausted right now. I just want to go home.
알지, 그런데 나 이번엔 빠지면 안 될까? 간에 무슨 문제가 있나 봐. 지금 몸이 너무 피곤해. 그냥 집에 가고 싶다.

0236 ★★★
measure
[méʒər]

[동] 측정하다, 판단(평가)하다 [유] quantify 수량화하다

A: Doesn't this desk look great? Should we order it?
이 책상 괜찮아 보이지 않아? 주문할까?

B: It does. But do we have enough space for it? Let's **measure** tonight when we go home.
괜찮아 보이네. 근데 저거 넣을 충분한 공간이 있나? 오늘 밤에 집에 가면 측정해보자.

0237 ★★
laboratory
[lǽbərətɔ̀:ri]

[명] 실험실

A: Is this whole floor the **laboratory**? Where's your desk?
이 층 전부가 실험실이야? 니 자리는 어디야?

B: Yes, isn't it big? Sometimes I even get lost when trying to get to my desk. Follow me and I'll show you.
응, 크지 않아? 가끔 내 자리로 가려다 길도 잃고 그래. 따라와 봐. 보여 줄게.

0238 ★★
biology
[baiálədʒi]

[명] 생물학

A: Are you still looking for a job? I saw an ad looking for someone with a degree in **biology**.
너 아직 일자리 구하는 중이야? 생물학 학위 있는 사람을 구하는 광고를 하나 봤어.

B: Oh really? I should contact them. 아 정말? 연락 해봐야겠네.

> biology는 생물학이라는 뜻을 가진 단어인데요. 그 밖에도 zoology(동물학)라던가 botany(식물학), sociology(사회학), psychology(심리학) 등의 이런 학문들 명칭도 알아두세요.

0239 ★
heyday
[héidèi]

[명] 전성기, 한창때

A: Why is it so hard for me to do pull-ups?
턱걸이 하는 게 왜 이렇게 힘들지?

B: That's because we are getting old. In my **heyday**, I would do 20 pull-ups at once.
우리가 나이를 먹고 있으니 그렇지. 내 전성기 때는 한 번에 턱걸이 스무 개도 했었어.

0240 ★★
isolate
[áisəlèit]

[동] 격리하다, 고립시키다

A: Welcome back to normal life! What was it like to be hospitalized?
일상으로 돌아온 걸 환영한다! 입원하니 어땠어?

B: It was awful. With my disease, I had to be **isolated** from other patients. 끔찍했어. 내 질병 때문에 다른 환자들로부터 격리되어 있었다니깐.

1 다음 단어에 맞도록 우리말 또는 영어로 바꿔 쓰시오.

01 contaminate _____   11 생물학 _____

02 heyday _____   12 잔혹한, 무자비한 _____

03 laboratory _____   13 재앙, 참사 _____

04 liberty _____   14 이상적인, 이상 _____

05 liver _____   15 신기루, 신기루 같은 것 _____

06 rove _____   16 업무량, 작업량 _____

07 lament _____   17 3배가 되다, 3배의 _____

08 withdraw _____   18 능가하다, 뛰어넘다 _____

09 wag _____   19 호화로운 _____

10 tremendous _____   20 철저한, 엄격한 _____

2 다음 빈칸에 알맞은 단어를 넣어서 문장을 완성하시오.

01 I'm going to _____ in a debate on personal information leakage tomorrow.
나는 내일 개인정보 유출에 관한 토론에 참가할 예정이야.

02 We need more _____ to help us with a charity concert.
자선 콘서트에서 우리를 도와 줄 더 많은 자원봉사자들이 필요해.

03 She _____ around the kitchen getting ready for dinner.
그녀는 저녁 준비를 하느라 주방에서 바삐 움직였다.

04 I don't want to _____ my height and weight.
나는 키랑 몸무게를 재고 싶지 않아.

05 We have to _____ the infected patients.
우리는 감염된 환자들을 격리시켜야 한다.

Episode **025** • 토론 방송(feat. 편견)

대건: 어제 토론 방송 봤어?

우식: 어, 그럼. 내 **perspective**에서 봤을 때 **representative**들이 전부 이성적이고 **rational**했던 것 같아. 한 사람만 빼고.

대건: 나랑 똑같이 느꼈구나. 그 사람은 **prejudice** 덩어리더만. 주제에 대한 이해도 **shortage**한데 **vague**한 논리로 억지 부리는 거 별로였어.

우식: 응, 남녀를 성별로 **segregate**해서 주장하는데 진짜 **tolerate**하기 힘들더라.

대건: 나도 미간에 **wrinkle** 엄청 잡혔다니깐. 요즘 세상에 그런 이분법적 논리라니. 게다가 논리도 없이 서울이랑 경기도 **annexation**하라는 주장까지 하다니. 아무튼 토론은 논리적으로 해야 돼.

0241 ★
perspective
[pərspéktiv]

ⓜ 관점, 원근법, 전망 ⓨ outlook 관점, 인생관, 전망

A: It feels like everything is always against me.
이 세상 모든 게 항상 나랑 반대로 가는 것 같아.

B: Try to see things from a different **perspective**. You are learning a lot from your hardship.
좀 다른 관점에서 보려고 노력해봐. 넌 지금 이 역경을 통해서 많은 걸 배우고 있잖아.

0242 ★★★
representative
[rèprizéntətiv]

ⓜ 대표자 ⓗ 대표하는, 전형적인 ⓢ be representative of ~을 대표하다

A: You've been working so hard since last night. What's that?
너 지난 밤부터 정말 열심히 일한다. 그거 뭐야?

B: I got chosen as the **representative** for my company and will be sent to the meeting on Tuesday. These are slides for the meeting.
나 우리 회사 대표자로 선정됐거든. 화요일에 중요한 회의 참석해야 해. 이건 회의용 발표 자료들이고.

0243 ★★
rational
[ræʃənl]

ⓗ 합리적인, 이성적인 ⓨ sensible 합리적인

A: How could you spend so much money shopping today?
넌 오늘 쇼핑하는 데 어떻게 돈을 그렇게 많이 쓸 수 있어?

B: I guess I wasn't **rational** while shopping. 쇼핑하는 동안에 이성을 잃었나봐.

0244 ★★
prejudice
[prédʒudis]

ⓜ 편견 ⓥ 편견을 갖게 하다, ~에게 손해를 주다 ⓨ discrimination 차별

A: What's your opinion about homosexual marriage?
동성결혼에 대해서 어떻게 생각해?

B: I have a **prejudice** against it. I want to be objective but I can't.
난 거기에 대해서 편견이 있어. 객관적이고 싶은데 그럴 수가 없네.

💡 prejudice는 pre- 라는 접두사에 주목하세요. pre- 는 before, 즉 '미리, ~전의' 의미를 갖고 있는데요. 미리(pre) 판단하는(judge) 거니까 prejudice는 '편견, 편견을 갖게 하다'의 뜻이 되겠죠?

0245 ★★

shortage
[ʃɔ́ːrtidʒ]

(명) 부족

A: Housing **shortages** in the city are getting worse and prices are rising steadily. 도시 내 주택 부족은 갈수록 심해지고 물가는 끊임없이 오르고.

B: I know. I don't think I will ever be a homeowner.
내 말이. 살면서 주택 보유자가 될 수 없을 것 같아.

0246 ★★

vague
[véig]

(형) 모호한, 희미한

A: Didn't you tell me that the best bakery is around here? What's the name of it and where exactly is it?
이 근처에 제일 맛있는 빵집 있다고 말하지 않았어? 가게 이름은 뭐고 정확히 어디에 있는 거야?

B: I did. I remember the name of it but I only have a **vague** idea of where it is.
그랬지. 이름은 기억이 나는데, 그게 어디 있는지는 기억이 희미하네.

0247 ★

segregate
[ségrigèit]

(동) (종교·인종·성별에 따라) 분리(차별)하다, 떼어놓다

A: Any good restaurants around here that I can take my wife to?
이 근처에 아내를 데리고 갈만한 괜찮은 식당이 있을까?

B: How about Daegun Chinese Restaurant? In that restaurant, smoking and non-smoking seats are **segregated** from each other.
대건 중식당은 어때? 그 식당 내부는 흡연석과 비흡연석이 서로 분리되어 있어.

0248 ★

tolerate
[tálərèit]

(동) 용인하다, 참다 (유) endure 견디다 put up with 참고 견디다

A: I don't know how you **tolerate** so much noise from upstairs.
위층 소음이 너무 심한데 넌 어떻게 참는지 모르겠다.

B: I've talked to them several times but they never change.
위층에 여러 번 말했는데 전혀 달라지는 게 없네.

0249 ★

wrinkle
[ríŋkl]

(명) 주름 (동) 주름이 지다

A: I'm only 24 now but there are already fine **wrinkles** around my eyes! 나 겨우 스물넷 밖에 안됐는데 벌써 눈가에 잔주름이 있어!

B: Maybe that's because you wear a frown quite often.
그건 니가 꽤나 자주 얼굴을 찌푸리기 때문이 아닐까 싶다.

0250 ★

annexation
[ænikséiʃən]

(명) (영토의) 합병, 병합, 합병지 (파) annex 합병하다

A: Do you know what sort of day it was back in 1910?
1910년 오늘이 무슨 날이었는지 알아?

B: I do. It was the day when the Korea-Japan **Annexation** Treaty was made. 알지. 한일합병조약이 체결되었던 날이잖아.

태훈: 사장님, **confess**할 게 있습니다.

대건: 무슨 일 있어?

태훈: 네… 며칠 전에 **typhoon**이 올라온 날 **warehouse**에 주차하시고 얼마 동안 **supervise**하시다가 가셨잖아요.

대건: 그랬지.

태훈: 그리고 다음 날 **windshield**에 **crack**들이 있었고요.

대건: 어, 위에서 전등이 떨어져서 그렇게 됐다며?

태훈: 실은… 제가 창고에 물건 넣다가 실수로 그런 거예요. **replace**하는데 비용 많이 나왔다길래… 죄송합니다. 이 고동치는 **pulse** 소리 진짜 들려드리고 싶네요. 제가 **quit**해서라도 퇴직금으로 보상해드릴게요!

대건: 자네 요즘 행동이 좀 **suspicious**하긴 했는데. 자네가 한 짓이었구먼. 실수로 그런거니 어찔수 없지. 일이나 더 열심히 하게.

0251 ★★

confess
[kənfés]

(동) 고백(인정)하다, 자백하다 (유) admit 인정하다, 시인하다

A: Why do you always wear the same T-shirt and pants?
넌 왜 늘 같은 티셔츠랑 바지만 입는 거야?

B: I must **confess** that I know nothing about fashion. I have seven of these T-shirts and several pairs of these pants so that I don't have to think about what clothes I wear every day.
고백컨대 내가 패션에 대해서 아무 것도 모르거든. 이 티셔츠 7개와 이런 바지가 여러 벌로 있어서 매일 무슨 옷을 입을 지 고민하지 않아도 돼.

0252 ★★

typhoon
[taifú:n]

(명) 태풍

A: The weather forecast says that Jeju-do will be directly affected by the **typhoon**. 일기예보에서 제주도가 이번 태풍에 직접적인 영향권이라고 하더라.

B: I hope it won't cause too much damage. 큰 피해 안 입혔으면 좋겠는데.

0253 ★

warehouse
[wéərhaus]

(명) 창고 (유) storehouse 창고, 정보의 보고

A: I like your boots. Weren't they expensive?
부츠 예쁘네. 비싸지 않아?

B: These are from last season. I got them at a **warehouse** sale, so the price was reasonable.
이거 이월 상품이야. 창고 세일하는 데서 사서 가격도 적당했어.

0254 ★

supervise
[sú:pərvàiz]

(동) 감독하다, 지휘하다 (파) supervision 감독, 관리, 지휘

A: I'll take good care of your kids. Is there anything that I have to keep in mind? 아이들을 잘 돌볼게요. 제가 주의해야 할 게 있나요?

B: Jaemin is sometimes very careless, so you will have to **supervise** him at all times.
재민이가 가끔 좀 조심성이 없어요. 그러니 항상 잘 감독해야 할 거예요.

0255 ★

windshield
[wíndʃìːld]

몡 (자동차 등의) 앞유리 윤 windscreen (자동차의) 앞 유리

A: Don't you think you need to clean the **windshield**?
차 앞 유리 좀 닦아야 할 것 같지 않니?

B: I wish I could but I can't. My car is out of windshield washer fluid **now.** 그러고 싶은데 안 돼. 지금 내 차에 워셔액이 다 떨어졌거든.

0256 ★★

crack
[kræk]

몡 (갈라져 생긴) 금, 틈 동 금이 가다, 깨지다

A: Did you drop my favorite mug by any chance? There's a **crack** in it.
너 혹시 내가 제일 좋아하는 머그컵 떨어뜨렸어? 안에 금이 갔네.

B: No way. I know that you don't want anyone touching your favorite mug.
말도 안 되는 소리. 니가 그 컵 누가 만지는 거 싫어하는 걸 내가 아는데.

DAY 09

0257 ★★

replace
[ripléis]

동 교체하다, 대체하다 파 replaceable 대신할 수 있는

A: You're drinking juice for breakfast again? I don't think it's a good idea to skip meals and **replace** them with juice.
아침으로 다시 주스 마시는 거야? 식사를 거르고 대신 주스를 마시는 건 별론 거 같은데.

B: These fruit juices are healthy, so what do you have against them?
이 과일 주스들은 건강에 좋잖아. 주스가 뭐가 맘에 안 드는 건데?

 무언가를 다시(re) 어떤 자리에 두는(place) 것. 그 자리에 있던 걸 굳이 왜 다시 두는 걸까요? 무언가를 교체하거나 대체하기 위함이겠죠?

0258 ★★

pulse
[pʌls]

몡 맥박 동 맥이 뛰다

A: What did the doctor say to you? Is everything okay?
의사가 너한테 뭐라고 했어? 다 괜찮지?

B: Well, I got a blood test and then my doctor took my **pulse**. He said my pulse rate is a little bit higher than average.
어 그게, 혈액 검사 하고 그 다음에 의사가 내 맥박을 쟀거든. 내 맥박수가 평균치보단 조금 높은 편이래.

0259 ★★

quit
[kwit]

동 그만두다, 중지하다

A: When will I get my salary? If I don't get it by the 5th of this month, I'll **quit**.
언제 제 월급을 받을 수 있죠? 이번 달 5일까지 못 받으면 그만둘 거예요.

B: Please calm down. It will be in your account within a few days.
진정 좀 하시게. 며칠 안에 계좌로 들어갈 걸세 거참.

0260 ★★

suspicious
[səspíʃəs]

혱 의심스러운, 수상쩍은 윤 skeptical 회의적인, 의심이 많은

A: Who on earth scratched my car this morning?
도대체 누가 오늘 아침에 내 차를 긁은 거야!

B: Why are you giving me that **suspicious** look? I don't even know what kind of car you have!
왜 나한테 그런 수상쩍은 표정을 짓는 거야? 난 심지어 니 차가 뭔지도 몰라!

Episode **027** • 매너까지 좋은 스타

지은: 자전거 일주는 **trouble** 없이 잘했어?

대건: 아니, 이틀 만에 집에 왔지. 타이어가 펑크 났거든. 그래서 고급 차를 **hitch**했어. 그런데 운전자를 보고 **gasp**됐다니까.

지은: 누구였는데? 무슨 연예인이라도 됐었나 보네.

대건: 정답! 연예인한테는 전혀 **indifferent**한 나한테도 **idol**인 YDG 형이었던 거야. 너무 떨려서 총알이 내 심장을 **penetrate**하는 줄 알았어. 정말 **rapture**했어.

지은: 성격은 어때?

대건: 완전 **modesty**해. 처음 봤는데도 **hospitality**해 주고 기차역까지 나를 태워다 줬어. 이제부터 **lifelong** 팬 하려고.

0261 ★★★
trouble
[trʌbl]

[명] 문제, 골칫거리

A: Is there any chance that you can lend me some money? I'm having financial **troubles.**
혹시 나한테 돈 좀 빌려줄 수 있어? 내가 재정적인 문제가 좀 있거든.

B: I can lend you money if you promise that you'll pay me back in a couple of months.
두어 달 안에 갚는다고 약속 하면 빌려줄 수 있어.

0262 ★
hitch
[hitʃ]

[동] 지나가는 (차를) 얻어 타다, (밧줄 등으로) ~을 묶다

A: You've arrived way earlier than I thought you would.
너 내가 생각했던 것보다 훨씬 더 일찍 도착했네.

B: Luckily, I **hitched** a ride!
운 좋게 지나가는 차를 얻어 탔어!

0263 ★
gasp
[gæsp]

[동] 숨이 턱 막히다 [명] 헐떡거림

A: Did you hear that Taehun and Mijeong are getting married next month?
태훈이랑 미정이랑 다음 달에 결혼한다는 소식 들었어?

B: I did! I just **gasped** in astonishment at that news.
들었어! 나 그 소식 듣고 놀라서 숨이 턱 막히더라니깐.

0264 ★★
indifferent
[indífərənt]

[형] 무관심한, 그저 그런 [파] indifferently 무관심하게, 냉담하게

A: Why is our manager completely **indifferent** to our opinions?
우리 팀장님은 우리 의견에 왜 저렇게 무관심 하신 거지?

B: I guess it's because we're new to this department. He cares more about his original team members.
그건 아마 우리가 최근에 이 부서로 와서이지 않을까. 기존 멤버들을 더 챙기시더라고.

💡 different라는 형용사에는 무엇과는 '다른, 차이가 나는' 혹은 '색다른'의 의미를 가집니다. 앞에 부정 접두사 in-이 붙어 indifferent, '그저 그런' 혹은 '(다른지 아닌지 아예) 무관심한'이라는 의미가 됩니다.

0265 ★★

idol
[áidl]

영 우상

A: How famous is Park Jisung in Korea?
한국에서 박지성이 얼마나 유명한 거야?

B: He's a living legend and a national idol!
살아있는 전설이고 국민적인 우상이랄까!

0266 ★

penetrate
[pénətrèit]

동 뚫고 들어가다, 관통하다

A: I had a nightmare last night. Somebody aimed his gun at me and pulled the trigger. The bullet penetrated my chest then I suddenly woke up screaming.
나 어젯밤에 악몽 꿨어. 어떤 사람이 나한테 총을 겨누더니 방아쇠를 당기는 거야. 총알이 딱 내 심장을 관통했고 난 놀라서 소리 지르면서 깼다니깐.

B: Wow, your dream must have been vivid.
와, 너 꿈이 진짜 생생했었나보네.

DAY 09

0267 ★

rapture
[ræptʃər]

명 황홀(감), 환희 파 enrapture 황홀하게 만들다

A: How about we go hiking this weekend? The view from the summit will give you a feeling of rapture.
이번 주말에 등산 가는 거 어때? 정상에서 보는 전망이 너한테 황홀감을 줄 거야.

B: Sounds like a plan! What time are we talking about?
그거 좋은 계획이다! 몇 시에 가는 건데?

0268 ★★

modesty
[mάdəsti]

명 겸손, 대단치 않음 파 modest 겸손한, 보통의

A: I am so perfect at this game! I'm unbeatable!
나는 정말 이 게임에 완벽해! 난 무적이야!

B: Show modesty when you're on a roll. Your fate could change unexpectedly. 잘 나갈 때 겸손함을 보여라. 운명은 예고 없이 바뀔 수도 있다.

0269 ★★

hospitality
[hὰspətǽləti]

명 환대, 후대 파 hospitable 환대하는, 친절한

A: Were you satisfied with your stay in our hotel?
저희 호텔에서 편하게 잘 묵으셨나요?

B: Oh, sure. Thanks for your kind and warm hospitality.
물론이죠. 친절하고 따뜻한 환대에 감사드려요.

0270 ★

lifelong
[láiflɔ̀:ŋ]

형 평생 동안의, 일생의 유 lifetime 일생, 평생

A: I should have bought a lottery ticket last week. The numbers that I usually play were all pulled.
지난주에 복권 샀어야 했는데. 내가 평소에 찍는 번호 다 나왔어.

B: Seriously? This is going to be your lifelong regret.
정말이야? 이건 일생의 후회가 되겠구만.

1 다음 단어에 맞도록 우리말 또는 영어로 바꿔 쓰시오.

01	rapture	11	뚫고 들어가다, 관통하다
02	indifferent	12	겸손, 대단치 않음
03	hitch	13	평생 동안의, 일생의
04	gasp	14	금이 가다, (갈라져 생긴) 금
05	confess	15	태풍
06	windshield	16	교체하다, 대체하다
07	pulse	17	관점, 원근법, 전망
08	warehouse	18	주름, 주름이 지다
09	tolerate	19	(영토의) 합병, 병합
10	shortage	20	분리(차별)하다, 떼어놓다

2 다음 빈칸에 알맞은 단어를 넣어서 문장을 완성하시오.

01 Your _____ may blind you to the truth.
너는 편견 때문에 진실을 보지 못할 수 있어.

02 You will attend the meeting as a _____ of our company.
당신은 그 회의에 우리 회사 대표로 참가하게 될 겁니다.

03 His behavior is very _____ these days.
요즘 그의 행동이 매우 의심스럽다.

04 You have to _____ kids when they play with fireworks.
애들이 불꽃놀이를 할 때 아이들을 잘 감독해야 합니다.

05 I'd like to thank you for your _____ while I was in Korea.
한국에 머무는 동안 당신의 환대에 감사드리고 싶습니다.

Episode 028 • 비밀 정보

대건: 요즘 일은 어때?

현실: 아직 구하는 중이지. 쉽지가 않네. 누가 좀 도와줬으면 좋겠어.

대건: 음… 이거 사실 **confidential**한 정보인데 너한테만 말해 줄게. 절대 다른 사람한텐 말하지 마. 명백히 내가 **discipline**을 위반하는 거니깐. 우리 회사 **headquarters**에서 나온 정보인데, 곧 직원을 **employ**할 거래. 너 **geology** 전공이잖아. 그 분야 전공자에게 **favorable**하다고 하니 준비 잘해서 이 기회 **grasp**해봐! **historic**한 유적지를 발굴하는 프로젝트들이 진행 될 건가봐.

현실: 요즘 **finance**적으로 너무 힘들었는데 니가 날 이렇게 **encourage**해 주는구나. 고맙다!

0271 ★

confidential
[kànfədénʃəl]

(형) 비밀(기밀)의, 신임하는(받는) (파) confidentiality 비밀, 비밀리

A: Hi, can I have a copy of my dad's medical record?
안녕하세요, 우리 아버지 진료 기록 복사본을 얻을 수 있을까요?

B: I'm afraid a patient's medical record is confidential. He's going to have to visit here himself with ID to get that.
죄송하지만 환자 진료 기록은 기밀입니다. 그분께서 신분증을 가지고 직접 오셔야 해요.

0272 ★★

discipline
[dísəplin]

(명) 규율, 훈육, 절제력 (동) 징계하다, 훈육하다 (파) disciplinable 훈련할 수 있는, 징계해야 할

A: Why is military discipline so strict?
군기는 왜 이리 엄격한 걸까?

B: Well, in my opinion, it's so that soldiers are always ready for the battle.
음, 내 생각에는 그렇게 함으로써 언제든 군인들이 전투에 준비하기 위해서지.

0273 ★★★

headquarters
[hédkwɔ̀:rtərz]

(명) 본사, 본부

A: Is it true that you'll be transferred to headquarters?
너 본사로 전근된 다는 게 사실이야?

B: It is. I'm going to miss you and our team members.
그렇게 됐어. 너랑 우리 팀원들 많이 그리울 거야.

0274 ★★★

employ
[implɔ́i]

(동) 고용하다, (기술 · 방법 등을) 이용하다 (유) hire 고용하다

A: If you employ Steven, he will be an asset to our team.
스티븐을 고용한다면 우리 팀에 자산이 될 겁니다.

B: Then I'll consider him once again.
그러면 그를 다시 한 번 고려해 볼게요.

0275 ★

geology
[dʒiálədʒi]

명 지질학

A: I can't believe that I have to enroll in geology class this semester.
이번 학기에 지질학 수강을 신청해야 한다니 믿을 수가 없다.

B: I tried to avoid it and then I found out that it's one of the required courses! 나도 피하려고 했는데 나중에 알고 보니 그게 필수 과목 중에 하나더라고.

 geology 앞에 있는 geo-는 '지구', '토양' 뜻을 나타냅니다. geography는 '지리학', geologist는 '지질학자'라는 의미이니 이 단어들도 알아두세요.

0276 ★★

favorable
[féivərəbl]

형 호의적인, 유리한, 유망한

A: How did the presentation go? Did the buyers like our products?
발표는 어땠어? 바이어들이 우리 제품을 좋아해?

B: Some of them left favorable comments during the presentation and most of them actually signed the contract!
몇몇 분들이 발표 중에 호평을 했고 그 사람들 대부분이 실제로 계약서에 서명했어!

0277 ★★

grasp
[ɡræsp]

동 꽉 잡다, 움켜잡다

A: I went to Simon's signing event yesterday. He grasped my hand and shook it very gently.
나 어제 Simon 팬 사인회 갔었다. 내 손을 꽉 잡고 정말 다정하게 악수해 주더라니깐.

B: Wow, you actually went there! Was that your right hand? I guess you'll never wash it.
와, 너 정말로 거기 갔었구나! 오른손으로 악수했어? 그 손은 절대 안 씻겠네.

0278 ★★

historic
[histɔ́:rik]

형 역사적인, 역사적으로 중요한 유 momentous 중대한

A: Why is everybody gathering around that building?
왜 저 건물 주변에 사람들이 모이는 거지?

B: That's a historic building and I think they are waiting to have their picture taken.
저게 역사적으로 중요한 건물이라서 사람들이 사진 찍으려고 기다리는 거 같아.

0279 ★★

finance
[fináens]

명 재정, 자금

A: I know you told me this before but I forgot. What does your brother do again? 전에 나한테 말해줬는데 잊어버렸어. 너희 형이 뭐 한다고 했지?

B: He's an expert in finance and he works at a financial institution.
형은 재정 전문가이고 금융기관에서 일해.

0280 ★★

encourage
[inkɔ́:ridʒ]

동 격려하다, 용기를 북돋우다 유 inspire 고무하다, 격려하다

A: I'm glad that my mom and dad always encourage me in everything I do. 우리 엄마랑 아빠는 내가 하는 모든 걸 항상 격려해 주셔서 참 좋아.

B: I'm so envious of you! Take good care of them all the time.
정말 부럽다! 너도 항상 잘 챙겨드려.

 courage라는 단어가 가진 의미는 '용기'인데요. 누군가에게 용기를 더 해줘서 무언가 해낼 수 있게 만들어 주는 게 격려하는 거잖아요? 이 역할을 해 준건 접두사 en-이랍니다. make의 느낌을 지니고 있어요. en+courage, 감이 오죠?

Episode 029 • 해산물 파티

해진: 뭐해? 왜 **respond**를 안 해?

승원: 어, 왔어? 낚시 갔다 왔는데 **shellfish**만 한가득 건져 왔거든. 손질하고 있었어.

해진: 조개탕 해 먹는 거야? 그나저나 이번에는 **thoroughly**하게 모래랑 불순물 **eliminate**해라. 알겠지? 그때 처럼 제대로 씻는 과정 **skip**하지 말고.

승원: 알겠어. 지금 보니까 조개를 **variety**하게 잡아왔네. **starfish**는 또 언제 잡힌 거지? **toxic**하지는 않겠지? 이건 패스… 너 내 **errand** 좀 해줄래? 가서 초장 좀 사와. 너무 **expensive**한 거 말고.

0281 ★★

respond
[rispánd]

(통) 대답하다, 반응하다, 답장을 보내다 (유) reply 대답하다, 답장을 보내다

A: How did your mom and dad **respond** to your good news?
너희 아버지와 어머니께서 니 좋은 소식에 뭐라고 반응하셨어?

B: They were thrilled about it!
감격스러워 하셨어!

0282 ★

shellfish
[ʃélfiʃ]

(명) 조개, 갑각류 (유) clam 조개

A: There's a big festival where we can dig as many clams as we want on Saturday. Care to join me?
조개를 원하는 만큼 캘 수 있는 큰 축제가 토요일에 열리는데. 나랑 같이 갈래?

B: It doesn't sound appealing. I don't eat **shellfish** at all.
썩 내키지는 않네. 나 조개류 아예 안 먹어.

0283 ★★

thoroughly
[θə́:rouli]

(부) 완전히, 철저히

A: I got several stains on my shirt. The sauce must have splattered during dinner. Should I take it to the laundry?
내 셔츠에 얼룩이 여러 개 생겼네. 저녁 먹던 중에 소스가 튀었나 보다. 세탁소에 갖다 줘야 하나?

B: You don't have to. Just handwash it **thoroughly** at home.
그럴 필요 없어. 그냥 집에서 빡빡 깨끗하게 손빨래 해.

0284 ★★

eliminate
[ilímənèit]

(통) 제거하다, 탈락시키다 (유) remove 없애다

A: Have you ever paid for stuff directly with your phone? It's way more convenient than I thought.
휴대폰으로 물건을 바로 결제해 봤어? 생각했던 것보다 훨씬 더 편리하더라고.

B: I haven't yet but it sounds like there's a chance that credit cards will be **eliminated** in the near future.
아직 해 본 적은 없는데 머지않아 신용카드가 없어지지 않을까 하는 생각도 드네.

DAY 10

0285 ★★

skip
[skip]

(동) 거르다, 빼먹다

A: Isn't the weather great today? I don't want to attend classes this afternoon.
오늘 날씨 좋지 않아? 오후 수업 듣기 싫다.

B: You mean you want to **skip** classes?
네 말은 수업을 빠지고 싶다는 거야?

0286 ★★★

variety
[vəráiəti]

(명) 여러 가지, 다양성 (식물·언어 등의) 품종 (유) diversity 다양성

A: We've heard a **variety** of opinions today. Let's call it a day and discuss this matter more deeply tomorrow, okay?
오늘 여러 가지 의견을 들었습니다. 오늘은 여기까지 하고 사안에 대한 더 깊은 내용은 내일 토론하기로 하지요, 아시겠죠?

B: What time are we supposed to be here tomorrow?
우리 내일 여기에 몇 시까지 오면 되는 거죠?

0287 ★

starfish
[stá:rfiʃ]

(명) 불가사리

A: Did you catch a lot of fish? Can we eat spicy fish stew tonight?
물고기 많이 잡았어? 오늘 밤에 매운탕 먹을 수 있는 거야?

B: Sorry. All I got is several pieces of **starfish**.
미안. 잡은 거라곤 불가사리 몇 점밖에 없네.

0288 ★

toxic
[táksik]

(형) 유독성의 (명) 유독 화학 약품 (유) poisonous 유독한

A: Stop spraying that insecticide. Don't you know how **toxic** those are?
살충제 그만 뿌려. 너 그런 게 얼마나 유독한 지 몰라?

B: Look how many mosquitoes are in our room! Are you going to sleep with them?
우리 방 안에 얼마나 많은 모기가 있는지 봐! 넌 이것들이랑 같이 잘 거야?

0289 ★★

errand
[érənd]

(명) 심부름 (숙) run an errand 심부름을 하다

A: Hey, Daegun. Do me a favor. I need you to run an **errand** for me.
야, 대건아. 부탁 하나 하자. 내 심부름 하나만 해 줘.

B: Can it wait for an hour? I'm in the middle of doing something important. 한 시간만 기다려 줄 수 있어? 나 지금 중요한 거 하는 중이야.

0290 ★★

expensive
[ikspénsiv]

(형) 비싼, 돈이 많이 드는

A: Can you see that car over there? It looks awesome and pretty **expensive**! Let's go closer.
저쪽에 저 차 보여? 멋져 보이고 꽤 비싸 보인다! 가까이 가보자.

B: I know what it is. It's the latest model from BE motors. My dad wants it, too.
내 이거 뭔지 알아. 이거 BE사의 최신 모델이야. 우리 아버지도 이거 사고 싶어 하시는데.

Episode 030 • 연약한 영혼을 가진 그대

대건: 너랑 안 어울리게 왠 털모자야?

찬규: 어제 **graduation** 끝나고 집에 가는 지하철 안에서 아저씨가 팔고 계시더라고. 이게 내 **personality**겠지만, 그런 거 보면 **hesitate**하지 않고 사는 편이야. 안 그럼 괜히 **guilty**한 느낌이 들더라고.

대건: 참 **vulnerable**한 영혼이로군. 난 그런 거 보면 오히려 **hostile**하게 대해. 지하철 객차에서 물건 파는 건 법을 **violation**하는 행위이거든. 더군다나 물가도 **soar**하고 해서 내가 쓸 돈도 없는데!

찬규: 왜 그래 정말! 다음부턴 좀 예의 바르게 대해 드려.

대건: **ridiculous**한 소리하네. 이 성격이란 건 **unchangeable**한 거야. 너도 안 바뀌는 것처럼 말이야.

0291 ★★

graduation
[græ̀dʒuéiʃən]

몡 졸업식, 졸업

A: Is your family coming to your graduation ceremony?
너희 가족들 졸업식 때 와?

B: Nobody can make it on that day. They will be either abroad or on a business trip.
그 날 아무도 못 와. 해외 계시거나 출장 중이실 거야.

0292 ★★

personality
[pə̀:rsənǽləti]

몡 성격, 개성, 특성 윤 character 성격, 기질

A: The three of us will never get this project done.
우리 세 명에서는 이 프로젝트 절대 못 끝낼 거야.

B: We need someone else with a lot of personality who thinks creatively.
다양한 개성을 갖고 창의적으로 사고를 하는 다른 어떤 사람이 필요해.

0293 ★★

hesitate
[hézətèit]

동 망설이다, 주저하다

A: You've been studying for more than an hour! Don't hesitate to call me whenever you want to eat or drink something.
네가 한 시간 넘게 공부하고 있다니! 뭐 먹고 싶거나 마시고 싶으면 망설이지 말고 언제든지 불러라.

B: Sure. Mom, I want some cheese cake.
네. 엄마, 저 치즈 케이크가 먹고 싶어요.

0294 ★★

guilty
[gílti]

혱 죄책감이 드는, 죄를 범한

숙 feel guilty 죄책감을 느끼다   be found guilty 유죄로 판결되다

A: You look so down today. What's going on?
오늘 너 기분이 안 좋아 보인다. 무슨 일 있어?

B: I was just on the phone with my mom and I feel guilty about not visiting her more often.
방금 엄마랑 통화했는데 엄마를 더 자주 찾아뵙지 못하는 거에 대해서 죄책감이 드네.

0295 ★

vulnerable
[vʌ́lnərəbl]

(형) 취약한, 연약한, 상처받기 쉬운

A: Did she cry when you told her that you're going abroad next year?

내년에 너 해외 나간다고 말하니까 그녀가 울었어?

B: She did. She's so **vulnerable** and I want her to be stronger.

어. 얘가 너무 연약해. 더 강해졌으면 좋겠어.

0296 ★★

hostile
[hɑstl]

(형) 적대적인, 비우호적인 (유) antagonistic 적대적인

A: Do you have any idea why your cat is so **hostile** to me?

너희 고양이가 왜 나한테 이렇게 적대적인 건지 알아?

B: That's because you're not as pretty as I am. He likes pretty girls like me.

니가 나 만큼 예쁘지 않기 때문이지. 쟤 나처럼 예쁜 여자 좋아해.

0297 ★★★

violation
[vàiəléiʃən]

(명) 위반, 침해

A: On my way here, I got pulled over and got a ticket for a traffic **violation**!

여기 오는 길에 차 세우고 교통법규 위반으로 딱지 뗐어!

B: Again? You need to follow the traffic rules.

또? 넌 교통법규 좀 잘 지켜야 해.

0298 ★★

soar
[sɔːr]

(동) 급증하다, (허공으로) 솟구치다 (유) increase 증가하다, 인상되다

A: Are you aware that youth unemployment has recently **soared** to more than 10%?

청년 실업이 최근에 10% 넘게 급증한 거 알고 있니?

B: More than 10%? That's a very high rate.

10%가 넘는다고? 엄청나게 높은 비율이네.

0299 ★★

ridiculous
[ridíkjuləs]

(형) 말도 안 되는, 우스꽝스러운, 웃기는

A: I got a new hat and this is the first time wearing it. How do I look?

나 새 모자사서 오늘 처음 쓰는 거야. 나 어때?

B: Do you want me to be honest with you? You look **ridiculous** now.

솔직하게 말해주길 바라니? 지금 우스꽝스러워 보여.

0300 ★

unchangeable
[ʌntʃéindʒəbl]

(형) 바꿀 수 없는, 변하지 않는

A: You know what's **unchangeable** in this world? My love for you.

이 세상에 변하지 않는 게 뭔 줄 알아? 너에 대한 내 사랑.

B: How sweet of you.

당신 참 달콤하군요!

1 다음 단어에 맞도록 우리말 또는 영어로 바꿔 쓰시오.

01	grasp	11	역사적인, 역사적으로 중요한
02	favorable	12	징계하다, 규율, 훈육
03	variety	13	지질학
04	starfish	14	본사
05	errand	15	거르다, 빼먹다
06	thoroughly	16	유독성의, 유독 화학 약품
07	soar	17	조개, 갑각류
08	personality	18	말도 안 되는, 우스꽝스러운
09	unchangeable	19	적대적인, 비우호적인
10	graduation	20	망설이다, 주저하다

2 다음 빈칸에 알맞은 단어를 넣어서 문장을 완성하시오.

01 He told me that was _____ information.
그가 나에게 그건 비밀 정보였다고 말했어.

02 I want to _____ you to read more books.
나는 네가 더 많은 책을 읽도록 격려하고 싶어.

03 We're not sure how they are likely to _____.
우리는 그 사람들이 어떻게 반응을 보일 지에 대해 확신이 서질 않는다.

04 You have to _____ fatty foods from your diet.
너는 니 식단에서 기름진 음식들을 제거해야 해.

05 I was really _____ after I broke up with my girlfriend.
나는 내 여자 친구랑 헤어진 이후로 굉장히 연약했었어.

호준: 그 **weird**한 물건은 뭐야?

대건: 이거 **attic**에서 가지고 내려온 건데 아버지도 옛날에 **inherit**하셨대. **copper**로 만들어진 건데 정확히 뭔진 모르겠어. 완전 **exquisite**한 생김새지? 엄청 **worth**한 물건 같아. **auction**에다가 한번 내놓으려고. 사람들 **interest**를 끌 수 있지 않을까?

호준: **geography** 책에서 본 듯 해. 그런데 그게 황금으로 만들어진 거라고 사람들을 **delude**하지 않는 이상 아무도 입찰을 안 할 것 같다.

0301 ★
weird
[wíərd]

⟨형⟩ 기이한, 기묘한 ⟨유⟩ odd 이상한, 특이한

A: I can't believe that you were on my favorite TV show! You were so funny by the way.
내가 제일 좋아하는 TV 쇼에 니가 나오다니 믿을 수가 없다! 근데 너 좀 웃겼어.

B: Actually it was really **weird** seeing myself on TV.
사실 내 자신이 TV에 나오는 걸 내가 보니까 정말 묘하더라.

0302 ★
attic
[ǽtik]

⟨명⟩ 다락방

A: Some of the TV dramas these days remind me of when I was young.
요즘 TV 드라마들을 보면 나 어릴 적을 떠오르게 하는 것들이 있더라.

B: I know. I used to play in a dusty **attic** quite a lot back in the days.
맞아. 옛날에는 먼지 쌓인 다락방에서 자주 놀곤 했었는데.

0303 ★
inherit
[inhérit]

⟨동⟩ 상속받다, 물려받다 ⟨반⟩ disinherit 상속권을 박탈하다

A: You know what? I recently found out that Taehun **inherited** a fortune from his dad.
그거 아나? 내가 최근에 알게 된 건데 태훈이 아버지한테 재산 상속받았대.

B: Wow, good for him. 와, 잘됐네.

0304 ★
copper
[kápər]

⟨명⟩ 구리, 동전

A: I don't understand why most people want to have gold. I find silver or **copper** much more fascinating.
난 왜 대부분의 사람들이 금을 가지고 싶어 하는지 이해를 못 하겠어. 난 은이나 구리가 훨씬 더 매력적인데.

B: If you don't like to own gold, how about you just give me that gold ring that you're wearing?
금을 가지기가 싫다면 니가 끼고 있는 그 금반지 나한테 주는 건 어때?

0305 ★★

exquisite
[ikskwízit]

ⓗ 매우 아름다운, 정교한, 격렬한

A: When did you get a new blanket? It's so soft and I like the **exquisite** embroidery.
언제 새 이불 산거야? 이거 정말 부드럽네 그리고 난 이 정교한 자수가 마음에 든다.

B: The department store was having a clearance sale so I got it for a good bargain a couple of weeks ago.
백화점에서 재고 정리 세일을 하더라고 그래서 몇 주 전에 싸게 샀지.

0306 ★★★

worth
[wəːrθ]

ⓗ ~의 가치가 있는 ⓜ 가치, 값어치

A: What did you do on the weekend? Did you stay home doing nothing again? 주말에 뭐 했어? 또 집에서 아무것도 안하고 있었어?

B: No, I went to a fancy restaurant with my mom and the food was **worth** the money I spent!
아니. 엄마랑 같이 고급스런 식당에 다녀왔는데 음식이 돈을 쓴 값어치를 하더라!

0307 ★

auction
[ɔ́ːkʃən]

ⓜ 경매 ⓥ 경매로 팔다

A: Have you ever sold anything at an **auction**?
경매에서 뭐 팔아본 적 있어?

B: Sure. I'm going to sell something at one this weekend.
물론이지. 이번 주말에도 거기에 하나 팔 거야.

0308 ★★★

interest
[íntərəst]

ⓜ 흥미, (금융) 이자 ⓥ ~의 관심을 끌다

A: Are you still paying **interest** on your student loan?
너 아직 학자금 대출 이자 내고 있어?

B: Of course I am. A good thing is that the **interest** rate is comparatively low. 물론 내고 있지. 한가지 좋은 점은 이자율이 비교적 낮다는 거야.

0309 ★★

geography
[dʒiágrəfi]

ⓜ 지리학, 지리 ⓟ geographical 지리학상의, 지리적인

A: Has anyone seen my **geography** textbook? I can't find it.
내 지리 교과서 본 사람? 못 찾겠네.

B: Have you checked your locker? It may be in there.
사물함도 확인했어? 거기 있을 수도 있잖아.

0310 ★

delude
[dilúːd]

ⓥ 착각하게 하다, 속이다 ⓟ delusion 명상, 착각

A: I hate it when people are **deluded** into thinking that nature belongs to them.
난 사람들이 자연이 그들한테 속해있다고 착각할 때 너무 싫더라.

B: You're right. We have to keep in mind that human beings belong to nature. 맞아. 우리 인간이 자연에 속해있다는 걸 꼭 명심해야지.

delude는 누군가를 '착각하게 하다, 속이다'라는 의미를 가진 동사입니다. 비슷한 의미를 가진 동사들에는 **deceive**와 **mislead**도 있으니 같이 정리해두세요.

Episode **032** • 수염은 멋있는 사람만 기르는 걸로!

우식: 너 집에 **razor** 없어? **beard**는 도대체 왜 기르는 건데?
대건: 뭐냐 그 **frigid**한 목소리랑 한숨은? **brag**하려는 건 아닌데 여자애들이 이걸 좋아해. 내가 또 머리카락은 곱슬곱슬하고 **exotic**한 외모잖아. 그래서인지 **intellect**가 있으면서 탁월한 **urban**의 남자랄까? 뭐 이런 이미지를 풍기는 거지. 나란 남자, 풀어보고 싶은 수수께끼 같은 남자.
우식: 저기, 널 **upset**하게 할 의도는 아닌데 말야. 수염이 **dense**하게 난 것도 아니고 꼭 염소수염 같아. 아, 갑자기 속이 안 좋네. **vomit**할 것 같아.

0311 ★
razor
[réizər]

[명] 면도기, 면도칼

A: I forgot to bring my **razor**! Do you have an extra one?
면도기 챙겨 오는 걸 깜빡했네. 너 여분 있어?

B: Why would I pack a razor? You should go get a disposal one.
내가 왜 면도기를 챙겨오겠어? 너 가서 일회용으로 하나 사야겠다.

0312 ★★
beard
[bíərd]

[명] 턱수염

A: Are you going to grow a **beard**?
너 턱수염 기를 거야?

B: Yes! It will look good on me.
응! 나랑 잘 어울릴 걸.

0313 ★
frigid
[frídʒid]

[형] 냉랭한, 몹시 추운

A: Don't go outside today. The **frigid** air has returned.
오늘은 밖에 나가지 마라. 공기가 얼마나 냉랭한지.

B: Come over here and drink some warm tea.
이리 와서 따뜻한 차 좀 마셔라.

0314 ★
brag
[bræg]

[동] (심하게) 자랑하다, 떠벌리다

A: Do you know what Daegun did this morning? He came to me and kept **bragging** about his car for about 30 minutes.
오늘 아침에 대건이가 뭐 했는지 알아? 나한테 와서 자기 차 자랑을 30분쯤이나 하고 갔어.

B: Isn't he obnoxious?
걔 밉살스럽지 않아?

💡 **brag**는 무언가에 대해 '(심하게) 자랑하다, 떠벌리다'라는 의미를 가진 단어인데요. 비슷한 단어들로는 **show off**와 **boast**가 있습니다.

0315 ★

exotic
[igzátik]

(형) 이국적인, 외래의　(유) unusual 색다른, 특이한

A: I'm starving. Let's go out and get something to eat. Are you craving anything?

너무 배고파. 나가서 뭐 좀 먹자. 너 뭐 먹고 싶은 거 있어?

B: I want to try some **exotic** food.

난 이국적인 음식 좀 먹어보고 싶어.

0316 ★★

intellect
[íntəlèkt]

(명) 지적 능력, 지식인　(파) intellectual 지적인, 교육을 많이 받은

A: I'm so glad that you joined our team. You are such a man of considerable **intellect**!

니가 우리 팀에 합류해서 너무 좋아. 넌 지적 능력이 상당한 남자야!

B: Stop it. I'm not as smart as you think.

됐어. 난 니가 생각하는 거 만큼 똑똑하지 않아.

0317 ★★

urban
[ə́:rbən]

(형) 도시의　(유) civic 도시의

A: Is **urban** living better than living in a suburb? I don't like the hustle and bustle of a big city

도시 생활이 교외에서 사는 것보다 더 좋아? 난 대도시의 그 북적임이 싫던데.

B: Well, in some ways, I think it is.　음, 일부분에서는 그렇다고 생각해.

0318 ★★

upset
[ʌpsét]

(동) 속상하게 하다, 뒤엎다　(형) 화산, 속상한, 뒤집힌

A: What is your mom mad at? She never tells me what it is.

엄마 뭣 때문에 화난 거야? 나한텐 뭔지 말을 안 해 주네.

B: I showed her my report card and it must have **upset** her.

엄마한테 성적표 보여드렸거든요 그것 때문에 속상해하시는 거 같아요.

0319 ★★

dense
[dens]

(형) 빽빽한, 자욱한, 밀집한

A: Be careful when you drive tomorrow morning. There will be a **dense** fog.

내일 아침 운전할 때 조심해. 자욱한 안개가 낄 거래.

B: Oh, okay. Thanks for the information.

아, 그래. 정보 고마워.

0320 ★

vomit
[vámit]

(동) 토하다　(명) 구토　(유) throw up ～을 토하다

A: Can you please take off your T-shirt and hit the shower right now? The smell of you makes me want to **vomit**!

저기 부탁인데 그 티셔츠 좀 벗고 지금 당장 샤워 좀 할 수 없을까? 너한테 나는 냄새 때문에 토하고 싶다!

B: Oh, sorry. I sweated a lot playing soccer. I'll go take a shower now.　아 미안. 내가 축구하느라 땀을 많이 흘렸거든. 지금 바로 가서 샤워할게.

Episode 033 • 지켜주세요, 지적 재산권

대건: **army** 영화 내려받았는데 같이 볼래? 사실 난 벌써 한 번 보긴 했어. 이것도 **heredity**인지 모르겠는데 우리 아부지도 밀리터리 마니아시잖냐. 아 그리고 영화에 **artillery**도 엄청 나오던데 포병대대 이야긴가 봐. 우리가 또 포병으로 복무했잖냐. 옛날 훈련 때 우리가 탑승했던 **vehicle**하며 아… 전부 다 **vivid**하게 떠오르더라니깐. **release**한 지 얼마 안 된 거라 최첨단 장비로 촬영했는지 몰입감 최고다.

우식: 야이 **brave**한 녀석아. 요즘 **copyright** 법이 얼마나 **strict**한데 함부로 다운을 받냐. **misfortune**한 느낌이 몰려 온다. 얼른 지우고 다시는 하지 마라.

0321 ★★
army
[á:rmi]

[명] 군대, 육군

A: Don't you want to go back to the time when you were in the army sometimes?
넌 가끔 군대에 있던 시절로 돌아가고 싶지 않아?

B: Not at all. That was the longest two years of my life.
전혀. 내 인생에서 가장 긴 2년이었다고.

0322 ★★★
heredity
[hərédəti]

[명] 유전(적 특징)

A: You're so talented in sports. I'm jealous of you.
너 정말 스포츠에 재능이 있다. 너가 부러워.

B: It's heredity. My mom and dad were both athletes.
유전이야. 우리 엄마랑 아빠 두 분 다 육상선수셨대.

0323 ★
artillery
[a:rtíləri]

[명] 대포, 포병대

A: Lieutenant Lee, we're running out of food, supplies and troops. What should we do?
이 대위님, 저희 식량, 보충 물자 그리고 병력이 부족합니다. 어쩌면 좋겠습니까?

B: I think it's time to request an attack of artillery!
포병대 공격을 요청 할 때가 된 것 같군!

0324 ★★
vehicle
[ví:ikl]

[명] 차량, 운송 수단, 매개체

A: Thank you for picking me up. By the way, why didn't you tell me that you have this great car?
태우러 와 줘서 고맙다. 근데 왜 나한테 이렇게 멋진 차 있는 걸 말 안 해줬어?

B: Because it's not mine. It's a company vehicle.
이게 내 차가 아니거든. 이거 우리 회사 차량이야.

0325 ★★
vivid
[vívid]

[형] 생생한, 선명한 [유] clear 확실한, 분명한

A: Isn't this winter much colder than last year? I hope spring comes earlier. 작년보다 이번 겨울이 훨씬 더 춥지 않아? 봄이 더 빨리 왔으면 좋겠다.

B: Yeah, my favorite season is also spring when everything is fresh and vivid. 그러게. 내가 제일 좋아하는 계절도 만물이 신선하고 생생한 봄인데 말이지.

0326 ★★

release
[rilí:s]

ⓣ 개봉하다, 발표하다, 풀어주다　ⓨ set free 풀어주다

A: I'm so happy that AC Electronics has **released** a new line of products this quarter.
　AC 전자가 이번 분기에 새로운 제품 라인업을 발표해서 너무 좋아.

B: So am I! I've been waiting for it since last year.
　나도! 난 작년부터 기다렸다니깐.

0327 ★★★

brave
[bréiv]

ⓗ 용감한　ⓣ ~에 용감히 맞서다　ⓨ bold 용감한　confront 직면하다, 맞서다

A: You did such a great job on the presentation and you didn't even seem nervous at all.
　발표 정말 잘했어. 떨리는 기색도 전혀 없더라.

B: I took some medicine before the presentation. It must have made me **brave**.
　발표 전에 약을 좀 복용했거든요. 그 덕분에 용감해졌던 것 같아요.

0328 ★

copyright
[kápirait]

ⓝ 저작권　ⓣ ~의 저작권을 취득하다

A: Do you know that **copyright** expires 70 years after the death of the author?
　저작권은 그 저자가 죽은 뒤 70년이 지나야 소멸되는 거 알고 있어?

B: 70 years after the death of the author? I wish I could make good music or write a great book.
　저자의 사후 70년 뒤라고? 나도 멋진 음악이나 책 같은 거 쓸 수 있었으면 좋겠다.

0329 ★★

strict
[strikt]

ⓗ (규칙 등이) 엄격한

A: Why doesn't Daegun eat any meat? Does he not like it?
　왜 대건이는 어떤 고기도 안 먹어? 고기를 안 좋아하는 거야?

B: He's a **strict** vegetarian.　쟤 엄격한 채식주의자야.

0330 ★★★

misfortune
[mìsfɔ́:rtʃən]

ⓝ 불행, 불운　ⓨ adversity 역경

A: Why are you home already? Wasn't your journey supposed to last for 2 weeks?　너 왜 벌써 집에 왔어? 2주 동안 여행할 거라 그러지 않았어?

B: It was. But on the third day, I had the **misfortune** of running into a thief. He took all my money.
　그랬지. 근데 3일째 되는 날 불행하게도 도둑맞았어. 도둑이 내 돈 다 가져갔어.

접두사 mis에는 '잘못된, 나쁜'이라는 의미가 있습니다. 그래서 '행운'이라는 뜻의 fortune은 mis가 붙어 misfortune, 잘못된(혹은 나쁜) 행운이라는 거잖아요? 다시 말해서 '불행, 불운'이라는 뜻입니다. 감이 오죠?

DAY 11 Review

1 다음 단어에 맞도록 우리말 또는 영어로 바꿔 쓰시오.

01	delude	_____	11	지리학, 지리	_____
02	exquisite	_____	12	흥미, (금융) 이자	_____
03	dense	_____	13	경매, 경매로 팔다	_____
04	intellect	_____	14	다락방	_____
05	vomit	_____	15	도시의	_____
06	beard	_____	16	냉랭한, 몹시 추운	_____
07	strict	_____	17	속상하게 하다	_____
08	heredity	_____	18	면도기, 면도칼	_____
09	copyright	_____	19	대포, 포병대	_____
10	misfortune	_____	20	생생한, 선명한	_____

2 다음 빈칸에 알맞은 단어를 넣어서 문장을 완성하시오.

01 I _____ the family business from my father.
저는 가족 사업을 아버지로부터 물려받았습니다.

02 I don't really think this book is _____ reading twice.
이 책은 두 번 읽을 가치가 있다고 생각하지는 않아요.

03 Can you just stop _____ about your new house?
너 새 집 자랑 좀 그만할래?

04 I heard that your sister is going to _____ her new book this quarter.
이번 분기에 너희 언니가 새 책 발간할 거라는 소식 들었어.

05 I love to try _____ food when I travel.
나는 여행 다닐 때 이국적인 음식을 먹어보는 걸 정말 좋아한다.

Episode 034 ● 코인 빨래방은 돈이라도 벌지.

미정: 너 얼굴에 피로가 한가득 묻어있다.

대건: 나 요즘에 **laundry**하는 기계 같아. **naughty**한 초딩 동생이랑 **muscle** 만든다고 헬스장 다니는 형이랑 둘이서 하루에도 몇 번씩 옷을 갈아입는다니깐. 이거 뭐 이 형하고 동생한테 늘 **closely**하게 붙어서 못하게 할 수도 없고.

미정: 빨래는 니가 하냐? 세탁기가 하지.

대건: 세탁기 **operate**는 누가 하는데? 아무도 **assistance** 안 해줘. 빨래바구니 들 때마다 무슨 생각하는 줄 알아? 이건 완전 **bomb**야. **disgust** 폭탄. 그만큼 더럽다고! **discard**하라는 옷들도 계속 빨아 달라고 한다니까. 옷이 너무 더러워서 **detergent**는 무조건 가득 넣는다.

0331 ★★
laundry
[lɔ́:ndri]

(명) 빨래, 세탁물, 세탁소　(숙) do the laundry 빨래를 하다

A: How many times do I have to tell you this, huh? Would you put your laundry into that basket?
내가 너한테 도대체 몇 번이나 이걸 얘기해야 되니, 어? 세탁물은 저 바구니에다 넣어 줄래?

B: All right. I'll promise not to forget again, so please don't yell at me.
알았어요. 다시는 잊어버리지 않겠다고 약속 할 테니까 제발 나한테 소리 지르지 마세요.

0332 ★
naughty
[nɔ́:ti]

(형) 버릇없는, 말을 안 듣는

A: My kids never listen to me and they are very naughty. Any ideas?
우리 애들은 내 말을 전혀 안 듣고 버릇도 너무 없어. 좋은 생각 있니?

B: You should discipline your children when it is needed.
필요할 땐 애들 훈육해야지.

0333 ★★
muscle
[mʌsl]

(명) 근육

A: Is anything wrong with your legs? You're walking awkwardly.
너 다리에 뭐 문제 있어? 어색하게 걷네.

B: I think something's wrong with my calf muscle. It hurts when I step forward. 나 종아리 근육에 뭔가 문제 생긴 거 같아. 발 내디디면 아파.

0334 ★★
closely
[klóusli]

(부) 접근하여, 바싹, 가까이

A: Are you sure that this telescope works? I can't see anything.
이 망원경 되는 거 확실해? 아무것도 볼 수가 없는데.

B: Come on, it does. Look into it closely.
아, 그거 된다니깐. 가까이 들여다 봐.

0335 ★★

operate
[ápərèit]

(통) 작동(가동)시키다, 운용하다, 수술하다   (파) operation 수술, 운용, 작전

A: Is there anybody who can **operate** a mower?
풀 베는 기계 사용할 줄 아는 사람?

B: Me! Where is it? Let me help you with that.
나! 기계 어딨는데? 내가 도와줄게.

0336 ★★

assistance
[əsístəns]

(명) 도움, 원조

A: My project proposal got approved thanks to your advice and **assistance**. Thank you so much.
딩신의 조언과 도움 덕분에 제 프로젝트 제안서가 승인을 받았어. 진짜 고마워요.

B: Congratulations! I'm happy that you were successful.
축하합니다! 성공적이었다니 기쁘네요.

0337 ★★

bomb
[bam]

(명) 폭탄   (통) 폭격하다, 크게 실패하다

A: Why are you trying to avoid your friend, Changyu?
너 왜 니 친구 찬규를 피하려고 하는 거야?

B: He's like a time **bomb**. He has a quick temper and is aggressive so nobody knows when he will make a scene.   걔 시한폭탄 같아. 급한 성미에 공격적이라서 언제 소동을 부릴 지 아무도 모른다니깐.

0338 ★★

disgust
[disɡʌ́st]

(명) 역겨움, 혐오감, 넌더리   (통) 혐오감을 유발하다   (유) loathing 혐오감, 증오심

A: How was your blind date? Did it go well?   소개팅 어땠어? 잘 됐어?

B: It was awful. He smelled terribly bad. I had a hard time hiding the **disgust** that I felt.
끔찍했어. 그 남자 냄새가 왜 그렇게 심하게 나는지. 역겨움, 혐오감 뭐 이런 거 감추려고 진짜 애썼어.

0339 ★

discard
[diskáːrd]

(통) 버리다, 폐기하다   (유) get rid of ~을 없애다   throw away 버리다

A: You know what I've just done? I accidentally **discarded** a file that includes this quarter's sales report. I'm so doomed!
나 방금 뭐 했는 줄 알아? 실수로 이번 분기 매출 보고서 파일을 지워버렸어. 나 진짜 망했다!

B: Don't you have a backup?
백업 파일 가지고 있지 않아?

 이 단어 앞에 붙어있는 접두사 dis에는 무엇으로부터 '떨어지다(apart, away)'라는 의미를 가지고 있습니다. 내 손에 쥐고 있던 카드(card)를 나로부터 떨어지게(apart)한다. discard 즉, 필요 없으니까 '버리다, 폐기하다'라는 뜻이겠죠?

0340 ★

detergent
[ditə́ːrdʒənt]

(명) 세제

A: I'm going to run the washer. Need anything washed?
나 세탁기 돌릴 거야. 뭐 빨 거 있어?

B: Here, my jacket and pants. Make sure you put in just a little **detergent**.   여기, 내 재킷이랑 바지. 세제는 꼭 조금만 넣어.

Episode 035 • 넌 정말 심각한 기계치구나.

현실: 새 휴대전화 샀는데. **interface**가 적응이 안 되네. TV에선 누구든지 10분이면 손쉽게 쓸 수 있다고 **boast**하면서 **advertise**하더니. 이거 사용법 교육시켜 주는데 없나? 내가 지능이 떨어지는 건가? 본사 앞에 가서 1인시위하고 다 엎어버려 그냥?

대건: 그런 **serious**한 접근법은 좋지 않아. **revolt** 같은 거 일으키려고? 너 **bulletin** 코너 이런 데 나오고 싶어? 그러지 말고 이리 줘봐. 내가 **chivalry**를 발휘해야겠구만. *(휴대전화를 만져보면서)* 조금 복잡하긴 하다. 여기 **edit** 버튼 누르고 설정만 바꿔주면 되네. 쉽지?

현실: 넌 진짜 **brilliant**한 두뇌의 소유자다. **admire**해! 고마워.

0341 ★

interface
[íntə:rfèis]

명 (컴퓨터) 인터페이스, 접점 통 접속하다(되다)

A: The user interface of your laptop is totally different from mine. It's more user-friendly.
너 노트북 사용자 인터페이스가 내꺼랑은 완전히 다르네. 이게 더 사용하기 쉽네.

B: See? That's why I recommend this operating system.
그렇지? 그래서 내가 이 운영 체제를 추천하는 거야.

DAY 12

0342 ★★

boast
[bóust]

통 자랑하다, 뽐내다 명 자랑 유 brag 자랑하다

A: Are you invited to Daegun's birthday party tomorrow?
너 내일 대건이 생일파티 초대 받았어?

B: I am but I'm not going to go. I'm just sick of him boasting about how much money he has.
응. 근데 안 가려고. 자기가 돈이 얼마나 있는지 자랑하는 데에 넌더리 나.

0343 ★★

advertise
[ǽdvərtàiz]

통 광고하다 유 promote 홍보하다

A: Have you found your dog yet?
강아지 아직 못 찾았어?

B: Not yet, so I'm going to advertise it in the local paper. I hope she's okay.
아직. 그래서 지역 신문에 광고 내보려고. 애가 괜찮아야 할 텐데.

0344 ★★★

serious
[síəriəs]

형 진지한, 심각한

A: Did you get the result of your regular checkup?
너 정기 건강검진 결과표 받았어?

B: Not yet. I got a text that it will be sent to my house tomorrow. I hope they didn't find anything serious.
아직. 문자 받았는데 내일 집으로 보내준데. 뭔가 심각한 거 없었으면 좋겠다.

0345 ★★
revolt
[rivóult]

[동] 반란을 일으키다, 반항하다, 혐오감을 주다 [명] 반란

A: Do you remember what happened a year ago today?
1년 전 오늘 무슨 일이 있었는지 기억하니?

B: Of course, Mom. I tried to **revolt** against your strict discipline but I failed. In the end, I was grounded for a month. 물론이죠, 엄마. 엄마의 그 엄격한 훈육에 대해서 반항하려다 실패했죠. 결국, 한 달 외출금지 당했었고요.

0346 ★★
bulletin
[búlitən]

[명] 뉴스 단신, (중요한) 고시, 공고

A: Did you watch the news **bulletin** about the fire in Daegu?
대구 화재 관련 뉴스 단신 봤어?

B: Yeah, I did. They announced that the suspect has been caught, didn't they?
응, 봤어. 용의자가 잡혔다고 하던데, 그렇지 않아?

0347 ★
chivalry
[ʃívəlri]

[명] 기사도 정신, (여자에 대한 남자의) 정중함

A: Have you memorized all of your lines in the script?
대본에 니 대사 다 외웠어?

B: I'm still working on it and this is the line that I keep forgetting. "We will fight this war with **chivalry**! Death before dishonor!"
아직 외우는 중이야. 이 대사를 자꾸 까먹네. "우린 기사도 정신으로 이 전투에 임할 것이다! 불명예보다는 죽음을 택하리라!"

0348 ★
edit
[édit]

[동] 수정하다, 편집하다 [유] revise 수정(변경)하다

A: Can you go over this draft and let me know if some parts need to be **edited**?
이 원고 보고 혹시 수정해야 할 부분들 있으면 좀 말해 줄 수 있어?

B: Sure. By when do you want me to get it done?
응. 언제까지 해주면 되냐?

0349 ★★
brilliant
[bríljənt]

[형] 훌륭한, 뛰어난

A: I heard you and your girlfriend went to the lantern festival. How was it?
여자 친구랑 등 축제 다녀왔다며. 어땠어?

B: We had so much fun there. It was a **brilliant** idea for organizers to allow people to make their own lanterns.
거기 정말 재밌었어. 주최 측에서 사람들이 직접 등을 만들어볼 수 있도록 한 건 정말 훌륭한 아이디어였어.

0350 ★★★
admire
[ædmáiər]

[동] 존경하다, 칭찬하다

A: Did you stay up all night preparing teaching materials again? I **admire** the passion you have about education!
교재 준비하느라 또 밤샌 거예요? 교육에 대한 열정을 제가 존경합니다!

B: I'm so flattered. I just do what I have to do.
과찬이네요. 그냥 해야 할 일을 하는 건데요.

💡 누군가를 '존경하다'라는 의미를 가진 admire와 비슷한 단어들로는 respect와 esteem이 있습니다. 같이 정리해두세요.

Episode 036

• 야생, 그 거친 세계

대건: 저 사슴 **horn** 좀 봐. 순하게 생겼는데 뿔은 엄청나게 크네.

미정: 저 사슴들이 사는 곳이 얼마나 **harsh**하겠어. 살아남아야 하니까 저렇게 된 거겠지. 난 얼마 전에 **lawn**에서 **insect**한테 물렸는데 너무 아파서 **scream**이 다 나오더라. **leather** 바지 입고 있었는데도 물렸어.

대건: 나도 저번에 산에 올라갔다가 **thorn**에 **thigh**를 긁혔어. 그 **consequence**로 이렇게 **scar**가 여러 개 남았다니까.

0351 ★★

horn
[hɔ:rn]

[명] 뿔, (차량의) 경적, 피리 [숙] horn in on ~에 참견하다, 간섭하다

A: I can't concentrate. Who on earth is honking the **horn** so loudly?
집중을 할 수가 없네. 도대체 누가 저렇게 시끄럽게 경적을 울리는 건데?

B: It must be the same guy that did the same thing yesterday. He's not very considerate, is he?
어제 같은 일을 한 그 녀석임에 틀림없어. 정말 배려심이 없네, 그치?

DAY 12

0352 ★★

harsh
[ha:rʃ]

[형] 가혹한, 혹독한 [유] ruthless 무자비한

A: I can't believe Jungwoo betrayed me. I thought he was a nice and loyal friend!
정우가 날 배신하다니 믿을 수가 없어. 착하고 충실한 친구인 줄 알았건만!

B: Hey, it's a **harsh** world that we are living in. Be strong.
야, 우리가 사는 이 곳은 냉혹한 세계야. 강해져야 해.

0353 ★

lawn
[lɔ:n]

[명] 잔디밭, 잔디

A: Isn't it a perfect day to go on a picnic today?
소풍 가기 딱 좋은 날씨이지 않아?

B: Then let's go! I'll go get a mat first so we can rest on the **lawn**.
그럼 가자! 나 매트 좀 먼저 챙겨야겠다. 그래야 잔디밭 위에서 쉬지.

> lawn은 '잔디'를 의미하는데요. 이 단어와 함께 잘 나오는 동사로 mow와 trim이 있습니다. mow a lawn 또는 trim a lawn은 둘 다 '잔디를 깎다'라는 의미입니다.

0354 ★★

insect
[ínsekt]

[명] 벌레, 곤충

A: Why do you keep scratching your neck?
너 왜 목을 계속 긁어?

B: I guess I got an **insect** bite. It's very itchy.
나 벌레한테 물린 거 같아. 너무 간지러워.

0355 ★★

scream
[skri:m]

(명) 비명, 절규 (동) 비명을 지르다, 날카로운 소리를 내다

A: Did you just hear that? Somebody screamed for help.
방금 들었어? 누가 도와달라고 비명 질렀잖아.

B: Shh. Stay silent! We have to find out where the sound is coming from. 쉬, 조용해 봐! 어디에서 소리가 나는지 찾아야지.

0356 ★★

leather
[léðər]

(명) 가죽, 가죽옷

A: I like your leather jacket. Is it artificial or genuine?
가죽 재킷 멋있네. 그거 인조야 아니면 진짜야?

B: It's genuine leather. It cost an arm and a leg.
이거 진짜 가죽이야. 큰 돈 썼다.

0357 ★★

thorn
[θɔ:rn]

(명) 가시나무, 가시 (파) thorny 골치 아픈, 가시가 있는

A: Where are you going? It's two in the morning.
어디가? 지금 새벽 두 시야.

B: I got a thorn stuck in my finger. I'm going to the bathroom to get the tweezers.
손가락에 가시가 박혔어. 화장실 가서 족집게 좀 가져오려고.

0358 ★★

thigh
[θai]

(명) 허벅지, 넓적다리

A: You must have worked out pretty hard during winter. Look at your thighs! They're all muscle.
너 겨울 동안에 운동을 꽤 열심히 했나 보네. 허벅지 좀 봐! 다 근육이네.

B: You didn't work out at all. Look at your thighs! Nothing but fat.
넌 운동을 전혀 안 했나 보네. 허벅지 좀 봐! 지방밖에 없네.

0359 ★★

consequence
[kánsəkwèns]

(명) 결과, 중요함 (유) outcome 결과

A: Did you hear that our company and Daegun Industry are merging next quarter?
우리 회사랑 대건 산업이랑 다음 분기에 합병한다는 소식 들었어?

B: Really? Oh no. This decision will have serious consequences in the end.
진짜? 아 안 돼. 이 결정이 결국엔 심각한 결과를 초래할 거야.

0360 ★★

scar
[ska:r]

(명) 흉터 (동) (상처 등이) 흉터를 남기다

A: I'm glad that you survived the car accident. You won't believe how much I prayed for you. 그 차 사고에도 네가 살아 남아서 다행이야. 내가 얼마나 너를 위해 기도했는지 넌 모를 거야.

B: Thanks. I'm getting better, but the accident will leave a permanent scar in my mind.
고마워. 나아지고는 있지만, 그 사고는 내 마음 속에 평생 상처를 남길 거야.

1 다음 단어에 맞도록 우리말 또는 영어로 바꿔 쓰시오.

01 naughty _____

02 boast _____

03 muscle _____

04 bulletin _____

05 revolt _____

06 admire _____

07 brilliant _____

08 scar _____

09 lawn _____

10 thorn _____

11 접근하여, 바싹 _____

12 역겨움, 혐오감 _____

13 작동시키다, 운용하다 _____

14 빨래, 세탁물, 세탁소 _____

15 폭탄, 폭격하다 _____

16 도움, 원조 _____

17 기사도 정신, 정중함 _____

18 가혹한, 혹독한 _____

19 뿔, (차량의) 경적 _____

20 비명을 지르다 _____

2 다음 빈칸에 알맞은 단어를 넣어서 문장을 완성하시오.

01 Don't forget to add the _____ to the washer.
세탁기에 세제 넣는 거 잊지 마세요.

02 You have to _____ all these old newspapers.
너 이 오래된 신문들은 다 버려야 해.

03 We need to come up with some ideas to _____ our restaurant.
우리 식당을 광고할 수 있는 아이디어를 좀 생각해 내야 해요.

04 We should accept the _____ of our actions.
우리는 우리 행동에 따른 결과를 받아들여야 합니다.

05 We have an _____ repellent in the house, don't we?
우리 집에 곤충 퇴치제 있죠, 그렇지 않아요?

DAY 13

에피소드 037~039

대건: 새로 나온 그 책 읽어봤어? **politician**들이 그 책 **condemn**하고 난리던데.

우식: 어, 난 벌써 읽었는데 그게 아마 **content**의 일부가 좀 **controversy**를 일으킬만 했어. 사람을 **stab**한다거나, 아무런 이유도 없이 **stalk**하는 내용이 있었거든. 근데 좀 **pity**한 게 일부만 가지고 **generalize**해서 너무 마녀사냥하는 거 같기도 해.

대건: 난 앞에 몇 장만 읽어봤는데 구성이 **unique**했어. 암튼 그 작가 지금 **hardship** 많겠다.

0361 ★★
politician
[pàlitíʃən]

⦗명⦘ 정치인　⦗유⦘ senator 상원 의원　congressman 하원 의원

A: Why are **politicians** considered so powerful and influential?
정치인들이 왜 그렇게 힘이 있고 영향력이 강한 걸까?

B: The answer is very simple. They make laws.
그야 간단하지. 그 사람들이 법률을 제정하잖아.

0362 ★★
condemn
[kəndém]

⦗동⦘ (도덕적으로) 비난하다, 규탄하다, 선고를 내리다　⦗유⦘ denounce 맹렬히 비난하다

A: Don't you think it's unfair? You just **condemn** everything that does not appeal to you? Thanks to your stupid article, my life has been ruined!
이건 좀 불공평한 거 같지 않습니까? 당신은 마음에 들지 않는 건 전부 비난하는 건가요? 당신의 멍청한 기사 때문에 내 인생이 망했다구요!

B: If you have anything that you want to say, you'd better talk to my lawyer. 할 말 있으면 제 변호사한테 말씀하시는 게 더 나을 겁니다.

0363 ★★
content
[kántent]

⦗명⦘ 내용, 함유량　⦗형⦘ 만족하는

A: I think the way we access web-based **contents** has changed a lot.
요즘 우리가 인터넷 기반 정보에 접근하는 방법이 많이 바뀐 것 같아.

B: It has and it's all thanks to the appearance of smart phones.
그렇지. 이게 다 스마트폰의 출현 덕분이지.

0364 ★
controversy
[kántrəvə̀:rsi]

⦗명⦘ 논란　⦗파⦘ controversial 논란이 많은

A: Are you going to change our position at this moment? It will definitely cause considerable **controversy**.
지금 이 순간에 우리 입장을 바꾸실 건가요? 상당한 논란을 불러일으킬텐데요.

B: I know but there's no other option left for us.
나도 알고 있네. 허나 그 외에 우리에게 남은 선택권이 없잖은가.

0365 ★

stab
[stæb]

동 (칼처럼 뾰족한 걸로) 찌르다, 삿대질을 하다

A: I heard you went to see a doctor this afternoon. What happened?
오늘 오후에 병원 갔었다며? 뭔 일이야?

B: Well, I accidentally **stabbed** myself with a mechanical pencil and then I got the lead stuck inside my hand.
어 그게, 내가 잘못해서 샤프로 날 찔렀는데 심이 내 손 안에서 부러져 버려서.

0366 ★

stalk
[stɔːk]

동 스토킹하다, 몰래 접근하다 명 (식물의) 줄기, 대 유 track 추적하다, 뒤쫓다

A: Are you okay? Daegun told me that somebody has been **stalking** you for a couple of months.
너 괜찮아? 대건이가 그러는데 두어 달 동안 누군가 너 스토킹 했다며.

B: I recently reported it to the police and they are verifying the identity of the suspect.
최근에 경찰서에 신고했어. 용의자 신원 파악하고 있는 중이래.

0367 ★★

pity
[píti]

명 유감, 측은함 동 연민을 느끼다, 불쌍해하다

A: Do you have to go home now? Come on, the night is still young!
너 지금 꼭 집에 가야 해? 야, 아직 초저녁이잖아.

B: It's a **pity** that I can't stay any longer. I have to get some work done by tomorrow morning.
더 오래 못 있는 게 참 유감이긴 하다. 내일 아침까지 끝내야 할 일이 있어.

DAY **13**

0368 ★

generalize
[dʒénərəlàiz]

동 일반화하다, 개괄적으로 말하다

A: Is it possible to **generalize** what happiness is?
행복이 뭔지 일반화한다는 게 가능한 일일까?

B: No, because happiness is not something that can be measured.
안 되지, 행복이란 건 측정될 수 없는 거니까.

0369 ★★

unique
[juːníːk]

형 독특한, 유일무이한 유 distinct 뚜렷한, 분명한 exclusive 독점적인

A: Isn't the hamburger here really good?
여기 햄버거 진짜 맛있지 않아?

B: It is! Besides, their special sauce makes it totally **unique**.
응! 게다가 이 집 특제소스가 이걸 완전히 독특하게 만들어 주는 것 같아.

0370 ★★

hardship
[háːrdʃip]

명 고생, 어려움, 고난

A: You know what I've learned from this book? People who have suffered a lot of **hardships** tend to be more successful in the end.
내가 이 책에서 배운 게 뭔 줄 알아? 고생을 많이 해 본 사람이 결국엔 더 성공하는 경향이 있다는 거야.

B: Um, I'll read the book. 음, 나도 그 책 읽어 볼게.

hardship은 경제적(재정적)인 어려움을 나타내는 단어입니다. 관련된 숙어 표현에는 undergo hardship, endure hardship이 있고 '고난을 견디다'의 의미입니다. overcome hardship은 '고난을 이겨내다'라는 의미이니 알아 두세요.

Episode 038 • 자존심

미정: 저기, 너 **mustache**를 밀 생각은 없니?
대건: 갑자기 뭔 소리야? 응, 없어. 이거 없으면 나 **naked**한 것처럼 느껴져서 안 돼. 이건 마치 삼손의 긴 머리카락이라고 할까? 이걸 밀라고 하는 건 나에게 **punish**하는 것과 마찬가지란 거지.
미정: 아니면 **trim**하기라도 좀 해봐. 너 지금 뭐 **thieve**하러 가게 생겼다니깐. **vicious**한 사람 같은 인상이야. 아, 그리고 콧수염은 **sanitary**상에도 안 좋을 지 몰라.
대건: 그렇게 말하는 너야말로 **wicked**하네. 이건 내 자존심이라니까.
미정: 너 삼손 말하는 것부터가 진짜 **psychology**가 좀 의심스럽다. **therapy**부터 좀 받자.

0371 ★
mustache
[mʌ́stæʃ]

[명] 콧수염

A: You see the guy with the **mustache** over there? He's my younger brother. 저기 콧수염 있는 남자 보이지? 쟤가 내 남동생이야.

B: What? Why is he growing a mustache? Please tell him to shave it. 뭐? 쟤 콧수염은 왜 기르는 거야? 제발 면도 좀 하라고 말해 줘라.

0372 ★★
naked
[néikid]

[형] 벌거벗은, 무방비로 노출된

A: Can we see the galaxy with our **naked** eyes? 육안으로 은하수를 볼 수 있나요?

B: Of course. Just walk outside on a clear night and look up the sky. 물론이지. 맑은 날 밤에 밖으로 나가 하늘을 올려다 보렴.

0373 ★★
punish
[pʌ́niʃ]

[동] 처벌하다, 벌주다

A: There's a lesson I learned about parenting. Never **punish** your kids by making them go hungry. 내가 육아에 대해서 한 가지 배운 게 있지. 절대로 아이들을 배고프게 만드는 걸로 벌주지 말 것.

B: That's actually a good lesson! I'll put that into practice when I raise my kids. 정말로 훌륭한 가르침이네! 내가 아이들 키울 때 그거 실천해야겠다.

0374 ★★
trim
[trim]

[동] 다듬다, 손질하다 [명] 다듬기

A: How often do you go to the hair salon? 너는 미용실을 얼마나 자주 가니?

B: I want my hair to be clean and neat, so at least once every other week? I usually get them to **trim** my hair. 난 깨끗하고 단정한 머리가 좋거든. 그래서 적어도 2주에 한 번? 주로 머리 다듬어달라고 하는 편이야.

0375 ★★
thieve
[θiːv]

[동] 훔치다 [유] steal 훔치다

A: I think I have to install a surveillance camera in the kitchen. 주방에 감시 카메라 설치해야 할까봐.

B: So I guess it's true that somebody **thieved** your food. 누가 니 음식을 훔쳐갔다는 게 사실인가 보네.

0376 ★★

vicious
[víʃəs]

형 잔인한, 악랄한　유 brutal 잔혹한, 악랄한

A: I know that snacking late at night is bad for my health but why can't I stop it? 야식이 건강에 안 좋은 걸 아는데 왜 끊지를 못하는 걸까?

B: It's like a **vicious** circle. One day you make up your mind that you won't eat anything at night but the next night you want that snack and you give in too easily.
악순환 같은 거야. 하루는 니가 저녁에 아무것도 안 먹겠다고 다짐한다 이거야. 근데 바로 그 다음 날이면 야식이 먹고 싶고 그럼 쉽게 굴복하는 거지.

0377 ★★

sanitary
[sǽnətèri]

형 위생의, 위생적인　유 hygiene 위생의

A: Do we have to eat in the basement? I don't think this is the most **sanitary** place for lunch. 우리 꼭 지하실에서 먹어야만 해? 여기가 점심 먹기에 가장 위생적인 장소는 아닐 텐데.

B: Come on. You know how bad the storm is right now. The wind is blowing like crazy and... Did you just hear that? It's thundering outside. This is the safest place to be.
야, 지금 폭풍이 얼마나 거센지 알잖아. 바람이 엄청나게 불지 그리고… 방금 들었어? 밖에 천둥도 치잖아. 여기가 제일 안전한 곳이라니까.

0378 ★★

wicked
[wíkid]

형 사악한, 짓궂은

A: Isn't Daegun on his way here? How about we scare him? Let's turn off all the lights and hide behind the curtains.
대건이 지금 여기 오는 중이지 않아? 우리 얘 놀라게 할까? 불 다 끄고 커텐 뒤에 숨어있자.

B: That's a **wicked** idea but I like it! It's going to be fun.
짓궂은 생각이긴 한데 좋아! 재밌겠다.

0379 ★★

psychology
[saikálədʒi]

명 심리학, 심리　파 psychological 정신의, 심리적인

A: I've been reading a lot of books about **psychology** recently and the more I read, the more fascinating I find it.
최근에 심리학 서적을 많이 읽고 있는데 읽으면 읽을수록 심리학이라는 게 흥미로워.

B: You're right. At one time, I wanted to be a psychologist.
맞아. 한때는 나 심리학자가 되고 싶었어.

 psych는 '영혼, 정신'을 의미합니다. 여기에 학문(ology)이 붙어서, 정신에 대한 학문이라는 거네요. 그래서 '심리학' psychology가 되는 겁니다. psychologist는 '심리학자'라는 뜻이고요.

0380 ★

therapy
[θérəpi]

명 치료, 요법

A: How did you overcome your disease? You didn't even go to the hospital to receive any **therapy**.
어떻게 질병은 극복한 거야? 치료 받으러 병원조차도 가지 않았잖아.

B: I was reluctant to undergo chemotherapy. So instead, I changed my whole diet and life style. 화학 치료요법 받는 거에 거부감이 있었거든. 그래서 내 전체적인 식단이랑 생활방식을 바꿨어.

Episode 039 • 나도 말 잘하고 싶다. (feat. 쇼핑 호스트 같은 내 친구)

대건: 저기 애들 축구 경기하는 거 봐. 저런 거 보면 나도 **stimulus**돼서 막 뛰고 싶다니깐.

미정: 오늘같이 **typical**한 **ultraviolet** 지수가 높은 날에 그냥 나갔다간 피부 검게 그을린다.

대건: 안 그래도 선크림 하나 **purchase**해야 하는데. 뭐 사지?

미정: **quality** 좋은 거 사야지. 그렇다고 너무 **name-brand** 꺼 말고. 가성비 좋은 걸로.

대건: 흠, 가끔 보면 넌 참 말 잘하는 건 **gifted**한 거 같다. 세일즈맨 했으면 **legend**가 되었을지도 모르겠어. **communism**이 아닌 민주주의 국가에서 널 낳아주신 부모님께 **grateful**하게 생각해라.

0381 ★

stimulus
[stímjuləs]

(명) 자극제, 자극 (파) stimulate 자극하다, (신체 기능을) 활성화시키다

A: I heard that some hospitals use music as part of their treatment. Do you know anything about that?
어떤 병원에서는 음악을 치료의 일부분으로 사용한다고 들었어. 뭐 아는 거 있어?

B: Just a bit. I read a study that said music is a strong **stimulus** that encourages patients to respond.
조금. 한 연구에서 그러는데 음악이 환자들이 반응하도록 고무시키는 큰 자극제 역할을 한다고 하더라.

0382 ★★

typical
[típikəl]

(형) 일반적인, 전형적인 (파) typically 일반적으로, 전형적으로

A: Hey, come by my house tonight. I'll treat you to the most **typical** Korean dish.
오늘 저녁에 우리 집에 들러. 내가 가장 전형적인 한식을 대접할게.

B: That's great! I can't wait to try your cooking.
좋아! 빨리 그 요리를 맛보고 싶다.

0383 ★

ultraviolet
[λltrəváiəlit]

(형) 자외선의

A: Why do most people put on sunscreen in summer? Does it really work?
왜 여름엔 많은 사람들이 선크림을 바르는 걸까? 진짜 효과가 있는 건가?

B: It sure does! It blocks most of the **ultraviolet** rays from the sun.
당연히 효과가 있지! 태양으로부터 오는 대부분의 자외선을 차단해주잖아.

0384 ★★

purchase
[pə́:rtʃəs]

(동) 구매하다 (명) 구매

A: Okay, here's your credit card and if you're not satisfied with your **purchase**, we will give you a full refund as long as you keep your receipt. 여기 손님 카드 받으시구요. 구매하신 제품이 마음에 들지 않으시면 영수증을 가지고 계시는 한 전액 환불해 드립니다.

B: Okay, thanks. 네. 감사합니다.

0385 ★★★

quality
[kwáləti]

㈜ 질, 특성, 자질 ㈜ qualify 자격을 주다, 권리가 있다

A: I don't understand why a lot of women like to go to that dessert cafe. 왜 여자들이 저 디저트가게에 가는 걸 좋아하는 건지 난 이해가 안 돼.

B: If you were a woman, you would definitely go there often. All their desserts are made with only top-**quality** ingredients. 니가 여자였으면 분명히 저기 자주 갈 거야. 저 집 모든 디저트는 무조건 최상급의 질 좋은 재료들로만 만들거든.

 이 단어는 무언가의 '특성', 혹은 '질'이라는 의미를 지니고 있는 명사랍니다. 이 단어와 아주 비슷하게 생긴 quantity는 무언가의 '양, 수량(혹은 분량)'을 의미하니까 구분해서 알아두세요.

0386 ★

name-brand
[néimbrænd]

㈜ 유명 브랜드의

A: That shirt is far too expensive for your boyfriend. Do you have to buy **name-brand** clothing? 그 셔츠 남자 친구 걸로는 너무 비싸. 꼭 유명 브랜드의 옷을 사야 해?

B: I usually don't, but this is an anniversary gift. Besides, the quality is worth the price. 보통은 안 사지, 근데 이건 기념일 선물이야. 게다가, 질도 돈 값어치를 하고.

0387 ★

gifted
[gíftid]

㈜ 타고난, 재능이 있는 ㈜ talented 재능이 있는 skilled 숙련된

A: What? You're already done with the questions? You're such a **gifted** child! 뭐라고? 문제를 벌써 다 풀었다고? 넌 정말 영재구나!

B: No, Dad. The questions were just easy. 아니에요, 아빠. 그냥 문제들이 쉬웠던 것뿐이에요.

0388 ★★

legend
[lédʒənd]

㈜ 전설

A: Can you believe our English professor will retire next year? Time flies so fast! 우리 영어 교수님이 내년이면 은퇴하신다는 게 믿겨져? 세월 참 빠르네!

B: I can't. I've always appreciated his passionate teaching. He will be remembered as a **legend** among his students. 믿기질 않아. 교수님의 열정적인 지도에 항상 감사했지. 학생들에게 전설로 기억될 분이셔.

0389 ★★

communism
[kámjunìzm]

㈜ 공산주의, 공산주의 체제

A: You're reading a book again. What's the book about? 너 또 책을 읽고 있네. 무슨 책이야?

B: You should start reading! Anyways, this is a book describing life under **communism**. 너도 이제 책 좀 읽어라! 암튼 이 책은 공산주의 체제 하의 삶을 묘사하고 있어.

0390 ★★

grateful
[gréitfəl]

㈜ 감사하는, 고마워하는

A: How do you feel? Can you walk now? 좀 어때? 이제 걸을 수 있어?

B: I can walk although I don't perfectly feel comfortable when I do. I'm just **grateful** that the injury is not as bad as I thought it would be. 완전하게 편안한 건 아니지만 그래도 걸을 수 있어. 부상이 예상했던 것만큼 심하지 않은 데에 감사할 뿐이야.

DAY 13 Review

1 다음 단어에 맞도록 우리말 또는 영어로 바꿔 쓰시오.

01 pity	_____	**11** 내용, 함유량	_____
02 condemn	_____	**12** (뾰족한 걸로) 찌르다	_____
03 wicked	_____	**13** 정치인	_____
04 trim	_____	**14** 심리학, 심리	_____
05 naked	_____	**15** 독특한, 유일무이한	_____
06 mustache	_____	**16** 처벌하다, 벌주다	_____
07 communism	_____	**17** 잔인한, 악랄한	_____
08 typical	_____	**18** 구매하다, 구매	_____
09 gifted	_____	**19** 자극제, 자극	_____
10 name-brand	_____	**20** 질, 특성, 자질	_____

2 다음 빈칸에 알맞은 단어를 넣어서 문장을 완성하시오.

01 It is a foolish idea to _____ from a single example.
하나의 예를 통해 일반화한다는 건 바보 같은 생각이다.

02 I heard that you're suffering from financial _____.
당신이 재정적인 어려움을 겪고 있다는 말을 들었어요.

03 It's not the most _____ place to eat something.
여긴 무언가를 먹기엔 제일 위생적인 장소는 아니네요.

04 You don't know how _____ I am to you.
제가 당신에게 얼마나 고마워하는지 모르실 겁니다.

05 We should know that _____ rays can be really harmful to us.
자외선이 우리에게 얼마나 해로울 수 있는지에 대해 알고 있어야 해요.

DAY 14 에피소드 040~042

Episode 040 ● 내 친구는 장수할 거야. (부록: 장수하는 비법)

기범: 도대체 너 뭐해?

호준: 조용하시게. 난 지금 **Confucius** 책을 읽고 있네. 내 마음속 잡생각들을 **conquer**하여 성인군자가 될 것이야.

기범: 너 살짝 **insane**한 거 아이가? 야, 그럴 거면 집에서 읽어야지 왜 **mall** 앞에서 그러는데. **appropriate**한 장소가 아니라고. 그리고 너 지금 행동하는거 **hypocrisy** 아니냐? 평소엔 책 근처에도 안 가더니.

호준: 네 이놈! 친구의 용기에 **applaud**해 주지는 못할망정 **interrupt**까지 하려 드는 게냐! 썩 꺼지거라!

기범: 더 이상 **bear**하지 못하겠다. 사람들한테 욕 먹으면 **longevity**할 거다.

0391 ★
Confucius
[kənfjúːʃəs]

⒨ 공자

A: Don't you think you're wearing too many accessories? Confucius said, "To go beyond is as wrong as to fall apart."
너 악세사리 너무 많이 하고 있다고 생각하지 않아? 공자께서 "지나침은 모자람만 못하다." 라고 하셨지.

B: You think? Hmm... okay I'll take your advice.
그래? 음… 알았어. 니 충고 받아들이겠어.

0392 ★★
conquer
[kánkər]

⒨ 정복하다, (시합 등에서) 이기다   ⒫ conquest 정복, 점령지

A: I used to think that I wanted to become a king.
한땐 왕이 되고 싶었는데 말이지.

B: So that you could conquer the world?
그렇게 되면 세상을 정복할 수 있으니까?

0393 ★
insane
[inséin]

⒨ 미친, 제정신이 아닌   ⒮ go insane 미치다

A: I have to work overtime again! It's been 5 days in a row and it makes me go insane.
나 또 야근해야 해! 5일째 이러고 있으니 내가 미쳐버리겠구만.

B: Poor you. Just let me know if you need any help.
딱하기도 해라. 혹시 뭐 도움이 필요하면 말해 줘.

0394 ★
mall
[mɔːl]

⒨ 쇼핑 센터

A: We still have plenty of time before the movie starts. Any ideas?
영화 시작하기 전까지 아직 시간이 많이 남았네. 뭐 하지?

B: Let's just kill time in the mall or at a coffee shop.
쇼핑 센터나 커피숍에서 시간 때우자.

0395 ★★
appropriate
[əpróuprieit]

(형) 적절한 (동) ~을 도용하다 (유) relevant 적절한, 관련 있는

A: Are you going to wear that neon colored shirt to work? I don't think it's **appropriate**.
너 그 형광색 셔츠를 회사에 입고 가겠다고? 적절치 못한 것 같은데.

B: It's all right. They will probably think that it's cool.
괜찮아. 회사 동료들은 그냥 멋지다고 생각할 거야.

 appropriate은 '적절한'이라는 뜻의 단어인데요. 앞에다가 부정의 접두사 in-을 붙이면 inappropriate '부적절한, 부적합한'이라는 뜻이 된답니다.

0396 ★
hypocrisy
[hipάkrəsi]

(명) 위선

A: It's time to end this. I'm going to expose your **hypocrisy** to all the people around you.
이제 끝낼 때가 왔구만. 니 주변 모든 사람들에게 니 위선을 폭로할 거야.

B: You think I can let that happen? Let's see who's going to win in the end! 내가 가만히 내버려둘 거 같아? 결국 누가 이기는지 어디 한번 보자고.

0397 ★★
applaud
[əplɔ́ːd]

(동) 박수를 치다, 갈채를 보내다 (파) applause 박수

A: Your performance on the stage tonight was awesome! You're so talented. 오늘 밤 너 공연 정말 최고였어! 너 정말 재능있다.

B: Thanks. I was really touched when the audience started to **applaud** loudly. 고마워. 사실 나 관중들이 크게 박수쳐줄 때 굉장히 감동 받았잖아.

0398 ★★
interrupt
[intərʌ́pt]

(동) 방해하다, 중단시키다 (유) disturb 방해하다

A: Speaking of food, aren't you craving some pork cutlet?
음식 말이 나와서 말인데, 돈가스 진짜 먹고 싶지 않아?

B: Can you please not **interrupt** me when I'm talking? That is so rude. 내가 말할 때에는 방해 좀 하지 말아줄래? 무례한 짓이다 그거.

0399 ★★
bear
[bɛər]

(동) 참다, 견디다, (아이를) 낳다

A: Where's this noise coming from? Is it from upstairs?
이 소리는 어디서 나는 거지? 위층에서 나는 건가?

B: It is. I've asked them to be quiet several times. I can't **bear** this awful noise any more.
어, 조용히 좀 해 달라고 몇 번이나 말했는데. 이 끔찍한 소음을 더 이상은 참을 수가 없다.

0400 ★
longevity
[landʒévəti]

(명) 장수

A: What? Your granny turns 98 next year? I want to know the secret of **longevity**.
뭐? 너희 할머니 내년에 98세 되신다고? 장수의 비결이 궁금하다.

B: I think it's all about food. She never eats a lot.
내 생각엔 이건 음식 때문이지 않을까 싶어. 할머니 절대 많이 안 드셔.

Episode 041 • 승진이 뭐길래.

찬규: 너 그 **sculpture**에 정말 올라가려고? 경사가 **steep**한데 조심해. 난 **previous** 도전에서 떨어져 온몸이 멍으로 도배를 하고 그것도 모자라 손등도 여덟 바늘 **stitch** 했어. 정말 **awful**했다니까.

태훈: 내가 이거 성공하면 우리 회사 사장님이 **promote**시켜 주신댔어. **desert**에 누가 데려다 놔도 **desperate** 한 사람은 살아남을 수 있잖아? 할 수 있어! 아 잠깐만. 먹던 **vitamin** 음료 마저 마시고.

찬규: 흠. 그래 힘내라. **breathe** 한 번 깊게 들이마시고.

0401 ★★

sculpture
[skʌ́lptʃər]

몡 조각품, 조소 유 statue 조각상

A: Why do you want to go to Greece so bad?
너 그리스에는 왜 그렇게 가고 싶어 하는 거야?

B: I'm into the techniques of **sculpture** in stone and I found out that Greece is the right place for me.
돌을 조각하는 기술에 빠져 있거든. 그리스가 그런 나한텐 딱이더라고.

0402 ★★

steep
[sti:p]

DAY **14**

몡 경사가 심한, 가파른, 급격한

A: Wow, the hill in front of us is so **steep**.
야, 우리 앞에 있는 언덕 경사가 너무 심한데.

B: We really need to watch our every step.
우리 진짜 한발 한발 내딛을 때 조심해야 된다.

0403 ★★

previous
[príːviəs]

몡 이전의 유 former 먼저의, 이전의

A: Hey, how's your job hunting going?
야, 일거리 구하는 건 어떻게 되어가고 있어?

B: Actually, I already have a job. The best thing about my new job is that no **previous** experience was needed. 사실 나 벌써 일자리 구했어. 새 일자리에서 제일 좋았던 게 이전 경험이라던가 이런 게 필요가 없더라고.

0404 ★★★

stitch
[stitʃ]

몡 바늘땀 동 바느질하다, (상처를) 봉합하다

A: Hey, that cut in your finger is really deep. I think you need **stitches**.
야, 너 손가락 심하게 베었네. 그거 꿰매야 될 것 같구만.

B: It hurts a lot. Can you take me to the emergency room right now?
엄청나게 아프다. 나 지금 응급실에다 좀 데려다 줄래?

0405 ★★★

awful
[ɔ́ːfəl]

몡 끔찍한, 굉장히 많은

A: Hey, how about this one? Do I look good in this?
야, 이건 어때? 나한테 잘 어울려?

B: What? Violet? Come on. That's an **awful** color for you.
뭐? 보라색? 참아. 너한텐 정말 끔찍한 색이야.

0406 ★★

promote
[prəmóut]

ⓢ 진급(승진)시키다, 촉진시키다, 홍보하다 ⓟ promotion 승진, 진급, 홍보

A: Guys. Think of some ways to **promote** our new line of products.
자자, 우리 신제품 홍보할 방안들에 대해서 생각들 좀 해보자고.

B: I know it's not really original, but how about we use SNS?
좀 독창적이진 않지만 SNS를 활용해보는 건 어떨까요?

0407 ★★★

desert
[dézərt]

ⓝ 사막 ⓢ (어떤 장소를) 버리다, 떠나다

A: Look at this village. It seems like it's been **deserted** for a long time.
이 마을 좀 봐봐. 버려진 지 꽤나 오래된 것 같아.

B: Hmm... a deserted village. I think this could be the topic for our school project.
음… 버려진 마을이라. 여기는 우리 학교 과제 하는데 훌륭한 주제가 될 것 같다.

0408 ★★

desperate
[déspərət]

ⓗ 간절한, 필사적인 ⓟ despair 절망하다, 체념하다

A: I got fired last week for no specific reason. Life is full of unpleasant surprise, don't you think?
지난주에 별다른 이유도 없이 해고되었어. 삶이란 건 참 불쾌한 놀라움으로 가득 차 있구나, 안 그러냐?

B: Tell me about it. Ugh, at least you've always had work. I'm so **desperate** for a job.
내말이. 아, 적어도 넌 항상 일이라도 해왔잖아. 나는 일자리가 정말 간절하다.

 형용사 desperate와 잘 맞는 구조 두 개 챙겨놓고 넘어갈게요. be desperate for+명사, '~를 간절히 필요로 하다' be desperate to+동사, '~하기를 간절히 원하다'

0409 ★★

vitamin
[váitəmin]

ⓝ 비타민

A: You'd better eat seasonal fruits if you don't want to suffer from **vitamin** deficiency.
비타민 결핍으로 고통받기 싫으면 계절과일 좀 먹는 게 좋을걸

B: It's okay. Every morning I take a multivitamin pill.
괜찮아. 매일 아침에 종합비타민 한 알씩 챙겨 먹어.

0410 ★★

breathe
[bri:ð]

ⓢ 숨을 쉬다, 호흡하다

A: How high is this mountain? Am I the only one who finds it difficult to **breathe** easily?
이 산은 얼마나 높은 거지? 나만 숨쉬기 어려운 건가?

B: It's actually pretty low. It's because you've gained a lot of weight recently.
사실, 되게 낮아. 니가 최근에 살이 많이 쪄서 그래.

Episode 042 • 숨 막히게 아름다운 장관

영수: 이 **canyon** 진짜 멋지다. 내가 책을 훑어보다 봤는데 여기 꼭대기에서 내려다보는 풍경이 정말 **breathtaking**한 장관을 선사한대.

대건: 그러네. **breeze**도 살랑살랑 불고 말이야. 코를 **sniff**해 봐. 풀냄새 정말 좋다. 살짝 **dizzy**한데 **memorable**한 여행이 될 것 같아.

영수: 잠깐만! 내 **instinct**가 말하고 있네. "이 곳을 **duplicate**해서 한국 땅에 세우고 **lease**를 받아라. 이 자연의 **masterpiece**를 널리 전파하거라!"

대건: 시끄러워. 밀어버리기 전에 헛소리는 좀!

0411 ★

canyon
[kǽnjən]

(명) 협곡

A: Guys, gather around. We need to plan our itinerary before we go. Any ideas? 얘들아 모여 봐. 우리 가기 전에 여행일정부터 짜야 해. 어떻게 하면 좋을까?

B: Hmm... how about we visit the Grand **Canyon** first? It's a must place to go.
음… 우선 그랜드캐니언 협곡부터 가는 게 어때? 거기는 무조건 가야 하는 곳이야.

0412 ★★★

breathtaking
[brέθteikiŋ]

(형) 숨이 턱 막히는, 숨 막히게 아름다운

A: Come over here. Look at the **breathtaking** view of the sea.
이리 와. 숨 막히게 아름다운 바다 풍경 좀 봐.

B: This is amazing and it makes me feel and calm.
완전 멋있어서 내 기분도 왠지 차분해진다.

0413 ★★

breeze
[bri:z]

(명) 산들바람 (동) 경쾌하게 움직이다

A: I love it when a light **breeze** is blowing like now.
난 지금처럼 가벼운 산들바람이 불 때가 너무 좋아.

B: So do I. Look at those sunflowers. They're swaying gently thanks to the breeze.
나도 그래. 저기 해바라기들 좀 봐. 산들바람 덕분에 부드럽게 흔들리고 있네.

0414 ★★

sniff
[snif]

(동) 코를 훌쩍이다, 코를 킁킁거리다

A: Did you catch a cold? Why do you keep **sniffing**?
너 감기 걸렸어? 왜 계속 코를 훌쩍거려?

B: My brother kept the window open all night long last night so I immediately got a cold.
어제 밤새도록 동생이 창문을 열어놨더라고. 그래서 바로 감기 걸려버렸지 뭐.

0415 ★

dizzy
[dízi]

(형) 어지러운

A: Hey, stop spinning that stuff. It makes me feel **dizzy**.
야, 그거 좀 그만 돌려. 어지럽잖아.

B: Why do I have to listen to you? It's my room. Just go out if it's bothersome. 왜 내가 니 말을 들어야 하지? 여긴 내방이야. 거슬리면 니가 나가.

0416 ★

memorable
[mémərəbl]

⟨형⟩ 기억에 남는, 인상적인 ⟨유⟩ noteworthy 주목할 만한

A: A lot of memorable things happened to us this year and I won't forget a single one of them.
올해 우리한테 기억할만한 일들이 참 많이 있었네. 그 어떤 사소한 것도 잊지 않을 거야.

B: I won't, either. I'm so thankful that this year has been good to us.
나도 잊지 않을 거야. 올해 좋은 일들만 가득해서 참 감사해.

 이 형용사가 잘 안 외워질 때엔 이렇게 연상해 보세요. 어떠한 기억거리가(memory) 내 머릿속에 오랫동안 남아 있을 만큼 (able) 인상적이었다. memorable, '기억에 남는, 인상적인' 좀 낫나요?

0417 ★★

instinct
[ínstiŋkt]

⟨명⟩ 본능, 직감 ⟨파⟩ instinctive 본능적인

A: I can't believe you just left me alone and chickened out last night. How could you do that to me?
어젯밤에 나만 내버려두고 도망가다니 진짜 어이가 없다. 어떻게 나한테 그럴 수 있어?

B: I have nothing to say but I'm glad you're okay. It was my first instinct to run away.
내가 할 말이 없다. 그래도 니가 별일이 없어 다행이야. 도망간 건 본능이었어.

0418 ★

duplicate
[djú:plikət]

⟨동⟩ 복제하다 ⟨형⟩ 사본의 ⟨명⟩ 사본

A: All right. Everything has been taken care of and here's the contract.
자, 절차는 모두 끝났구요. 여기 계약서 받으세요.

B: Thanks. By the way, do I have to make a duplicate of it?
감사합니다. 근데 이거 사본도 하나 만들어 둬야 할까요?

0419 ★

lease
[li:s]

⟨명⟩ 임대 ⟨동⟩ 임대하다

A: I want to rent a house. Is anything available in this town?
집을 빌리고 싶은데요. 이 동네에 매물이 있습니까?

B: Sorry, but every house is leased out to tenants at the moment.
죄송합니다만 지금은 전부 다 세입자들에게 임대된 상태입니다.

0420 ★★

masterpiece
[mǽstərpì:s]

⟨명⟩ 명품, 걸작

A: What are you reading now, *Pride and Prejudice*? What's that?
지금 뭐 읽고 있어? '오만과 편견'? 그게 뭐야?

B: It's a literary masterpiece. You really don't know what it is? You even majored in English literature.
문학 명작이야. 너 정말 뭔지 몰라? 너 심지어 영문학 전공했잖아.

1 다음 단어에 맞도록 우리말 또는 영어로 바꿔 쓰시오.

01 hypocrisy _____   11 미친, 제정신이 아닌 _____

02 interrupt _____   12 정복하다, 이기다 _____

03 bear _____   13 공자 _____

04 desert _____   14 숨을 쉬다, 호흡하다 _____

05 awful _____   15 임대, 임대하다 _____

06 sculpture _____   16 산들바람 _____

07 desperate _____   17 협곡 _____

08 stitch _____   18 코를 훌쩍이다 _____

09 dizzy _____   19 복제하다, 사본(의) _____

10 breathtaking _____   20 기억에 남는, 인상적인 _____

2 다음 빈칸에 알맞은 단어를 넣어서 문장을 완성하시오.

01 Soda will be an _____ choice with a pizza.
피자에는 탄산음료가 적절한 선택이 될 것 같아요.

02 Everyone in the hall stood and _____ a cello soloist.
장내에 있는 모든 사람들이 일어나서 첼로 독주자에게 갈채를 보냈다.

03 Why are the stairs so high and _____?
왜 이렇게 계단이 높고 가파른 건가요?

04 I'd like to meet the _____ owner of this car.
저는 이 차의 이전 주인을 만나고 싶습니다.

05 My first _____ was to run away from the dog.
저의 첫 본능은 그 개로부터 도망치는 거였답니다.

DAY 15 에피소드 043~045

Episode 043 • 해충 없는 세상

미정: 어디가?

태훈: 엄마가 **moth** 잡는 약 좀 사오래. 우리 집 뒤쪽으로 나방이랑 벌레들이 얼마나 많은지. 나방 같은 벌레들이 **germ**을 옮길 수도 있잖아. **contagion**이라도 되봐. 특히 부리가 **curly**한데다 **Antarctic**에서 온 것처럼 하얗게 생긴 종이 있는데, 이건 좋은 **scent**도 아니고 악취가 엄청나게 나. 마음 같아선 이 벌레들을 **exterminate**하고 싶다. 나 지금 완전히 **resent**하고 있는 거 보이지?

미정: 벌레 퇴치 전문가를 **hire**하는 건 어때? 우리 옆집도 서비스 받아봤는데 좋다더라고.

태훈: 한번 알아봐야겠다.

미정: 그래. 그런데 왜 나방이나 해충들은 뱀이나 곰처럼 **hibernate**하지 않는 걸까?

태훈: 농담이지? 진담이면 심각한데 이거.

0421 ★★
moth
[mɔːθ]

[명] 나방

A: *(riding a bike)* Hey, let's stop for a second. I think I just ate a **moth**!
(자전거 타는 중) 야, 잠깐만 멈춰 봐. 나 방금 나방 먹은 거 같아!

B: Eww, that is so gross. You should have worn a mask.
우웩, 더러워. 마스크를 썼었어야지.

0422 ★
germ
[dʒəːrm]

[명] 병균, 세균, (발달의) 기원 [유] microbe 미생물

A: Why do you always carry that hand sanitizer with you? Isn't it a hassle? 넌 왜 항상 그 손세정제를 갖고 다녀? 번거롭지 않아?

B: It helps kill **germs**. Do you have any idea how dirty our hands usually are?
세균 죽이는 걸 돕잖아. 우리 손이 평소에 얼마나 더러운지 알아?

0423 ★★★
contagion
[kəntéidʒən]

[명] 전염, 감염 [파] contagious 전염되는, 전염성의

A: Why aren't you sitting next to me? 왜 내 옆에 안 앉아?

B: There must be a risk of **contagion**. You keep sniffling and sneezing.
감염될 거 같아서. 너 계속 코를 훌쩍거리고 재채기하고 있잖아.

0424 ★★★
curly
[kə́ːrli]

[형] 똘똘 말린, 곱슬곱슬한

A: Why is your hair so **curly**? Did you get a perm?
머리가 왜 그렇게 곱슬곱슬해? 파마했어?

B: I did. What do you think? 응, 어때 보여?

0425 ★
Antarctic
[æntɑ́:rktik]

[형] 남극의 [명] 남극 지방

A: Look what you're wearing now. Are you exploring the **Antarctic**? Even a polar explorer would never wear that.
지금 너 뭐 입고 있는지 봐. 남극 지방 탐험하러 가니? 극지 탐험가도 그렇게는 안 입겠다.

B: Give it a rest. 그만해.

0426 ★★
scent
[sent]

[명] 향내, 향기 [동] 냄새로 찾아내다 [유] fragrance 향기, 향

A: Where is this **scent** coming from? I like it.
이 향기 어디서 풍기는 거지? 좋다.

B: It's me. I put on some perfume. 나야. 향수 좀 뿌렸다.

0427 ★★★
exterminate
[ikstə́:rmənèit]

[동] 몰살키시다, 전멸시키다

A: Do you know how to **exterminate** cockroaches? I find one in my room every day!
바퀴벌레를 몰살시킬 방법 알아? 방에서 맨날 본다니까!

B: I think you'd better contact a professional service.
전문 서비스 업체 연락해 보는 게 낫겠다.

동사 terminate는 '끝내다, 종료하다'의 의미인데요. 여기에 접두사 ex-가 붙었고, 이 접두사가 가진 다양한 의미 중에서 '완전히'라는 느낌이 가미되어서 exterminate '완전히 끝내버리다' 즉, '몰살시키다, 전멸시키다'라는 뜻이 되는 거지요.

DAY 15

0428 ★
resent
[rizént]

[동] 분개하다, 화내다 [파] resentful 분개하는, 분해하는

A: People in town found out we had lied to them and began to **resent** us. What should we do? 마을 사람들이 우리가 거짓말을 해 왔다는 걸 알아차리고 우리한테 분개하기 시작했어. 우리 어떡하지?

B: Go pack. We need to get out of this town as soon as possible.
가서 짐 싸. 이 마을을 최대한 빨리 떠나야겠다.

0429 ★★
hire
[háiər]

[동] 고용하다, (단기간) 빌리다, 쓰다

A: We really have to **hire** someone who is good at graphic designs. Nobody on our team knows a thing about it.
우리 진짜로 그래픽 디자인을 잘하는 사람을 고용해야 해요. 우리 팀에는 그것에 대해 아는 사람이 아무도 없어요.

B: Don't worry. I put an ad in the newspaper.
걱정하지 말아요. 내가 신문에다 광고를 내놨어요.

0430 ★
hibernate
[háibərnèit]

[동] 동면하다

A: What would it feel like to **hibernate** like a bear?
곰처럼 동면하는 건 어떤 느낌일까?

B: To me, it would be awesome! I can sleep longer than them.
나한테는 최고일 것 같다! 난 곰보다 더 길게 잘 수도 있어.

Episode 044 ● 내가 백만장자가 되고 싶은 이유

> 대건: **nowadays** 전기세도 비싼데, 문 활짝 열고 에어컨을 틀어 놨냐? **electronic** 제품을 아주 펑펑 쓰는구먼. 좋지 않아. 그리고 복도에 안내문 못 봤어? 전기를 아끼라잖아. 오죽하면 이번 분기 **slogan**이 'Save The Energy'겠냐고.
> 용호: 덥다고. 저 푸른 **meadow** 위에 배 깔고 누워있을까? 말할 **room**도 안 주고 쏘아붙이는 거 봐라. 내 참, 내가 **millionaire**라도 되든가 해야지. 회사 인수해서 에어컨 제품부터 **launch**할 거야. 그런 다음에 온종일 시원하게 살 거야.
> 대건: **lazy**한 친구야. 그건 니 **fantasy**고! 암튼 창고에 가서 **shovel**이나 좀 가져와. 오늘 저녁에 비 많이 온대. 지금 나가서 배수로 작업 해야 돼.

0431 ★★

nowadays
[náuədèiz]

㉛ 요즘에는   ㉕ in this day and age 지금은

A: Why is it so hard to get a hold of you?
너한테 연락하기가 왜 이렇게 힘들지?

B: I've been super busy **nowadays**.
나 요즘에 엄청 바빠.

0432 ★★

electronic
[ilektránik]

㉖ 전자의, 전자 작용의

A: Why do you always use an **electronic** calculator instead of your phone?
너는 왜 항상 네 휴대전화 대신 전자계산기를 쓰는 거야?

B: This is much more functional than my phone.
이게 내 휴대전화보다 훨씬 더 기능이 많아.

0433 ★★

slogan
[slóugən]

㉗ 구호, 슬로건

A: Don't you think we need to come up with an advertising **slogan**?
우리 광고 구호 하나 만들어야 할 것 같지 않아?

B: How about "It's totally awesome"?
"이거 완전 좋음" 어때?

0434 ★

meadow
[médou]

㉗ 초원, 목초지   ㉕ pasture 초원

A: What were you doing while I was cooking?
내가 요리하는 동안 넌 뭐하고 있었던 거야?

B: Well, I was just taking a stroll with the dog in the **meadow**.
어, 목초지에서 강아지 데리고 산책 좀 하고 있었지.

0435 ★★★

room
[ru:m]

㉗ 여지, 자리   ㉘ (셋방, 아파트 등을) 같이 쓰다   ㉕ chamber 공간, ㅡ실

A: Hey, scoot over. There's not enough **room** for me. Show me some consideration.
야, 자리 좀 좁혀 앉아 봐. 내가 앉을 자리가 부족하잖아. 배려 좀 해.

B: It's you who's big! I don't even have enough room for my legs.
니가 덩치 큰 거잖아! 난 다리를 펼 만큼 공간도 없어.

0436 ★

millionaire
[mìljənéər]

명 백만장자, 굉장한 부자

A: What would you wish for if you had a magic lamp?
만약에 너한테 요술 램프가 있다면 무슨 소원을 빌 거야?

B: I would ask the genie to make me a millionaire!
난 지니한테 백만장자로 만들어 달라고 할 거야!

0437 ★★

launch
[lɔːntʃ]

동 출시하다, 발사하다, 착수하다

A: Did you hear that the next generation of the phone might be launched in May?
그 휴대전화 신모델 5월에 출시될 수도 있다는 소식 들었어?

B: I don't buy it. Rumors are just rumors.
난 그런 거 안 믿어. 소문은 그저 소문일 뿐이거든.

 이 단어도 쓰임새가 많지만 '출시하다'라는 의미에 초점을 맞춰 볼게요. 비슷한 느낌의 단어인 release는 '(대중들에게 무언가를) 공개하다, 발표하다'라는 의미입니다. 가수들이 앨범을 냈다고 할 때에도 release라는 단어를 쓰죠.

0438 ★★

lazy
[léizi]

형 게으른, 느긋한

A: Isn't the weather great today? 오늘 날씨 너무 좋지 않아?

B: For sure! It's a perfect day to spend a lazy day on the beach or on top of a mountain.
맞아! 해변이나 산 정상에서 느긋한 하루 보내기엔 최고인 것 같다.

0439 ★★

fantasy
[fǽntəsi]

명 환상, 공상

A: Wouldn't it be great if we had super power like Superman? We could protect the earth and everyone would appreciate us!
우리한테 슈퍼맨 같은 초능력이 있다면 멋질 것 같지 않아? 지구를 지킬 수 있고 모든 사람들은 우리한테 감사할 거야!

B: Stop living in a fantasy world.
환상 속에서 그만 좀 살렴.

0440 ★

shovel
[ʃʌ́vəl]

동 삽질하다 명 삽

A: Hey, it's snowing pretty hard and Dad will get home in about 30 minutes.
야, 눈이 꽤 온다. 아버지 한 삼십 분쯤 있으면 집에 오실 텐데.

B: All right, let's go out and shovel the drive way together.
알겠어. 나가서 같이 차 진입로를 삽으로 치우자.

Episode 045 • 단물만 빨아먹고 버리는 거냐? (상황극 2)

대건: 선장님, 아니 **general**님! 우리 배를 **abandon** 해야 하는 거 아닙니까? **dawn**에 목적을 **accomplish**하고 배를 돌려야하는데 **cabin**에 물도 차기 시작했고, 밖에 **drizzle**도 시작됐습니다. 곧 태풍이 몰려올 걸로 아뢰옵니다! 보아하니 하달받은 좌표 또한 **accuracy**하지 않습니다. 이는 분명 우리를 적군의 **bait**로 쓰려는 의도로 보입니다!

선범: 분하도다! 그토록 **loyal** 한 우리였건만. 우리네 이 **fury**를 어찌하면 좋을꼬.

0441 ★★★
general
[dʒénərəl]

® 장군 ® 일반적인, 대략적인

A: You said you saw the guy who scratched my car, didn't you? What did he look like? 니 누가 내 차 긁었는지 봤다고 했재? 그사람 어예 생겼던데?

B: Sorry, but I can only give you a **general** description of the guy.
미안한데 어떻게 생겼는지 대략적으로 정도밖에 기억이 안 난다.

0442 ★★
abandon
[əbǽndən]

® 버리다, 버리고 떠나다

A: You won't believe what Daegun did to me yesterday.
어제 대건이가 나한테 뭘 했는지 넌 못 믿을 거다.

B: I heard what happened. You guys ran into a thug and he just **abandoned** you and ran way. Right?
뭔 일 있었는지 들었다. 너희 깡패 만났는데 걔가 그냥 너 버리고 도망갔다며. 맞지?

0443 ★★
dawn
[dɔːn]

® 여명, 동이 틀 무렵 ® daybreak 새벽, 동틀 녘

A: Guess what time it is? It's almost **dawn**.
지금 몇 시인 줄 아나? 거의 동틀 때 다됐어.

B: And that means we stayed up all night playing video games, huh?
그 말은 우리가 비디오 게임하느라 밤새웠다는 거야, 응?

0444 ★★★
accomplish
[əkámpliʃ]

® 성취하다, 완수하다

A: Is it true that the due date for the project is next Friday?
다음 주 금요일이 프로젝트 마감일이라는 거 사실이야?

B: It is. Ugh, we've got so much work left and I don't know how we're going to **accomplish** it all.
맞아. 아, 우리 할 거 많이 남았는데 어떻게 다 완수해야 할지 모르겠다.

0445 ★★★
cabin
[kǽbin]

® (배의) 객실, 오두막 ® hut 오두막

A: It was a good decision to stay the night in this log **cabin** in stead of a hotel. 호텔 말고 통나무 오두막에서 하룻밤 묵기로 한 거 정말 잘했던 거 같아.

B: I'm glad you liked it. Anyway, it's time to check out. Make sure you don't leave anything behind.
니가 좋아했다니 다행이네. 어쨌건, 이제 체크아웃할 시간이다. 두고 가는 거 없나 잘 확인해.

0446 ★
drizzle
[drizl]

ⓗ 이슬비가 내리다, (액체를) 조금 붓다 ⓜ 이슬비, 부슬비

A: It has started raining outside. Do you have your umbrella with you?
밖에 비가 내리기 시작하네. 너 우산 가지고 있어?

B: No, I haven't but it's all right. It's just **drizzle**.
아니 근데 괜찮아. 그냥 이슬비네.

0447 ★
accuracy
[ǽkjurəsi]

ⓜ 정확, 정확도

A: Are you prepared for the presentation? Our boss is expecting a lot from you.
발표 준비는 되었어? 우리 사장님이 너한테 기대를 많이 하고 계시던데.

B: Not yet. He wants it to be prepared with pinpoint **accuracy** and I don't want to disappoint him.
아직. 사장님이 한 치의 오차도 없는 정확한 발표를 원하시고 나도 실망시켜드리고 싶지 않아.

0448 ★★
bait
[beit]

ⓜ 미끼 ⓗ 미끼를 놓다 ⓤ lure 미끼, 유혹

DAY 15

A: You're good at fishing, aren't you? Any tips to catch fish well?
니 낚시 잘한다 아이라? 고기 잘 잡는 비법이 있어?

B: First of all, using fresh **bait** is really important. I use maggots.
우선, 신선한 미끼를 사용하는 게 굉장히 중요하지. 나는 구더기 쓴다.

0449 ★★
loyal
[lɔ́iəl]

ⓗ 충실한, 충성스러운 ⓤ faithful 충실한, 충직한

A: Don't you think it's a blessing that we have a lot of **loyal** supporters?
우리한테 충실한 지지자들이 있다는 게 축복이란 생각 안 들어?

B: If it hadn't been for them, we wouldn't have been able to do this job. 그분들 없었으면 우리도 이 일을 못 했을 거야.

 형용사 loyal은 '충실한, 충성스러운'의 의미입니다. 이 단어와 비슷한 royal은 전혀 다른 뜻인 '국왕의, 왕족'의 의미이니까 꼭 구분해서 알아두세요.

0450 ★★
fury
[fjúəri]

ⓜ 분노, 격분

A: You drove your dad's car and you had a fender bender.
너 아빠 차 몰다가 접촉사고 냈다면서.

B: I will have to face the full **fury** of my dad.
아빠가 격분하시는 거 맞이해야 할거야.

DAY **15** Review

1 다음 단어에 맞도록 우리말 또는 영어로 바꿔 쓰시오.

01	curly	_____	11 분개하다, 화내다	_____
02	Antarctic	_____	12 나방	_____
03	hire	_____	13 몰살(전멸)시키다	_____
04	nowadays	_____	14 정확, 정확도	_____
05	launch	_____	15 미끼, 미끼를 놓다	_____
06	meadow	_____	16 충실한, 충성스러운	_____
07	dawn	_____	17 전자의, 전자 작용의	_____
08	cabin	_____	18 여지, 자리	_____
09	drizzle	_____	19 성취하다, 완수하다	_____
10	fury	_____	20 장군, 일반적인	_____

2 다음 빈칸에 알맞은 단어를 넣어서 문장을 완성하시오.

01 I wish I could _____ for the entire winter.
겨울 내내 동면할 수 있었으면 좋겠어요.

02 It seems to be spreading like a _____ in Korea.
그것은 한국에서 전염병처럼 퍼져나가고 있다.

03 We should come up with a creative _____ for our new product.
우리는 신제품을 위한 창의적인 구호를 찾아내야 해요.

04 I'll go out and _____ the walk.
저는 나가서 보도를 삽으로 치워야겠어요.

05 Why did you _____ the flower vase that I gave you?
너 내가 준 꽃병 왜 버렸니?

DAY 16

에피소드 046~048

Episode 046 • 당신의 꿈을 응원합니다.

미정: 방금 너한테 **salute** 하고 간 저 사람은 누구야?

대건: 어, 나의 동네 **buddy** 이자 학교 후배인데 밖에서는 인사하지 말라고 해도 저러네. **female astronaut** 되는 게 꿈인 친구야. 휴….

미정: 뭐 **sigh** 까지 쉴 거 있나. **ritual** 같은 거 철저하게 지키는 타입인가 보다. 저 정도 **effort** 면 내가 감히 **anticipate** 하는데 꿈을 이룰 사람인 거 같은데.

대건: 말도 마라. 얼마나 **conservative** 한데. 아니, 생각이 좀 막혀있다고 해야 하나. 비행사가 되려면 **sacrifice** 해야 할 게 너무 많고 쉬운 길도 아닐텐데.

미정: 야, 응원을 좀 해줘라. 왜 그러는데.

0451 ★★
salute
[səlúːt]

(동) 거수경례를 하다, 경의를 표하다 (명) 인사, 경의의 표시 (파) salutation 인사, 인사말

A: Who's that guy that just **saluted** you? He's so cute. I kind of like him. 너한테 방금 거수경례한 남자는 누구야? 귀엽다. 마음에 드는 것 같다.

B: He's one of my juniors. Do you want me to give you his phone number? 내 후배 중 하나야. 쟤 전화번호 줄까?

0452 ★
buddy
[bʌ́di]

(명) 친구

A: So, you're going to lend me some cash, aren't you, my best **buddy**? 그러니까, 나한테 돈 좀 빌려줄 거지 그렇지 않아, 내 제일 친한 친구?

B: Wow, money can sure change someone. You've never called me your best buddy before. 와, 돈이 확실히 사람을 바꿀 수 있구나. 전에는 나한테 제일 친한 친구라고 불렀던 적이 없는데.

0453 ★★
female
[fíːmeil]

(형) 여성의, 암컷의

A: I didn't know that you have a cat. Is he obedient? 너 고양이 키우는 줄은 몰랐네. 쟤(수컷) 말은 잘 들어?

B: Um, you mean 'she.' It's a **female** cat. 어, 쟤(암컷) 말하는 거지? 암컷 고양이야.

0454 ★
astronaut
[ǽstrənɔ̀ːt]

(명) 우주비행사

A: That movie was great, wasn't it? It was totally worth the money. 영화 재밌었다, 그렇지? 진짜 돈이 안 아깝다.

B: It really makes me want to be an **astronaut**! Should I apply to NASA? 영화 보니까 나 우주비행사가 되고 싶어졌어! NASA에 지원해야 되나?

0455 ★★★

sigh
[sai]

[동] 한숨을 쉬다 [명] 한숨 소리

A: Did you show your mom your report card? What did she say?
너 엄마한테 성적표 보여드렸어? 뭐라고 하셔?

B: She looked at me and just **sighed** deeply.
날 쳐다보시더니 그냥 한숨만 깊게 쉬시더라고.

0456 ★

ritual
[rítʃuəl]

[명] 의식절차, 의례 [형] 의식을 위한 [파] rite 의식

A: Hold on. What on earth are they doing in the forest?
잠깐만. 저 사람들 도대체 숲속에서 뭐하고 있는 거야?

B: To me, it looks like they're conducting some secret **ritual**.
내 눈에는 저 사람들 무슨 비밀스런 의식 같은 거 치르는 중인 거 같다.

0457 ★★★

effort
[éfərt]

[명] 노력, 수고

A: It's amazing that you can speak not only English but Chinese fluently. What's the secret?
너 영어도 되지만 중국어도 정말 잘한다며 진짜 놀랍다. 비결이 뭐야?

B: No secret. It just takes constant **effort** to become fluent in any language.
비결 같은 건 없다. 어떤 언어건 간에 유창해지려면 끊임없는 노력이 필요한 법이지.

0458 ★★

anticipate
[æntísəpèit]

[동] 예상하다, 고대하다

A: So, are we fully prepared for the event?
그럼 우리 행사 준비는 완벽하게 끝난 건가?

B: I can confidently tell you that we don't **anticipate** any problems.
어떠한 문제도 없을 거라 감히 예상할 수 있지요.

0459 ★★

conservative
[kənsə́:rvətiv]

[형] 보수적인 [명] 보수적인 사람

A: Hey, you will be grounded again if you wear that skirt.
니 그 치마 입으면 또 외출금지 당할 줄 알아라.

B: Dad, don't you think you're too **conservative**? It's so unfair.
아빠! 진짜 너무 보수적인 거 아녜요? 이건 불공평하다고요.

이 단어는 '보수적인'이라는 뜻의 어휘인데요. 이에 반대되는 개념인 '진보적인'이라는 느낌을 전해주는 단어로 liberal이 있습니다. 그리고 하나 더, '급진적인'이라는 느낌은 radical, 잘 챙겨두세요.

0460 ★★★

sacrifice
[sǽkrəfàis]

[명] 희생, 제물 [동] 희생하다 [숙] offer a sacrifice 제물을 바치다

A: Honey, can I ask you something? What do I mean to you?
자기야. 내 뭐 한 가지 물어봐도 되겠냐? 난 니한테 뭔데?

B: Hmm... I'm willing to **sacrifice** everything to be with you.
음… 니를 위해선 내가 그 어떤 거라도 기꺼이 희생할 수 있지.

Episode 047 • 까마귀 날자 배 떨어진다더니.

현실: 야, 너 어제 같이 택시 탔으면서 도착하자마자 택시 **fare** 안 내고 뛰어가는 건 뭐냐? 해명 좀 해 보시지?

대건: 어제 내가 내리자마자 저쪽에 우리 아부지 건물에 살고 계신 **tenant** 분이 트럭에다 **load**하고 계시드라고. 어떻게 보면 울 아빠 **client**잖아. 근데 발 아래에 있던 **rectangle** 모양의 **obstacle**에 발이 걸려 넘어지셔서 자꾸 **limp**하시는 거야. 그걸 보고 내가 어찌 그냥 지나치겠니?

현실: 아 그래? 음… 난 니가 참 **sly**하다고 생각했었는데, 듣고 보니 **innocent**하구나.

대건: 나에 대한 **faith**가 그 정도였다니. 살짝 실망이구나, 친구야.

0461 ★★★

fare
[fɛər]

ⓜ (교통) 요금, 운임, (요금을 내는) 승객

A: Have you ever been caught trying to dodge subway **fares**?
너 지하철 요금 안 내려다가 잡힌 적 있냐?

B: Not even once in my whole life. I am a good citizen. But you have, haven't you?
내 인생에 한 번도 없다. 난 모범시민이거든. 그런데, 넌 잡혀봤는가 보네, 그렇지?

0462 ★★★

faith
[feiθ]

ⓜ 믿음(신뢰), 신앙 ⓟ faithful 충실한

A: My turn has finally come. My hands are shaking. What if I make mistakes?
드디어 내 차례다. 손이 떨리네. 실수하면 어쩌지?

B: I know you'll do well. I have tremendous **faith** in your ability.
넌 분명 잘할 거야. 내가 니 능력에 대한 확실한 믿음이 있거든.

0463 ★★

tenant
[ténənt]

ⓜ 세입자, 소작인 ⓥ (땅을) 소작하다 ⓒ lodger 하숙인

A: What is your new **tenant** like?
새로 들어온 세입자는 좀 어때?

B: Worse than the previous one. He is so demanding.
전에 있었던 사람보다 별로야. 이 사람은 요구사항이 너무 많아.

0464 ★★★

load
[loud]

ⓥ 짐을 싣다 ⓜ 짐, 작업량(업무량)

A: Can you please help me **load** my sofas and bookshelves tomorrow?
내일 내 소파랑 책장 싣는 거 좀 도와줄 수 있어?

B: I can help you if you promise to treat me to a delicious meal after we finish.
끝나고 맛있는 거 사준다고 약속하면 도와줄 수 있지.

0465 ★
client
[kláiənt]

[명] 고객, 의뢰인, (컴퓨터) 클라이언트 [유] consumer 소비자

A: How was the movie? What was it about?
영화 어땠어? 어떤 내용이었어?

B: It was better than I expected. You should watch it! It was about things happening between a lawyer and his **client**.
예상했던 것보다 더 낫더라. 너도 한번 봐라! 한 변호사랑 의뢰인 사이에 벌어지는 일, 뭐 그런 내용이야.

0466 ★
rectangle
[réktæŋgl]

[명] 직사각형 [파] rectangular 직사각형의

A: Take a look at this math puzzle. Can you complete both a **rectangle** and a square by drawing only one line?
이 수학퍼즐 좀 봐. 너는 한 줄만 그어서 직사각형 그리고 정사각형을 완성시킬 수 있어?

B: Of course. It's really simple — you just need to think about it.
당연하지. 완전 간단하네. 한번 잘 생각을 해 봐.

rectangle은 '직사각형'이란 뜻을 지니고 있는데요. 정사각형은 square, 계란형 혹은 타원형은 oval이란 단어로 표현할 수 있답니다.

0467 ★★
obstacle
[ábstəkl]

[명] 장애, 장애물

A: Have you run into any **obstacles** with the project you're working on?
착수 중인 프로젝트 진행하는 데 뭐 장애거리라도 있니?

B: Umm... Lack of cash and time?
어, 현금 그리고 시간 부족?

0468 ★★
limp
[limp]

[동] 다리를 절다 [형] 축 처진

A: Are you aware that your hair looks so **limp** and lifeless?
너 머리 완전 축 처진데다 생기 없는 거 알고 있나?

B: I am and I really don't know what to do about it. Maybe I should consult with a hairdresser?
알지. 근데 진짜 뭘 어떻게 해야 될지 모르겠다. 미용사랑 상담을 좀 해야 되나?

0469 ★★
innocent
[ínəsənt]

[형] 무죄인, 결백한 [유] blameless 떳떳한, 책임이 없는

A: Don't even try to deceive me, okay? You broke my favorite sunglasses, didn't you?
나 속일 생각은 추호도 하지 마 알겠나? 내가 제일 아끼는 선글라스 니가 깨 먹었재, 맞재?

B: I told you I didn't! Why can't you believe that I'm **innocent**?
나 아니라고 말했지! 난 아무 잘못 없다니깐 왜 안 믿노?

0470 ★★
sly
[slai]

[형] 교활한, 엉큼한

A: What animal comes to mind when you hear the word 'sly'?
'sly'라는 단어 들으면 무슨 동물이 떠오르노?

B: A fox. A **sly** fox.
여우지. 교활한 여우.

Episode 048 · 거만한 대건이 녀석

미정: 야, 넌 무슨 바닥재를 골라도 이런 **intricate**한 패턴으로 골랐냐? **vacuum** 청소기 돌리다가 어지러워 멀미 나겠다.

대건: 그거 굉장히 **renowned**한 실내 디자이너 작품이야. 상당히 **modern**하지 않냐? 넌 예술 감각이 뭐 신생아 수준이구만, 허허.

미정: 오, 그래? 얼마 준거야? 비싸?

대건: 뭐, 한 200만원 정도밖에 안 들었어.

미정: 200만원이 너한텐 **trifle**인 것처럼 말하냐. 말투도 여전히 **nasty**하고 말야.

대건: 좀 거만한 말투가 나의 **attractive**한 부분이지. 그냥 **average**하게 말하면 지루하잖니. 그런 거 너도 **aware**하고 있으면서 꼬투리 잡기는!

미정: 하긴, **barn**의 송아지처럼 어디로 튈지 모르는 게 너의 매력이긴 하지. 그래 인정!

0471 ★

intricate
[íntrikət]

® 복잡한, 얽힌, 난해한 ⓤ complicated 복잡한

A: Wow, this is the most intricate maze I've ever seen. I'm good at mazes but I don't think I could do this.
와 이건 지금까지 내가 본 미로 퍼즐 중에 제일 복잡하다. 내가 미로에는 일각연이 있는데 이건 못 할 거 같다.

B: I found this on the Internet. It looks extremely hard, right?
인터넷에서 찾은 거야. 진짜 엄청 어려워 보이지 않냐?

DAY 16

0472 ★★

vacuum
[vǽkjuəm]

® 진공 (상태) ® 진공의

A: What's that silver-colored thing that you always carry in your backpack? 너 가방에다 항상 가지고 다니는 은색의 그건 뭐냐?

B: Oh, are you talking about my vacuum bottle? You know I drink warm water often. 아, 내 진공보온병? 나 따뜻한 물 자주 마시는 거 너도 알잖아.

0473 ★

renowned
[rináund]

® 유명한, 명성 있는

A: So, what's the first thing that you want to do when we get to Denmark? 우리 덴마크에 도착하면 제일 먼저 뭐 하고 싶어?

B: I want to visit the world-renowned restaurant Noma.
세계적으로 유명한 식당 노마에 가보고 싶어.

'유명한, 명성 있는'이라는 의미를 지닌 이 형용사와 궁합이 잘 맞는 숙어 두 개 챙겨둘게요. be renowned as '~로서 유명한' be renowned for '~로 유명한'

0474 ★★★

modern
[mádərn]

® 현대적인, 근대의 ® modernize 현대화하다

A: What subject do you find difficult to study?
니가 공부하기 어렵다고 생각하는 과목은 뭐야?

B: It's definitely modern Korean history. 당연히 한국근현대사지.

0475 ★★

trifle
[tráifl]

(명) 하찮은 것, 사소한 일

A: How rich is this guy that you're talking about now?
니가 지금 말하고 있는 이 남자는 도대체 얼마나 부자인 거야?

B: For example, spending $1,000 is a mere **trifle** to him.
예를 들어볼게. 어, 1,000달러 쓰는 게 그에게는 그냥 하찮은 거야.

0476 ★★

nasty
[næsti]

(형) 불쾌한, 더러운, 형편없는   (유) unpleasant 불쾌한

A: So, how did you like the coffee that I gave you as a present?
내기 선물한 커피 맛 어땠어?

B: Sorry to tell you this but it had a **nasty** taste.
이런 말해서 미안한데 맛 진짜 형편없더라.

0477 ★★

attractive
[ətræktiv]

(형) 매력적인   (파) attract 마음을 끌다

A: I've loved you secretly for a long time but now I want you to be my girlfriend.
몰래 오랫동안 널 사랑해왔다 근데 이젠 니가 내 여자 친구가 되어줬음 해.

B: I like you but I've never found you **attractive**. You're just my friend.
나도 니가 좋긴 한데 뭔가 매력은 못 느끼겠거든. 그냥 너는 내 친구야.

0478 ★★★

average
[ǽvəridʒ]

(형) 평범한, 일반적인   (동) 평균 ~이 되다

A: What kind of person do you really want to become after you graduate?
니는 졸업하면 뭐 어떤 사람이 되고 싶노?

B: It may not sound interesting but I just want to be an **average** person.
뭐 별거 없게 들릴 수도 있지만 난 그저 평범한 사람이 되고 싶다.

0479 ★★

aware
[əwéər]

(형) 알고 있는, 자각하고 있는   (유) awareness 자각, 인식

A: Are you **aware** that your fly is open?   니 앞에 지퍼 열린 거 알고 있나?

B: Oh my god. I have to zip it up before anyone else notices, thanks.
이런! 다른 사람이 알아채기 전에 얼른 올려야겠다. 고마워.

0480 ★★

barn
[ba:rn]

(명) 외양간, 헛간

A: You know what? A crazy windy day like today reminds me of that trip we took when we were broke.
있잖아. 오늘 같이 바람 심하게 부는 날이면 우리 돈 없을 때 여행 갔었던 게 기억난다.

B: Oh, that's right! I can still vividly remember sleeping in a **barn** with horses.
맞아. 아직도 우리 헛간에서 말이랑 같이 잤던 게 생생하다.

1 다음 단어에 맞도록 우리말 또는 영어로 바꿔 쓰시오.

01 female _____   11 노력, 수고 _____

02 salute _____   12 한숨을 쉬다, 한숨 소리 _____

03 tenant _____   13 의식절차, 의식을 위한 _____

04 load _____   14 우주비행사 _____

05 sly _____   15 고객, 의뢰인 _____

06 limp _____   16 무죄인, 결백한 _____

07 vacuum _____   17 (교통) 요금 _____

08 intricate _____   18 현대적인, 근대의 _____

09 aware _____   19 매력적인 _____

10 nasty _____   20 하찮은 것, 사소한 일 _____

2 다음 빈칸에 알맞은 단어를 넣어서 문장을 완성하시오.

01 You're more _____ than you were in high school.
너 고등학교 있었을 때보다 지금 더 보수적이구나.

02 I eagerly _____ the day I will graduate from school.
저는 학교를 졸업하게 될 날을 엄청 고대하고 있답니다.

03 I want to participate in an _____ race.
저는 장애물 경기에 참여하고 싶어요.

04 I don't really want to lose _____ in you.
난 정말이지 너에 대한 내 믿음을 잃고 싶지 않아.

05 I went to a restaurant _____ for its steak last weekend.
지난주에 나 스테이크로 정말 명성 있는 레스토랑에 갔었어.

Episode 049 • 광물은 무슨 맛?

성은: 이 메뉴에 **ingredient**는 뭐가 들어간 거지? 뭔가 독특한데.

태훈: 아까 니 보니까 해산물 파스타 시키드만. 그럼 해산물이겠지.

성은: 아, 난 그냥 **latest**에 출시된 메뉴길래 고민 없이 시켰었거든. 근데 여기 본점이 아니고 **branch**이지? **atmosphere**가 본점이랑 많이 다르네.

태훈: 이런 류의 식당이 **nationwide**한 유행이라잖아. **literal**한 유행인 거지. 요새 전국적으로 **mushroom**하네.

성은: 근데 솔직히 맛없지 않냐? 소스에서 무슨 **mineral** 맛이 나. 자꾸 먹으니까 혓바닥이 **numb**하네. 으… 우리 **orchard**에서 딴 사과가 더 맛있겠다.

태훈: 니 광물 먹어봤나?

0481 ★
ingredient
[ingríːdiənt]

몡 재료, 구성 요소

A: Aren't you turning 35 next year? Your skin is much better than mine. What's your secret? 내년이면 서른다섯 되지 않아요? 당신 피부는 제 피부보다 훨씬 더 좋네요. 비결이 뭐예요?

B: I use only natural **ingredients** when cooking.
전 요리할 때 천연재료만 사용해요.

0482 ★★
latest
[léitist]

혱 최근의, 최신의   유 up-to-date 최신의, 최근의

A: Why are you wearing a bucket hat now? Are you going fishing?
야 니 왜 벙거지 모자를 쓰고 있냐? 무슨 낚시 가는 거냐?

B: This is the **latest** fad! You know nothing about fashion!
이거 최신유행이거든! 넌 패션에 '패'자도 모르는구나 진짜.

0483 ★★★
branch
[bræntʃ]

몡 분점, 가지   동 (둘 이상으로) 갈라지다   유 bough (나무의 큰) 가지

A: Mmm, Tteokbokki here never disappoints. I'm glad we came here today.
음, 이집 떡볶이는 절대 실망시키지 않는다니깐. 오늘 여기 오길 잘했네.

B: This is the best ever. I wish there was a **branch** of this snack bar in our neighborhood.
이게 최고라니까. 우리 동네에도 이 분식집 분점 있었으면 좋겠다.

0484 ★★
atmosphere
[ǽtməsfiər]

몡 분위기, 대기

A: Didn't you just get home? Why do you want to go out again?
너 방금 집에 들어가지 않았어? 왜 다시 나오고 싶어 하는 건야?

B: There's a tense **atmosphere** between Mom and Dad.
엄마 아빠 사이에 긴장감 도는 분위기가 있어서.

0485 ★

nationwide
[néiʃənwàid]

ㆍ(형) 전국적인 (유) national 전국적인, 국가의

A: Why can't I use this voucher here? Isn't it valid nationwide?
아니 여기서 왜 이 상품권을 못 쓰는 건데요? 이거 전국 어디서나 유효한 거 아녜요?

B: Sorry, but it's written on the back of your voucher you cannot use it at some branches.
죄송한데 상품권 뒤에 보시면 일부 매장에서는 사용하실 수 없다고 적혀 있답니다.

0486 ★★

literal
[[lítərəl]

(형) 문자 그대로의 (파) literally 문자 그대로, 말 그대로

A: Are you available tomorrow night? I want to have dinner with you. I mean dinner in the literal sense of the word.
내일 저녁에 시간 되나? 나랑 저녁 먹고 싶어서. 그러니까 내 말은, 문자 그대로 저녁식사 말야.

B: Well, you're being awkward about it, but I'm free tomorrow. What time? 음, 너 지금 뭔가 좀 어색한데. 어쨌건 내일 저녁 괜찮아. 몇 시에?

0487 ★★

mushroom
[mʌʃru:m]

(동) 우후죽순처럼 늘어나다 (명) 버섯

A: How many coffee shops are there on this street? More than ten?
이 거리에만 커피숍이 몇 개 있는 거야? 열 개 이상인가?

B: This is a busy street and you know different types of coffee shops are mushrooming everywhere. 여기 번화가거든. 그리고 요새 어디든지 이런 저런 종류의 커피집들이 우후죽순처럼 늘어나고 있어.

0488 ★★

mineral
[mínərəl]

(명) 광물, 미네랄

A: My joints ache whenever it rains and I feel tired all the time.
비만 오면 관절이 쑤시고 늘 피곤하다.

B: You're getting old. Take some vitamin and mineral supplements.
너도 이제 늙는구나. 비타민이랑 미네랄 보충식품 좀 챙겨먹어라.

DAY 17

 우리 몸에서 필요로 하는 영양소들 몇 개 정리해 보죠. carbohydrate(탄수화물), protein(단백질), fiber(섬유질)

0489 ★

numb
[nʌm]

(형) (신체부위에) 감각이 없는 (동) 망연자실하게 하다

(참) paralyse (신경이나 근육을) 마비시키다

A: It's really cold today! I can't even feel my fingers. They went numb.
오늘 진짜 춥네! 손가락에 감각조차 없어.

B: You should have worn gloves. I told you this morning.
그러게 장갑을 꼈어야지. 내가 오늘 아침에 말했잖아.

0490 ★★

orchard
[ɔ́:rtʃərd]

(명) 과수원

A: I don't think I could live without eating apples. They taste better than anything.
진짜 사과 안 먹으면 난 못 살 거 같애. 그 무엇보다도 사과가 제일 맛있어.

B: I don't get it. Apples are just apples. Anyways, why don't you start an apple orchard? Then you could live with them.
난 모르겠다. 사과는 그냥 사과지 무슨. 뭐 어찌됐건, 아예 사과 과수원을 하나 시작해라. 그러면 사과랑 살 수 있잖아.

Episode 050 • 쇼핑은 뭐? 만병통치약!

태훈: 야, 무슨 일 있어? 왜 계속 눈을 **blink**하고 있냐?

찬규: 어, 왔나? 그냥 왠지 모를 **melancholy**가 가득한 요즘이야.

태훈: 어허, **ominous**한 **omen**인데? 야, 기분 안 좋을 땐 쇼핑이지! 겨울점퍼 사러 안 갈래? 신제품인데 **terrific**한 신소재로 **insulate**했데. 완전 따뜻하다더라. 전화해 보니까 **quantity**도 얼마 안 남았대.

찬규: 오, 그거 입으면 좋은 건지 사람들이 모두 **recognize**하겠는데? **rush**하자, 아니 **sprint**하자. 앞장서라 니가.

0491 ★
blink
[bliŋk]

ⓢ 눈을 깜박이다, (불빛을) 깜박거리다

A: You just dozed off. I know you may feel drowsy now, but how can you doze off while I'm talking to you?
너 방금 졸았지. 지금 졸린 건 알겠는데 내가 얘기하고 있는 중에 졸 수가 있냐?

B: No, I didn't doze off. I didn't even **blink**.
아니, 나 안 졸았다. 눈도 안 깜박였다고.

0492 ★★
melancholy
[mélənkàli]

ⓝ (장기적, 이유 모를) 우울감 ⓐ 우울하게 하는 ⓨ gloom 우울, 침울

A: I've been feeling **melancholy** for days and I don't really know why.
꽤나 오랫동안 우울하네. 왜 이런지 진짜 모르겠다.

B: It happens sometimes. Hmm... let's just go for a drive and get some fresh air. 가끔 그럴 때도 있지. 음, 우리 그냥 차 타고 가서 바람 좀 쐬고 오자.

0493 ★
ominous
[ámənəs]

ⓐ 불길한

A: Stop writing my name with a red pen. That is considered **ominous** in Korea.
내 이름 빨간색 펜으로 쓰지 마. 한국에서 그런 짓은 불길한 거라고 여겨지거든.

B: Really? How interesting. In my country, we believe that red brings luck. 진짜? 오 신기하네. 우리나라에서는 빨간색이 행운을 가져다준다고 믿거든.

0494 ★★
omen
[óumən]

ⓝ 징조, 조짐

A: It's thundering and pouring like crazy outside!
밖에 천둥 치고 비 엄청 온다!

B: I hope it's not a bad **omen** for our trip tomorrow.
내일 우리 여행 가는데 안 좋은 징조는 아니길 바라는데.

0495 ★
terrific
[tərífik]

ⓐ 기가 막히게 좋은, 멋진

A: I never knew you were into biking until recently. What's so good about it?
난 최근까지도 니가 자전거에 빠져있는 줄은 전혀 몰랐네. 뭐가 그리 맘에 드는 거야?

B: It always makes me feel **terrific**!
자전거만 타면 기분이 기가 막히게 좋아지거든.

0496 ★
insulate
[ínsəlèit]

(동) 절연(단열 · 방음) 처리를 하다, ~을 격리하다

A: They say that it's going to get colder this winter and that gas is going up. What should I do?

이번 겨울은 더 추워질 거라던데 게다가 가스비도 오르고 있어. 어쩌면 좋지?

B: How about **insulating** your house, or at least your room, to save energy and money?

너희 집 단열 처리 하는 게 어때? 적어도 니 방만이라도 해서 에너지도 절약하고 돈도 절약하는 게 어떨까?

0497 ★★★
quantity
[kwántəti]

(명) 수량, 다량 (유) amount 총액, 양

A: Can you eat all of that? Why did you take such a large **quantity** of food?

그걸 다 먹을 수 있다고? 뭔 음식을 그리 많이 가져온 거야?

B: I always skip breakfast when I come to this buffet. Don't worry, I won't waste any food.

이 뷔페식당에 올 때는 늘 아침을 안 먹고 오지. 걱정 마라, 음식물 버리는 일은 없다.

0498 ★★★
recognize
[rékəgnàiz]

(동) 알아보다, 인식하다 (유) identify (신원 등을) 확인하다

A: Do you **recognize** this song on the radio?

지금 라디오에서 흘러나오는 노래 뭔지 알겠어?

B: I do! It's the song that you sang to me when you proposed.

알지! 니가 나한테 프러포즈할 때 불러 줬던 노래잖아.

무언가를 '알아보다, 인식하다'라는 의미의 이 단어와 유사한 의미를 지니고 있는 동사로 **identify**가 있답니다. 이는 '(신원 등을) 알아보다, 확인하다'라는 뜻이 있지요.

DAY **17**

0499 ★★★
rush
[rʌʃ]

(동) 서두르다, 재촉하다, 갑자기 덤벼들다

A: Why aren't you ready yet? Come on, we'll be late for the meeting.

왜 아직도 준비가 안 된 거야? 어서, 우리 이러다 회의에 늦겠다.

B: The clock on the wall is 30 minutes fast. We still have enough time. No need to **rush**.

벽에 있는 시계 30분 빨라. 아직 시간은 많아. 서두를 필요 없어.

0500 ★
sprint
[sprint]

(동) 전력질주하다 (명) 단거리 경기 (파) sprinter 스프린터, 단거리 선수

A: I think it's starting to rain. We'd better **sprint** to a cafe.

비 내리기 시작할 거 같다. 이 근처 카페로 우선 뛰어가자.

B: I left my umbrella on the subway. Okay, let's run!

나 지하철에 우산 두고 내렸네. 응, 뛰자!

Episode
051

• 범죄 없는 세상

대건: 우리 동네 금은방에 **robbery** 든 거 아나? CCTV 돌려보니까 **weapon**류 소지하고 작정하고 들어왔었대. 주인아저씨 **threaten**하면서 때리고 돈 될 만한 거 다 쓸어 담은 뒤에 **vanish**했다더라. 아! **torch**하고 난 뒤에 말야.

미정: 와, 완전 **abnormal**한 놈이네. 아저씨 **badly** 다치셨다나?

대건: 어, 그래도 다행히 건물 내려앉기 전에는 피하셨나봐. 나중에 **crane** 큰 거 와서 내려앉은 건물골재 같은 거 들어내드라. 그리고 경찰아저씨들 말로는 범인이 20대 중반 정도라고 **assume**한다더라.

미정: 범죄율이 **decrease**해야 하는데 그럴 기미가 없네. 무서운 세상이야.

0501 ★
robbery
[rάbəri]

[명] (협박, 폭력) 강도, 강도 사건

[파] rob 도둑질하다 [유] burglary 절도, 빈집털이

A: I heard there was a **robbery** in your town the other day.
너네 동네서 저번에 강도사건 있었다며.

B: If someone broke into my house, I'd smack him with a frying pan.
누가 우리 집에 침입하면 난 프라이팬으로 때릴 꺼야.

0502 ★★
weapon
[wépən]

[명] 무기

A: Why do you have several baseball bats at home? You don't even play baseball. 집에 왜 야구방망이가 여러 개 있는 거야? 너 야구도 안 하잖아.

B: They are like my defensive **weapons**. You know, just in case.
그것들은 내 호신용 무기 같은 녀석들이지. 만일의 경우를 위해서 말야.

0503 ★★★
threaten
[θrétn]

[동] 협박하다, 위협하다

A: Hey, don't pee in the ocean! You're **threatening** marine creatures.
야, 바닷물 안에서 소변 보지 마! 넌 해양생물들을 위협하고 있는 거야.

B: It's all right. The ocean is saltier than my pee.
괜찮아. 바닷물이 내 소변보다 훨씬 더 짜거든.

0504 ★★
vanish
[vǽniʃ]

[동] (불가사의하게) 사라지다 [유] disappear 사라지다

A: I told you to keep an eye on my puppy. Oh no... Where did she go?
내가 우리 강아지 좀 잘 보고 있으라 그랬잖아. 도대체 얘 어디 갔지?

B: I'm sorry but she simply **vanished** right before you came.
내가 진짜 미안한데 니가 도착하기 바로 직전에 얘가 사라졌다니깐.

0505 ★★
torch
[tɔːrtʃ]

[동] 방화하다 [명] 횃불, 손전등

A: Our **torch** is flickering. Do we have any extra batteries?
우리 손전등이 깜박거리네. 여분 배터리 있어?

B: Not really. We'd better hurry and find the main road. It's getting darker. 아니. 서둘러 큰 길 찾아야겠다. 날이 더 어두워지고 있어.

0506 ★★

abnormal
[æbnɔ́ːrməl]

형 비정상적인 유 exceptional 예외적인, 보통을 벗어난

A: Why don't you just have a bite of the ice cream sandwich? It's too much for me to eat alone.
이 아이스크림 샌드위치 한 입만 먹어 줄래? 나 혼자 먹기엔 많아서 그래.

B: I'm not supposed to. I have abnormal levels of sugar in my blood.
난 먹으면 안 된다니깐. 내 혈당 수치가 비정상적이거든.

0507 ★★

badly
[bǽdli]

부 심하게, 몹시

A: What happened to your car? The bumper is cracked pretty badly.
니 차에 무슨 일이 있었던 거야? 범퍼가 심하게 갈라졌네.

B: I accidentally hit a utility pole the other night.
지난밤에 실수로 전봇대에 부딪혔어.

0508 ★★

crane
[krein]

명 기중기, 학 동 목을 빼다

A: Hey, how much weight have you lost? Your legs are as thin as a crane's.
야, 도대체 몇 킬로나 뺀 거야? 다리가 완전 학다리 만큼 얇네.

B: I'll take that as a compliment. Thanks.
칭찬으로 들을게. 고맙다.

DAY 17

0509 ★★★

assume
[əsúːm]

동 추정(가정)하다, (권력·책임을) 맡다 파 assumption 추정

A: Why was your friend shocked when he saw us together?
니 친구는 우리 보고 왜 놀랐던 걸까?

B: Hmm... maybe he assumed that we are dating?
음… 아마 걔는 우리가 데이트하는 걸로 추정했던 거 같은데?

0510 ★★

decrease
[dikríːs]

동 줄다, 줄이다, 감소하다 명 감소, 하락

A: Are you drinking coffee again? Wait a minute. And it's a large size?
너 또 커피 마시냐? 잠깐만. 그거 라지 사이즈 아니야?

B: Yeah, I know I have to decrease the amount of caffeine I consume. But my hands always shake if I don't drink enough coffee.
그래, 나도 카페인 섭취량 줄여야 된다는 거 알고 있어. 그런데 내가 커피를 충분히 안 마시면 항상 손이 떨린다니깐.

 '(크기나 수 등이) 줄다, 감소하다'라는 의미를 지닌 이 동사와 비슷한 의미를 가진 동사로 decline이 있답니다. 이 또한 '줄어들다, 감소하다'라는 뜻이 있구요. decline은 그 외에도 '(정중히) 거절하다'라는 뜻도 있다는 거 챙겨 두세요.

1 다음 단어에 맞도록 우리말 또는 영어로 바꿔 쓰시오.

01 branch	_____	11 문자 그대로의	_____
02 atmosphere	_____	12 전국적인	_____
03 melancholy	_____	13 광물	_____
04 ominous	_____	14 과수원	_____
05 insulate	_____	15 수량, 다량	_____
06 torch	_____	16 전력질주하다	_____
07 vanish	_____	17 징조, 조짐	_____
08 assume	_____	18 협박하다, 위협하다	_____
09 badly	_____	19 기중기, 목을 빼다	_____
10 terrific	_____	20 줄다, 줄이다	_____

2 다음 빈칸에 알맞은 단어를 넣어서 문장을 완성하시오.

01 It is so cold that my feet are _____.
날이 너무 추워서 발에 감각이 없어요.

02 I expect that coffee shops will _____ in town in the next 6 months.
저는 이 동네에 향후 6개월 동안 커피숍들이 우후죽순처럼 늘어날 거라 예상해요.

03 I promise that I will be back before you can _____.
네가 눈 깜빡이기도 전에 다시 돌아올 거라고 약속할게.

04 I could not _____ a friend of mine at first with his new haircut.
나는 내 친구가 새로운 머리 스타일을 해서 처음엔 알아볼 수가 없었다.

05 The levels of sugar in my blood were _____.
제 혈당 수치는 비정상적이었어요.

에피소드 052~054

● 교통법규를 지킵시다.

가은: 너희 아버지 차사고 났다며?

은희: **sheer**하게 상대방 과실이었어. **treatment** 받고 계신데 많이 좋아지셨어.

가은: 그렇구나. 뭐 어떻게 된 거야?

은희: 아빠가 교차로에서 신호대기 하다가 신호 받고 좌회전 하는데 갑자기 반대편에서 차 한대가 **dash**하드래. 그래서 아빠가 피하려고 커브 도는 중에 핸들을 확 돌려서 차가 **skid**한 거지. 그러다 건물 벽에 부딪혔어.

가은: 아이고… 차는 많이 망가졌겠다.

은희: 바로 **tow**해 갔지. **secondhand**로 산 것도 아니고 새 차인데. 그리고 그 가해차량 운전자는 대학교 **undergraduate**라고 하더라고. 옆에는 **adolescence** 학생 1명, 뒷좌석에는 **lad** 2명. **dialect** 쓰는 걸로 봐서 이 지역 사람들은 아닌 것 같애!

0511 ★★

sheer
[ʃiər]

형 순전한, 몹시 가파른

A: I can't believe you beat him! You must have practiced a lot?
니가 그를 이기다니 믿기질 않네! 연습 엄청 했나 보네?

B: Not really. It was sheer luck.
그다지. 순전히 운이 좋아서 이긴 거 같애.

0512 ★★

treatment
[trí:tmənt]

명 치료, 취급, 대우

A: So, how bad is it? 그러니까 얼마나 심각한가요?

B: Your symptom is even worse than I expected. You'll have to receive treatment for about three weeks.
증상이 제가 예상했던 것보다 훨씬 더 심하네요. 3주 정도 치료 받으셔야겠습니다.

0513 ★★★

dash
[dæʃ]

동 서둘러 가다, 내던지다 명 돌진, 질주

A: Mom, is my lunchbox ready yet? I have to dash. I told you I'm late!
엄마, 아직 도시락 덜 됐어요? 나 얼른 서둘러야 된다니깐요 늦었어요!

B: I'll just give you some extra cash. Get something at the school cafeteria.
그냥 엄마가 돈 좀 더 줄 테니까 학교 매점에서 뭐 좀 사먹으렴.

0514 ★

skid
[skid]

동 (차량이) 미끄러지다 명 (차량의) 미끄러짐 파 skiddy (표면 등이) 미끄러지기 쉬운

A: I'm so glad that you weren't seriously hurt. What happened?
그래도 심하게 안 다친 것 같아서 진짜 다행이다. 어떻게 된 거야?

B: My car skidded on the ice and then went straight into a wall.
차가 빙판길에서 미끄러져서 바로 벽에 부딪혔어.

0515 ★
tow
[tou]

(동) 견인하다 (명) 견인

A: Where's your car? 니 차는 어딨어?

B: It just stopped on the road and wouldn't start again so I called the insurance company and got my car towed to a car service center.
길에서 갑자기 멈추더니 시동이 안 걸리더라고. 그래서 보험사에 전화했고 내 차는 카센터에 견인돼 갔어.

0516 ★
secondhand
[sékəndhænd]

(형) 중고의, 간접의, 전해 들은

A: Are you sure that he is going to start a new company?
그가 창업할 거란 게 사실이야?

B: I'm not certain. It's secondhand information.
확신은 못 하겠어. 나도 전해 들은 정보라서.

0517 ★
undergraduate
[ʌndərɡrǽdʒuət]

(명) (대학) 학부생, 대학생

A: How old is your younger brother this year? Did he enter high school? 니 남동생 올해 몇 살이더라? 고등학교 들어갔나?

B: No, he turned 20 and is a first-year undergraduate.
아니, 올해 스무살 됐고 1학년 학부생이야.

0518 ★
adolescence
[ædəlésns]

(명) 청소년기 (유) youth 어린 시절, 젊은이

A: Did I do anything wrong to your sister? Why is she so sensitive?
내가 니 여동생한테 무슨 잘못이라도 한 거야? 왜 저렇게 예민한 거야?

B: She's in early adolescence. Her behavior is natural. You know what it feels like.
이제 청소년기 접어들었잖아. 저런 행동도 자연스러운 거지. 우리도 겪어봤잖아.

 '청소년기'라는 뜻을 가지고 있는 단어입니다. 이 밖에도 puberty(사춘기), adulthood(성년(성인))라는 단어도 같이 챙겨두세요.

0519 ★★★
lad
[læd]

(명) 사내애, 청년

A: Why do you always hang out with that boy?
넌 왜 항상 저 친구랑 어울리냐?

B: He's cool and a promising lad. I learn a lot from him.
쟤는 성격이 침착하고 장래가 촉망되는 애야. 쟤한테 배우는 것도 많아.

0520 ★
dialect
[dáiəlèkt]

(명) 사투리

A: How was the meeting with your new client?
새로운 고객이랑 미팅은 어땠어?

B: I messed up. She spoke in a regional dialect and it was so strong that I couldn't even understand half of what she said.
망쳤어. 사투리를 썼는데 너무 심해서 말하는 거 절반도 못 알아들었다.

Episode 053 • 저는 씨름선수가 아니에요.

미정: 내일도 난 아르바이트를 가야되는구나. 이건 무슨 **labor**의 노예여. 이렇게 내 휴일계획도 **ruin**되는구나.

찬규: 야, 너 4대 **insurance** 같은 건 들어준 거야? **legal**한 곳에 다녀. 돈 떼이지 말고. 그리고 뭐, **temporary**하게 한다더니만 계속 일 하는가봐?

미정: 어, 말을 이렇게 해서 그렇지, 사장님 되게 성격이 **frank**한 편이고 잘해줘. 최저임금은 무조건 **guarantee**해 주고. 또 이 요식업계에선 완전 **forefather**급이어서 배우는 것도 많아. 완전 **veteran**이라니까. 한 가지만 빼면 다 만족스러워.

찬규: 뭔데?

미정: 일할 때 허리에 이상한 **sash** 같은 거 둘러야 돼. 아 무슨 씨름선수도 아니고… 암튼 그래.

0521 ★★★

labor
[léibər]

⊛ 노동 ⊛ 노동하다

A: Can you believe that bridge was built by manual labor more than 100 years ago?
저 다리 100년도 넘은 과거에 전부 수작업으로 지어졌다는 게 믿겨지냐?

B: Wait a minute. All done by workers? That's amazing!
잠깐만. 전부 인부들이 지은 거라고? 놀랍다!

0522 ★★★

ruin
[rú:in]

⊛ (기쁨 · 가치를) 망치다, 폐허로 만들다 ⊕ devastate 파괴하다

A: Do you have any wet wipes in your house? I stepped on a puddle and my new shoes got ruined!
집에 물티슈 좀 있냐? 물웅덩이에 발 디뎌서 새 신발 다 망쳤네.

B: Here you are. It's not that bad.
자 여기 있어. 그렇게 심하지 않네.

DAY 18

0523 ★★

insurance
[inʃúərəns]

⊛ 보험, 보험금 ⊛ insure 보험에 들다, 보험을 팔다

A: Speaking of your brother, does he still run a restaurant?
너희 형 말이 나와서 말인데, 아직도 식당 운영해?

B: No, now he works in insurance.
아니, 요새는 보험업계에서 일을 해.

0524 ★★

legal
[lí:gəl]

⊛ 합법적인, 법과 관련된 ⊛ legitimate 정당한, 합법적인

A: I don't think it's legal to park here.
여기에 주차하는 거 합법적인 거 같지 않다.

B: I'll be back in just a few minutes. Will that be a problem?
나 잠시 후에 올 거야. 그것도 문제가 되려나?

0525 ★★★

temporary
[témpərèri]

(형) 임시의, 일시적인 (파) temporarily 일시적으로, 임시로

A: Look how small your room is. I don't think you can even stretch out your legs. 니 방 진짜 작네. 니 두 다리도 쭉 못 뻗을 것 같아.

B: It's just a temporary place to stay. I'm all right.
그냥 임시로 머무는 곳인데 뭐. 난 괜찮아.

 temporary와 반대되는 의미를 가진 형용사가 있는데요, 바로 **permanent**랍니다. 이 단어는 '임시'와는 반대인 '영구적인'이라는 뜻을 지니고 있어요.

0526 ★★

frank
[fræŋk]

(형) 솔직한, 노골적인

A: So, how do you like my pizza and spaghetti? I put my heart into this meal. 내가 만든 피자랑 스파게티 어때? 이 음식에 내 마음을 담았다.

B: Hmm... to be frank with you, they taste like frozen foods.
음… 솔직히 말하자면, 냉동 식품 같은 맛이야.

0527 ★★

guarantee
[gærəntíː]

(동) 보장하다, 확신하다 (명) 품질보증서

A: Are you sure that the play is worth watching?
그 연극 진짜 볼만 한 거야?

B: Sure, I can absolutely guarantee that you'll love it.
당연하지. 니가 좋아할 거라는 거 확실히 보장한다.

0528 ★★

forefather
[fɔ́ːrfɑ́ːðər]

(명) 조상, 선조

A: What would you do if you could use a time machine?
타임머신을 쓸 수 있다면 넌 뭘 하고 싶어?

B: Well, I'm a big fan of the movie Star Wars. I would go meet Darth Vader and tell him "I'm your forefather."
음, 내가 영화 스타워즈 열혈 팬이거든. 난 다스베이더 만나러 갈 거 같애. 그런 다음 이렇게 말할 거야, "내가 니 조상이다."

0529 ★★

veteran
[vétərən]

(명) 전문가, 참전용사

A: Are you really sure that guy can get this work done by tomorrow?
저 사람이 내일까지 다 해낼 거라는 거 확실한 거야?

B: No doubt about it. I heard he's a 20-year veteran in the interior design industry.
당연하지. 실내 인테리어 업계에서 20년차 전문가인 분이다.

0530 ★★

sash
[sæʃ]

(명) (몸에 두르는) 띠

A: Wait a minute. Where's your girlfriend? I can't find her.
잠깐만 니 여자 친구는 어디 있어? 못 찾겠다.

B: She's right there, She has a blue sash around her waist.
저기 저쪽에 있네. 그녀는 허리에 파란색 띠를 두르고 있어.

대건: 하… 꼭 홍어 파는데 와야만 했나? 나 진짜 자신 없는데.

미정: 어허, 너 해산물 좋아하잖아. 여긴 해산물 애호가들에게 **shrine** 같은 곳이야. **salmon**은 잘만 먹드만. 저기 **vacant**한 자리에 앉자.

대건: 그건 살이 **tender**하고 맛있잖아. 홍어는 서서히 **rot**한 뒤에 나온다며. 상상할 수 있는 그런 맛이 아닐 거 같애. 으… 말만 했는데도 **appetite**가 확 떨어지네.

미정: 됐고, 일단 한번 먹어봐. 맛있다니깐.

대건: 하.. **warn**하는데 맛없으면 각오해라.

미정: 맛 어떻노?

대건: 누가 내 목구멍을 계속 **pinch**하는 거 같애. 아… 나 지금 완전 **panic**상태야. 이게 맛있다고?

미정: 어허, **overcome**하시게나! 나중엔 그것만 찾게 될 걸?

0531 ★★

shrine

[ʃrain]

⒨ 성지

A: Do you know what this shrine is about? It looks really gorgeous.
이 성지는 뭐에 대한 곳인지 알아? 완전 장엄해 보인다.

B: Sure, I studied a lot before our trip. It's a shrine dedicated to Buddha.
당연하지, 내가 여행 오기 전에 공부를 많이 했지. 부처님께 헌정한 성지라고 하더라고.

0532 ★★

salmon

[sǽmən]

⒨ 연어

A: I really don't understand why you don't eat smoked salmon. It's good for your skin.
난 니가 왜 훈제연어 안 먹는지 정말 이해를 못하겠어. 그건 니 피부에 좋거든.

B: No matter how good it is for my skin, I'm not going to eat it. I hate the fishy taste. 내 피부에 얼마나 좋건 간에 난 안 먹을 거야. 비린 맛이 싫어.

0533 ★★

vacant

[véikənt]

⒨ 비어 있는 ⒫ vacancy 결원, 공석

A: I'm here for the job interview. 면접 보러 왔습니다.

B: Oh, didn't you get the message that the interview was canceled? I'm afraid I have to say that we don't have a vacant position anymore.
혹시 인터뷰 취소되었다는 메시지 전달 못 받았나요? 미안한데 우리 회사에 더 이상 공석인 자리가 없네요.

0534 ★★★

tender

[téndər]

⒨ 상냥한, 음식이 연한 ⒨ 제출하다, 응찰하다

A: Wow, the steak you cooked is so juicy and tender. You're such a good cook. 와, 니가 구운 스테이크 완전 육즙 많고 연하다. 완전 요리사구나.

B: Thanks. Nobody ever gives me compliments on my cooking.
고맙다. 내 요리에 칭찬해 준 사람 아무도 없었는데.

DAY **18**

0535 ★★

rot
[rat]

동 (서서히) 썩히다, 부식시키다　유 decay 부패하다, 썩다

A: Don't you think you drink too much soda every day? It will **rot** your teeth. 매일 탄산음료 너무 마시는 거 아니야? 그러다 너 이 썩는다.

B: It's okay. I brush my teeth right after I drink soda.
괜찮아. 난 탄산 먹고 나면 바로 양치하거든.

0536 ★★

appetite
[ǽpətàit]

명 식욕, 욕구　유 desire 욕구, 갈망

A: I've lost my **appetite**, so pork cutlet doesn't even mean anything to me at all these days! 식욕을 잃어서 심지어 요새 돈가스 같은 것도 안 먹고싶다니까.

B: Seriously? There might be something wrong if your appetite doesn't return soon.
진짜로? 입맛이 곧 안 돌아온다면 뭔가 문제가 좀 있는 것 같다.

 우리 식욕을 돋우는 애피타이저도 당연히 이 단어에서 온 거겠죠? 그리고 이 단어와 비슷하게 생긴 단어 중에 aptitude가 있는데요. 이 단어는 무언가에 대한 '소질, 적성'이란 뜻이니까 따로 챙겨 두세요.

0537 ★★★

warn
[wɔːrn]

동 경고하다　유 notify 통지하다

A: Are you really going to get a dog? Okay, then I have to **warn** you that they take a lot of money, time and effort. 니 진짜 강아지 키우려고? 자 그러면 내가 경고하는데 돈, 시간 그리고 노력을 엄청 들일 각오해야 된다.

B: I'm so ready! You know how lonely I am these days.
나 정말 준비 잘 되어 있어! 요새 내가 얼마나 쓸쓸해하는 지 알잖아.

0538 ★★

pinch
[pintʃ]

동 (손가락으로) 꼬집다　명 꼬집기

A: Stop **pinching** me. Do you know how much it hurts?
그만 좀 꼬집어라. 얼마나 아픈 줄 알아?

B: Then stop slapping me on the shoulder. You know it hurts!
야 그러면 내 어깨 좀 그만 쳐. 나도 아프다고!

0539 ★★

panic
[pǽnik]

명 공황상태　동 겁에 질려 어쩔 줄 모르다(모르게 하다)　유 anxiety 불안, 염려

A: I was in a grocery store when the fire alarm suddenly started ringing. That threw everybody into a total **panic**. 나 어제 식료품점에서 화재경보기 울릴 때 거기 있었거든. 그때 사람들 전부 공황상태였다니깐.

B: Wow, it must have been chaos. 이런, 엄청 혼란스러웠겠네.

0540 ★★

overcome
[óuvərkʌm]

동 극복하다, 이기다

A: I can't really do this! It's so high and windy.
나 진짜 이거 못 하겠어요! 너무 높고 바람이 심해요.

B: Come on. You just need to **overcome** your fear!
어서요. 그 두려움을 극복해야 됩니다!

1 다음 단어에 맞도록 우리말 또는 영어로 바꿔 쓰시오.

01	ruin _____	11	식욕, 욕구 _____
02	sheer _____	12	연어 _____
03	adolescence _____	13	보험, 보험금 _____
04	frank _____	14	전문가, 참전용사 _____
05	labor _____	15	조상, 선조 _____
06	rot _____	16	(몸에 두르는) 띠 _____
07	warn _____	17	합법적인, 법과 관련된 _____
08	vacant _____	18	사투리 _____
09	tender _____	19	(차량이) 미끄러지다 _____
10	shrine _____	20	견인하다, 견인 _____

2 다음 빈칸에 알맞은 단어를 넣어서 문장을 완성하시오.

01 I found a rare book at a _____ bookstore.
중고책방에서 굉장히 귀한 책 한 권을 찾았어요.

02 I have been receiving _____ for burns for 2 months.
저는 두 달째 화상 때문에 치료를 받고 있습니다.

03 My younger sister is looking for a _____ place to stay.
제 여동생이 임시로 머무를 곳을 구하고 있어요.

04 I don't think money _____ us eternal happiness.
돈이 우리에게 영원한 행복을 보장해 줄 거라고는 생각하지 않아요.

05 I hope you _____ your fear of heights.
네가 고소공포증을 극복해내길 바랄게.

DAY 19

에피소드 055~057

Episode 055 • 겉만 보고 판단해선 안 되는 이유

용호: 부엌에 **jar**에 들어있는 거 뭐야? 반짝반짝한 황금색 **label**이 붙은 걸 보니 옛날 **imperial** 왕이 오래 살려고 먹었을 약 같다.

대건: 아 그거? **seasoned**한 **root**식물 가지고 담근 약술이야. 엄마가 **rural**에 가서 직접 만들어 오셨어. 그리고 담글 때 **pest** 같은 거 생기기 쉬워서 박박 **scrub**해야 하고. 까다로운 과정을 **through**해서 만들어진대.

용호: 그래봤자 **merely** 식물인 거잖아.

대건: 응, 맞아. 그냥 식물… 400만원짜리.

0541 ★★

jar
[dʒáːr]

[명] 항아리, 병 [동] 신경을 거슬리게 하다

A: Wow, you have so many **jars** in your yard. What are they for?
우와, 마당에 항아리 엄청 많네. 뭐에다 쓰려고?

B: Mom and I are going to fill them with red pepper paste and soybean paste. 엄마랑 내가 저 항아리에 고추장이랑 된장을 채워 넣을 거야.

0542 ★★

label
[léibəl]

[명] 라벨, 상표, 음반사 [동] 라벨(상표)을 붙이다

A: Anyway, before I go I have to warn you. Don't touch any file **labeled** 'Private.'
어쨌건, 가기 전에 하나만 주의시키겠네. '개인용'이라고 라벨 붙어 있는 건 건들지 말게.

B: I won't, sir. 네, 알겠습니다.

0543 ★★

imperial
[impíəriəl]

[형] 제국의, 황제의 [유] royal 국왕의

A: So, are these the photos you took during your trip in Japan?
그러니까, 여기 이 사진들이 다 일본여행 때 찍은 거라 이거지?

B: Yes. The one that you're looking at was taken at The Tokyo **Imperial** Palace which is located on the former site of Edo Castle.
그렇지. 니가 지금 보고 있는 사진은 도쿄의 고궁에서 찍은 건데 에도 성 자리였대.

0544 ★

seasoned
[síːznd]

[형] 양념을 한, 노련한 [유] experienced 능숙한

A: I still can't believe you made all of these side dishes. I especially like this one. It's well **seasoned**.
아직도 이 반찬들을 니가 다 만들었다는 게 믿기질 않네. 특히 난 이게 맛있어. 양념이 잘 되어있어.

B: Oh, that one? That's actually one I bought at the market.
아, 그거? 사실 그건 시장에서 산 건데.

0545 ★★★

root
[ru:t]

[명] 뿌리, 기원 [동] 파헤치다 [참] stem (식물의) 줄기

A: Guys, listen. We have to pull the plants up by the **roots**, okay?
얘들아 들어 봐. 우리 식물들 뿌리째로 뽑아야 한다, 알겠지?

B: That is going to be harder than I thought.
생각보다 더 힘들겠구나.

0546 ★

rural
[rúərəl]

[형] 시골의, 지방의

A: Where do you originally come from? You have an interesting accent.
너 고향이 어디야? 말투가 독특하네.

B: I lived in several **rural** areas before I moved to Seoul.
내 서울로 이사 오기 전에 여기저기 지방 쪽에 살았었재.

0547 ★

pest
[pest]

[명] 해충

A: Why do you want to move out? Is there anything wrong?
이사는 왜 하고 싶어 하는 거야? 무슨 문제 있어?

B: **Pests** like cockroaches and ants have recently invaded my home.
바퀴벌레나 개미 같은 해충들이 최근에 내 집안에 들어왔어.

0548 ★★

scrub
[skrʌb]

[동] 문질러 씻다 [명] 청소하기, 관목 [유] scour 문질러 닦다

A: I want you to **scrub** the veggies. Make sure you scrub them clean this time.
너는 채소들을 문질러 씻어. 이번엔 깨끗하게 문질러 씻어야 한다.

B: All right. Let me wash my hands and put on an apron first.
알았어. 먼저 손 씻고 앞치마 좀 두를게.

💡 scrub는 '(무언가를) 문질러 씻다'라는 뜻인데요. 이 단어와 비슷하게 생긴 단어 rub은 그냥 '문지르다, 비비다'라는 뜻을 전한답니다. 비슷지만 뉘앙스가 다르죠? 꼭 구분해 두세요.

0549 ★★★

through
[θru:]

[전] ~을 통하여, 지나

A: Hi, I'm looking for disposable cups and plates.
저기요, 일회용 컵이랑 접시들을 찾고 있는데요.

B: Go **through** the toy section and you'll see them on your right.
장난감 코너 지나서 오른쪽에 있을 거예요.

0550 ★★

merely
[míərli]

[부] 그저, 한낱, 단지

A: Should I get a bucket hat? Everybody's wearing one these days.
나도 벙거지 모자 하나 사야 하나? 요새 전부 다 쓰고 다니더라.

B: You'd better not. You know hats don't go well with you and it is **merely** a passing craze. 안 사는 게 좋을 걸. 너도 모자 안 어울리는 거 알잖아 그리고 이건 한낱 유행이야.

Episode 056 • 연어 좋아하세요?

현실: 왜 연어를 **peel**해서 먹어?

미정: **chew**할 때 그 **texture**가 싫어. **banquet**에서 연어 껍데기에 독특한 풀 같은 거 섞어서 만든 **fusion** 음식을 먹어봤는데 삼킬 수가 없더라. 그 이후로 연어 껍질은 굿바이.

현실: 와, 니 진짜 먹을 줄 모르네. 그게 이상하다니 **astonishing**하다. **wheat** 싹이랑 같이 싸서 먹으면 완전 맛있는데.

미정: **complimentary**로 한 트럭 준다 해도 껍질은 안 먹을 거야. 나한텐 **deadly**한 맛이었다고. 다시 **mention**하기도 싫다.

0551 ★★
peel
[pi:l]

ⓗ 껍질을 벗기다 ⓝ 껍질

A: Why do you not **peel** an apple before eating it?
왜 너는 사과 먹기 전에 껍질을 안 벗겨?

B: Because it's more nutritious that way. The skin has vitamin A and C.
그렇게 해야 영양분이 더 많아. 껍질에 비타민 A랑 C가 있거든.

0552 ★★
chew
[tʃu:]

ⓗ 씹다, 물어뜯다 ⓢ chew over ~을 곰곰이 생각하다

A: What do I need to be aware of before the operation tomorrow?
내일 수술 전에 제가 알아야 할 유의 사항이 있나요?

B: You may find it difficult to **chew** and swallow food after the operation. You'd better stick to soups and liquids for a few days.
수술 후에 음식 씹고 삼키는 게 힘드실 거예요. 수프나 액상 음식을 며칠 드시는 게 좋겠습니다.

0553 ★
texture
[tékstʃər]

ⓝ 질감, 감촉 ⓤ surface (사물의) 표면

A: I like the **texture** of your new blanket. It's very smooth.
니 새로 산 담요 감촉 좋네. 엄청 부들부들해.

B: It's just a cheap synthetic fiber blanket. 그거 그냥 저렴한 합성섬유 담요야.

0554 ★★
banquet
[bǽŋkwit]

ⓝ (공식) 연회(만찬)

A: What's the occasion? Why are you all dressed up?
니 오늘 뭔 일 있어? 웬일로 멋지게 차려입었어?

B: I have to attend the annual awards **banquet** tonight. How do I look? 오늘 저녁에 연례 시상식 연회에 참석해야 하거든. 나 어때?

0555 ★
fusion
[fjú:ʒən]

ⓝ 융합, 결합, 퓨전 음식 ⓟ fuse 융합시키다, 결합되다

A: How was the movie last night? Was it good?
어젯밤에 영화 어땠어? 좋았어?

B: You should watch it no matter what. The movie showed off a perfect **fusion** of fresh shooting techniques and sound.
이건 무조건 봐야 된다. 신선한 촬영 기법 그리고 사운드의 완벽한 조합을 뽐내더라니깐.

0556 ★

astonishing
[əstániʃiŋ]

(형) 정말 놀라운, 믿기 힘든

A: What? Your younger brother moved this heavy fridge alone all the way from downstairs?
뭐라고? 니 남동생이 이 무거운 냉장고를 혼자 저 밑에서부터 옮겼다고?

B: He did. He has astonishing physical strength.
그렇다니까. 내 동생 진짜 놀라울 정도로 힘이 좋다.

0557 ★★★

wheat
[wi:t]

(명) 밀

A: Don't you want a part-time job? Help me harvest wheat this weekend.
아르바이트하고 싶지 않아? 이번 주말에 밀 수확하는 것 좀 도와줘.

B: How much money are we talking about?
얼마 줄 건지 이야기 나눠 볼까?

 밀이라는 곡물 이외에도 여러 가지 곡물들이 있죠. rye(호밀), barley(보리), oats(귀리) 등이 있습니다.

0558 ★

complimentary
[kàmpliméntri]

(형) 무료의, 칭찬하는 (파) compliment 칭찬, 찬사

A: Are you available next Friday? I've got some complimentary tickets for a play.
다음 주 금요일 시간 되니? 무료 연극 티켓 생겼거든.

B: What time? If it's too late, I can't make it. 몇 시? 너무 늦으면 안 되고.

 형용사 complimentary는 '무료의' 혹은 '칭찬하는'이란 의미입니다. 비슷하게 생긴 complementary는 무슨 뜻일까요? 이 단어는 무언가에(to something) '상호 보완적인'이라는 뜻이랍니다.

0559 ★★

deadly
[dédli]

(형) 치명적인 (부) 몹시 (유) lethal 치명적인 fatal 죽음을 초래하는, 치명적인

A: Did you just burp? What did you eat? Wow, the smell is like a deadly weapon.
니 방금 트림했나? 도대체 뭐 먹은 거야? 와, 냄새 진짜 치명적인 무기 같다.

B: Is it that bad? Sorry, I'll go brush my teeth.
그래 심하나? 미안, 가서 양치할게.

0560 ★★★

mention
[ménʃən]

(동) 언급하다 (명) 언급, 거론

A: So, you met my ex-girlfriend, huh? Did she mention anything about me?
그니까, 내 전 여자 친구랑 만났었단 거지, 어? 가가 내에 대해서 뭐 언급하드나?

B: Nothing at all. I think she is completely over you.
아니 전혀. 내가 보기엔 니 완전히 잊은 것 같던데?

현실: 너 왜 **blush**해져서 들어 오냐?

찬규: 어, 방금 혜진이랑 인사하고 헤어졌거든.

현실: 혜진이가 누군데?

찬규: 최근에 **ranch**로 **outing** 다녀왔잖아. 그때 같은 조 친구야.

현실: 좋아하나 보네?

찬규: 아직 그렇게 **intimate**한 사이는 아니야.

현실: 나 연애소설 하나 써 볼까, 응? 물론 난 **author**이고! **tragic**한 결말은 보기도 싫다. 막 들이대지 말고 참을
성을 가지고 다가가란 말이야, 오케이?

찬규: 나랑 사귀면 걔가 시키는 대로 **obey**할 수 있는데. 볼 때마다 넘 떨려서 마음을 진정시켜주는 **pill** 같은 거
좀 먹고 만나야겠어.

현실: 완전 빠졌고만! 암튼 너의 그 사랑이 **shatter**되면 아니 된데이! 계속 최신 정보 **update**하도록. 알았재?

0561 ★★

blush

[blʌʃ]

ⓥ 얼굴이 빨개지다, ~에 부끄러워하다

A: Hey, stop teasing her. You're making her blush.

야, 애한테 장난 좀 그만 처라. 애 얼굴 빨개지잖아.

B: You should have seen her teasing me this morning.

오늘 아침에 얘가 나한테 어떻게 장난쳤는 지를 니가 봤어야 했는데.

0562 ★

ranch

[rænʧ]

ⓝ 목장

A: You're so good at horse riding. When did you learn it?

너 말 잘 타네! 언제 배운 거야?

B: My family used to have a small horse ranch. I rode a horse every
day. 옛날에 우리 가족이 작은 말 목장을 가지고 있었거든. 난 매일 탔었지.

0563 ★

outing

[áutiŋ]

ⓝ 야유회, 여행

A: Time flies so fast. The weekend is just around the corner. Any
plans?

시간 진짜 빨리 간다. 이제 곧 주말이네. 뭐 계획 세워둔 거 있어?

B: I'm going on an outing to Mt. Bukhan with my family.

가족과 북한산으로 야유회 갈 거야.

0564 ★★

intimate

[íntəmət]

ⓐ 친밀한, 밀접한 ⓥ 시사하다 ⓟ intimacy 친밀함

A: So, how many guests are we expecting for the party?

그러니까, 파티에 손님들은 얼마나 오는 거야?

B: I only sent an invitation to a few intimate friends.

그냥 친한 친구 몇 명한테만 초대장 보냈어.

0565 ★★★

author
[ɔ́ːθər]

명 작가 통 쓰다, 저술하다

A: Your first book will be out soon. How do you feel?
니 첫 책이 곧 출판되네. 기분이 어때?

B: I've always wanted to become an author and now I'm the happiest guy in the world.
나는 늘 작가가 되고 싶었거든. 지금은 내가 세상에서 제일 행복한 남자일 거야.

0566 ★★

tragic
[trǽdʒik]

형 비극적인, 비극의 파 tragedy 비극

A: What's your role in the play? One of the main roles?
이 연극에서 니 역할은 뭔데? 주인공 중 한명?

B: You got it! I'll play a really tragic figure in the play.
정답! 진짜 비극적인 역할을 맡았지.

0567 ★★★

obey
[oubéi]

통 순종(복종)하다, (명령 · 법 등을) 따르다 파 obedient 순종적인 obedience 복종, 순종

A: I've always obeyed you without question, but this time please let me do what I want.
제가 항상 아무런 이의 없이 순종해 왔잖아요. 그러니까 이번에는 제가 원하는 거 좀 하게 해주세요.

B: Over my dead body! 내 눈에 흙이 들어가기 전까진 택도 없다!

0568 ★★

pill
[pil]

명 알약

A: Doesn't this chewing gum look like a vitamin pill?
이 껌 생긴 거 꼭 비타민 알약 같지 않아?

B: Hey, that's an actual pill that I take. Give it to me.
야, 그거 실제로 내가 먹는 약이야. 이리 내.

0569 ★★

shatter
[ʃǽtər]

통 산산이 부수다, 산산조각이 나다 유 smash 박살내다, 박살나다

A: Be careful when you move that mirror. Last time you dropped one and it shattered into a thousand pieces. Remember that?
그 거울 옮길 때 조심해라. 지난번에 너 거울 하나 떨어뜨려서 산산이 부서졌었잖아. 기억 나?

B: I do. That's one of my bad memories.
당연하지. 안 좋은 기억 중에 하나야.

0570 ★★

update
[ʌpdéit]

통 갱신하다, 최신의 것으로 하다 유 renew 갱신하다, 재개하다

A: Don't you think it's about time to update your laptop's operating system?
이제 니 노트북 운영체제 좀 최신 버전으로 갱신해야 될 것 같지 않아?

B: I'm totally okay with the current version.
지금 쓰고 있는 버전에 완전히 만족해.

1 다음 단어에 맞도록 우리말 또는 영어로 바꿔 쓰시오.

01 pest _____   11 제국의, 황제의 _____

02 label _____   12 항아리, 병 _____

03 root _____   13 정말 놀라운 _____

04 rural _____   14 (공식) 연회(만찬) _____

05 merely _____   15 치명적인, 몹시 _____

06 peel _____   16 언급하다, 언급 _____

07 intimate _____   17 융합, 결합 _____

08 outing _____   18 밀 _____

09 ranch _____   19 비극적인, 비극의 _____

10 update _____   20 순종(복종)하다 _____

2 다음 빈칸에 알맞은 단어를 넣어서 문장을 완성하시오.

01 I love eating _____ vegetables in spring.
저는 봄에 양념한 나물 먹는 걸 정말 좋아해요.

02 We have to _____ the floor in the bathroom with bleach.
우리 욕실을 표백제로 문질러 씻어야 해.

03 I really enjoyed both the taste and _____ of the foods.
음식들의 맛이랑 질감이 정말 훌륭했어요.

04 I like Daegun Restaurant because they offer _____ dessert.
저는 대건 레스토랑을 좋아해요 왜냐면 무료 디저트를 제공하거든요.

05 Someone _____ the window of the office with a huge rock.
누가 사무실 창문을 큰 돌로 산산이 부숴놨어요.

 Episode 058 • 결과만큼 값지고 멋있는 노력

대건: 겨울인데 훈련은 할 만하나?

용호: 아니, 나름 열심히 하는데 **visible**한 결과가 없어서 속상하네.

대건: 니 그 **worn-out**된 운동화가 노력의 정도를 보여주는데? 이 시기를 잘 **withstand**해야지! 내 주변에서 너만큼 운동에 **proficient**한 사람도 없다. 넌 다른 **planet**에서 온 듯해.

용호: 너 답지 않은 **reaction**은 뭐야?

대건: 이런 말을 **quote**하고 싶구나. '잔잔한 바다에서는 좋은 뱃사공이 만들어지지 않는다.'

용호: **script** 짜왔냐? 평소처럼 해.

대건: 암튼 힘내! 요새 추우니까 **thermal**한 옷 잘 챙겨 입고, 집에 가서는 **ventilation**도 신경 쓰고. 아프면 훈련 망친다.

용호: 내 걱정하는 건 어색하지만, 그래도 고맙다.

0571 ★★
visible
[vízəbl]

형 눈에 보이는, 가시적인 반 invisible 눈에 안 보이는

A: Wow, is that your new house? It is clearly visible from here.
우와, 저게 너희 새집이야? 여기서도 또렷하게 보이네.

B: I spent so much money on the landscaping. 내가 조경에 돈 좀 썼지.

 이 단어 앞에 부정의 접두사 **in-**이 붙게 되면, **invisible** '눈에 안 보이는, 볼 수 없는'이란 의미의 형용사가 만들어집니다.

DAY 20

0572 ★
worn-out
[wɔ́ːrnàut]

형 닳아 해진, 낡은

A: Don't you think it's time to change that worn-out sofa? It's too old.
너 저 닳아 빠진 소파 바꿀 때 된 거 같지 않아? 너무 오래됐잖아.

B: It's not too old. It's just antique and unique.
오래되긴 무슨. 그냥 고풍스럽고 독특한 거지.

0573 ★
withstand
[wiðstǽnd]

동 견뎌(이겨)내다 유 resist 참다, 견디다 tolerate 견디다, 참다

A: Do we have to go to that tower tomorrow? There's been a light earthquake in that area.
우리 내일 그 타워에 가야 해? 그쪽 지역에 약한 지진 있었는데.

B: No worries. I heard that the tower was constructed to withstand earthquakes, which means it's pretty strong.
걱정하지 마. 그 타워 지진에 견딜 수 있도록 지어졌대. 엄청 튼튼하단 뜻이지.

 접두사 **with-** 에는 무언가에 대항하여(against)라는 의미가 있습니다. 즉, 무언가에 대항하며 서 있는 것(stand), **withstand**라는 단어는 '견뎌내다, 저항하다'라는 의미를 지닌답니다.

0574 ★
proficient
[prəfíʃənt]

(형) 능숙한, 능한　(파) proficiency 숙달, 능숙

A: I'm amazed by how well Daegun plays the violin.
대건이가 바이올린을 잘 하는 것에 완전 놀랐잖아.

B: You are? Well, his playing is technically proficient but he lacks confidence. 거기에 놀랐다고? 음, 걔 기술적으로는 능숙한데 자신감은 영 부족해.

0575 ★★
planet
[plǽnit]

(명) 행성

A: Check this out. Isn't this cape cool? 이거 좀 봐. 이 망토 멋지지?

B: What is wrong with you? It just makes you look like something from another planet! 왜 그러는 건데? 그거 두르니까 다른 행성에서 온 거 같아 보이는구만.

0576 ★
reaction
[riǽkʃən]

(명) 반응

A: So, how was the presentation on our new products? Did buyers like it? 그래서, 신제품 발표는 어땠어? 바이어들이 좋아했어?

B: They did. I thought you didn't care about their reactions.
네, 좋아하더라고요. 근데 그들 반응에 대해 전혀 신경 안 쓰시는 줄로 알았는데요.

0577 ★★
quote
[kwout]

(동) 인용하다, 예를 들다

A: All right. So what's the point? 알겠어. 요점이 뭔데?

B: What is mean is... Okay, let me quote from one of my favorite movies. "All is well."
그니까 내 말은… 그래, 내가 좋아하는 영화에서 인용해 볼게. "다 잘 될 거야."

0578 ★★
script
[skript]

(명) 대본, 원고　(동) 대본(원고)을 쓰다

A: What did you just say? Is that line in the script?
너 방금 뭐라고 한 거야? 그 대사 대본에 있는 거야?

B: Sorry, I forgot my line so I just winged it.
미안, 대사 잊어서 그냥 즉흥적으로 말한 거야.

0579 ★
thermal
[θə́ːrməl]

(형) 열의, 보온성이 좋은

A: Look what you're wearing now. Aren't you cold? It's three degrees below zero. 지금 옷 입고 있는 거 좀 봐. 안 추워? 영하 3도인데.

B: I'm all right. I wore thermal underwear. 괜찮다. 보온 내의 입었다.

0580 ★★
ventilation
[vèntəléiʃən]

(명) 통풍, 환기　(파) ventilate (방 등을) 환기하다

A: Why did you choose this place to stay? I know you're staying here temporarily but it has bad ventilation.
왜 이 장소를 머물 곳으로 선택한 거야? 뭐 여기에 잠깐 머무는 건 알겠지만 환기가 너무 안 된다.

B: If I had known there was only a small window in this place, I wouldn't have chosen it.
여기에 이렇게 작은 창문 하나만 있는 줄 알았으면, 이 곳을 고르지 않았을 텐데.

Episode 059 • 오늘은 내가 영화 평론가

미정: 영화 정말 재밌었지?

대건: 응! 특히 그 먼지투성이 창고 씬! 밖에서 **sparrow**들의 짹짹거리는 소리와 함께 **traitor**가 **trigger**를 잡아당길 때 그 눈빛, 그리고 손가락 클로즈업 장면!

미정: 나도! **virtually** 어두운 창고 안에서 불빛도 없이 혼자서 다 쓰러뜨린다는 게 참 말은 안 되지만 그래도 우리 **sentiment**에 잘 맞는 영화인 거 같았어.

대건: 주인공 심리에 맞춰 화면을 의도적으로 **distort**하고, 또 갑자기 화면이 멈췄다 **resume**되고 이런 기법들을 **consider**하면 굉장히 **progressive**한 거지. 해외 영화랑 비교 했을 때 **resemblance**도 거의 없어서 더 좋은 거 같다.

0581 ★★

sparrow
[spǽrou]

⟨명⟩ 참새

A: You eat like a **sparrow**. Now I know why you're skinny.
  니 참새처럼 먹네. 이제 니가 왜 삐쩍 말랐는지 알겠다.

B: You know what's more interesting? I poop like an elephant.
  더 재밌는 건 뭔 줄 알아? 나 똥은 코끼리처럼 싼다.

0582 ★

traitor
[tréitər]

⟨명⟩ 배반자, 배신자, 반역자

A: How could you betray us, you **traitor**!
  어떻게 우릴 배신할 수 있냐, 이 배신자!

B: No, I swear I didn't! I was just framed!
  아냐, 맹세컨대 난 배신하지 않았어! 누가 나한테 뒤집어씌운 거라고!

0583 ★

trigger
[trígər]

⟨명⟩ 방아쇠 ⟨동⟩ 촉발시키다, 작동시키다 ⟨반⟩ prevent 막다, 예방하다

A: All right. Make sure you don't pull the **trigger** before I say 'Shoot.' Okay?
  자, 제가 '쏘세요'라고 말하기 전까진 방아쇠 당기지 않습니다. 아시겠죠?

B: I won't and please tell me it's not that dangerous.
  네, 알겠어요. 그리고 이거 그렇게 위험한 거 아니라고 말씀해주세요.

0584 ★

virtually
[və́ːrtʃuəli]

⟨부⟩ 사실상, 가상으로

A: We'd better stop working on this. It's **virtually** impossible.
  우리 이 일에 그만 공들이자. 이건 사실상 불가능한 일이야.

B: I don't think we should give up. We've already invested so much time.
  포기하면 안 될 것 같다. 벌써 들인 시간이 얼마나 많은데.

0585 ★★

sentiment
[séntəmənt]

몡 정서, 감정

A: You'd better not wear that jacket with the pattern on it here. It will not match Korean culture or sentiment.
여기서는 그 무늬가 있는 재킷은 안 입는 게 좋을 것 같다. 한국 문화나 정서에 맞지 않을 거야.

B: Oh, I did not realize that.
아 그래, 그건 난 몰랐네.

0586 ★

distort
[distɔ́:rt]

동 (사실·생각 등을) 왜곡하다

A: I can't believe what Daegun said during his TV interview.
대건이가 TV 인터뷰 중에 한 말 믿을 수가 없다.

B: Tell me about it. He's completely distorting the truth.
당연하지. 그 친구 완전히 진실을 왜곡하고 있더라.

0587 ★★★

resume
[rizú:m]

동 재개하다, 다시 시작하다

A: You're going to resume your career after an interval of three years. How do you feel?
3년이란 공백 뒤에 다시 직장 생활을 하게 되었네요. 기분이 어때요?

B: I feel so excited to get back to work!
다시 일을 할 수 있다니 정말 흥분되요!

0588 ★★★

consider
[kənsídər]

동 고려하다, ~이라고 생각하다(간주하다) 파 consideration 사려, 숙고, 배려

A: If we work together, I guarantee that your dreams will come true. So, what do you say?
우리가 같이 일하게 되면, 제가 장담하는데 당신의 꿈이 실현될 거에요. 자, 어떠세요?

B: I'd like some time to consider it. Give me a couple of days.
고려해 볼 시간이 좀 필요합니다. 며칠만 주세요.

0589 ★★

progressive
[prəgrésiv]

형 진보적인, 점진적인 몡 진보주의자

A: You know what I'm proud of? Myself working out every day!
내가 뭐가 자랑스러운 줄 알아? 매일 운동하는 내 자신!

B: You're right. I can tell that there are progressive changes in your body shape.
니 말이 맞어. 니 체형에 점진적인 변화를 확실히 알겠단 말이지.

0590 ★

resemblance
[rizémbləns]

몡 유사함, 닮음

A: Wow, you bear a striking resemblance to your aunt.
와, 너 이모랑 정말 눈에 띄게 많이 닮았구나.

B: And she looks very young for her age. A lot of people think that we're sisters.
게다가 우리 이모는 나이에 비해 완전 젊어 보이시잖아. 많은 사람들이 우리가 자매인 줄 안다니깐.

Episode 060 · (사실) 난 널 좋아해.

대건: 나 왔어. 막 **asleep** 했었는데 왜 불렀어?

미정: 어, 잘 **ripe** 한 토마토로 갓 **squeeze** 한 주스 마시라고.

대건: 와, **aromatic** 하네. 집에 착즙기 같은 것도 **equip** 하고 있네. 근데 저건 누구 몫이야?

미정: 우리 아빠 오늘 **reunion** 가시는데, 앞에서 노래 **conduct** 하실 건가 봐. 드시고 기운 내시라고.

대건: **misunderstand** 하지 말고 들어. 너야말로 **exactly** 이상적인 신부감이다. 좋은 남자 만나라. **heartfelt** 한 말이야. 그나저나 착즙기는 얼마 줬어?

미정: 어이구 됐네요. 어 이거? 임대해서 쓰고 있어.

0591 ★★★

asleep

[əslíːp]

(형) 잠이 든, 자고 있는

A: Do you remember what I told you last night?

내가 너한테 어젯밤에 뭔 말 했었는지 기억나?

B: Sorry, I was half asleep while we were on the phone. And now I'm in big trouble, aren't I?

미안, 우리 통화할 때 내 거의 반은 자고 있었다. 나 이제 완전 곤경에 처했다, 맞지?

0592 ★★

ripe

[raip]

(형) 익은, 숙성한, (시기가) 무르익은 (파) ripen 익다, 숙성하다

A: Spring is coming and that means I can eat my favorite fruit, strawberries!

봄이 오고 있다는 건. 이제 내가 제일 좋아하는 과일인 딸기를 먹을 수 있다는 것이군!

B: Yeah, I love ripe strawberries.

그렇지, 나도 잘 익은 딸기 정말 좋아해.

DAY 20

0593 ★★

squeeze

[skwiːz]

(동) 짜다, 짜내다, (억지로) 비집고 들어가다

A: I stayed over at Daegun's home last night and I saw him squeeze an empty tube of toothpaste to get just enough out to brush his teeth one more time.

어젯밤에 대건이네 집에서 잤는데 얘는 빈 치약통을 꾹꾹 짜더라고 남은 치약으로 한 번 더 양치하려고.

B: I know, he hates wasting anything at all.

알아, 걔는 뭐든지 낭비를 안 하지.

0594 ★

aromatic

[ærəmǽtik]

(형) 향이 좋은

A: Hey, what are you making in the kitchen? It smells so aromatic.

자기야, 부엌에서 뭐 만드는 거야? 향이 너무 좋아.

B: I'm making curry! 커리 만들고 있어요.

0595 ★★
equip
[ikwíp]

(동) 장비를 갖추다, 갖추게 하다 (파) equipment 장비, 용품

A: Tomorrow is the day! I'm so excited to go hiking with you again.
드디어 내일이다! 너랑 같이 하이킹을 다시 가게 되다니 정말 좋다.

B: So am I! Oh, make sure you're fully **equipped** this time. The trails must be very slippery at this time of the year.
나도! 아, 이번에는 꼭 장비를 완전히 갖춰야 해. 매년 이쯤에 산길이 많이 미끄럽거든.

0596 ★
reunion
[rijú:njən]

(명) 동창회, 모임

A: I'm sorry but can we postpone out meet-up? I just found out that I'm supposed to attend the school **reunion** in a couple of hours. I totally forgot about that. 미안한테 우리 만나는 것 좀 미룰 수 있을까? 방금 알게 된 건데 나 몇 시간 뒤에 학교 동창회 가야 하더라고. 완전히 잊고 있었어.

B: You should have told me earlier. How about tomorrow then?
나한테 좀 일찍 말했어야지. 그럼 내일은 어때?

0597 ★★★
conduct
[kándʌkt]

(동) 지휘하다, (업무 따위를) 수행하다 (명) 행동, 수행

A: Sorry that I was absent yesterday. So, what's the group project?
어제 결석해서 미안해. 자, 우리 조별 과제는 뭐야?

B: We have to **conduct** a survey on the dietary habits of teenagers.
청소년들의 식습관에 대해서 설문조사를 수행해야 해.

0598 ★★
misunderstand
[mìsʌndərstǽnd]

(동) 오해하다

A: What? He wasn't your boyfriend? I am sorry, I **misunderstood**.
뭐? 저 사람이 니 남자 친구가 아니었다고? 미안해, 내가 오해했었네.

B: We get that a lot and I'm okay with it but my brother isn't.
우리 그런 말 많이 듣는다. 나는 괜찮은데 내 동생은 안 괜찮은가 봐.

 understand라는 단어 앞에 접두사 mis- 가 붙어있군요. 이 접두사에는 '나쁜, 잘못된' 이런 의미가 포함되어 있지요. misunderstand는 잘못 이해하다, 즉 '오해하다'라는 뜻이 되는 거지요.

0599 ★★★
exactly
[igzǽktli]

(부) 정확히

A: I can't believe Daegun stood me up again.
대건이가 나 또 바람 맞히다니 믿을 수가 없다.

B: I know **exactly** how you feel. He always forgets about his promises.
니가 어떤 기분인지 정확히 안다. 걔는 맨날 약속한 거 까먹는다니까.

0600 ★
heartfelt
[há:rtfèlt]

(형) 진심 어린

A: Wait a minute. Haven't you made up with your girlfriend yet?
잠깐만. 너 아직도 여자 친구랑 화해 안 한 거야?

B: No, not yet. I'm going to make a **heartfelt** apology to her tonight.
어, 아직. 오늘 밤엔 여자 친구에게 꼭 진심 어린 화해를 건네려고.

1 다음 단어에 맞도록 우리말 또는 영어로 바꿔 쓰시오.

01	sentiment	_____	11	배반자, 배신자	_____
02	resume	_____	12	재개하다	_____
03	thermal	_____	13	사실상, 가상으로	_____
04	proficient	_____	14	방아쇠, 촉발시키다	_____
05	resemblance	_____	15	견뎌(이겨)내다	_____
06	ripe	_____	16	통풍, 환기	_____
07	equip	_____	17	대본, 원고	_____
08	squeeze	_____	18	인용하다, 예를 들다	_____
09	aromatic	_____	19	진심 어린	_____
10	reunion	_____	20	오해하다	_____

2 다음 빈칸에 알맞은 단어를 넣어서 문장을 완성하시오.

01 I love these sneakers even though they are pretty _____.
저는 제 운동화가 비록 많이 닳아 해져도 좋아요.

02 The bridge over there is hardly _____ due to fog.
저 쪽에 있는 다리가 안개 때문에 거의 보이질 않네요.

03 I can't believe that you tried to _____ the truth.
당신이 진실을 왜곡하려 했다는 게 믿겨지질 않네요.

04 I'm seriously _____ going abroad.
저는 해외에 나가는 걸 진지하게 고려하고 있답니다.

05 One of my dreams is to _____ a band on the stage.
내 꿈 중 하나는 무대 위에서 악단을 지휘해 보는 것입니다.

Episode 061 • 장비병엔 약도 없다.

우식: 어제 자전거 타러 왜 안 나왔어? 재밌었는데.

대건: **mend**해야 할 부분이 생겨서 못 갔어.

우식: 어디 보자, 니꺼 완전 **outdated**하네. **appearance**도 상태가 안 좋고. 나처럼 돈 좀 써서 성능 **decent**한 걸로 하나 사. 얼마나 한다고.

대건: 새 거 샀다고 **arrogant**한 거 봐라. 장비만 좋으면 뭐하는데, 실력이 좋아야지. 뭐만 했다 하면 장비 사 모으고. 그것도 약간의 **disorder**야. 계속 그러면 **chronic**한 게 되는 거지.

우식: 에이, 오래된 거 타다가 **injure**하면 어쩔 건데? 특히 **joint** 쪽 다치면 심각하지. 어서 너의 그 **rubbish**를 좋은 자전거로 바꾸길.

0601 ★★
mend
[mend]

(동) 수리하다, 해결하다

A: Do you know how I can mend my jeans? There are a few tears in the knee area.
내 청바지 어떻게 수선해야 할까? 무릎 부분에 찢어진 부분이 좀 있어.

B: Are you sure you want to mend them? I see people wearing ripped jeans these days.
진짜 그거 수선하고 싶은 거야? 요즘 사람들 찢어진 청바지 입던데.

0602 ★
outdated
[àutdéit]

(형) 구식인, 시대에 뒤진

A: Did you have fun at the amusement park? 놀이공원에서 잘 놀고 왔어?

B: Most rides were outdated and worn-out. But you know what? I did enjoy it! 대부분 놀이기구가 구식에 낡았더라고. 그래도 있잖아, 나는 재밌게 놀고 왔지!

0603 ★★★
appearance
[əpíərəns]

(명) 외관, 출현, 외모 (파) apparent 분명한, ~인 것처럼 보이는

A: Are you seeing someone these days? You've been concerned a lot about your appearance.
너 요새 누구 만나냐? 요새 외모에 부쩍 신경을 많이 쓰네.

B: Did someone tell you? Anyways, you're right. I started dating a beautiful girl recently.
누가 알려준 거야? 암튼, 맞아. 나 최근에 예쁜 여자랑 사귀기 시작했지.

0604 ★★
decent
[díːsnt]

(형) (수준·질이) 괜찮은, 예의 바른, 적절한

A: It's lunch time! I'm hungry. 점심 시간이다! 배고프네.

B: How about we go to the restaurant that opened recently? It's just around the corner and it looks decent enough.
최근에 연 그 식당에 가는 건 어때? 바로 이 근처에 있고 상당히 괜찮아 보이더라고.

0605 ★
arrogant
[ǽrəgənt]

(형) 거만한　(반) modest 겸손한

A: You know what? Honestly, the way you talk is kind of arrogant.
근데 그거 알아? 솔직히, 니 말투 좀 건방져.

B: It is? Sorry to hear you feel that way.
그래? 니가 그렇게 느꼈다면 미안해.

0606 ★
disorder
[disɔ́ːrdər]

(명) 장애, 엉망, 혼란

A: Why is the kitchen in such a state of disorder? What happened while I was away?
주방이 왜 이리 엉망인 거야? 나 없던 동안 도대체 뭔 일이 있었던 거야?

B: Sorry. I cooked some food with some friends last night.
죄송해요. 어젯밤에 친구들이랑 음식 좀 만드느라 그랬어요.

 접두사 dis- 의 '반대로'라는 의미에 주목해볼게요. 무언가의 순서(order)가 반대로(dis) 되어있다. disorder, '내 방에 있는 물건들 순서가 반대로 되어 있으면 엉망, 내 신체기관 내에 있는 것들이 잘못 기능하면 장애', 감이 오죠?

0607 ★
chronic
[kránik]

(형) 만성적인, 만성질환을 앓고 있는

A: Why can't you just make a quick decision when you buy something?
물건 살 때 왜 빨리 그냥 결정을 못 내려?

B: It's like a chronic disease. I can't help it, you know.
이게 만성질환 같은 거지. 어쩔 수가 없다, 알잖아.

0608 ★
injure
[índʒər]

(동) 부상을 입다, (평판·자존심 등을) 해치다　(유) impair 손상시키다, 악화시키다

A: You're sitting too close to the TV. Aren't you aware that it could injure your eyesight?
너 지금 TV에 너무 가까이 앉아 있다. 그러다가 시력 나빠질 수 있는 거 몰라?

B: Stop nagging me. It's Sunday.
저한테 잔소리 좀 그만해요. 일요일이잖아요.

0609 ★★
joint
[dʒɔint]

(명) 관절, 연결 부위　(형) 공동의, 합동의　(유) shared 공동의, 함께하는

A: What did the doctor say? Is it something serious?
의사가 뭐라고 해? 그거 심각한 거래?

B: He said I dislocated my shoulder joint. It's not that serious but I need to get physical therapy regularly for a while.
내 어깨 관절이 빠졌었대. 그렇게 심각한 건 아닌데 얼마동안 정기적으로 물리치료 받아야 한대.

0610 ★★
rubbish
[rʌ́biʃ]

(명) 형편없는 것, 잡동사니, 폐물

A: Do we have to eat this rubbish? We're going to waste our money.
우리 이 형편없는 음식을 꼭 먹어야 하나? 돈을 낭비하게 생겼네.

B: I have to write an article about the food at this restaurant. So, let's just finish our meal.
나 이 식당 음식에 대해서 기사를 써야 해. 그러니까 우리 마저 다 먹자.

Episode 062 ● 잘 맞는 헬멧 있나요?

대건: 아, 분하다.

찬규: 왜? 뭔 일 있었어?

대건: 이 화를 **contain**할 수가 없다. 어제 자전거 헬멧 사러 갔었거든? 근데 다른 사람들도 있는데 내 머리 크다고 대놓고 말하는 거야. 빨리 사고 싶은 마음에 거기로 간 건 **hasty**한 결정이었어. **specialize**한 매장은 아니었거든.

찬규: 그래도 잘 **endure**했나 보네.

대건: 근데, 다시 생각하니 그 매장 **boycott**이라도 하고 싶다. 내가 **riot** 수준의 영향력을 함 행사해 봐? **oath** 컨데 그 십 장사에 영항 좀 받을 걸?

찬규: 난 그거에 대해선 **skeptical**하다. 너도 **loss**가 클 거야. 그리고 이렇게 뒤에서 **conspire**하는 건 좀 비겁해.

대건: 하긴 내가 좀 진지하게 접근했네. 내 머리 큰 거는 뭐 사실이니까.

0611 ★★★
contain
[kəntéin]

동 (감정을) 억누르다, ~이 들어있다 유 include 포함하다

A: Aren't you taking oriental medicine these days? Why are you drinking coffee now?
너 요새 한약 먹지 않아? 왜 지금 커피를 마시고 있어?

B: It's all right. This coffee doesn't contain any caffeine.
괜찮아. 이 커피 안에 카페인 하나도 안 들었다.

0612 ★★
hasty
[héisti]

형 성급한, 서두른

A: Did you just sell our TV without even telling me?
나한테 말도 안하고 우리 TV를 팔았어?

B: I know it was a hasty decision but I sold it at a proper price.
성급한 결정이었단 건 나도 알지만 그거 제값 받고 팔았다.

0613 ★★
specialize
[spéʃəlàiz]

동 전문적으로 다루다, ~을 전공하다

A: Aren't you craving something sweet?
단 거 먹고 싶지 않냐?

B: I know the shop that specializes in hand-made chocolates.
나 수제 초콜릿 전문적으로 하는 곳 알아.

0614 ★★
endure
[indjúər]

동 참다, 견디다 파 endurable 참을 수 있는, 견딜 수 있는

A: Being in the hospital is so boring. I can't endure another day here. Can I just leave the hospital?
병원 생활은 너무 지루해. 여기서 하루도 더 못 견뎌. 그냥 퇴원하면 안 돼?

B: You know you can't. You're not strong enough to walk on your own.
퇴원 못하는 거 잘 알잖아. 혼자서 걷지도 못하면서.

---

 endure와 비슷한 의미의 단어로 **stand, tolerate** 그리고 **put up with**, 이렇게 같이 정리해 둘게요.

0615 ★

boycott
[bɔ́ikat]

[동] 구매(사용 · 참여)를 거부하다 [명] 거부 운동 [유] reject 거부하다, 거절하다

A: I heard that one of those K-pop fan clubs declared a **boycott** on their entertainment management agency.
K-pop 팬클럽 한 군데에서 연예 기획사를 상대로 불매 운동 선언했다며.

B: I read about that. The agency hasn't been keeping their promises to the fans.
나도 그거 읽어봤어. 기획사가 팬들 상대로 약속을 계속 안 지켰다더라.

0616 ★★

riot
[ráiət]

[명] 폭동 [동] 폭동을 일으키다 [숙] provoke a riot 폭동을 선동하다

A: What would you do if hamburgers or pizza were as expensive as a steak or lobster?
햄버거나 피자 가격이 스테이크 아니면 랍스터 만큼 비싸다고 하면 넌 어땠을 거 같아?

B: Then I would start a **riot** against hamburger and pizza restaurants, asking them to bring the prices down.
그러면 햄버거와 피자 가게를 상대로 폭동을 일으켰겠지. 가격 낮추라고 하면서 말이야.

0617 ★★

oath
[óuθ]

[명] 맹세, 선서 [유] pledge (굳은) 약속, 맹세

A: Will you take an **oath** that you are going to love your wife until the end of your life?
죽을 때까지 신부를 사랑하겠다고 선서하시겠습니까?

B: I will! 네!

0618 ★

skeptical
[sképtikəl]

[형] 회의적인, 의심 많은

A: We're going to win tomorrow's competition, aren't we?
우리 내일 대회 우승할 수 있을 거야, 그렇지 않아?

B: Well, I am highly **skeptical** about it.
글쎄, 난 그 부분에 대해 매우 회의적이야.

0619 ★

loss
[lɔːs]

[명] 손실, 분실 [유] deficit 적자

A: What's the secret of your weight **loss**? Did you skip meals? Or did you eat nothing but chicken breasts?
너 체중감량 비결이 도대체 뭐니? 밥을 굶은 거야? 아니면 뭐 닭 가슴살만 먹었어?

B: I did both. 둘 다 했어.

0620 ★

conspire
[kənspáiər]

[동] 음모를 꾸미다, 공모하다 [파] conspiracy 음모, 모의

A: Wouldn't it be scary if you found out that someone was **conspiring** against you?
누가 너에 대해 음모를 꾸미고 있었다는 사실을 알게된다면, 무섭지 않겠냐?

B: I just hope it never happens to me.
나한테는 그런 일이 안 일어나길 바랄 뿐이지.

DAY 21

Episode 063 ● 인수합병

현실: 하… 우울하다.

미정: 왜? 뭔 일 있나?

현실: 우리 회사 **global**한 기업이랑 **merge**한다네.

미정: 좋은 거 아니야?

현실: 아니야, 기존 직원들과의 상호작용 없이 간부들만의 **will**로 **arrange**하고 **overbearing**하게 이뤄지는 거야. 그 결과로 부서도 **divide**되고. 내가 출근해야 하는 **distance**도 더 멀어지게 됐다. 아직 공식 발표는 안 났는데 **personnel** 부서에 나랑 친한 **male** 과장님이 얘기한 거라 거의 확실해. 언제쯤 **carefree**한 회사 생활을 할 수 있을까?

0621 ★
global
[glóubəl]

(형) 세계적인, 포괄적인

A: Why are most people so eager to learn Chinese? Should I learn it?
왜 대부분 사람들이 중국어를 배우려고 하는 걸까? 나도 그걸 배워야 하나?

B: That's because Chinese is becoming a global language.
중국어가 세계적인 언어가 되고 있어서 그런 거지.

0622 ★★★
merge
[mɔ́ːrdʒ]

(동) 합병하다, 융합되다

A: Did you get the suspect?
범인은 잡았어?

B: No, he merged into the crowd and then just disappeared!
아니요, 군중들 무리에 섞이더니만 사라져버렸습니다!

0623 ★
will
[wil]

(명) 의지, 유언장, 뜻

A: Today is the day that my dad passed away. He used to teach me that I should have a strong will to survive in this harsh world.
오늘 아버지 돌아가신 날이야. 늘 나한테 이 힘든 세상에서 살아남으려면 강한 의지가 있어야 한다고 가르쳐 주시곤 했는데.

B: Your father must be proud of you in heaven.
하늘에서 아버지도 널 자랑스러워하실 거야.

0624 ★★★
arrange
[əréindʒ]

(동) (일을) 처리하다, 배열하다, 편곡하다

A: How are you going to the airport tomorrow morning?
내일 아침에 공항 어떻게 갈거야?

B: I don't know. I haven't arranged a ride yet. Can you give me a lift?
모르겠어. 뭐 타고 갈지 정하지도 않았고. 니가 좀 태워다 줄 수 있어?

0625 ★

overbearing
[óuvərbɛ̀əriŋ]

(형) 강압적인, 고압적인

A: How is your new roommate? Is he nice?
새 룸메이트는 어때? 착해?

B: I sometimes have to deal with his overbearing attitude. Except for that, he's nice.
가끔 얘가 고압적인 태도를 보일 때가 있어. 그거 빼고는 괜찮아.

0626 ★

divide
[diváid]

(동) 나뉘다, 나누다   (유) split 나누다, 분열시키다

A: Hey, they didn't cut our pizza! I'm going to call them and complain.
야, 피자 자르지도 않고 갖다 줬다! 전화해서 따져야겠네.

B: Don't bother. I can divide it into slices.
그럴 필요 없다. 내가 자르면 돼.

0627 ★★★

distance
[dístəns]

(명) 거리, 거리감   (동) (~에) 관여하지 않다   (숙) at a distance 멀리서

A: Hey, it's been a while. So, what's it like to live in Busan?
야 오랜만이다. 부산에서 살아보니 어때?

B: It's amazing. I love the fact that the beach is within walking distance from my house.
정말 좋다. 우리 집에서 걸어갈 수 있는 거리에 바다가 있어서 최고다.

0628 ★

personnel
[pə̀:rsənél]

(명) 인사과, (회사 등의) 직원들   (유) employee 종업원, 직원

A: My company announced that they will reduce the number of personnel working on the project which I'm associated with.
회사에서 내가 관여하고 있는 프로젝트랑 관련된 직원들 감축이 있을 거라고 하더라.

B: Don't worry. You'd be the last person they would dismiss.
걱정하지 마라. 넌 마지막까지 남을 거다.

 이 단어도 외울 때 주의하세요. 생긴 게 personal이란 단어랑 비슷하게 생겼죠? personal은 '개인적인, 개인의' 이런 느낌의 형용사니까 꼭 구분해 주세요.

0629 ★

male
[meil]

(명) 남자, 수컷   (형) 남성의

A: When did you learn to split firewood? You're so good at it.
너 장작 패는 건 언제 배운 거야? 진짜 잘하네.

B: I grew up in a very male environment. Dad and my brother taught me.
내가 남자가 대부분인 환경에서 자랐거든. 아빠랑 오빠가 가르쳐줬지.

0630 ★

carefree
[kɛ́ərfri:]

(형) 근심 걱정 없는, 속 편한

A: Why didn't you get the phone yesterday? Is everything okay?
어제 왜 전화를 안 받았어? 다 괜찮지?

B: I just didn't want to do anything so I went to the beach and spent a carefree day.
그냥 아무 것도 하기 싫어서 바닷가 갔었다. 근심 걱정 없이 하루 보내고 왔지.

1 다음 단어에 맞도록 우리말 또는 영어로 바꿔 쓰시오.

01	mend	_____	11	만성적인	_____
02	arrogant	_____	12	(수준·질이) 괜찮은	_____
03	rubbish	_____	13	관절, 연결 부위	_____
04	boycott	_____	14	맹세, 선서	_____
05	hasty	_____	15	음모를 꾸미다, 공모하다	_____
06	specialize	_____	16	참다, 견디다	_____
07	riot	_____	17	(일을) 처리하다, 배열하다	_____
08	overbearing	_____	18	의지, 유언장, 뜻	_____
09	distance	_____	19	인사과, (회사 등의) 직원들	_____
10	merge	_____	20	근심 걱정 없는, 속 편한	_____

2 다음 빈칸에 알맞은 단어를 넣어서 문장을 완성하시오.

01 I can't believe my phone has already become _____.
내 전화기가 벌써 구식이 되었다는 게 믿기질 않는다.

02 I want to get over my personality _____ on my own.
내 스스로 나의 성격 장애를 극복하고 싶다.

03 I was so happy that I could not _____ my excitement last night.
어젯밤에 저는 너무 기뻐서 제 흥분을 억누를 수가 없었어요.

04 Can you tell me why you're _____ about my idea?
당신은 제 의견에 대해서 왜 회의적인 건지 말씀 좀 해주실래요?

05 Make sure that we _____ the pizza into eight pieces.
피자를 꼭 여덟 조각으로 나눠야 해.

DAY 22

에피소드 064~066

Episode 064 • 잠자리 바지 입은 저팔계

대건: 오늘은 아침부터 **mist**가 제법 꼈네.

찬규: 저쪽 **alley**에서 누가 우리를 **glare**하고 있는 거 알고 있냐?

대건: 누구? **bulky**한 저 남자? 와, **dragonfly** 무늬 바지도 입고 있네. 덩치가 무슨 저팔계야! **cannon** 잘 쏘게 생겼어.

찬규: 어쩌지? 그냥 도망갈까?

대건: 우리가 뭐 잘못했냐? 자고로 내 **motto**가 '피할 수 없으면 즐겨라.'인데! 오늘 **bleed**하는 한이 있어도 도망 가지 말자. 내 친구 중에 **astray**해서 저런 짓거리 하는 애들 제법 있어. 걱정하지 마.

찬규: 아, 완전 **nervous**해.

0631 ★★
mist
[mist]

옝 안개 통 부옇게 되다 파 misty 안개가 낀, 자욱한

A: Did you get to see the sunrise today?
오늘 해돋이는 봤어?

B: I failed. It was quite foggy this morning, so the sun was totally veiled in a fine mist.
실패야. 오늘 아침에 안개가 꽤 자욱했거든. 그래서 해가 안개에 완전히 가려지더라고.

0632 ★
alley
[ǽli]

옝 골목 유 passage 통로, 복도

A: Why is this alley so narrow? I can't get my car through this.
이 골목은 왜 이렇게 좁은 거야? 내 차는 못 지나가겠다.

B: That's why it's called an alley.
좁으니까 골목이지.

0633 ★
glare
[glɛər]

통 노려보다, 눈부시다 명 노려봄, 환한 빛

A: The sun is glaring down restlessly today! It's too bright.
오늘 햇살 정말 세게 내리쬐는구나. 너무 눈부시다.

B: I told you to wear sunglasses. It's not bothering me at all.
그러게 내가 선글라스 끼라고 그랬잖아. 난 아무렇지도 않잖아.

0634 ★★
bulky
[bʌ́lki]

형 (사람) 덩치가 큰, (물건) 부피가 큰

A: Hey, a bulky package arrived for you this afternoon. It's in your room.
야, 부피 큰 소포가 오후에 배달 왔더라. 니 방에 뒀어.

B: Thanks! It has finally arrived!
고마워요! 드디어 도착했구나!

0635 ★

dragonfly
[drǽgənflai]

(명) 잠자리

A: Look at those dragonflies! That particular one is a red dragonfly!
잠자리 좀 봐! 저건 고추 잠자리네!

B: I used to catch them a lot with a butterfly net when I was a kid.
어릴 때는 나비채로 많이 잡았었는데.

0636 ★★

cannon
[kǽnən]

(명) 대포 (동) 세게 부딪히다

A: Did you just hear that sound? What was that?
방금 그 소리 들었어? 뭐야 그거?

B: It was the boom of a cannon. They are conducting a military exercise around here.
대포 소리야. 이 근처에서 군사 훈련하는 중이래.

0637 ★★

motto
[mátou]

(명) 좌우명, 금언, 격언 (황) maxim 격언, 금언

A: Speaking of mottos, what's yours? Mine is 'Don't go grocery shopping when you're hungry.'
좌우명이 나와서 말인데, 니 좌우명은 뭐야? 내꺼는 '배고플 땐 장 보러 가지 마라.'

B: Is that yours? Interesting. Mine is 'We all die.'
그게 니 좌우명이라고? 재밌네. 내 것은 '인간의 생은 유한하다.' 이거야.

0638 ★★

bleed
[bli:d]

(동) 피가 나다, 출혈하다

A: Oh my! Are you all right? Your finger is bleeding.
이런! 괜찮나? 니 손가락에 피나.

B: It really hurts. Do we have any antiseptic or ointment in the house?
엄청나게 아파. 집에 소독약이나 연고 있어?

 bleed는 '피가 나다'라는 의미의 동사입니다. 이와 비슷한 단어에는 breed가 있는데요, 이건 '새끼를 낳다, (어떤 가축의) 품종'을 의미하니까 구분해서 챙겨 두세요.

0639 ★

astray
[əstréi]

(부) (형) 못된 길에 빠져(빠진), 길을 잃고(잃은)

A: Didn't I tell you this? Don't hang out with those game addicts. They will lead you astray!
내가 이거 말 안 했어? 게임에 빠진 애들이랑 어울리지 말라고. 널 못된 길로 빠지게 한다니까!

B: They're my best friends! And you also play games.
쟤네가 제일 친한 친구들이라고! 그리고 너도 게임하잖아.

0640 ★★

nervous
[nə́:rvəs]

(형) 불안한, 신경의, 신경질의 (유) apprehensive 걱정되는, 불안한

A: So tomorrow is a big day for you, right?
내일이 너한테 참 중요한 날이다, 맞지?

B: Yes. The day that I have a job interview! I'm very nervous about it.
맞아. 면접 봐야 하는 날! 너무 긴장 된다.

Episode 065 • 이동식 정육점

미정: 나 이 동네 **browse** 하다가 신기한 거 봤다. **mobile** 정육점이 있더라니깐? 위생 관리 업체에서 **inspect** 하고 있더라고. 솔직히 그런 곳은 **mostly** 위생 관리도 안 되고, **fresh** 한 고기는 팔지도 않겠거니 생각했는데. 편견이었던 것 같다.

대건: 불쌍한 소들! **vegetarian** 으로서 슬프다. 저 푸른 초원 위에 **graze** 해서 좋은 풀 뜯어 먹고 **welfare** 를 누리며 자라야 하는데. 우리에 갇혀 **famine** 에 허덕이다 도축장에서 **wail** 하며 생을 마감하겠지.

미정: 너 지금 울어?

0641 ★
browse
[bráuz]

⟨동⟩ 둘러보다, 대강 훑어보다 ⟨유⟩ skim 훑어보다

A: Is there anything that I can help you with?
뭐 도와드릴 거 있나요?

B: I'm all right. I just want to browse. I'll let you know if I need any help.
괜찮아요. 그냥 둘러보고 싶어요. 도움이 필요하면 말씀 드릴게요.

0642 ★★★
mobile
[móubəl]

⟨형⟩ 이동식의, 기동성 있는

A: Do you know what I saw on the street today? A mobile butcher shop!
오늘 길에서 뭐 본 줄 알아? 이동식 정육점!

B: What? I've never seen anything like that. What was it like?
뭐? 나도 그런 건 본 적 없는데. 어떻게 생겼던데?

0643 ★★
inspect
[inspékt]

⟨동⟩ 점검하다, 검사하다 ⟨유⟩ investigate 수사하다, 살피다

DAY 22

A: What seems to be the problem with my car?
제 차에 무슨 문제가 있는 거죠?

B: We don't know yet. We're going to have yours inspected by our mechanic now.
아직은 우리도 모릅니다. 이제 우리 정비공이 당신 차 점검을 할 거예요.

어근 spect에는 '보다, 바라보다'라는 의미가 들어 있답니다. 안쪽까지(in) 자세히 보다(spect), inspect는 '점검하다, 검사하다'라는 뜻이 되겠죠?

0644 ★★
mostly
[móustli]

⟨부⟩ 대개, 일반적으로

A: Will you be available on Sunday?
일요일 날 시간 좀 되니?

B: Sorry but I'm mostly at work on Sundays.
미안한데 나 일요일엔 대개 회사에 출근해.

0645 ★★★

fresh
[freʃ]

혱 신선한, 새로운, (기억 등이) 생생한

A: How can you be so active? I feel tired all the time.
어떻게 그렇게 활동적이냐? 난 늘 피곤한데.

B: I eat lots of **fresh** fruits and vegetables.
신선한 과일이랑 채소를 많이 먹거든.

0646 ★

vegetarian
[vèdʒətéəriən]

몡 채식주의자

A: I didn't know that you were a **vegetarian**. How come you don't eat meat?
난 니가 채식주의자인 줄 몰랐네. 어떻게 고기를 안 먹어?

B: I just care a lot about my health. You should eat less meat if you want to be healthy.
나 건강에 신경 많이 쓰는 편이거든. 너도 건강해지고 싶으면 고기 적게 먹어야 한다.

0647 ★

graze
[gréiz]

통 방목하다, (피부를) 까지게 하다 몡 상처, 찰과상 유 abrasion 찰과상

A: Are you okay? Why did you go to the hospital?
너 괜찮아? 병원은 왜 갔던 거야?

B: I fell on some ice and **grazed** my knee.
빙판길에서 넘어져서 무릎이 까졌거든.

0648 ★★

welfare
[wélfɛər]

몡 복지, 행복

A: You've recently changed your job within the same field. Can I ask why?
너 최근에 동종 업계로 이직했다며? 이유가 뭔지 물어볼 수 있을까?

B: Well, my previous company didn't care about the **welfare** of the employees.
음, 내가 전에 다니던 회사는 직원들 복지에 대해 신경을 안 썼거든.

0649 ★★

famine
[fǽmin]

몡 기근

A: Did you know that many countries still suffer from **famine**? I saw a documentary on it the other night.
아직도 많은 나라들이 기근으로부터 고통받고 있다는 거 알고 있어? 지난밤 그것에 관한 다큐멘터리 봤거든.

B: I saw that program as well. It's so sad in this day and age.
나도 그 프로그램 봤어. 요즘 시대에도 그렇다니 참 속상하다.

0650 ★★

wail
[weil]

통 울부짖다, 통곡하다, 투덜거리다

A: You're late again for the meeting. What's your excuse this time?
회의에 또 늦었네? 이번에는 무슨 변명거리인가?

B: I ran into a little girl **wailing** miserably so I had to stop and see if she needed any help.
울부짖는 어린 여자애들을 마주쳤죠. 가서 제 도움이 필요한지 봐야 했거든요.

Episode 066 • 흔한 학원

미정: 나 고민 있어.

대건: 뭔데? 나 좋아한단 고백은 아니지? 난 너한테 **disinterested**한 사람이다.

미정: 그게 아니고, 우리 학원 선생님이 나 영어 늘었다고 집중반도 신청하라는데 들을까? 근데 그거 되게 비싸던데.

대건: 그냥 너한테만 그러는 게 아니고 모든 애들한테 추가로 수업 더 들으라고 은연중에 **imply**하는 거야. **ignore**하고 **refuse**하지 그래?

미정: 공부 좀 더 한다고 **harm**될 건 없잖아. 그리고 집중반 올라가서 성적 오르면 학비 **grant**도 나온대. 그리고 집중반은 영양사의 식단에 맞춰 골고루 **feed**해 준대.

대건: 그 학원 **site**가 어디야? 나도 가서 들을래.

미정: 너 갑자기 **extreme**한 입장 변화 아니야? 집중반 수강비 엄청 비싸. 뭘 그렇게 덜컥 결정하려고 그러냐? 넌 영어보다 우선 수학부터 좀 공부해. **arithmetic**도 자꾸 틀리잖아!

0651 ★

disinterested
[disíntərestid]

(형) 사심 없는, 객관적인, 무관심한

A: Let me teach you a life lesson. When you make a decision, you have to be disinterested.
내가 인생에 필요한 교훈 하나 알려 주지. 결정을 내릴 때는 객관적으로 해야 하는 거야.

B: It's ironic for you to say that. You always make decisions based on your personal feelings.
니가 그런 말을 하니 역설적이다. 넌 항상 감정에 따라 결정 내리잖아.

 접두사 dis- 가 가지고 있는 의미, '~가 아닌'에 주목해 볼게요. interested, 즉 어떤 사람에게 관심이 있는 상태가 아닌(dis) 거니까 '사심 없는, 무관심한'이 됩니다.

0652 ★★

imply
[implái]

(동) 은연중에 풍기다, 시사하다, 넌지시 나타내다 (유) suggest 시사하다

A: Are you implying that I messed up? You didn't even do anything!
너 내가 그거 망쳤다고 넌지시 티내는 거야? 넌 심지어 아무것도 안 했잖아!

B: Did it sound that way to you?
너한테는 그렇게 들렸어?

0653 ★★

ignore
[ignɔ́ːr]

(동) 무시하다, 기각하다, 묵살하다

A: Why did you invite Daegun to our party? He and I don't get along together.
너 왜 대건이도 파티에 초대했어? 걔랑 나랑은 잘 안 맞단 말야.

B: I had to. He's going to play the guitar on the stage. You can just ignore him this time.
초대해야만 했어. 그 애가 무대에서 기타치기로 했단 말이야. 이번에만 그냥 걔를 무시해.

0654 ★★
refuse
[rifjú:z]

(동) 거절하다, 거부하다　(유) decline 거절하다, 사양하다

A: Now you're making me an offer that I can hardly refuse.
이제 제가 거절하기 힘든 그런 제안을 하시는군요.

B: I'm not asking you to make a decision right now. Just think about my proposal and get back to me.
지금 당장 결정하시라는 게 아니에요. 제 제안에 대해 생각해 보고 연락주세요.

0655 ★
harm
[ha:rm]

(명) 피해, 손해　(동) 해를 끼치다, 해치다

A: Should I really do that? It's just... I don't want to!
나 이거 진짜 해야 하나? 아… 나 그냥 하기 싫다고!

B: Come on. It's not going to harm you. Stop stalling for time.
아 참. 그거 너한테 해를 끼치는 것도 아니잖아. 시간 좀 그만 끌어라.

0656 ★
grant
[grænt]

(명) (단체) 보조금　(동) 승인하다　(유) subsidy (국가 · 기관이 제공하는) 보조금

A: Your project proposal has finally been granted! I'm so happy for you.
너의 사업 제안서가 드디어 승인되었구나! 나도 참 기쁘네.

B: Now I can sleep without worrying so much and I'm now one step closer to my dream!
이제 걱정 없이 잘 수 있겠다. 이제 내 꿈에 한 발짝 더 다가서는구나!

0657 ★
feed
[fi:d]

(동) 먹을 것을 주다, 먹이다

A: You got a new T-shirt. What does it say on the front?
너 티셔츠 새로 샀네. 앞에 뭐라고 적혀있는 거야?

B: Don't feed me. 먹이를 주지 마시오.

0658 ★★
site
[sait]

(명) 위치, 장소　(동) (특정한 장소에) 위치시키다

A: Can we just stop for a second? Look outside. Isn't this place good for a camping site?
잠깐만 멈춰볼래? 밖에 좀 봐. 여기 야영하기에 딱 좋은 장소 같지 않아?

B: Let's see. Wow, it's perfect. We should definitely come here next time.
어디 보자. 와, 여기 좋네. 다음엔 무조건 여기로 와야겠다.

0659 ★★
extreme
[ikstrí:m]

(형) 극단적인, 극심한, 과격한

A: I heard you're working on your next book. How is it going?
너 다음 책 쓰고 있다며. 어떻게 되가니?

B: It's not going well. I'm writing under extreme pressure at the moment.
잘 되질 않네. 극심한 압박을 받으면서 작업 중이지.

0660 ★★
arithmetic
[əríθmətik]

(명) 산수, 연산, 계산

A: All right. You'll have to give me 24,000 won in total.
자, 전부 다해서 나한테 2만 4천원 주면 되겠다.

B: There must be something wrong with your arithmetic.
분명 계산이 좀 잘못됐어.

1 다음 단어에 맞도록 우리말 또는 영어로 바꿔 쓰시오.

01	cannon	_____	11 못된 길에 빠져, 길을 잃고	_____
02	bleed	_____	12 좌우명, 금언, 격언	_____
03	mist	_____	13 덩치가 큰, 부피가 큰	_____
04	wail	_____	14 복지, 행복	_____
05	graze	_____	15 기근	_____
06	imply	_____	16 대게, 일반적으로	_____
07	harm	_____	17 이동식의, 기동성 있는	_____
08	site	_____	18 둘러보다, 대강 훑어보다	_____
09	ignore	_____	19 먹을 것을 주다, 먹이다	_____
10	disinterested	_____	20 (단체) 보조금, 승인하다	_____

2 다음 빈칸에 알맞은 단어를 넣어서 문장을 완성하시오.

01 You'd better not go near a dark _____ at night.
밤에는 어둑한 골목 근처에 안 가는 게 좋아요.

02 I used to catch _____ with a butterfly net.
나 어렸을 적엔 나비 잡는 채로 잠자리들을 잡곤 했었지.

03 I didn't really know that your brother was a _____.
네 남동생이 채식주의자인 건 정말 몰랐네.

04 My job is to _____ restaurants for health code violations.
제가 하는 일은 식당의 보건법 위반을 점검하는 겁니다.

05 I still don't understand why you _____ their suggestion.
난 아직도 왜 네가 그들의 제안을 거절했는지 이해가 안 돼.

DAY 23

에피소드 067~069

Episode 067 • 먹는 게 남는 거지.

용호: 주말에 **molecule** 요리 먹으러 가자.

영수: 분자 요리가 뭔데? 내가 아는 그 화학 분자?

용호: 자세히는 모르겠는데 여기가 **domestic** 식당 중에서는 최고래. **worship**하는 분위기라는데? 먹어 본 사람들 말로는 **priceless**한 **ecstasy**를 맛볼 수 있대.

영수: 뭔지도 정확히 모르잖아. 난 **reject**할게.

용호: 우리 **region**에 그런 맛집이 있다는데! 안 되면 널 **drag**해서라도 가야지. 거기에 분자 요리 말고 **pulp**가 듬뿍 들어있는 주스도 판다더라. 넌 그거 마셔.

영수: 너 그렇게 먹을 거 찾아다니다가 **oval**한 얼굴은 언제 만들 건데? 지금은 그냥 공 같애. 뚱그런 게.

0661 ★

molecule
[málakjùːl]

(명) 분자, 미립자, 미량 (파) molecular 분자의, 분자로 된

A: Any ideas on what a molecule does and looks like?
분자란 게 무슨 일을 하는지 그리고 어떻게 생겼는지 아는 거 있어?

B: I'm bad at chemistry. Don't ask me that kind of stuff any more.
나 화학 잘 못해. 더 이상 나한테 그런 종류의 질문은 하지 말아 줘.

0662 ★★★

domestic
[dəméstik]

(형) 국내의, 가정의, 집안의 (참) indigenous (어떤 지역) 원산의

A: What did you order online this time? 이번엔 온라인으로 뭐 주문한 거야?

B: Um, a vacuum cleaner? I don't know why I'm so into domestic appliances these days.
어, 진공 청소기? 나 요새 왜 이렇게 가정용품에 빠져있는 건지 모르겠다.

 domestic과 반대되는 '해외의, 해외로'라는 의미의 overseas도 함께 정리해 두세요.

0663 ★★★

worship
[wə́ːrʃip]

(동) 숭배하다, 예배하다 (명) 숭배, 예배 (유) revere 숭배하다

A: How famous is your brother in Hong Kong?
너희 남동생이 홍콩에서 얼마나 유명한 건데?

B: You won't believe this but he has fans worshiping him.
내가 이런 말하면 안 믿겠지만 걔를 숭배하는 팬들이 있지.

0664 ★

priceless
[práislis]

(형) 값을 매길 수 없는, 대단히 귀중한 (유) invaluable 매우 귀중한

A: You do volunteer work at that orphanage at least once a week. Don't you find it difficult?
너 그 고아원에서 적어도 한 주에 한 번 봉사활동하지. 힘들지 않아?

B: Not at all. The time that I spend with the kids is priceless to me.
전혀. 애들이랑 보내는 시간은 나한테 값을 매길 수 없을 만큼 소중해.

0665 ★

ecstasy
[ékstəsi]

[명] 황홀감, 무아지경

A: Wasn't the performance great? Everything is still vivid in my head!
공연 좋지 않았어? 아직까지 모든 게 생생해!

B: Tell me about it. I almost screamed in an **ecstasy** of joy during the last scene.
맞아. 난 마지막 장면에서 너무 기뻐서 거의 비명 지를 뻔했다니까.

0666 ★★

reject
[ridʒékt]

[동] 거절하다, 거부하다

A: Can you believe that all of our ideas and proposals were **rejected**?
우리의 모든 아이디어 그리고 제안들이 거절당했다는 게 믿겨져요?

B: Then what should we do? Come up with different ideas and proposals?
그러면 어떻게 해야지? 다른 아이디어랑 제안을 내놓아야 하는 건가?

0667 ★★★

region
[rí:dʒən]

[명] 지역, 지방, (인체의) 부분 [파] regional 지방의, 지역의

A: Isn't it amazing that magpies return to this **region** every spring?
매년 봄이면 까치가 이 지역으로 되돌아오는 거 참 신기하지 않아?

B: Aren't they swallows?
그건 제비 아니야?

0668 ★★★

drag
[dræg]

[동] (힘들여) 끌고 가다, (일이) 느릿느릿 진행되다 [명] 지겨운 것

A: You're sweating so much. What were you doing?
너 땀 많이 흘리네. 뭐하고 있었던 거야?

B: I was **dragging** the sofa all the way from the living room to the second floor. Give me a hand with this furniture.
거실에서 2층으로 소파 끌어 옮기고 있었지. 이 가구 옮기는 것 좀 도와줘.

0669 ★

pulp
[pʌlp]

[명] 과육, 걸쭉한 것

A: You order that fresh grapefruit juice every time we come here. Is it good?
넌 여기에 올 때마다 그 자몽 주스만 주문하더라. 맛있어?

B: It has sweet and juicy **pulp** in it. To me, it's way better than anything else.
달고 과즙 풍부한 과육이 가득해. 나한테는 그 어떤 것보다 이게 최고야.

0670 ★

oval
[óuvəl]

[형] 계란형(타원)의

A: I'm jealous of you having an **oval** face.
계란형인 너의 얼굴이 부럽다.

B: You want to make your face more oval? Then you should eat lots of eggs. Sorry, just kidding.
얼굴이 좀 더 계란형이고 싶어? 그럼 계란을 많이 먹으렴. 미안해, 그냥 농담이야.

Episode 068 • 공부 잘하는 법

현실: 넌 왜 인강 안 봐?

대건: 난 교육 채널에서 **broadcast**하는 거만 봐.

현실: 그래? 난 인강보는데 친구들이 좋은 샘들 정보 **share**해 줘서 이것저것 보고, 수업자료들도 **accumulate** 하기 시작했거든. 근데 너무 많이 신청해놔서 보지는 않고 **overdue**인 강의가 수두룩해. 그리고 **intermediate** 수학 강의 듣는데 생각보다 **range**도 넓고 너무 어려워. 어쩌지?

대건: 강의 보는 양을 좀 **reduce**하고 **beneficial** 문제들 위주로 풀면서 재미를 붙여봐. 처음이 어렵고 지루하지. 모두 **permanent**한 너의 **asset**이 될 거야.

현실: 듣고 보니 그렇네. 고마워.

0671 ★★★
broadcast
[brɔ́ːdkæst]

(통) 방송하다 (명) 방송

A: You should watch Channel five on TV tonight. My interview will be broadcast.
오늘 밤에 채널 5번 꼭 봐라. 나 인터뷰한 거 방송에 나올 거야.

B: I won't miss it. What time does it start?
꼭 봐야지. 몇 시에 시작하는데?

 cast의 기본 의미 중에서 '던지다'라는 의미가 있잖아요. 어떤 정보들을 광대한(broad) 범위에다 던져주는 것(cast). broadcast, '방송하다, 방송'의 의미가 되겠죠?

0672 ★
share
[ʃɛər]

(통) 공유하다, 함께 나누다 (명) 몫, 주식

A: How did they work together without any disharmony for more than 10 years so far?
저 사람들은 아무런 불화도 없이 어떻게 10년 넘게 같이 일했을까?

B: I'm pretty sure that they must share their profits equally.
장담컨대 수익을 동등하게 나눈 거지.

0673 ★★
accumulate
[əkjúːmjulèit]

(통) (서서히) 모으다, 축적하다, (서서히) 늘어나다 (파) accumulation 축적, 누적

A: Hey, look outside! Snow is starting to accumulate on the streets.
야, 밖에 좀 봐! 길에 눈 쌓이기 시작한다.

B: I can't believe I'm watching the first snow with you!
첫 눈을 너랑 보게 되다니!

0674 ★
overdue
[óuvərdjuː]

(형) (지불 · 반납) 기한이 지난, 벌써 행해졌어야 할 (유) belated 뒤늦은

A: Are you aware that these books are a month overdue?
이 책들 반납기한이 한 달 지난 거 아시나요?

B: What? Oh, I had no idea. I'll pay the late fee.
네? 아, 전혀 몰랐네요. 연체료를 내겠습니다.

0675 ★

intermediate
[ìntərmíːdiət]

(형) 중급의, 중간의

A: Isn't it hard to catch up with the class?
수업을 따라가기 힘들지 않아?

B: Not really. It's just an intermediate course. I find it quite easy.
별로. 중급 과정인데 뭐. 꽤 쉬워.

0676 ★★★

range
[réindʒ]

(명) 범위, 다양성 (동) (많은 것을) 포함하다

A: I'm moving into a new house next week and looking for some furniture. Any recommendations?
다음 주에 새집으로 이사 가는데 가구 좀 찾고 있어. 추천할 거 좀 있어?

B: I know a place that stocks a wide range of furniture at reasonable prices.
내가 다양한 가구를 싸게 파는 곳을 알지.

0677 ★★★

reduce
[ridjúːs]

(동) 줄이다, 감소시키다

A: Didn't I tell you that you should reduce the amount of salt you use when cooking?
내가 요리할 때 소금을 좀 줄여야 한다고 너한테 말하지 않았어?

B: Stop complaining. Then why don't you cook instead of me?
불평 좀 그만해. 그러면 니가 내 대신 요리하는 게 어때?

0678 ★★

beneficial
[bènəfíʃəl]

(형) 유익한, 이로운

A: Stop drinking soda. It's not something that is beneficial for your health.
탄산음료 좀 그만 마셔. 니 건강에 유익한 것도 아니고 말이야.

B: But it's something that I enjoy.
그래도 탄산 마시는 게 좋은 걸 어떡해.

0679 ★★

permanent
[pə́ːrmənənt]

(형) 영구적인 (파) permanently 영구적으로

A: I'm sorry to hear that you and your boyfriend recently broke up.
최근에 너랑 니 남자 친구랑 헤어졌다니 참 안됐구나.

B: I don't know. I thought that our relationship would be permanent.
모르겠다. 우리 관계는 영원할 줄 알았는데.

0680 ★★

asset
[æset]

(명) 자산 (유) property 재산, 부동산

A: Daegun wants to join our project. What do you guys think? Should we let him in?
대건이가 우리랑 프로젝트 같이 하고 싶다네. 너희는 어떻게 생각해? 받아줘야 할까?

B: You mean, Daegun from Yeongju? Oh, sure. He'll definitely be an asset to our team.
영주에서 온 대건이? 오, 당연하지. 분명히 우리 팀에 자산이 될 거야.

DAY **23**

Episode 069 • 소박한 취미

대건: 이 방에다가 니가 좋아하는 운동선수 관련 제품 다 모았구나? 엄청 잘 **preserve**했네. 이 유니폼은 한 15년은 된 거 같은데 하나도 안 **shrink**하지 않았네. 이거 엄청 **vogue**이었잖아.

우식: 옷뿐만 아니라 관련된 **publication**이며 사소한, **tiny** 한 것까지도 **seek** 하면서 모았었지. 덕분에 늘 **poverty** 상태야.

대건: 넌 **addict** 수준인 것 같다. 너만큼 저 선수 물건을 가진 사람은 **unlikely**하게 없을 것 같다.

우식: 그럴리가, **rash** 한 판단이다. 내가 가입한 인터넷 카페에 가면 나는 명함도 못 내밀어.

0681 ★★★

preserve
[prizə́:rv]

ⓑ 보존하다, 지키다 ⓤ maintain 유지하다, 지키다

A: You preserved all the letters that I gave you! I'm so touched.
내가 너한테 줬던 편지 전부 보관하고 있었네! 완전 감동이야.

B: So, you should be nicer to me, okay?
그러니까 나한테 더 잘하란 말이야, 알겠지?

 preserve는 어근 serve로 접근해 볼게요. 이 어근은 '(무언가를) 지키다, 간직하다'의 뜻입니다. 그리고 pre- 는 before 의 의미란 것 아시죠? 어떤 것이 손상되기 전에(pre) 지키는 것(serve). 따라서 preserve는 '보존하다, 지키다'가 됩니다.

0682 ★★

shrink
[ʃriŋk]

ⓑ 줄어들다, 오그라지다, 줄어들게 하다

A: What? Why is the steak getting smaller?
뭐지? 왜 스테이크가 점점 작아지는 거지?

B: Don't you know that meat shrinks as it cooks?
고기는 요리할 때 크기가 줄어드는 거 몰랐단 말이야?

0683 ★

vogue
[voug]

ⓜ 유행

A: Why is everybody wearing those pants? They don't look comfortable.
왜 모두 저 바지를 입는 걸까? 편안해 보이지도 않는데 말야.

B: They are in vogue again. I already have two pairs of them and am thinking of getting a new pair.
저거 다시 유행이잖아. 나 저거 두 벌 있는데 한 벌 더 살까 생각 중이야.

0684 ★★

publication
[pʌ̀bləkéiʃən]

ⓜ 출판물, 발행 ⓟ publish 출판하다, 발행하다

A: I heard you recently got a job. What does your company do?
최근에 취업했다고 들었어. 뭐하는 회사야?

B: I work for a company that specializes in the publication of novels.
소설책 출판을 전문으로 하는 회사에서 일해.

0685 ★★★

tiny
[táini]

⟨형⟩ 아주 작은(적은)

A: Oh my god. Look how tiny her fingers are. Aren't they really cute?
세상에. 애기 손가락 아주 작은 것 좀 봐. 진짜 귀엽지 않아?

B: Sounds like it's about time for you to get married and have a baby.
너 이제 결혼해서 애 낳을 때 됐나 보다.

0686 ★★★

seek
[si:k]

⟨동⟩ 찾다, 구하다

A: Why is it so cold today? Let's seek the sun and warm our bodies for a while.
오늘 왜 이렇게 추운 건데? 해 좀 찾아 봐라 잠깐 몸 좀 덥히게 말야.

B: Let's just go to a coffee shop and drink something hot.
우리 그냥 커피숍 가서 뜨거운 것 좀 마시자.

0687 ★★

poverty
[pávərti]

⟨명⟩ 빈곤, 가난

A: I'm so happy that he has become successful.
그가 잘 돼서 정말 기뻐.

B: So am I. I heard that he was born in poverty but now look at what he has.
나도 그래. 가난한 가정에서 태어났다고 들었는데, 지금 그가 가진 걸 봐.

0688 ★

addict
[ǽdikt]

⟨명⟩ 중독자

A: From what I heard, your dad is a mountain addict. Is that true?
듣기로는 너희 아빠 등산광이시라며. 진짜야?

B: You got it right. He barely stays home in fall and Mom doesn't understand him.
제대로 들었네. 아빠 가을엔 거의 집에 안 계셔. 엄마는 그런 아빠를 이해 못 하시지.

0689 ★

unlikely
[ʌnláikli]

⟨형⟩ ~할 것 같지 않은, 있을 것 같지 않은

A: What time is it? Why has Daegun not shown up yet?
몇 시야? 왜 대건이는 아직도 안 나타나는 거지?

B: Um, it's unlikely that he'll be here before eight. Let's just order food first.
음, 여덟시 전에 도착할 것 같진 않다. 우리 음식부터 시키자.

DAY 23

0690 ★

rash
[ræʃ]

⟨형⟩ 성급한 ⟨명⟩ 발진 ⟨유⟩ hasty 성급한 reckless 신중하지 못한

A: All right, I'll take his offer! Give me a minute, let me call him and arrange a meeting.
좋았어, 그의 제안을 받아들이겠어! 잠깐만, 그 사람한테 전화해서 약속 좀 잡아 볼게.

B: Wait, wait! You'd better not make any rash decisions. I think you should sleep on it first.
잠깐만! 성급한 결정은 안 내리는 게 좋겠어. 우선 심사숙고해봐야 할 것 같아.

DAY 23 Review

1 다음 단어에 맞도록 우리말 또는 영어로 바꿔 쓰시오.

01 drag   _____   11 숭배하다, 예배하다   _____

02 molecule   _____   12 과육, 걸쭉한 것   _____

03 range   _____   13 계란형(타원)의   _____

04 addict   _____   14 지역, 지방   _____

05 asset   _____   15 국내의, 가정의   _____

06 overdue   _____   16 공유하다, 몫   _____

07 intermediate   _____   17 줄이다, 감소시키다   _____

08 vogue   _____   18 빈곤, 가난   _____

09 shrink   _____   19 성급한, 발진   _____

10 publication   _____   20 (서서히) 모으다, 축적하다   _____

2 다음 빈칸에 알맞은 단어를 넣어서 문장을 완성하시오.

01 All the moments we have spent together are _____.
우리가 함께 보냈던 모든 순간은 값을 매길 수가 없지요.

02 I will accept your decision even if you _____ my proposal.
저의 제안을 거절하신다고 해도 저는 당신의 결정을 인정합니다.

03 Drinking tea every day is said to be _____ to our bodies.
매일 차를 마시는 것은 우리 몸에 유익하다고 하네요.

04 It's _____ that my puppy will fully recover.
우리 강아지가 완쾌될 것 같지 않네요.

05 Don't forget to sprinkle salt on fish to _____ it for a while.
얼마 동안 보관해야 하니까 생선에다 소금 치는 거 잊지 마세요.

● 역사를 잊은 민족에게 미래는 없다.

> 미정: 우리 동네에 있는 '잊혀진 사원' 구경 갈래?
> 대건: 거기 **access**하려면 **authority**의 **consent**부터 받아야 하는 거 아니야?
> 미정: 요즘이 어떤 시대인데, 인터넷으로 다 **book**했지.
> 대건: *(입장함)* **overhead** 좀 봐. 천장에 그림 멋있네.
> 미정: **passage** 쪽 벽에도 **petal** 그림으로 가득 차 있어! 밖에서 볼 때와는 다른 느낌이다.
> 대건: 저거 **raft** 아니야?
> 미정: 맞네. 당시 물질하러 나갈 때 쓰던 건가 봐. 굉장히 **simplify**해서 만들었네. 이것 봐. 앞쪽은 **twig**들로 엮어 놓았어.
> 대건: 역사는 참 재밌는 거 같아.

0691 ★★★
access
[ǽkses]

ⓝ 접근, 접근권 ⓥ 접속하다 ㉑ accessible 접근 가능한

A: What's the password? I need it to get **access** to your account.
비밀번호가 뭐예요? 당신의 계정에 접근하려면 그게 있어야 해요.

B: It's 'asdf1234.' 'asdf1234'에요.

0692 ★★
authority
[əθɔ́:rəti]

ⓝ 당국, 권위 ㉑ authorize 권한을 부여하다

A: We need to eliminate those opposition forces. They're developing fast.
우리는 반대 세력들을 숙청해야 합니다. 그들은 빠르게 성장하고 있어요.

B: You're right. They can be a big threat to our **authority**.
자네 말이 맞네. 우리 권위에 큰 위협이 될 수도 있겠어.

0693 ★★
consent
[kənsént]

ⓝ 동의, 허락, 합의 ⓥ 동의하다

A: Our class is going on a field trip and the teacher said that we need the written **consent** of a parent.
우리 반에서 견학을 가는데요, 선생님이 부모님 동의서가 필요하대요.

B: Oh really? Let me see that first. 아 그래? 어디 한번 보자.

0694 ★★
book
[buk]

ⓥ 예약하다, 기록하다 ⓐ 책(서점)의 ⓝ (회계) 장부

A: Did you **book** the tickets? Please don't let me down. You know how high my expectations are!
표 예매했어? 제발 날 실망시키지 말아줘. 내 기대치가 얼마나 높은지 알고 있지?

B: Sorry to disappoint you, but the concert was already sold out.
실망시켜서 미안한데, 그 콘서트는 이미 매진되었더라고.

0695 ★

overhead
[óuvərhed]

부 머리 위에(로) 형 머리 위의

A: Wow, look at those seagulls circling overhead.
우와, 머리 위에서 갈매기가 빙글빙글 도는 것 좀 봐.

B: It's obvious that we're in a seaside village.
지금 우리가 바닷가 마을에 있다는 게 실감나네.

0696 ★★

passage
[pǽsidʒ]

명 통로, 복도, (책의) 구절 유 corridor 복도, 통로

A: Hey, come over here. Doesn't this room look like it's hiding something?
야, 이리 와봐. 이 방에 뭐 숨겨져 있는 거 같지 않아?

B: You're right. Seems like that door leads to a secret underground passage.
그러게. 저 방에 들어가면 지하 비밀 통로로 연결되어 있을 것 같아.

0697 ★

petal
[pétl]

명 꽃잎

A: Can you do me a favor? When I die, scatter rose petals over my grave.
부탁 하나만 해도 될까? 내가 죽으면, 내 무덤 위에다 장미꽃 잎을 뿌려주렴.

B: What are you talking about?
갑자기 무슨 소리야?

 petal과 비슷하게 들리는 peddle(물건을 팔러 다니다), pedal(페달)과 구분해서 정리해 두세요.

0698 ★

raft
[ræft]

명 뗏목, (탈출용) 고무 보트

A: Today, we're going to build a raft of logs. Please make sure you guys don't hurt yourselves while making it.
오늘은 통나무 뗏목을 만들 겁니다. 만들다가 다치지 않게 조심합시다.

B: How much time do we have to build it? 얼마 만에 다 만들어야 하나요?

0699 ★★

simplify
[símpləfài]

동 간소화하다, 간단하게 하다 파 simplification 간소화, 단순화

A: Don't you think our new curriculum may be too complicated? It will confuse our students. What I mean is that we have to simplify it.
우리의 새 교육과정이 너무 복잡하다고 생각하지 않아요? 학생들한테 혼란을 줄 거 같아요. 제 말은 이 교육과정을 간소화해야 한다는 거지요.

B: That makes sense.
일리가 있네요.

0700 ★

twig
[twig]

명 (나무의) 잔가지 동 깨닫다, 이해하다

A: Oh, this place still has those trees. Remember that we would come here on a picnic?
오, 여기에 아직도 저 나무들이 있네. 우리 여기 소풍 오곤 했었잖아 기억나?

B: I do. You would break a twig and use it as a toothpick.
기억나고말고. 니가 나무의 잔가지를 꺾어서 이쑤시개로 썼잖아.

Episode 071 • 시합에 임하는 자세

동현: 어디 가? **timely** 등장이네. **urgent**한 건데 좀 도와줘.

대건: 잠깐만. **wastebasket**에 이것 좀 버리고. 그래, 뭔 일이야?

동현: 내일 모레 우리 학교 **united** 동아리 **versus** 다른 학교 동아리 축구시합이 있거든. **rough**한 **strategy**는 세웠는데, 아직 슛 **posture**라던가 세부적인 기술이 부족한 애들이 많아서 좀 봐달라고.

대건: 맞나, **score**는 누가 올릴 건데?

동현: 내가 해야겠지? 스트라이커니까.

대건: 그럼 이길 **prospect**가 희박하겠는데? 농담이고, 자 슛 한번 해봐.

0701 ★
timely
[táimli]

(형) 시기적절한, 때맞춘 (유) appropriate 적절한

A: How about we cover winter snacks for our next issue? You know, like fish cake or walnut cookies.
우리 다음 호에는 겨울철 간식에 대해서 다뤄보는 게 어떨까? 어묵이나 호두과자 같은 거.

B: That's actually a timely topic.
그거 정말로 시기적절한 주제다.

0702 ★★
urgent
[ə́ːrdʒənt]

(형) 긴급한, 시급한

A: Hey, this is Daegun. Did I catch you at a bad time? I have something to tell you.
야, 나 대건이야. 내가 곤란할 때 전화한거니? 너한테 말할 거 있는데.

B: I'm actually very busy right now. What is it? Is it something urgent?
사실은 지금 너무 바쁘거든. 뭔데? 뭐 시급한 거야?

0703 ★
wastebasket
[wéistbæ̀skit]

(명) 휴지통

A: You haven't emptied the wastebasket? You didn't do anything but lay on your bed all day long, huh?
휴지통을 안 비웠다고? 온종일 아무 것도 안 하고 누워만 있었구나. 어?

B: It's my day off! I just want to be as lazy as I want!
나 쉬는 날이라고! 마음껏 게으름 부릴 거야!

0704 ★
united
[juːnáitid]

(형) (국가들이) 연합한, 통합된, (사람들 · 단체들이) 단결한

A: Come on, stop fighting each other. It's not about something personal. It's about us. We have to be united to win this game!
자자, 서로 그만들 좀 싸워. 개인적인 그런 거 아니잖아. 우리 팀에 관한 거라고. 이 경기에서 이기려면 우리가 연합해야 해!

B: All right. Can you please stop nagging?
알았다고. 잔소리 좀 그만하지?

DAY **24**

0705 ★

versus
[və́ːrsəs]

(전) (스포츠 · 법률 등에서) ~대(對), ~에 비해

A: What are we going to eat as a late night meal? Pizza **versus** chicken.
야식으로 뭐 먹을까? 피자 대 치킨.

B: This is like the hardest question ever. I want both!
제일 어려운 질문이다. 둘 다 먹고 싶은데!

0706 ★★★

rough
[rʌf]

(형) 대략적인, 거친 (부) 거칠게, 사납게

A: Why are your hands so **rough** and chapped?
손이 왜 이렇게 거칠고 텄어?

B: Mom is in the hospital now so I am doing the house chores and cooking. That's why.
지금 엄마가 병원에 계시거든 그래서 내가 집안일하고 요리해. 그래서 그렇지.

0707 ★

strategy
[strǽtədʒi]

(명) 전략, 계획 (유) policy 정책, 방침

A: I can't believe we are going to run our own business soon!
우리가 우리의 사업을 곧 시작하다니 믿을 수가 없네!

B: We still have a lot of work to do. To be successful in this field, we have to come up with a unique and ingenious marketing **strategy**.
아직 해야 할 게 많다. 이 분야에서 성공하려면, 우선 독특하고 기발한 마케팅 전략부터 세워야 해.

0708 ★★★

posture
[pástʃər]

(명) (몸의) 자세, 태도 (동) 가식적으로 행동하다

A: You have bad **posture** when working at the computer.
너 컴퓨터 앞에서 작업할 때 자세 많이 안 좋아.

B: I do? Umm, maybe my back pain these days is the result of it.
내가? 음, 그래서 요즘 내가 허리가 많이 아픈가 봐.

0709 ★★★

score
[skɔːr]

(명) (경기 등에서) 득점, (시험의) 점수 (동) 득점하다, (시험 등에서) 점수를 받다

A: All right. You guys play fair, okay? I'll keep the **score**.
좋아. 너희들 정정당당하게 해보자고, 알았지? 점수는 내가 매길게.

B: Our team is going to win this game!
우리 팀이 이길 걸!

0710 ★★

prospect
[práspekt]

(명) 가망, 전망 (동) 답사(조사)하다, (금 · 기름 등을 찾아) 시굴하다

A: Isn't it amazing how far we have come with only 2,000 won at the beginning?
딱 200만원 가지고 시작했는데 여기까지 해냈다는 게 놀랍지 않아?

B: Yeah, back in the days you and I were unemployed with no **prospects**.
신기하고말고. 예전에 너랑 나랑은 전망도 없는 실직자들이었으니깐.

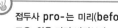

접두사 pro-는 미리(before) 혹은 앞으로(forth)라는 의미입니다. 어근 spect에는 보다, 바라보다(look)라는 의미가 있고요. 앞을 미리 바라보다, prospect, 즉 무언가에 대한 '가망, 전망'을 의미하는 거겠죠?

Episode 072 • 내 직업은 파워 블로거

태훈: 오… **punctual**하네? 못 올 줄 알았는데.

대건: 너의 황금 같은 시간을 **spoil**할 수는 없지. 다른 미팅 **postpone**하고 온 거야. 근데 뭔 일이야?

태훈: 고맙다. 이거 우리가 만든 스케이트보드랑 장비의 **trial** 버전인데, 내년 봄에 **overseas**로 런칭할까 계획 중이거든. 니가 이런 **sector**의 전문가잖아? 괜히 아웃도어 파워 블로거겠어? 그래서 그 **beforehand**에 너한테 의견 좀 구해 보려고. 타보고 **adjust**할 부분 하나도 빠짐없이 다 말해줘. 비판도 달게 받을게.

대건: 해외 시장의 **competition**이 만만치 않을 텐데…. 그래, 어디 한번 니 작품들에다가 **animate**해 보자고!

0711 ★★

punctual
[pʌ́ŋktʃuəl]

(형) 시간을 지키는

A: I'll let it slide this time but if you're not punctual for class again, I'm going to take points off.
이번에는 내가 넘어가 준다만 다음번에도 수업 시간 안 지키고 늦으면 점수 깎을 거다.

B: I promise I won't be late any more.
더 이상 안 늦겠습니다.

0712 ★★★

spoil
[spɔil]

(동) 망치다, 상하다

A: Don't eat too many popsicles. It will spoil your appetite.
막대 아이스크림 너무 많이 먹지 마라. 니 밥맛 없어진데이.

B: It's okay. No matter how many popsicles I have, I will have room for dinner.
괜찮다. 아이스크림 얼마나 많이 먹든 간에 저녁 먹을 공간은 따로 있다.

0713 ★★

postpone
[poustpóun]

(동) 미루다, 연기하다 (유) put off 연기하다, 미루다

A: I'm so sorry to tell you this but can we postpone our meeting until next week? Something urgent has come up.
이런 말해서 진짜 미안한데 우리 다음 주까지 회의 좀 미룰 수 있을까? 급한 일이 생겨가지고.

B: All right. Take good care of it and let's meet up next week.
알았어. 해결 잘 하고 다음 주에 보지 뭐.

 이 동사 postpone은 비슷한 의미를 전달해주는 put off, 그리고 동사 delay 요렇게 두 개랑 꼭 묶어서 같이 챙겨 두세요.

0714 ★★★

trial
[tráiəl]

(명) 실험(시험), 재판 (동) (능력 등을) 시험하다 (숙) trial and error 시행착오

A: What is that medication that you take every morning? I've never seen it before.
매일 아침마다 먹는 약 뭐야? 그런 약을 본 적이 없는데.

B: It's a new type of drug undergoing clinical trials, which means it may not be 100% safe at the moment.
지금 임상실험 진행 중인 신약이야. 그 말인즉슨 현재 100% 안전하다고는 할 수 없다는 뜻이기도 하지.

DAY 24

0715 ★

overseas
[óuvərsíːz]

(형) 해외의 (부) 해외로

A: Don't you need to get some clothes for winter? Let's do some online shopping. It's cheaper and they deliver overseas.
니 겨울옷 좀 사야 되지 않나? 여기서 온라인쇼핑 좀 하자. 더 싸기도 하고 해외로 배송도 해준다.

B: Wow, an overseas purchase. Okay, I'm in.
오, 해외 구매. 좋지. 해 보자.

0716 ★

sector
[séktər]

(명) 부문(분야), 작전 지역, 부채꼴

A: What pops into your head first when you think of Greece? For me, it's Greek yogurt.
그리스 하면 뭐가 제일 먼저 떠오르노? 나는 음, 그릭요거트.

B: Tourism. You know, it's their economy's key sector.
나는 관광. 그 나라 경제에 핵심적인 분야잖아.

0717 ★★

beforehand
[bifɔ́ːrhænd]

(부) ~ 전에 미리, 사전에 (유) in advance 미리

A: Are you moving to Seoul next week? Why didn't you tell me beforehand?
니 다음 주에 서울로 이사 간다고? 왜 전에 미리 말 안 한 건데?

B: I just didn't want you to be sad.
니 슬퍼하는 거 보기 싫어서.

0718 ★★

adjust
[ədʒʌ́st]

(동) 조정하다, 적응하다

A: You're good with cameras right? Help me with this one. I got this a couple of days ago but it's so hard for me to use.
니 카메라 잘 알지 않나? 내 이것 좀 도와줘. 며칠 전에 이거 샀는데 사용하기 너무 어려워.

B: All right. It's easy. First, you need to look through the viewer and then adjust your focus and press the shutter.
어디 보자. 쉬워. 먼저 뷰어를 통해서 사물을 본 다음에 니 초점을 조정해 그리고 나서 셔터 누르면 돼.

0719 ★★

competition
[kàmpətíʃən]

(명) 경쟁, 대회 (파) compete 경쟁하다

A: Did you hear that Daegun won a car in the competition?
대건이 대회에서 차 받았다는 거 들었나?

B: What? A car? I should have teamed up with him.
뭐? 차를 받았다고? 개랑 같이 팀으로 해서 나갔어야 했어.

0720 ★

animate
[ǽnəmèit]

(동) 생기를 불어넣다, 만화 영화로 만들다 (형) 살아 있는, 생물인

A: Thank you for showing up. I was so tired and exhausted but your smile has just animated me.
와 줘서 고맙다. 진짜 피곤하고 지쳐있었는데 니 웃는 거 보니까 내가 생기가 돋네.

B: Well, I always cheer you up.
음, 내가 늘 너한테 기운을 주잖냐.

1 다음 단어에 맞도록 우리말 또는 영어로 바꿔 쓰시오.

01	authority	_____	11	통로, 복도, 구절	_____
02	consent	_____	12	접근, 접근권, 접속하다	_____
03	score	_____	13	(나무의) 잔가지, 깨닫다	_____
04	rough	_____	14	뗏목, (탈출용) 고무 보트	_____
05	posture	_____	15	연합한, 통합된, 단결한	_____
06	competition	_____	16	휴지통	_____
07	spoil	_____	17	시기적절한, 때맞춘	_____
08	trial	_____	18	시간을 지키는	_____
09	overseas	_____	19	~ 전에 미리, 사전에	_____
10	animate	_____	20	미루다, 연기하다	_____

2 다음 빈칸에 알맞은 단어를 넣어서 문장을 완성하시오.

01 I hope this software helps us _____ part of the process.
이 소프트웨어가 과정의 일부를 간소화하는 데 도움이 되었으면 좋겠다.

02 I love watching _____ fall to the ground in fall.
저는 가을에 꽃잎들이 땅으로 떨어지는 걸 바라보는 게 참 좋아요.

03 I have to go now because something _____ came up.
뭔가 급한 일이 생겨서 나 지금 가봐야 할 거 같아.

04 I'm so sad that there's no _____ of any improvement in the weather.
날씨가 좋아질 가망이 없다는 게 참 슬프다.

05 You can _____ the car seat if needed.
필요하다면 자동차의 좌석을 조정하셔도 좋습니다.

Episode 073 • (텅 빈) 냉장고를 부탁해.

대건: 무슨 냉장고가 **bare** 상태냐?

우식: 장보러 나가기도 귀찮아서 시켜먹어.

대건: 아이고, 그럴 줄 알고 이 형님이 재료를 준비해왔지. 정통 이탈리안 **cuisine**을 맛보어 줄게.

우식: *(한참 후)* 오… 장식까지 했네? 역시 완벽주의, 정체성이 담긴 **elaborate**한 요리네. 하나만 더 **append**할 게. 마치 이태리에 지금 막 도착한 것 같아.

대건: 먹고 맛이나 제대로 **depict** 봐.

우식: 와 이거 장난 아니다. 소스 맛에 **depth**가 있는데? 그리고 고기 맛이 점점 **fade**해질 때 이 요리의 **crucial**한 부분인 상큼한 과일향이 또 올라와. 음식에 **greed**만 있는 줄 알았는데, 잘못 봤네. 나중에 요리 학원을 **establish**하는 거 어때?

0721 ★★★
bare
[béər]

(형) 텅 빈, 벌거벗은 (동) (신체의 일부를) 드러내다 (유) naked 벌거벗은

A: Why are you not wearing shoes? Don't the soles of your feet hurt?
왜 신발을 안 신고 있어? 발바닥 안 아파?

B: I'm all right. I like to walk around in bare feet.
괜찮아. 나 맨발로 걸어 다니는 거 좋아해.

0722 ★
cuisine
[kwizíːn]

(명) 요리법, 요리

A: What are your plans during your vacation? 휴가 때 뭐 할거야?

B: I'm flying to Thailand for five days. I'm going to try as much authentic Thai cuisine as I can.
태국에서 5일 있다가 오려고. 가능한 많이 태국 본토 요리들을 먹어 볼 거야.

0723 ★★
elaborate
[ilǽbərət]

(형) 공을 들인 (동) 자세히 말하다

A: Thank you so much for inviting me tonight. I really enjoyed the elaborate meal.
오늘 밤에 초대해 주셔서 정말 감사합니다. 정성껏 공 들인 식사 진짜 잘 먹었어요.

B: I'm glad you liked it.
음식이 입에 맞았다니 다행이네요.

0724 ★★★
append
[əpénd]

(동) (글에) 덧붙이다, 첨부하다

A: Did you check out the footnotes appended to the document?
문서에 덧붙여진 주석들 확인했어?

B: Were there footnotes? I didn't even realize that.
주석이 달려있었다고? 난 심지어 그게 있는지도 몰랐네.

0725 ★

depict
[dipíkt]

⟮동⟯ 묘사하다, 그리다　⟮유⟯ portray (그림 · 글로) 그리다, 묘사하다

A: How was the interview? Did it go well? 면접 어땠어? 잘 봤어?

B: I don't think so. Some of the questions were so strange. For example, they asked me to depict how I was feeling.

아닌 것 같아. 몇몇 질문이 좀 이상했다니까. 예를 들어서, 현재 내 기분이 어떤지 묘사하라 그러더라고.

0726 ★★

depth
[dépθ]

⟮명⟯ 깊이, 깊숙함, 복잡함　⟮숙⟯ in depth 상세히, 심도 있게

A: What is the depth of the Han River? Do you have any idea?

한강은 깊이가 얼마나 되려나? 아는 것 좀 있어?

B: Not at all. What are you going to do? Scuba dive?

아니, 전혀. 왜 뭐 하려고? 스쿠버 다이빙이라도 하려고?

0727 ★★

fade
[féid]

⟮동⟯ (점점) 희미해지다, (색이) 바래다, 서서히 사라지다

A: What did your dad say when you told him about your plans?

아빠한테 니 계획을 말씀드리니까 뭐라고 하셔?

B: Well, at first he was smiling because I was home after a long time but then the smile faded from his face.

그게, 내가 오랜만에 집에 간 거라서 처음에는 웃으셨어. 근데 내가 말씀드리니까 아빠 얼굴에서 웃음기가 점점 사라지더라고.

0728 ★★

crucial
[krúːʃəl]

⟮형⟯ 결정적인, 중대한

A: What do you think? Should I go abroad?

어떻게 생각해? 나 해외로 나가야 하는 건가?

B: But it's not like a trip. You want to live there at least for a year. It's a crucial decision, so think about it more carefully.

이건 짧은 여행이 아니잖아. 적어도 1년은 거기에서 살고 싶다며. 중대한 사안이니까, 더 신중하게 생각해 봐.

crucial이란 단어는 important, vital처럼 '결정적인, 중대한'이라는 의미입니다. 비슷한 단어 cruel과 헷갈리지 않게 주의하세요. cruel은 '잔인한, 잔혹한'이란 뜻을 갖고 있어요.

0729 ★

greed
[gríːd]

⟮명⟯ 탐욕, 식탐　⟮파⟯ greedy 탐욕스러운

A: Are you aware that your face is so swollen now?

니 지금 얼굴 많이 부은 거 알아?

B: I am. I couldn't help but eat instant noodles out of greed last night. 알다마다. 어젯밤에 식탐 때문에 라면을 안 먹을 수가 없더라고.

0730 ★★★

establish
[istǽbliʃ]

⟮동⟯ 설립하다, 확립하다, 규명하다

A: Did you know that the Internet was originally established by scientists to share information? It wasn't for someone like us.

인터넷이 원래 과학자들 끼리 정보를 공유하려고 만들어졌다는 거 알고 있었어? 우리 같은 사람들을 위한 서비스가 아니었어.

B: Oh really? I thought it was created by Korea Telecom.

아 그래? 난 인터넷은 한국 통신에서 만든 줄 알았는데.

Episode 074 ● 돈 가지고 장난하는 거 아니다. (부제: 재테크는 이렇게)

> 대건: 재테크 어떻게 해? 난 요즘 **property** 관련 고급 정보를 얻으려고 애쓰는데.
> 영수: 너랑 **similar**해. 근데 난 더 현실적이지. 내 **income**을 정확히 분석하고, 쓸데없는 **expenditure**는 줄이기! 그리고 **loan** 같은 건 절대 손 안 대고. 주식도 했었는데 요샌 열의가 **wane**해져서 거의 접은 상태야.
> 대건: 단디하는데? 최근에 공인중개사 **certificate**도 땄다며? **jealous**하네. 나중에 백만장자 되고 나서 나 잊으면 안 돼.
> 영수: 아이구, 알았네요. 아, 우리 아무리 돈이 아쉬워도 **illegal**한 도박이나 이런 건 하지 말자. (띵동, 짜장면 배달이요.) 아저씨 여기 식탁 위에 좀 **lay**해 주세요. 대건아, 밥 먹고 이야기 하자.

0731 ★★★
property
[prápərti]

명 부동산, 재산

A: Look at that guy's car. It looks quite expensive.
　저 사람 차 좀 봐. 꽤 비싸 보이네.

B: I guess so. He's a notorious property developer.
　그런 거 같다. 저 사람 악명 높은 부동산 개발업자야.

0732 ★★
similar
[símələr]

형 비슷한, 유사한, 닮은

A: How do I look today? Do I look similar to James Bond?
　오늘 내 어때? 제임스 본드랑 비슷하지 않아?

B: Not at all. You are just "Bond." I mean the glue.
　전혀. 넌 그냥 Bond, 내 말은 접착용 본드라고.

0733 ★★
income
[ínkʌm]

명 수입, 소득 유 revenue (정부·기관 등의) 수익, 세입

A: Why do you blog? If my memory is correct, you've been doing that for more than two years, haven't you?
　너 블로그는 왜 하는 거야? 내 기억이 맞다면 너 블로그 2년 넘게 했지 그렇지 않아?

B: Well, I make money from it. It's actually a major source of my income.
　음, 난 블로그로 돈을 벌거든. 사실 내 주요 수입원이기도 하고.

 income은 '수입, 소득'이라는 뜻의 단어입니다. 이와 관련된 표현 몇 가지 정리해 볼게요. low-income(저소득의), net income(순이익), gross income(총소득), double income family(맞벌이 가정)

0734 ★★
expenditure
[ikspéndiʧər]

명 지출, 비용, 소비, 소모 유 spending 지출

A: I calculated and realized that we need to cut down our expenditure on ordering out. Let's try to eat healthier food for a few months.
　내가 계산을 해봤는데 우리 음식 시켜먹는 비용 좀 줄여야겠어요. 몇 달 동안 더 몸에 좋은 음식을 섭취하도록 노력해보자고요.

B: I guess I have to say goodbye to my love, chicken and pizza.
　내 사랑 치킨 그리고 피자한테 작별을 고해야겠네.

0735 ★★

loan
[lóun]

(명) 대출, 대여

A: I think I have to take out another loan.
나 대출 또 받아야 할 거 같아.

B: What? You told me last month that you just paid off all of your student loan.
뭐? 너 지난달에 막 학자금 대출 다 갚았다고 나한테 말했었잖아.

0736 ★

wane
[wein]

(동) 약해지다, 줄어들다, 시들해지다

A: Our new product's popularity among teens has been on the wane. What should we do?
청소년들 사이에서 우리 신제품의 인기가 점점 시들해지고 있어요. 어떡하면 좋겠어요?

B: We should come up with a new marketing strategy!
새로운 마케팅 전략을 고안해내야겠네요!

0737 ★★

certificate
[sərtífikəit]

(명) 자격증, 증명서 (유) license 면허증

A: I haven't seen your younger brother for a while. What is he up to?
너희 남동생 못 본 지 꽤 됐네. 걔 요새 뭐 하는데?

B: He's preparing for the national exam to get a teaching certificate.
교원 자격증 따려고 국가고시 준비하고 있어.

0738 ★★

jealous
[dʒéləs]

(형) 부러워하는, 시샘하는, 질투하는

A: Daegun has been selected as a restaurant supporter. Do you know what that means? He can eat food any time he wants!
대건이 식당 서포터즈로 뽑혔대. 그게 무슨 뜻 줄 알아? 먹고 싶을 땐 언제든지 음식을 먹을 수 있단 뜻이야!

B: Wow, seriously? I'm so jealous of him.
와, 정말? 진짜 부럽네.

0739 ★★

illegal
[ilí:gəl]

(형) 불법적인 (명) 불법 체류자

A: Did you just drive through a red light? That's illegal and dangerous!
너 방금 빨간 불인데 달린 거야? 그건 불법에다가 위험하다고!

B: Technically, I drove through a yellow light.
엄밀히 말하면, 난 노란 불에 지나간 거야.

0740 ★★★

lay
[lei]

(동) 놓다, 두다, (알을) 낳다

A: Today we're going to lay carpets in the house. Make sure you get home early, okay?
오늘 우리 집에 카펫 깔 거야. 집에 일찍 들어와, 알았지?

B: I have football practice after school.
저 학교 끝나면 축구 연습 있어요.

Episode **075** • 내 친구는 자기 합리화의 달인.

대건: 외제차 샀네?
용호: 아, 이거 **maintenance** 비용 왜 이래 많이 드냐? 자동차 타는 횟수가 **seldom** 해지네.
대건: 그러게 나처럼 그냥 경차 타라니까. 내차는 같은 주유량으로 니 차 보다 더 **outlast** 한다.
용호: 차에 대한 나의 **passion**을 뭐로 보고! 시간 날 때마다 허리 **bend**해서 **wax**한다니까. 여기 봐. 완전 거울이지? 이 차 **acquire**하기까지 참 고생 많았지. 내 통장도 고생이고.
대건: 돈 없다면서 왜 굳이 비싼 걸 타는 건데?
용호: 너 우리 부장님 알지? 말 한마디, 한 마디가 **violent**한 분이셔. 눈물나기 직전까지 **scold**하신다니까? 내 차는 이런 회사 생활로부터의 **refuge**야. 보기만 해도 흐뭇해.

0741 ★
maintenance
[méintənəns]

[명] 유지비, 유지 [파] maintain 유지하다

A: I'm thinking of getting a midsize car. Do you have any recommendations?
나 중형차로 한 대 살까 하는데. 추천할만한 거 있어?

B: Do you know that a midsize car requires high **maintenance**? If I were you, I would just go with a compact car.
중형차는 유지비 많이 드는 거 알아? 나라면 그냥 경차로 하겠어.

0742 ★★★
seldom
[séldəm]

[부] 거의(좀처럼) ~않는

A: Why are you still using those outdated fad words and phrases? They're words that are **seldom** spoken these days.
넌 왜 철 지난 유행어를 아직도 쓰고 있는 거야? 요즘엔 거의 쓰이지도 않는 말들이잖아.

B: Because I still find them funny and interesting to use.
왜냐면 난 아직도 이런 말들이 쓰기에 괜찮고 재밌거든.

seldom은 '거의 ~않는'이란 뜻의 부사죠. 비슷한 단어들로 rarely, barely, hardly가 있습니다. 꼭 같이 알아 두세요.

0743 ★
outlast
[àutlǽst]

[동] ~보다 오래 가다

A: What do you want for your birthday?
생일 선물로 뭐 받고 싶어?

B: I want to get dried flowers. They **outlast** a bouquet of real flowers.
말린 꽃 받고 싶어. 그냥 생화 꽃다발보다 더 오래 가거든.

0744 ★★★
passion
[pǽʃən]

[명] 열정, 애착, 격노

A: Is this really what you wrote? It's very impressive.
이거 진짜 니가 쓴 거야? 나한텐 완전 소설 같은데? 아주 인상적이야.

B: Actually I have a strong **passion** for writing.
사실 나 글 쓰는데 큰 열정이 있거든.

0745 ★★★

bend
[bend]

ⓢ 굽히다, 구부리다

A: You're much taller than other teens. I want you to **bend** down a little bit.

니가 다른 애들보다 키가 훨씬 크구나. 조금 굽혀야겠다.

B: I got it. How about I just sit on the ground?

네. 그냥 제가 바닥에 앉으면 어떨까요?

0746 ★★

wax
[wæks]

ⓢ 왁스로 광을 내다 ⓜ 밀랍, 왁스

A: How much **wax** do we need to polish the floor?

바닥 광내는 데 왁스가 얼마나 있어야 필요한 거야?

B: I don't know exactly. Let me call my dad and ask him about it.

정확히는 모르겠어. 아빠한테 전화해서 여쭤볼게.

0747 ★★

acquire
[əkwáiər]

ⓢ 획득하다, 습득하다 ⓟ acquisition 습득, 취득한 것

A: You have so many bottles of olive oil in your cart. Is your body made of oil?

카트에 올리브 오일 엄청 많이 담았네. 니 몸은 오일로 구성되어 있나?

B: I've recently **acquired** a taste for Italian food.

최근에 이탈리안 음식에 맛을 들여서 그래.

0748 ★★

violent
[váiələnt]

ⓗ 폭력적인, 난폭한 ⓨ aggressive 공격적인

A: Have you seen any good movies lately? I'm thinking of watching a movie with my eight-year-old cousin.

최근에 재밌는 영화 본 거 있어? 여덟 살짜리 조카랑 영화볼까 하는데.

B: I've seen some good ones but I can't recommend them because they're all **violent**.

재밌는 거 몇 편 보긴 했는데 모두 폭력적인 것이라서 추천은 못 하겠다.

0749 ★★

scold
[skóuld]

ⓢ 야단치다, 꾸짖다

A: You look pretty depressed. What's going on?

너 꽤 울적해 보인다. 무슨 일이야?

B: Mom **scolded** me again this morning for not waking up early. Why am I so tired these days?

엄마가 오늘 아침에 일찍 안 일어난다고 또 야단치셨거든. 요새 왜 이렇게 피곤하지?

0750 ★

refuge
[réfju:dʒ]

ⓜ 피난(처), 도피(처) ⓨ shelter 피신(처), 보호(소)

A: Daegun, is there anybody that you'd like to say thank you to in front of the camera?

대건 씨, 카메라 앞에서 감사 인사 전하고 싶으신 분 있으신가요?

B: I'd like to thank the director, Mr. Kim, who gave **refuge**, fed me and kept encouraging me to pursue my dream.

저한테 피난처와 먹을 것을 제공해 주시고 제가 계속 꿈을 좇을 수 있게 격려해 주신 김 감독님께 감사 말씀 드리고 싶습니다.

DAY 25 Review

1 다음 단어에 맞도록 우리말 또는 영어로 바꿔 쓰시오.

01	bare	11	묘사하다, 그리다
02	cuisine	12	설립하다, 확립하다
03	greed	13	불법적인, 불법 체류자
04	loan	14	놓다, 두다, (알을) 낳다
05	income	15	부동산, 재산
06	wane	16	자격증, 증명서
07	refuge	17	열정, 애착, 격노
08	maintenance	18	폭력적인, 난폭한
09	acquire	19	거의(좀처럼) ~않는
10	outlast	20	굽히다, 구부리다

2 다음 빈칸에 알맞은 단어를 넣어서 문장을 완성하시오.

01 Consistency is _____ when it comes to achieving a goal.
목표를 달성하는 데 있어서 꾸준함은 결정적이다.

02 I really enjoyed an _____ dinner at my friend's house.
친구네 집에서 공들인 저녁 식사를 했는데 진짜 좋았어요.

03 My family's average _____ on food is high.
우리 가족이 먹는 데 쓰는 평균 지출액은 높다.

04 Are you aware that you look very _____ to your aunt?
네가 너희 이모랑 굉장히 비슷해 보인다는 거 알고 있니?

05 Dad _____ me this morning for not cleaning my room.
오늘 아침에 내 방 청소 안 했다고 아빠가 야단치셨다.

Episode 076 ● 쉬면 녹슨다.

대건: 늘 느끼는 거지만 무언가에 집중했을 때 너의 모습, 숨이 턱 막히게 예쁘단 말이지. 그런 모습 아주 **adore**하단 말이지.

미정: 야, **disturb**하지 마. 지금 이 순간에도 내 **counterpart**가 될 사람은 발표 준비를 하고 있다고.

대건: 나라면 너처럼 **potential**한 사람한테 **opportunity**를 줄 거야. 이런 말이 있지. "쉬면 **rust**된다." 넌 영원히 녹슬지 않을 그럴 인재지! 나중에 너 같은 **offspring**을 낳아야 할텐데.

미정: 으에취! 아 계속 **sneeze**하네. 나 바쁘니까 내 **convenience**를 위해 약 좀 사다 줘. 나 **influenza** 걸린 거 같아.

0751 ★★
adore
[ədɔ́ːr]

(동) 흠모(사모)하다

A: You got several texts from Daegun and you replied to every one of them! 너 대건이한테 문자 여러 개 받았네. 게다가 너도 답장은 꼬박꼬박 해줬고!

B: It's pretty obvious that he adores me. What should I do?
걔가 나 흠모하는 게 분명해. 어쩌지?

0752 ★★
disturb
[distə́ːrb]

(동) 방해하다, 불안하게 하다

A: Hey, just so you know, I'm going to study hard in my room. So...
저기, 그냥 알고 있으라고. 나 내 방에서 공부 할 거든 그러니까...

B: All right. I know what you're going to say. I won't disturb you. I'll stay silent. 알았어. 무슨 말 할지 알아. 방해 안 하고 조용히 있을게.

 disturb가 무언가를 '방해하다'라는 의미로 쓰이는 경우에 비슷한 의미인 interrupt와 bother도 같이 정리해 두세요.

0753 ★
counterpart
[káuntərpàːrt]

(명) 상대방, 대응관계에 있는 사람

A: How's your preparation for the discussion going? By the way, who was your counterpart again?
토론 준비는 잘 되고 있어? 그런데, 상대방이 누구라고 그랬지?

B: It's Daegun and let me quote this: "If you know your enemy and yourself, you can win every battle."
대건이야. 그리고 이 말을 인용하고 싶네. "적을 알고 너를 알면 백전백승."

0754 ★★
potential
[pəténʃəl]

(형) 잠재적인 (명) 잠재력, 가능성 (유) possibility 가능성

A: I think I'm bad at those musical instruments. I wish I had musical talent! 나 악기 다루는 데에 소질이 없는 것 같아. 나한테도 음악적 재능이 있었으면!

B: Are you kidding me? I saw you playing them and you have enormous potential.
농담하니? 니가 악기 연주하는 거 봤는데 엄청난 잠재력이 있더라.

0755 ★★★
opportunity
[ὰpərtjúːnəti]

(명) 기회

A: I wish I could spend more time with you now but I have another appointment. Sorry.
지금 너랑 좀 더 시간을 보내면 좋을 텐데 다른 약속이 있네. 미안해.

B: It's all right. We'll have plenty of opportunities to hang out later, won't we? 괜찮아. 나중에 또 같이 어울릴 기회가 많잖아, 그렇지 않아?

0756 ★★
rust
[rʌst]

(동) 녹슬다 (명) 부식, 녹 (유) corrosion 부식

A: How long have you left your drying rack on the rooftop? The frame is all covered with rust.
도대체 얼마동안 빨래 건조대를 옥상에다 둔 거야? 뼈대가 그냥 녹으로 뒤덮였네.

B: Wait a minute. My drying rack is on the rooftop? I thought somebody had stolen it.
잠깐만. 내 건조대가 옥상에 있었다고? 난 누가 그걸 훔쳐간 줄 알았는데.

0757 ★★
offspring
[ɔ́ːfspriŋ]

(명) 자식, 새끼 (유) infant 유아, 아기

A: I'm into watching animal documentaries on TV. What's shocking to me is that some species leave their offspring to survive on their own.
내가 요새 TV에서 동물 다큐멘터리를 보는데 빠져있어. 충격적인 게 어떤 종들은 자기네 새끼를 그냥 혼자 알아서 살아남으로라고 방치한다는 거야.

B: Don't be so dramatic. All things happen for a reason.
호들갑은. 모든 일에는 다 이유가 있는 법이야.

0758 ★★
sneeze
[sniːz]

(명) 재채기 (동) 재채기하다

A: What symptoms do you have?
증상이 어떤가요?

B: I cough and sneeze all day long. I try not to but I can't help it.
기침하고 재채기를 온종일 해요. 참으려고 해도 참아지지도 않고요.

0759 ★★★
convenience
[kənvíːnjəns]

(명) 편의, 편리 (파) convenient 편리한, 간편한

A: Where did you move to? Is it close to a subway station?
어디로 이사 간 거야? 지하철역에선 가깝고?

B: Not only is it close to a station but there's a convenience store on the first floor of the building.
지하철역에서 가까울 뿐만 아니라 바로 건물 1층에 편의점도 있어.

0760 ★★
influenza
[ìnfluénzə]

(명) 유행성 감기

A: Didn't you have influenza? Why aren't you wearing a mask?
너 유행성 감기 걸렸다며? 마스크는 왜 안 끼고 다녀?

B: I'm completely over it. Don't worry.
나 완전히 다 나았다. 걱정하지 마라.

Episode 077 • 어려울 때 친구가 정말 친구

대건: 정말 **solution**은 없는 걸까? 요즘 기름값 많이 **rise**한다. 아무리 봐도 어떤 단체에서 지역마다 **patrol**하다가 기름값이 낮다 싶으면 올리는 거 같아. 가격을 **manipulate**하는 거지. 참 **outrage**할 노릇이야.

미정: 가끔 니가 그런 말 할 때마다 참 **marvel**스러워. **obvious**한 건 니 정신 세계가 일반적이지는 않다는 거. 자꾸 있지도 않은 얘기하다가 그 단체에서 너 **prosecute**하면 어쩔래? 아니면 경찰이 와서 널 **apprehend**하면 어쩔 건데?

대건: 그땐 니가 날 **shield**해 줘야지. 내 둘도 없는 친구니까.

미정: 누구세요?

0761 ★★
solution
[səlúːʃən]

(명) 해결책, 용해, 용액

A: Do you have any saline solution at home? I have to clean my contact lenses.
집에 혹시 식염수 용액 있어? 나 렌즈 씻어야 하거든.

B: Sorry, I ran out of it.
미안, 나도 다 썼어.

0762 ★★★
rise
[raiz]

(동) 오르다, 증가하다 (명) 증가, 인상

A: The price of gas is continuing to rise. It's getting out of hand.
기름값이 끊임없이 오르네. 점점 감당이 안 된다.

B: You know how I deal with that? I never drive my car. It's always in the parking lot.
이 상황을 나는 어떻게 대처하는 줄 알아? 난 차 절대 안 몬다. 내 차는 늘 주차장에 있어.

0763 ★
patrol
[pətróul]

(명) 순찰(대) (동) 순찰을 돌다

A: Remember this. The security guards make patrols every 40 minutes.
이걸 잘 기억해 둬. 경비원들은 40분마다 순찰을 돈다.

B: Which means that we only have 20 minutes left.
그 말은 우리에게 주어진 시간이 단 20분이라는 것이네.

DAY 26

0764 ★
manipulate
[mənípjulèit]

(동) 조작해서 속이다, 조종하다

A: We shouldn't believe what Daegun says. He's trying to manipulate all of us!
우리 대건이가 하는 말 믿으면 안 돼. 그 애는 우리 전부를 조종하려 하고 있는 거야.

B: Don't worry. That won't happen!
걱정 마. 그런 일은 없을 테니까!

0765 ★★
outrage
[áutreidʒ]

(명) 격분 (동) 격분하다

A: Did you have fun watching the baseball game in the stadium?
야구장에서 야구 경기 잘 보고 왔어?

B: Not really. The chief umpire kept making wrong calls. Many fans expressed outrage over this.
별로. 주심이 계속 엉터리 판정을 내리는 거야. 그래서 많은 팬들이 이것에 격분했지.

0766 ★★
marvel
[máːrvəl]

(명) 경이로운 것 (동) 경이로워하다

A: I saw this electric car in the department store today and it was a marvel.
나 오늘 백화점에서 선기차를 봤는데 경이롭더라.

B: You should have taken a picture of it. Anyway, what would it be like to drive one of those cars?
사진을 찍어왔어야지. 아무튼, 그런 차를 몰아보면 어떤 느낌일까?

0767 ★★
obvious
[ábviəs]

(형) 분명한, 확실한 (파) obviously 확실히, 분명히

A: How's your preparation going? 준비는 어떻게 되어가고 있어?

B: Well, isn't it obvious that things are working out well? I'm doing my best. 음, 딱 보면 잘 돼가고 있는 게 분명하지 않아? 나는 최선을 다하고 있어.

obvious는 '(무언가가) 분명한'이라는 의미의 형용사인데요. 좀 더 격식적인 단어들로 apparent 그리고 evident도 사용할 수 있습니다.

0768 ★
prosecute
[prásikjùːt]

(동) 고발하다, 기소하다

A: Stop talking behind my back. If you keep doing it, I'll prosecute you for defamation.
뒤에서 내 이야기하지 마라. 계속 그러면, 명예훼손으로 고발한다.

B: How can you prove it? You don't have any evidence!
어떻게 증명할 거야? 증거가 없잖아!

0769 ★
apprehend
[æprihénd]

(동) 체포하다, 이해하다, 깨닫다 (파) apprehensive 걱정되는, 불안한

A: We're trying to apprehend the criminal and he is hiding in this town. So please help us out.
저희가 범죄자를 잡으려 하고 있습니다. 지금 이 마을에 숨어 있고요. 그러니 협조 부탁 드립니다.

B: Use me if you want. I can run faster than anyone in this town.
필요하면 저를 이용하세요. 우리 마을에서 그 누구보다도 빠르게 달릴 수 있어요.

0770 ★★
shield
[ʃiːld]

(동) 보호하다 (명) 방패 (참) defense 방어, 수비

A: What did you do to your teeth? They're so bright that I have to shield my eyes!
너 치아에다가 무슨 짓을 한 거야? 엄청 눈부셔서 내 눈부터 보호해야겠네!

B: I just whitened them. Come on, is it really that bad?
나 그냥 미백한 거야. 야, 그렇게 이상해?

현실: 드디어 병원에서 **discharge**되었구나! 축하해.

태훈: 집에서 떨어진 **remote**한 병원에서 나도 참 고생했네. 잠깐만, 병원에서 **prescribe**해 준 약 좀 받아 가자. 당분간 약에 **rely**해서 살아야 돼.

현실: 부상이 생각보다 **severe**하지 않은 거 같아 다행이네.

태훈: 말도 마. **dock**에 놀러가서 물에 빠질 줄 누가 알았겠냐? **drown**하는 줄 알았다니까. **constant**하게 그 당시 꿈을 꾸는데 그럴 때마다 **shudder**한다. 으….

현실: 야, 거기 꿰맨 데 **rub**하지 마. 덧나면 어쩌려고 그래. 그냥 둬.

0771 ★★
discharge
[distʃɑ́ːrdʒ]

(동) 떠나는 것을 허락하다, 해고하다, 방출하다　(유) release 석방하다, 놓아주다

A: Don't you think you were discharged from the hospital too early? You don't seem okay yet.
　　너 병원에서 너무 일찍 퇴원한 거 아니야? 아직 괜찮아 보이지 않아.

B: I asked them to be released. I hated being hospitalized.
　　내가 퇴원을 요청한 거야. 병원 생활하는 게 너무 싫었거든.

0772 ★★
remote
[rimóut]

(형) (거리가) 먼, 외딴, 외진, 원격의　(유) distant 멀리 떨어져 있는

A: Isn't that restaurant quite remote from where we are? It's going to take a long time to get there.
　　그 식당 우리 있는 데서 너무 먼 데 있는 거 아니야? 거기까지 가는 데 시간 엄청 걸릴 거야.

B: How far it is doesn't matter. Their pasta is so good!
　　거리는 중요치가 않다. 거기 파스타 진짜 맛있거든!

0773 ★★
prescribe
[priskráib]

(동) 처방하다, 규정하다　(파) prescription 처방(전), 처방된 약

A: I'm looking for 'Effective Number One' medicine. Do you stock this? '효과 만점' 약을 찾고 있어요. 이 약 있나요?

B: I'm afraid that medicine is no longer prescribed legally.
　　죄송한데 그 약은 더는 합법적으로 처방이 안 돼요.

0774 ★★
rely
[riláí]

(동) 의존하다, 의지하다

A: I can't believe we couldn't get tickets for the concert. What do we do now?
　　콘서트 표를 못 구하게 되다니 믿을 수가 없네. 이제 어쩌지?

B: I don't know. Let's just rely on luck. There might be some people who cancel their tickets.
　　나도 잘 모르겠어. 그냥 운에 의지해 보자. 표 취소하는 사람들이 있을 수도 있잖아.

---

 rely on은 '~에 의지하다, ~에 의존하다'라는 의미입니다. 이 단어는 **depend on**과 같이 묶어서 알아 두세요. 뜻은 '~에 의존하다, 의지하다'입니다.

0775 ★★
severe
[səvíər]

[형] 심각한, 가혹한

A: How was he? Did you take him to the hospital?
그는 어때? 그를 병원에 데려다 줬니?

B: I just got back. His injuries are not quite **severe**.
방금 갔다 왔어. 부상이 그렇게 심각하진 않더라.

0776 ★★
dock
[dak]

[명] 부두가 [동] (배를) 부두에 대다, 도킹하다

A: I'm craving raw fish.
회 엄청 먹고 싶다.

B: You are? How about going to the fish market around the **dock**?
그래? 부두 근처 수산시장에 갈까?

0777 ★★
drown
[dráun]

[동] 익사하다, (액체에) 잠기게 하다

A: Are you guys going to swim in that lake? I'm out. I don't want to **drown**.
너희들 저 호수에서 수영하려고? 난 안 할래. 익사하긴 싫다.

B: Come on. It's not too deep. You can swim, can't you?
에이 왜. 그렇게 깊지도 않아. 너 수영할 수 있잖아, 맞지?

0778 ★★★
constant
[kάnstənt]

[형] 끊임없는, 변함없는 [유] sustained 지속된, 한결같은

A: All right. I guess we're over. I thought love was something **constant**.
그래. 우린 이제 끝인가 보다. 사랑이란 건 뭔가 변함없는 거라고 생각했는데.

B: I've been happy thanks to you. Please don't forget our good memories.
덕분에 행복했다. 우리 좋았던 기억은 잊지 말길 바란다.

0779 ★★
shudder
[ʃʌ́dər]

[동] (공포 · 추위로) 몸서리치다, 떨다, (기계 등이) 진동하다 [유] shiver 몸을 떨다

A: What would you do if you had to serve in the military again?
다시 군복무를 해야 한다면 어떨 거 같아?

B: Are you kidding me? Just thinking about it makes me **shudder**.
농담하니? 생각만 해도 몸이 떨린다.

0780 ★★
rub
[rʌb]

[동] 문지르다, 비비다

A: Why do you keep **rubbing** your eyes? Stop it.
눈은 왜 자꾸 비벼? 그만해.

B: I think there's something in my eyes.
눈에 뭐가 들어간 거 같아.

1 다음 단어에 맞도록 우리말 또는 영어로 바꿔 쓰시오.

01	adore	_____	11	자식, 새끼	_____
02	counterpart	_____	12	기회	_____
03	sneeze	_____	13	보호하다, 방패,	_____
04	convenience	_____	14	경이로운 것, 경이로워하다	_____
05	solution	_____	15	고발하다, 기소하다	_____
06	patrol	_____	16	체포하다, 이해하다	_____
07	outrage	_____	17	문지르다, 비비다	_____
08	remote	_____	18	심각한, 가혹한	_____
09	prescribe	_____	19	익사하다, 잠기게 하다	_____
10	discharge	_____	20	(공포 · 추위로) 몸서리치다	_____

2 다음 빈칸에 알맞은 단어를 넣어서 문장을 완성하시오.

01 I'm so sorry to _____ you on the weekend.
주말에 방해해서 정말 죄송합니다.

02 We should know that a new drug has _____ risks.
우린 새로운 약품에 잠재적인 위험요소가 있음을 알아야 합니다.

03 You know how to _____ people to get what you want.
당신은 당신이 원하는 걸 얻기 위해 어떻게 사람들을 조종해야 하는지 알고 있다.

04 It was _____ that my girlfriend didn't like the present.
내 여자 친구가 그 선물을 좋아하지 않았다는 건 분명했다.

05 You shouldn't _____ on your connections for money.
돈 때문에 당신과 연줄이 있는 사람들에게 의지해서는 안 된다.

Episode 079 • 친구끼리 괴롭히지 좀 말자!!

찬규: 미국에서 일어난 사건 뉴스 봤어?

대건: 응, 반에서 **outcast**였던 학생이 피해자라며?

찬규: 응, 자기를 괴롭히는 애들이 **pistol** 비슷한 걸 가지고 있는 걸 보고는 놀라시 선생님힌테 알렸나 봐. 근데 그게 그 애들한테도 알려져서 따돌림 받는 학생을 더 괴롭힐 **specimen**이 된 거지. 학교 측에서 그 애들 가방 검사를 했지만 총도 **bullet**도 하나 안 나왔다더라고. 후에 이 나쁜 애들이 피해 학생을 많이 괴롭혔다는 사실이 알려져서 법정까지 가게 되었어. 변호사가 가해자들 **plead**해줬지만 **jury**도 피해 학생이 겪었던 상당한 고통과 **adversity**를 참작해서 결국 가해자들에게 **convict**했는데, 5년형을 **sentence**했다나 봐. 그리고 피해 학생에게는 **rehabilitate**하는 것도 지원해 준다고 하더라고. 당연히 육체적으로 또 정신적으로 모두 상처를 많이 입었겠지.

0781 ★
outcast
[áutkæst]

명 따돌림 받는 사람, 버림받는 사람

A: Why didn't you go to the school reunion?
너 왜 학교 동창회 안 갔어?

B: Nobody contacted me. Now I feel like a social outcast. This is devastating.
아무도 나한테 연락 안 했어. 버림받은 사람이 된 기분이야. 최악이네.

0782 ★★
pistol
[pístəl]

명 권총

A: Why is it so hard for me to wake up early?
일찍 일어나는 거 왜 이리 힘들지?

B: How about you get an alarm clock that comes with a pistol? You have to hit a target five times within 30 seconds to turn off the alarm.
권총 달린 알람 시계 사는 건 어때? 알람을 끄려면 30초 안에 표적을 다섯 방 맞춰야 한대.

0783 ★★
specimen
[spésəmən]

명 견본, 표본, 시료

A: That was cool. So what's our next destination?
거기 너무 좋았어. 다음 목적지는 어디야?

B: We should go check out St. Peter's Square in the Vatican City. It's a magnificent specimen of baroque architecture.
바티칸에 있는 성베드로광장에 가야지. 그곳은 멋진 바로크 건축의 표본이야.

0784 ★
bullet
[búlit]

명 총알

A: Wait! Why are you biting a bullet? Are you all right?
잠깐만! 너 왜 총알을 깨물고 있는 거야? 괜찮아?

B: This isn't a bullet. It's a chocolate that just looks like one!
이거 총알 아니야. 그냥 총알처럼 생긴 초콜릿이야!

0785 ★★
plead
[pli:d]

(동) 변호하다, 애원하다 (참) appeal 항소하다, 호소하다

A: We will definitely win this lawsuit, won't we?
우리 무조건 이 소송에서 승소할 거야, 그렇지 않아?

B: We can't be so sure. I heard that they hired a top lawyer to plead his case.
그렇게 확신할 순 없다. 저쪽에선 자기네 변호하는 데 최고 변호사를 고용했대.

 plead는 자주 쓰이는 구문인 plead with somebody to do something, '누군가에게 무언가를 해달라고 애원하다'와 함께 암기하면 더 좋습니다.

0786 ★
jury
[dʒúəri]

(명) 배심원단, 심사위원단

A: I'm sorry but I don't think I can make it tomorrow. I got selected to serve on a jury. 미안한데 내일은 못 만날 거 같다. 나 심사위원단으로 뽑혔어.

B: All right. We can meet up later. 알았어. 나중에 보지 뭐.

0787 ★★
adversity
[ædvə́:rsəti]

(명) 역경 (파) adverse 불리한, 부정적인

A: I'm going through hard times and it's making me weaker and weaker.
힘든 시간을 보내고 있어서 갈수록 나약해지게 되네.

B: I believe you will turn adversity into opportunity!
나는 네가 이 역경을 기회로 바꾸게 될 거라고 믿어!

0788 ★★
convict
[kənvíkt]

(동) 유죄를 선고하다 (명) 재소자 (파) conviction 유죄 판결, 신념

A: Oh my god. Look at that guy in the baseball cap. Isn't he an escaped convict?
세상에. 저기 야구모자 쓴 남자 봐. 저 사람 탈옥수 아냐?

B: What do we do? Should we just report it to the police?
우리 어떡하지? 경찰서에 그냥 신고해야 되나?

0789 ★★★
sentence
[séntəns]

(동) (형을) 선고하다 (명) 형벌 (유) condemn 선고를 내리다

A: Guess what I dreamed last night? I was in jail and then I was sentenced to death!
어젯밤에 뭔 꿈 꿨는지 알아? 감옥에 수감되어 있었는데 사형을 선고받았어!

B: That must have been scary.
정말 무서웠겠다.

DAY 27

0790 ★
rehabilitate
[rì:həbílətèit]

(동) 재활 치료를 하다, 원상으로 복귀시키다

A: Hey, it's been so long. How's your knee?
야, 오랜만이네. 무릎은 어때?

B: I've been taking physical therapy for a few months to rehabilitate it, but I haven't fully recovered yet.
무릎 재활 치료를 몇 달 동안 받고 있는데 아직 완전히 회복하진 못했어.

Episode
080 • 카레집 사장님

현실: 개업 축하해! **contemporary gallery**에서 근무하다가 웬 카레집을 연 거야?
찬규: 매일 반복되는 일상이 지겨워서, **introspective**한 시간을 많이 가졌지. 생각해 보니 난 요리할 때가 제일 행복하더라고. 그래서 창업했지.
현실: 평소에 **frugal**한 습관 덕에 돈도 제법 모았구만. 앞으로도 **prosper**해서 2호, 3호점 **expand**해 나가야지. 조언이 필요하면 나에게 **inquire**하고, 알았지?
찬규: 당연하지! 문제점을 늘 **outspoken**하는 친구가 필요하다!
현실: 니가 원한다면 얼마든지. 암튼, 그 멋진 가치관 늘 **adhere**하길 바란다. 그나저나 오늘 매출은 **estimate**해 봤어? 손님 많네.

0791 ★★
contemporary
[kəntémpərèri]

[형] 현대의, 동시대의

A: Are these the magazines that you're collecting? What are they about?
이것들 다 니가 모으는 잡지야? 뭐에 관련된 거야?

B: Sure, they are about **contemporary** fashion and art. You know how interested I am in them.
그럼, 현대 패션이랑 미술에 관한 책들이야. 나 여기에 얼마나 관심 있는 지 너도 알잖아.

이 단어의 중간에 있는 tempor는 시간(time)을 의미합니다. 그리고 단어 앞에 붙어있는 con-은 함께(together)를 의미하고요. contemporary, 어떤 것들과 함께 하는 시간, 즉 '현대의, 동시대의'라는 의미입니다.

0792 ★★
gallery
[gǽləri]

[명] 미술관, 미술품점

A: What are those numbers listed in your notebook... 3, 23, 11...?
공책에 적혀있는 숫자 3, 23, 11… 뭐야…?

B: Those are the numbers for my next lottery ticket! If I win, I'll own my **gallery** downtown.
복권 번호야! 당첨되면, 시내에 미술관을 하나 매입할 거야.

0793 ★
introspective
[ìntrəspéktiv]

[형] 자기 성찰적인

A: I've become quite **introspective** recently. Is it because I'm getting older?
나 최근에 꽤 자기 성찰적이다. 내가 점점 나이가 들어서 그런 건가?

B: That's a sign that you're getting more mature.
그건 니가 점점 성숙해지고 있단 신호인 거야.

0794 ★
frugal
[frú:gəl]

[형] 절약하는, 소박한

A: You still wear that shirt! How old is it? It must be more than 10 years. You're leading a **frugal** life.
너 아직도 그 셔츠 입네! 그거 얼마나 됐어? 10년은 넘었겠다. 검소한 삶을 살고 있구나.

B: I just don't spend money unnecessarily.
불필요한 데엔 돈을 안 쓰는 거지.

0795 ★★

prosper
[práspər]

동 번창하다, 번영하다　유 thrive 번창하다

A: Happy New Year! I hope you stay healthy and your business **prospers**.
새해 복 많이 받아! 늘 건강하고 사업도 번창하길 바랄게.

B: Thanks. I hope you find a girlfriend this year.
고맙다. 넌 올해 여자 친구 사귀길 바란다.

0796 ★★

expand
[ikspǽnd]

동 확장되다(시키다)　파 expansion 확대, 확장

A: Did you hear that the escaped prisoner hasn't been caught?
탈옥수 아직도 안 잡혔다는 거 들었어?

B: I know. The police have decided that they will **expand** their dragnet. 어. 경찰 측에선 수사망을 확장하기로 결정했다고 하더라.

0797 ★★★

inquire
[inkwáiər]

동 묻다, 질문하다, 조사하다

A: Good afternoon. How can I help you?
안녕하세요. 무엇을 도와드릴까요?

B: Hi, I'd like to **inquire** about when I need to check out tomorrow.
안녕하세요, 내일 언제 나가야 하는지 물어보려고요.

0798 ★

outspoken
[autspóukən]

형 거침없이 말하는, 솔직한

A: So, what is Daegun like? I'm going to work on a new project with him. 대건이란 사람 어때? 그 사람이랑 새로운 프로젝트를 하나 하게 되었거든.

B: Well, he's nice but you have to know that he's really **outspoken**.
음, 사람은 좋아. 근데 굉장히 거침없이 말한다는 거 알고 있어야 해.

0799 ★★

adhere
[ædhíər]

동 고수하다, 부착하다

A: Wow, you've become a new person! How do you lose that much weight?
와, 너 완전 딴 사람 됐네! 살을 어떻게 그리 많이 뺀 거야?

B: I just **adhere** a basic set of rules. I never eat a lot, never skip meals and work out every day.
그냥 기본 규칙을 고수했지. 절대 많이 안 먹고, 절대 안 굶고 그리고 매일 운동하고 말이지.

DAY 27

0800 ★★★

estimate
[éstəmeit]

동 추산(추정)하다　명 추산, 견적서

A: Let's **estimate** the distance from here to our final destination before we hit the road.
우리 출발하기 전에 여기서 우리 최종 목적지까지 거리부터 추정해보자.

B: Okay, hold on. Let me go get a map.
좋아, 잠깐만. 지도 가져올게.

Episode
081 • 해외 직구, 한 번 빠지니까 답이 없다.

대건: 해외 사이트 **transaction**하는 방식이 참 **concise**한 거 같아서 좋아.

우식: 뭐 샀어? 영어도 못 하는데 해외 사이트에서 산 거야?

대건: **translate**해 주는 앱으로 해결했지. 내가 요즘 자전거에 푹 빠졌잖아. 한 사이트에 **portable**한 자전거가 올라왔는데 **utility**하게 탈 수 있겠더라고. 그래서 바로 샀지.

우식: 너 요새 자전거 타고 완전 **slender**해지긴 했지.

대건: 덕분에 내 통장 **present**의 잔액도 홀쭉해졌어. 돈을 많이 써서 엄마랑 요새 **strife**도 심해. 아, 니가 좋아 하는 **appliance**도 요즘 세일하더라. 나한테 **valid**한 할인 쿠폰 있으니까 필요하면 말해.

0801 ★★

transaction
[trænsækʃən]

ⓝ 거래, 처리, 매매 ⓟ transact 거래하다

A: Can I have a copy of a record of my recent banking **transactions**?
제 최근 은행 거래내역 기록 사본을 좀 받을 수 있을까요?

B: Sure. I just need to see some ID first.
물론이죠, 먼저 신분증이 필요합니다.

0802 ★★

concise
[kənsáis]

ⓐ 간결한, 축약된 ⓟ concisely 간결하게

A: I love to buy things from Daegun Electronics. They always offer clear and **concise** instructions.
난 대건 전자 물건들이 참 맘에 들더라. 항상 분명하고 간결한 사용설명서도 제공해 주거든.

B: Their after-sales service is also remarkable.
거기 애프터서비스도 훌륭하지.

0803 ★★★

translate
[trænsléit]

ⓥ 번역하다, 옮기다 ⓟ translation 번역, 번역본

A: You majored in Chinese, didn't you? I got a client coming from China tomorrow afternoon. Could you **translate** this one-page agreement for me?
너 중국어 전공이지, 그렇지 않아? 내일 오후에 중국에서 고객 한 명이 오거든. 이 한 쪽짜리 계약서 좀 번역해 줄 수 있어?

B: What time do you need it by?
몇 시까지 해주면 되는데?

0804 ★

portable
[pɔ́:rtəbl]

ⓐ 휴대용의, 휴대가 쉬운

A: Who would have thought that almost everyone could carry their own **portable** gadgets like phones or laptops?
거의 모든 사람들이 휴대전화나 노트북 같은 휴대용 기기들을 가지고 다닐지 누가 예상이나 했겠어?

B: I know. I can't wait to see the world in 20 years.
그러게. 20년 뒤 세상은 어떨지 정말 궁금하다.

0805 ★★
utility
[ju:tíləti]

(형) 실용적인, 다용도의　(명) 유용성, 공공 시설　(파) utilize 활용하다, 이용하다

A: Mom, have you seen the toolbox? I can't find it anywhere.
엄마, 공구통 보셨어요? 어디 있는지 못 찾겠어요.

B: It's in the utility room. Dad used it the other day and put it there.
다용도실 안에 있어. 아빠가 저번에 쓰고 거기 넣어두었단다.

0806 ★★
slender
[sléndər]

(형) 날씬한, 가느다란　(반) chubby 통통한

A: Wow, those pants make you look very slender. Where did you get them?
와, 그 바지 입으니까 너 아주 날씬해 보인다. 어디서 구했어?

B: I bought these from an online shopping. 인터넷 쇼핑으로 샀지.

0807 ★
present
[préznt]

(형) 현재의, 존재하는　(동) 보여주다, 제시하다　(유) current 현재의

A: Oh, isn't that car Daegun's? Why is it here?
오, 저거 대건이 차 아니야? 왜 여기 있지?

B: It's not his anymore. He sold it and the present owner has three coffee shops in town.
저거 더 이상 대건이 차 아냐. 걔 저거 팔았어 그리고 저 차 현재의 소유주는 동네에 커피숍만 세 개 가지고 있어.

0808 ★★
strife
[straif]

(명) 갈등, 불화　(유) conflict 갈등, 충돌

A: I have some family strife these days.
요즘 가족 간에 갈등이 좀 있어.

B: Sorry to hear that. Why don't you try to talk more with your family?
듣고 나니 유감이네. 식구들이랑 좀 더 대화하려고 노력해 보는 건 어때?

0809 ★
appliance
[əpláiəns]

(명) 가정용 기기

A: Why didn't you turn off the appliances that are not in use? That's just a waste of money.
안 쓰는 기기 전원을 왜 안 꺼? 그건 돈 낭비라고.

B: I didn't? Sorry, I'm a bit out of it today.
내가 안 껐어? 미안, 내가 오늘 정신이 좀 없다.

0810 ★★★
valid
[vǽlid]

(형) 유효한, 타당한

A: Sorry but this voucher is no longer valid. The expiration date has passed. 죄송한데 이 상품권은 더 이상 유효하지 않습니다. 유효기간이 지났네요.

B: Really? I'll pay with cash then.
아 그래요? 그럼 현금으로 계산할게요.

 해외 사이트에서 결제 할 때 이 단어가 사용됩니다. 입력한 비밀번호나 카드 번호가 유효한지(valid) 검토를 해야 하니까 말이죠. 이 단어 앞에 부정 접두사 in- 이 붙으면 invalid, '무효한, 인식 불가능한'이라는 뜻이 됩니다.

DAY 27 Review

1 다음 단어에 맞도록 우리말 또는 영어로 바꿔 쓰시오.

01 outcast _____

02 sentence _____

03 plead _____

04 inquire _____

05 adhere _____

06 estimate _____

07 utility _____

08 appliance _____

09 valid _____

10 present _____

11 역경 _____

12 배심원단, 심사위원단 _____

13 견본, 표본, 시료 _____

14 절약하는, 소박한 _____

15 현대의, 동시대의 _____

16 번창하다, 번영하다 _____

17 거래, 처리, 매매 _____

18 날씬한, 가느다란 _____

19 번역하다, 옮기다 _____

20 간결한, 축약된 _____

2 다음 빈칸에 알맞은 단어를 넣어서 문장을 완성하시오.

01 My job is to help patients _____ after surgery.
제가 하는 일은 환자들이 수술 후에 재활 치료하는 걸 돕는 거예요.

02 I was _____ of a crime in my dream last night.
어젯밤에 범죄에 대한 유죄 판결을 받는 꿈을 꿨어요.

03 Everyone was moved by her _____ speech.
모든 사람들이 그녀의 거침없는 연설에 감명 받았다.

04 He told me that he has plans to _____ his restaurant.
그는 내게 레스토랑을 확장할 계획이 있다고 말했다.

05 We have benefited so much from _____ electronic devices.
우리는 휴대용 전자기기들로부터 많은 편리함을 얻고 있다.

Episode 082 • 수집하는 취미

미정: 여긴 집이야, **antique** 박물관이야? 오래된 것들을 **stockpile** 해놨네. 이건 **skylark**을 박제한 거네.

대건: 맞아. 요새 이것저것 모으고 있어. 이제 모형 **arms**도 모으려고. **carbon**으로 된 제품들이 가볍고 좋대. 이런 소재 **devise**한 사람은 대단한 거 같다.

미정: 우리나라에서 널 **banish**하길 원하냐? 무기 **possess**는 안 돼. 법으로 **prohibit**잖아.

대건: 내가 모형이라고 했잖아.

미정: 그래도 무기 모형은 좀 그래. 다시 **ponder**해 봐.

0811 ★★
antique
[æntíːk]

몡 골동품 휑 골동품인

A: You know what I saw in a friend of mine's garage? Lots of antiques like mahogany desks and a couple of antique cars and more!
내 친구네 차고에서 뭐 봤는지 알아? 마호가니 책상이랑 골동품 차도 두어 대 있어!

B: Wow, does he collect antiques? 오, 그 친구 골동품 수집하는 거야?

0812 ★
stockpile
[stákpail]

동 비축하다 몡 비축량

A: What's all that in the utility room?
다용도실에 있는 거 다 뭐야?

B: That's an emergency stockpile of water and canned goods.
저건 비상사태를 대비해서 비축해 둔 물이랑 통조림 식품들이지.

0813 ★★
skylark
[skáilàːrk]

몡 종달새, 종다리 동 법석떨다

A: The lyrics of this song are all positive and have good vibes so sing it brightly like... like...
이 노래 가사는 모두 긍정적이고 좋은 분위기니까 이 노래를 밝게 불러야 해. 마치… 마치…

B: You mean I'm supposed to sing this song like a skylark, right?
그러니까 종달새처럼 불러야 한다는 이런 말인 거죠, 맞죠?

DAY 28

0814 ★★
arms
[aːrmz]

몡 무기

A: I've just learned that almost all police officers in this country carry arms.
이 나라의 경찰들은 거의 전부 무기를 가지고 다닌다는 걸 방금 알았어.

B: Maybe that helps this city have strong public security.
아마 그래서 이 도시의 치안이 잘 유지되는 데 도움이 되는 거겠지.

0815 ★

carbon
[ká:rbən]

(명) 탄소, 카본

A: You got a new bike and it's pretty obvious that the frame is made of **carbon** fiber. 너 새 자전거 샀네. 프레임이 탄소 섬유로 된 게 분명하네.

B: Yes, it's way lighter than my old one.
맞아, 내 예전 자전거보다 훨씬 더 가벼워.

0816 ★★

devise
[diváiz]

(동) 창안(고안)하다, 궁리하다

A: Why do you always watch personal mobile broadcasting after work?
넌 왜 일 끝나면 항상 개인 모바일 방송 보는 거야?

B: I get a lot of ideas and inspiration. It helps me **devise** new marketing approaches.
아이디어와 영감을 많이 얻거든. 새로운 마케팅 접근법을 고안하는 데에 도움이 되지.

0817 ★★

banish
[bǽniʃ]

(동) (국외로) 추방하다, 사라지게 만든다 (파) banishment 추방, 유배

A: What's the story about this book, *Daegun, the Life of a Great Pioneer*? I have to write a book report on it by tomorrow!
이 책, '대건, 위대한 선구자의 삶' 어떤 내용이야? 나 이 책으로 내일까지 독후감 써야 한다!

B: At the end of the book, Daegun got **banished** to China and then five years later, he died.
책 마지막에 대건이란 사람 중국으로 추방되고 5년 뒤에 거기서 죽어.

0818 ★★★

possess
[pəzés]

(동) 소지하다, (자질·특징을) 지니다 (파) possessive 소유욕이 강한

A: I love hanging out with Jaesuk. He's so funny that I always lose track of time when I'm with him. 나는 재석이랑 어울리는 거 너무 좋아. 애가 정말 웃겨서 같이 있으면 늘 시간 가는 줄 모른다니까.

B: I know. He **possesses** a keen wit sometimes.
그렇지. 가끔 예리한 재치도 있고 말이지.

0819 ★★★

prohibit
[prouhíbit]

(동) (법으로) 금지하다, ~하지 못하게 하다 (유) forbid 금지하다, 금하다

A: Isn't that an electric fence?
저거 전기 철조망 아니야?

B: It sure it. It **prohibits** prisoners from escaping.
맞아. 저게 재소자들이 탈출하지 못하게 막는 거지.

이 단어는 숙어 형태로 prohibit somebody from doing something, '(사람)이 (무언가)를 하지 못하게 하다'로 많이 활용됩니다. 비슷한 단어로는 forbid가 있습니다.

0820 ★

ponder
[pándər]

(동) 곰곰이 생각하다, 숙고하다 (유) contemplate 심사숙고하다

A: Where have you been? We've been waiting for more than an hour.
어디 갔었어? 우리 한 시간 넘게 기다렸잖아.

B: Sorry, I needed some time to **ponder** over something personal.
미안, 개인적인 사안에 대해 곰곰이 생각할 시간이 좀 필요했어.

영수: 니가 웬일로 책을 다 읽어?

태훈: 왔어? 이건 내가 제일 좋아하는 작가의 **legacy**라고 할 수 있지. 총 **volume** 다섯 권짜리 책인데 이제 2권째 읽고 있다.

영수: 무슨 내용인데?

태훈: 되게 **profound**해. 초반에는 **radical**하지. 이 작가가 **religious**한 사람이었어. 그래서 읽다 보면 책 안에 **sight**가 보이기도 하고, 어떤 때는 내 귀에 **whisper**하는 것 같아. 완전히 **enchant**한다니까.

영수: 나한테는 딱 **yawn** 나올 이야기네. 근데 책 안에서 풍경이 어떻게 보이냐? 풍경 보려면 **telescope**를 들고 뒷산에 올라가 봐.

0821 ★★

legacy
[légəsi]

명 (과거의) 유산 유 bequest 유산

A: How was he able to build a great house in our town? He doesn't even work.
어떻게 그는 우리 동네에 그런 멋진 집을 지을 수 있었을까? 그 사람은 일도 안 하잖아.

B: A rumor says that he received a large legacy from his dad.
소문에 의하면 아버지한테 유산을 많이 받았다고 하더라.

0822 ★★★

volume
[válju:m]

명 (시리즈의) 권, 책, 분량

A: You got this encyclopedia in 15 volumes. It's always been on my wish list.
너 15권짜리 백과사전 샀네. 이거 늘 내가 사고 싶었던 거야.

B: I've spent my entire nest egg on this and now I'm broke.
비상금 다 썼어. 덕분에 이제 난 빈털터리야.

0823 ★★

profound
[prəfáund]

형 심오한, 엄청난, 깊은

A: You're reading, *the Life*. I've read it more than twice already.
너도 '인생' 읽고 있네. 난 그거 이미 두 번 넘게 읽었지.

B: This is a very profound book.
이 책 내용이 정말 심오하네.

DAY 28

0824 ★★

radical
[rǽdikəl]

형 급진적인, 근본적인 반 conservative 보수적인

A: I'm not talking about trivialities. I'm suggesting that we need radical changes in our system.
저는 지금 사소한 문제에 대해 이야기하려는 게 아니에요. 전 우리 시스템에 근본적인 변화가 필요하다고 제안하는 겁니다.

B: Easier said than done. 행동보다 말이 쉽지.

0825 ★★★

religious
[rilídʒəs]

(형) 종교의, 신앙심이 깊은 (파) religion 종교

A: I didn't know he was religious.
난 그에게 종교가 있는 지 몰랐네.

B: I heard he was raised in a religious home.
그가 종교적인 집안에서 자랐다고 들었어.

0826 ★★★

sight
[sait]

(명) 풍경, 시야

A: The end is in sight. It's right there!
드디어 끝이 보인다. 바로 저기야!

B: This journey has been tougher than before and I'm starving to death.
이번이 지난번보다 훨씬 더 힘들었어, 그리고 배고파 죽겠다.

0827 ★★

whisper
[wíspər]

(동) 속삭이다, 귀엣말하다 (명) 속삭임

A: Mom, I'm home! I'm hungry now. What's for dinner?
엄마, 저 왔어요! 지금 배고파요. 저녁은 뭐예요?

B: Sweety, your sister is studying in her room. We have to speak in a whisper. 얘, 너희 언니 방에서 공부하고 있단다. 우리 속삭이듯 말해야 해.

0828 ★★

enchant
[intʃǽnt]

(동) 매혹하다, 마법을 걸다 (유) fascinate 매혹하다

A: Speaking of fantasy, Harry Potter isn't just a series of books or movies anymore.
판타지 얘기가 나와서 말인데, 해리포터는 더 이상 단순한 책이나 영화가 아닌 것 같아.

B: That's right. Harry Potter has enchanted not only children but grown-ups like us for decades.
맞아. 해리포터가 수십 년 동안 아이들뿐만 아니라 우리 같은 성인들도 매혹했잖아.

0829 ★★

yawn
[jɔːn]

(명) 하품 (동) 하품하다

A: How was the special lecture? Was it informative?
특강 어땠어? 유익했어?

B: Not really. It was so boring that I had to stifle a yawn.
별로. 너무 지루해서 하품을 참아야 했어.

 yawn은 '하품하다'라는 뜻이죠? 이 외에 참고할 표현 몇 개 정리해 두죠. snore(코를 골다), grind one's teeth(이를 갈다), talk in one's sleep(잠꼬대를 하다).

0830 ★

telescope
[téləskòup]

(명) 망원경

A: Why are there a couple of telescopes on the balcony?
발코니에 왜 망원경들이 있어?

B: When I was young, I wanted to become an astronomer.
나 어렸을 때, 천문학자 되고 싶었거든.

Episode 084 • 미룰 게 따로 있지!

대건: 야야, 앞에 사람 있잖아. 운전할 때 좀 **beware**하자. 네 차 오일 **leak**한다며? 내가 말한 정비소는 다녀왔어?

찬규: 아니, 바빠서. 차가 좀 이상하긴 해.

대건: 친한 **mechanic** 형한테 얘기 해놨는데. 너는 차 관리를 왜 그렇게 안 해? 차가 무슨 **closet**에서 대충 꺼내 입는 옷도 아니고. 늘 **monitor**하고 정비해서 **optimal**한 상태로 다녀야지. 갑자기 **breakdown**되면 어떡할래?

찬규: 고칠 거랑 교환할 거 한꺼번에 하는 게 나을 것 같았거든.

대건: 너 애가 왜 이리 **nearsighted**하냐. 멀리 좀 봐라. 그러다가 큰 **calamity**가 닥친다. 갑자기 고장나서 도로에서 차 밀고 있으면 **ashamed**하지 않겠어?

0831 ★★
beware
[biwέər]

⟨동⟩ 조심하다, 주의하다

A: Tomorrow I'm going to the beach that you recommended.
내일 니가 추천해 준 해변에 갈 거야.

B: Have fun there. Oh! Beware of the strong currents. Sometimes they can be really dangerous.
잘 놀다와. 아! 강한 물살 조심해. 가끔 많이 위험할 수 있어.

0832 ★★
leak
[liːk]

⟨동⟩ 새다, 유출하다 ⟨명⟩ 누출, 새는 곳 ⟨파⟩ leakage 누출, 새어나감

A: Are you aware that something is leaking under the car?
차량 밑에서 뭔가 새고 있는 거 알고 있어?

B: Seriously? I went to the auto mechanic yesterday and they said everything was okay.
진짜? 어제 정비소 갔었는데 아무 이상 없다고 그랬는데.

0833 ★
mechanic
[məkǽnik]

⟨명⟩ 정비공

A: Why do you always go to that auto repair shop? Isn't it too far from here?
넌 왜 항상 그 카센터에만 가? 여기서 너무 멀지 않아?

B: Distance doesn't matter. The skilled mechanic there is the best.
거리는 문제가 되질 않아. 거기 숙련된 정비공이 최고거든.

0834 ★★
closet
[klάzit]

⟨명⟩ 벽장 ⟨형⟩ 드러나지 않은, 본인만 아는

A: Are you not ready yet? We'll be late.
아직도 준비 안 됐어? 우리 늦겠다.

B: Just a moment. I'm still searching my closet for something to wear. 잠깐만. 나 아직 벽장에서 입을 거 고르고 있어.

0835 ★★
monitor
[mánitər]

⟨동⟩ 추적 관찰하다, 모니터(감시)하다

A: Are you still looking for a job? I saw this job for someone to **monitor** a building.
너 아직도 일자리 구하는 중이야? 건물 모니터 할 직원 뽑는다더라.

B: Oh really? I should contact them.
아 그래? 연락해봐야겠네.

0836 ★
optimal
[áptəməl]

⟨형⟩ 최상의, 최적의

A: There's literally nothing but a desk and a chair in your room. And they're facing the window.
니 방에 말 그대로 책상 하나랑 의자 한 개 밖에 없네. 그것들은 창가 쪽을 향해 있고.

B: That's right. I arranged my room this way for **optimal** conditions for studying.
그렇지. 공부하는 데 최적의 환경을 위해서 이렇게 정리한 거야.

0837 ★
breakdown
[bréikdaun]

⟨명⟩ 고장, 실패, 붕괴

A: Did he really say that he hates to hang out with us? I thought we were good friends.
그가 진짜 우리랑 어울리는 거 싫다고 그랬어? 우린 정말 좋은 친구라고 생각 했었는데.

B: Maybe there has been a **breakdown** in communications a few times. But nothing we can't fix.
아마 몇 차례 우리와의 의사소통에 실패가 있었나 봐. 그래도 우리는 당연히 바로잡을 수 있잖아.

0838 ★
nearsighted
[níərsàitid]

⟨형⟩ 근시안의, 근시안적인

A: Oh, you wear glasses? I thought you had good vision.
어, 너 안경 끼네? 시력 좋은 줄 알고 있었는데.

B: I'm a little **nearsighted** so I have to wear glasses when I drive.
내가 약간 근시거든 그래서 운전할 때엔 안경 써야 해.

0839 ★★
calamity
[kəlǽməti]

⟨명⟩ 재앙, 재난

A: Are you satisfied with your new smartphone?
너의 새 스마트폰에 만족해?

B: It is said that there is no **calamity** greater than lavish desires.
이런 말이 있지, '과도한 욕망보다 큰 참사는 없다.'

0840 ★★
ashamed
[əʃéimd]

⟨형⟩ 부끄러운, 창피한

A: How can you not remember when my birthday is? We've been seeing each other for more than five years.
어떻게 내 생일을 기억하지 못 할 수 있어? 5년 넘게 만난 사이인데.

B: I am deeply **ashamed** of myself. I'm so sorry.
내 자신이 부끄럽네. 정말 미안해.

 비슷한 형용사로 embarrassed가 있는데요, 이 둘의 차이점! ashamed는 내가 의도적으로 한 어떤 잘못된 일에 대한 부끄러움을, embarrassed는 딴 사람들 앞에서 실수 혹은 바보 같은 짓을 했을 때 느끼는 기분을 나타냅니다.

1 다음 단어에 맞도록 우리말 또는 영어로 바꿔 쓰시오.

01	prohibit	_____	11	심오한, 엄청난, 깊은	_____
02	banish	_____	12	(시리즈의) 권, 책, 분량	_____
03	arms	_____	13	(과거의) 유산	_____
04	stockpile	_____	14	탄소, 카본	_____
05	radical	_____	15	종달새, 법석떨다	_____
06	enchant	_____	16	창안(고안)하다, 궁리하다	_____
07	closet	_____	17	하품, 하품하다	_____
08	leak	_____	18	최상의, 최적의	_____
09	breakdown	_____	19	근시안의, 근시안적인	_____
10	calamity	_____	20	추적 관찰하다, 감시하다	_____

2 다음 빈칸에 알맞은 단어를 넣어서 문장을 완성하시오.

01 I don't think my boyfriend _____ a sense of humor.
제 남자 친구한테 유머 감각이 있다는 생각은 안 들어요.

02 You need to _____ the question before you answer.
당신은 대답하기 전에 그 질문에 대해 곰곰이 생각해야 합니다.

03 I learn yoga because of my _____ beliefs.
저는 제 종교적인 믿음 때문에 요가를 배우고 있어요.

04 Why are you _____ in my ear?
너 왜 내 귀에다 속삭이는 거야?

05 I'm _____ of what I did this morning.
제가 오늘 아침에 한 일이 부끄럽네요.

Episode 085 • 나 어떡해…

미정: 너 표정이 우울하다?

대건: 나 어제 정말 **utmost**하게 중요한 시연회 있었던 거 알지? 거기서 인생 최악의 **blunder**를 했어.

미정: 무슨 일이 있있는데?

대건: 그 행사에 **attendance**가 많다고 해서 전날에 **demonstrate**할 내용 연습하고, 짐 싸놓고 갔거든. 그런데 현장에 도착해서 유니폼을 입으려는데 **apron**이 나오는 거야. **departure** 전에 확인했어야 했는데… 그래서 내 **principle**과는 어긋나지만 행사를 **pause**하고 급하게 나가서 다른 분에게 빌렸어. '다행이다' 하며 옷을 가지고 다시 행사장에 가는 길에 **sewage** 처리장이 있었는데 옷을 거기다가 또 빠뜨린 거야. 그때 생각했지. 왜 이런 시련이 내한테 **befall**하냐고!

0841 ★★

utmost
[ʌ́tmoust]

형 최고의, 극도의 명 최대한도

A: I can't believe he just disappeared without any notice.
그가 아무런 예고 없이 그냥 사라져버리다니 참 믿기질 않는다.

B: I did my **utmost** to persuade him not to go. But I guess it didn't work. 그에게 가지 말라고 설득하는 데 내 최대한의 노력을 했거든. 그런데 안 통했네.

0842 ★

blunder
[blʌ́ndər]

명 (어리석은) 실수 동 실수하다

A: I made a terrible **blunder**. I didn't attach my assignment to the email to my professor.
나 바보 같은 실수했어. 교수님한테 보내는 이메일에 과제를 첨부 안 하고 보냈어.

B: It could happen to anybody. You can send another email.
누구든지 그럴 수 있는 법이지. 이메일 새로 보낼 수 있잖아.

0843 ★

attendance
[əténdəns]

명 참석, 참석자 수, 참석률 파 attend 참석하다

A: You didn't miss a single day of school this semester. My **attendance** was really bad.
너 이번 학기에 한 번도 안 빠졌네. 난 출석률 엄청 나빴어.

B: But your grades have gone up compared to last semester.
그런데 넌 지난 학기랑 비교했을 때 성적이 올랐네.

0844 ★★

demonstrate
[démənstrèit]

동 보여주다, 입증하다, 시연하다 유 prove 입증하다, 증명하다

A: Why can't I get this medicine at a drugstore? I need it so badly. 왜 이 약은 약국에서 못 구하는 걸까? 나한테 간절히 필요한데.

B: Haven't you heard? That medicine won't be marketed until it's **demonstrated** to be safe for people.
못 들었어? 사람에게 안전한지 입증되기 전까지는 그 약 판매되지 않을 거야.

0845 ★★
apron
[éiprən]

[명] 앞치마

A: Mom, have you seen my **apron**? I thought I put it in the kitchen but I can't find it.
엄마, 제 앞치마 봤어요? 부엌에다 뒀던 거 같은데 못 찾겠어요.

B: Oh, you mean the one with the dotted pattern? I'm wearing it now.
어, 그 점무늬 앞치마 말하는 거야? 그거 내가 지금 입고 있잖니.

0846 ★★
departure
[dipá:rtʃər]

[명] 출발, 떠남 [파] depart 출발하다, 떠나다

A: Here's your ticket. Make sure you bring your passport and get to the airport at least one hour before our **departure** time.
여기 니 표 받아. 여권 꼭 챙겨오고 우리 출발 시간보다 적어도 한 시간 전에는 공항에 도착하도록 해.

B: Don't worry. I won't miss our flight. 걱정하지 마. 비행기 놓치지 않을 거야.

0847 ★★★
principle
[prínsəpl]

[명] 원칙, 주의

A: Do you want to know how to be successful? Let me tell you one **principle** that applies to anything in life.
어떻게 성공하는지 알고 싶어? 그렇다면 내가 인생에 있어 그 어떤 것에도 적용이 되는 한 가지 원칙을 가르쳐 주지.

B: Hold on. I'll go get a notepad and a pen first.
잠깐만요. 가서 메모장과 펜을 갖고 오겠습니다.

💡 비슷하게 생긴 principal과는 의미가 많이 다르니 구분하세요. principal은 형용사로 '주요한, 주된' 그리고 명사로 쓰일 때는 '교장, 학장, 총장'이라는 의미입니다.

0848 ★★★
pause
[pɔ:z]

[동] 잠시 멈추다 [명] 멈춤

A: So, she said yes to our proposal? 그녀가 우리 제안을 승락했어?

B: Well, she **paused** for a moment and then said "I'm in."
어, 잠시 멈추더니 말하더라고, "나도 할게."라고.

0849 ★
sewage
[sú:idʒ]

[명] 하수, 오물

A: Look at that **sewage** outlet! That's a lot of sewage coming out of it.
저 하수 배출구 좀 봐. 하수 엄청나게 나오네.

B: Isn't that a shoe? How did that get it in there?
저거 신발 한 짝 아니야? 저게 하수구 안에 어떻게 들어간 거지?

0850 ★
befall
[bifɔ́:l]

[동] (안 좋은 일이) 닥치다

A: You know what I'm thankful for? Everything. We don't know and we can't predict what will **befall** us.
내가 뭐에 감사하며 사는 줄 알아? 모든 것. 우리는 어떤 일이 우리에게 닥칠지 알지도 못하고 또 예측할 수도 없거든.

B: I get your point. Don't take a single moment for granted.
니 말 요점이 뭔지 알겠다. 매 순간을 당연하게 여기지 마라.

Episode 086 ● 성격이란 그저 서로 다른 것

용호: 중요한 것을 결정할 때 사리에 맞게, **sensible**한 결정을 내리기가 힘들어. 고치기 힘든 내 **flaw**겠지?

대건: 그건 너의 **childlike**한 성격 때문이지. **slang**도 안 쓰는 니 착한 성격이 한순간에 어떻게 바뀌겠어.

용호: 그 사실이 나를 **frustrate**한다. 넌 내 성격이랑 반대라서 부러워. **lively**하고 말야.

대건: 야, 니도 괜찮은 놈이다. **humble**하지, 남 **gossip**하지 않지. 자, **dreary**한 얘기 그만하고 나를 따라서 크게 **grin**해 봐. 입이 째질 정도로 이렇게!

0851 ★★
sensible
[sénsəbl]

(형) 합리적인, 분별 있는, 실용적인　(유) practical 현실적인, 타당한

A: I'm going out to grab a bite at a convenience store. You want to join me?
나 뭐 좀 먹으러 편의점에 나갈 건데. 나랑 같이 갈래?

B: Well, it's already two in the morning and it's not very sensible to go out so late at night.
음, 벌써 새벽 두신데 이렇게 밤늦게 나가는 건 분별 있는 행동이 아닌 것 같아.

0852 ★
flaw
[flɔː]

(명) 결점, 결함　(참) weakness 약함, 약점

A: Are you aware that the vase you brought home has a couple of flaws inside?
니가 집에 가져온 꽃병 안에 결함이 몇 개 있다는 거 알고 있어?

B: Let me see. Oh, it's okay. No big deal.
어디 보자. 아, 이 정도는 괜찮아. 별거 아니네.

 flaw는 어떤 사물 따위의 '결함'이라는 의미입니다. flawless도 같이 알아 두세요. 결함이(flaw) 없는(less) 상태니까 flawless, '흠이 없는, 나무랄 데 없는' 이런 뜻이겠죠?

0853 ★
childlike
[tʃáildlàik]

(형) 아이 같은, 순진한

A: Why do you like your boyfriend? He's clumsy at everything and not good-looking at all.
니 남자 친구 왜 좋아하는 거야? 하는 일마다 서툴지, 그렇다고 잘생긴 것도 아니고 말야.

B: I see a childlike innocence in him. That's all I need.
그 애한테 아이 같은 순진함이 보여. 난 그거면 돼.

0854 ★★
slang
[slæŋ]

(명) 속어, 은어

A: Do you know what TBH means? My friends keep saying it.
TBH가 무슨 뜻인지 알아? 친구들이 계속 이 말 쓰더라.

B: It is slang that means 'to be honest.'
'솔직히 말해서'라는 뜻의 은어야.

0855 ★★

frustrate
[frʌ́streit]

동 좌절감을 주다, 좌절시키다 파 frustration 좌절감, 불만스러움 점

A: What are your plans for the weekend? The weather forecast says that it will be awesome!
주말에 뭐 할 거야? 일기예보에서 날씨가 정말 좋을 거래!

B: Well, what **frustrates** me is that I have nobody to hang out with and no money to spend.
음, 날 좌절시키는 것은 내가 같이 놀 사람이 없다는 것과 쓸 돈도 없다는 거야.

0856 ★★

lively
[láivli]

형 활기 넘치는, 색깔이 선명한 유 energetic 활동적인

A: There are so many people in this cafe while the other one across the street has nobody at all.
이 카페에 사람 정말 많네. 바로 길 건너편 카페에는 아무도 없는데.

B: The **lively** atmosphere here keeps people coming back.
이곳의 활기찬 분위기가 사람들을 계속 다시 오도록 이끄는 거지.

0857 ★★★

humble
[hʌ́mbl]

형 겸손한 동 (남을) 비하하다

A: Isn't Daegun so **humble** despite all his achievements?
대건 씨 업적이 많은데도 진짜 겸손하지 않아?

B: He definitely is. That's what makes him more successful.
진짜 그렇더라. 그게 다 사람이 더 성공하는 비결인 거지.

0858 ★★

gossip
[gásip]

명 험담, 소문 동 험담을 하다

A: I don't think it's good for you to keep hanging out with him. He keeps **gossiping** about you.
그 애랑 계속 어울리는 거 좋은 생각은 아닌 거 같다. 그 애가 계속 너에 대해 험담 하더라고.

B: Really? I thought we were good friends.
진짜? 서로 좋은 친구인 줄 알았는데.

0859 ★★

dreary
[dríəri]

형 지루한, 쓸쓸한

A: Isn't it a gray and **dreary** morning? I just don't want to go to work on a day like today.
어스레하고 쓸쓸한 아침이지 않아? 오늘 같은 날엔 그냥 회사 가기 싫더라.

B: It doesn't matter if the weather is good or bad to you. You just don't want to go to work.
너에게 날씨가 좋고 나쁘고는 중요치 않지. 넌 그냥 회사 가기 싫은 거잖아.

DAY 29

0860 ★★

grin
[grin]

동 (이를 들어내고) 방긋 웃다 명 활짝 웃음

A: Why did you stop eating and just start **grinning**?
먹다 말고 왜 갑자기 방긋 웃는 거야?

B: This food is so good! This is the best food ever in my whole life.
이 음식 진짜 맛있다! 살면서 먹어 본 요리 중에 최고인 거 같아.

Episode 087 • 영어가 안 되면 '전대건의 영어 한 문장'

영수: 점심시간인데 식사 안 해요?

현실: 괜찮아요. 할 일이 **pile**로 쌓여있어서 이거 해요.

영수: 뭐 봐요?

현실: 영어 **elementary** 강의요. 주변에서 영어 못한다고 **oppress**해서 그냥 **oblige**하게 되네요.

영수: 이런 말 하긴 좀 그렇지만 **mindless**하게 그냥 틀어놓은 거 같은데요? **tension**도 전혀 없고요. 기왕 시작했으면 **responsibility**를 가지고 해야죠. 점심도 **miss**하면서 하는 건데 말이에요.

현실: 조언은 감사한데, **scorn**하는 듯한 그 눈빛은 뭡니까? 근데 사실 전부 맞는 말이네요. 그래서 절로 고개가 **nod**하게 되네요. 좀 더 열심히 해야겠어요.

0861 ★
pile
[pail]

(명) 더미, 쌓아 놓은 것 (동) (물건을) 쌓다

A: Look at those **piles** of dirty laundry. Didn't I tell you to do the wash?
더러운 빨랫감 쌓아 놓은 것 좀 봐라. 내가 빨래하라고 말하지 않았어?

B: Well, in my defense I didn't have enough time to do it.
음, 변명을 하자면 할 시간이 없었어.

0862 ★★
elementary
[èləméntəri]

(형) 초급의, 초보의, 기본적인 (파) element 요소, 성분

A: I'm going to take a math class. Care to join me?
나 수학 수업 들을 건데. 너도 같이 들을래?

B: Is it an **elementary** course? If it is, I'm in.
초급 강좌라고? 그러면 나도 들을래.

0863 ★★
oppress
[əprés]

(동) 탄압하다, 압박감을 주다, 우울하게 만들다 (파) oppressive 억압적인

A: What would you do if you were born in a country that had been **oppressed** by a dictator?
만약에 니가 독재자에 의해서 억압받아 온 국가에서 태어났다면 넌 어떻게 할 것 같아?

B: Maybe I would fight against the authority?
난 아마 그 권력에 맞서 싸울 것 같은데?

0864 ★★
oblige
[əbláidʒ]

(동) 의무적으로 ~하게 하다 (유) compel 강제하다, 강요하다

A: I can't get a hold of you. Why are you so busy these days?
너랑 연락하기 힘들다. 요즘 왜 그리 바빠?

B: You know I signed a contract with this company last month. It **obliges** me to finish a major project within two months.
내가 지난달에 이 회사랑 계약한 거 알지? 이거 때문에 2달 안에 의무적으로 중요한 프로젝트 하나를 끝내야 하거든.

---

 oblige는 be obliged to, '의무적으로 ~하게 하다'라는 숙어로 많이 쓰입니다.

0865 ★

mindless
[máindlis]

형 아무 생각이 없는, 머리 쓸 필요가 없는

A: You didn't wash your face or hair again. Now it's pretty obvious that you are so mindless of your appearance.

오늘도 세수 안 하고 머리도 안 감았구나. 넌 니 외모에는 정말 아무 생각이 없다는 게 분명하네.

B: I don't place any importance on how I look. Just get used to it.

난 내 외모에는 중점을 안 두거든. 그냥 익숙해지렴.

0866 ★★

tension
[ténʃən]

명 긴장감, 팽팽함, 장력 유 strain 부담, 압박

A: What happened to Mom and Dad? Did they have an argument?

엄마랑 아빠한테 무슨 일 있었던 거야? 다투셨나?

B: I don't know. But I can definitely sense the tension between the two. 모르겠어. 근데 확실한 건 두 분 사이에 팽팽한 긴장감이 돌고 있다는 거야.

0867 ★★★

responsibility
[rispὰnsəbíləti]

명 책임감, 책임

A: Your second daughter has just turned two! What is it like to raise kids? 너희 둘째 딸 이제 막 두 살 됐네? 애들 키우는 건 어때?

B: It requires a lot of money and time. And most importantly, it is a huge responsibility taking good care of them.

돈도 시간도 많이 들지. 무엇보다 중요한 건, 애들 잘 돌보는 건 정말 큰 책임감이 따른다는 거지.

0868 ★

miss
[mis]

동 거르다, 놓치다, 이해하지 못하다

A: Guys. My next album is going to be out on August 22, which is my birthday. Make sure you check it out.

여러분, 제 다음 앨범이 8월 22일, 그러니까 제 생일에 출시됩니다. 꼭 들어보세요!

B: I won't miss it no matter what!

무슨 일이 있어도 놓치지 않을 거에요!

0869 ★★

scorn
[skɔːrn]

동 경멸하다, 깔보다 명 경멸, 냉소 유 despise 경멸하다

A: Wait a minute. It seems like you're pouring scorn over my idea, aren't you?

잠깐만. 너 지금 내 아이디어를 깔보는 것 같다, 그렇지 않아?

B: That's because your idea is only going to make things worse.

지금 너의 아이디어란 게 상황을 더 악화시키기만 할 것 같아서 그래.

DAY 29

0870 ★★★

nod
[nad]

동 (고개를) 끄덕이다, 꾸벅꾸벅 졸다

A: What did he say to our plan? Did he say okay?

그가 우리 계획에 대해 뭐라고 해? 승락했어?

B: Sure. He nodded in agreement.

물론이지. 그가 동의한다고 고개를 끄덕였어.

DAY 29 Review

1 다음 단어에 맞도록 우리말 또는 영어로 바꿔 쓰시오.

01 pause	_____	11 아무 생각이 없는	_____
02 utmost	_____	12 더미, 쌓아 놓은 것	_____
03 attendance	_____	13 방긋 웃다, 활짝 웃음	_____
04 lively	_____	14 험담, 험담을 하다	_____
05 dreary	_____	15 결점, 결함	_____
06 nod	_____	16 아이 같은, 순진한	_____
07 oppress	_____	17 (안 좋은 일이) 닥치다	_____
08 elementary	_____	18 하수, 오물	_____
09 oblige	_____	19 원칙, 주의	_____
10 tension	_____	20 겸손한, (남을) 비하하다	_____

2 다음 빈칸에 알맞은 단어를 넣어서 문장을 완성하시오.

01 I made a big _____ while performing on the stage.
저는 무대에서 공연하던 중에 큰 실수를 했어요.

02 Now, I'm going to _____ how to use this machine.
그럼, 제가 이 기계를 어떻게 사용하는지 시연하겠습니다.

03 I don't think you're _____ enough to marry yet.
난 네가 아직 결혼하기에 충분히 분별 있다고 생각하지 않는다.

04 What _____ me is that I'm too young to get a driver's license.
저를 좌절시키는 것은 제가 아직 너무 어려서 운전면허를 취득할 수 없다는 거에요.

05 I have a _____ to take care of my youngest brother today.
저는 오늘 우리 막내 남동생을 돌봐야 할 책임이 있어요.

DAY 30

에피소드 088~090

Episode 088 ● 대건이는 못 말려.

대건: 어? 앞에 미정이 지나가네. 놀라게 해야겠군. 3, 2, 1 워이!

미정: 야! 왜 또 **frighten**하는 건데?

대건: 하필 왜 이 좁은 **trail**로 산책을 나온 거야?

미정: 내가 겁이 많아서 담력을 좀 **enhance**시키려고 그런다 왜!

대건: 방금 누군가 **flash**하지 않았어? 우리를 **glance**하고 가던데?

미정: 아 뭔 소리야? 무섭게. 귀신 아냐?

대건: 그건 나도 모르지. 피부가 찹쌀떡보다 하얗던데?

미정: 이 **fraud**야! 넌 사람 놀라게 하는 기질이 **gene**에 포함되어 있냐? 니가 말한 그 이미지가 계속 머릿속에 **linger**하잖아!

대건: 아, 알았어 이젠 안 괴롭힌다고! 진짜 굳게 **pledge**할게.

미정: 알았으니까 앞장서서 길이나 **lead**해.

0871 ★★
frighten
[fráitn]

(동) 겁먹게(놀라게) 만들다　(유) scare 겁주다, 겁먹게 하다

A: **What's that thing in your bag?** 너 가방 안에 그거 뭐야?

B: **It's a rag doll that looks exactly like a snake. I'm going to frighten my friend with this.**
이거 뱀이랑 완전히 똑같이 생긴 봉제 인형이야. 이거 가지고 친구 놀라게 할 거야.

0872 ★★★
trail
[treil]

(명) 오솔길, 자국(흔적)　(동) 뒤쫓다

A: **There's a trail through the forest there. Do you want to walk through it?** 저기 숲 속으로 나 있는 오솔길이 있네. 저기로 걸어가 볼까?

B: **Of course. I can already smell the fresh scent of nature.**
물론이지. 벌써부터 자연의 상쾌한 향이 난다.

0873 ★
enhance
[inhǽns]

(동) 높이다, 향상시키다　(파) enhancement 증진, 상승

A: **Why did you put a pat of butter in the pot?**
냄비 안에다 버터 한 덩어리는 왜 넣은 거야?

B: **Because it's going to enhance the flavor of the food. You'll be surprised.** 버터가 음식의 풍미를 높여줄 거야. 깜짝 놀랄 거다.

0874 ★★
flash
[flæʃ]

(동) 휙 지나가다, (잠깐) 비치다, 비추다　(명) 섬광, 번쩍임

A: **I'm looking for my phone but the light in my room is out. Flash the floor with your phone.**
휴대전화 찾고 있는데 방에 불이 나갔어. 니 휴대전화로 바닥 좀 비춰 줘.

B: **Wait a minute. Let me turn the flashlight on.**
잠깐만, 플래시를 켤게.

0875 ★★★

glance
[glæns]

(동) 흘낏 보다, 대충 훑어보다

A: Did you study a lot for the test? Last night I was going to study after eating instant noodles, but I just slept.
시험공부 많이 했어? 난 어젯밤에 라면 끓여 먹고 공부하려고 했는데 그만 자 버렸네.

B: Not really. I only had time to **glance** at the summary of the material. 별로. 그냥 자료 요약본 대충 훑어본 정도지.

 glance와 유사한 의미의 단어들로 glimpse(언뜻 보다), peek(빠르게 훔쳐보다) 등이 있답니다. '(어떤 작은 틈을 통해) 훔쳐보다'라는 의미를 지닌 동사 peep도 같이 묶어서 정리해 둘까요?

0076 ★

fraud
[frɔːd]

(명) 사기꾼, 사기 (유) deceit 사기, 속임수

A: Did you just believe what Jihoon explained and invest in his idea? He's a notorious **fraud** in our town!
너 지훈이가 설명한 거 그대로 믿고 투자했다고? 그는 우리 마을에서 악명 높은 사기꾼이란 말이야!

B: Are you sure? He made a good first impression.
정말? 그 사람 첫인상 좋았는데 말이지.

0877 ★

gene
[dʒiːn]

(명) 유전자

A: Did you really make this? It's so good. Is there anything you can't do?
이거 진짜 니가 만든 거야? 완전 맛있는데. 니가 못 하는 게 있긴 해?

B: Thanks. Maybe I inherited a good set of **genes** from Mom and Dad.
고마워. 엄마, 아빠한테 좋은 유전자를 물려받았나 봐.

0878 ★★

linger
[líŋgər]

(동) (계속) 남다, 오래 머물다

A: Why are you so late? I thought something bad happened to you.
왜 이렇게 늦었어? 뭐 안 좋은 일 생긴 줄 알았잖아.

B: Sorry, I ran into a street performance on my way here and it was so amazing that I had to **linger** for a while.
미안, 여기 오는 길에 길거리 공연하고 있었는데 너무 멋있어서 한참 동안 보면서 머물 수밖에 없더라.

0879 ★★

pledge
[pledʒ]

(명) (굳은) 약속, 맹세 (동) (정식으로) 약속하다

A: What did he say in the movie?
그 사람이 영화에서 뭐라고 했었지?

B: He said "I **pledge** my never-ending loyalty."
그가 "저는 죽을 때까지 충성을 맹세합니다"라고 했지.

0880 ★★★

lead
[liːd]

(동) (앞장서서) 안내하다, 인솔하다, ~에 이르다

A: I have no sense of direction. Even if I look at a map, I don't have a clue what it says.
난 길치인가 봐. 심지어 지도를 봐도, 도대체 아무것도 모르겠어.

B: Don't worry. I'll **lead** the way, you just follow me.
걱정 마. 내가 길을 안내할 테니, 너는 그냥 나만 따라오라고.

Episode **089** • 발명의 시작은 망상에서부터

대건: 산이라 그런가? 모기가 **numerous**하네. 얘네 **repel**할 거 뭐 없어? 벌써 여기 물렸네. 두 방이나.

태훈: 뭘 그렇게 혼자 **moan**하냐. 모기약은 없어. 사야 해. 어떤 **organization**이 있으면 싶어.

대건: 뭔 소리야?

태훈: **silly**하겠지만 어떤 제품을 독점적으로 **invent**하고 **manufacture**하는 거지. 예를 들어, **peach** 모양 **ornament**에 복숭아 향이 나지만 모기들이 싫어하는 거지. 나한테 기막힌 아이디어가 많은데. 내가 그런 단체에 가입하면 이 모든 걸 **reflect**해서 기발한 모기 퇴치제를 만들어 낼 거야!

0881 ★★★

numerous
[njú:mərəs]

형 수많은, 다수의

A: I'm glad you made it here. A true friend is better than numerous friends who only contact me when they need my help.
와 줘서 고맙다. 진정한 친구 한 명이 필요할 때만 연락하는 많은 친구들보다 훨씬 낫다.

B: It's nothing. What are friends for?
이게 뭐 별거라고. 친구 좋다는 게 뭐야?

0882 ★

repel
[ripél]

동 쫓아 버리다, 물리치다

A: What's that thing around your wrist? It doesn't look like a watch.
너 손목에 찬 거 뭐야? 시계 같지는 않은데.

B: It's just a rubber bracelet that repels mosquitoes.
이거 그냥 모기 쫓는 고무 팔찌야.

 repel의 어근 pel에는 'drive(내몰다, 몰아내다)'라는 의미가 있답니다. 그리고 앞에 접두사 re- 는 '다시(again)' 혹은 '뒤로(back)'라는 의미이고요. repel, 무언가를 뒤로 내몰아 버리는 거니까 '쫓아 버리다, 물리치다'라는 뜻이 되는 거지요.

0883 ★★

moan
[moun]

동 투덜거리다, 불평하다, 신음하다   유 whine 징징거리다

A: Again? All right, what are you moaning about this time?
또야? 그래, 이번엔 뭐 때문에 투덜거리는 건데?

B: There's nothing to eat in the fridge and I'm starving to death.
냉장고 안에 먹을 게 없어. 배고파 죽겠는데 말이야.

0884 ★★★

organization
[ɔ̀rgənizéiʃən]

명 조직, 단체   파 organize (어떤 일을) 조직하다, 체계화하다

A: What was the name of the company that you're working for again?
니가 근무하는 회사의 이름이 뭐였더라?

B: Technically, it's a non profit organization and the name of it is 'Bright Future'.
정확히 말하자면, 비영리 단체지. 이름은 '밝은 미래'야.

DAY **30**

0885 ★★

silly
[síli]

(형) 바보 같은, 어리석은, 유치한

A: Are you really going to drive home in this weather? It's super foggy and windy. It's a silly idea to go now.
너 진짜 이런 날씨에 집까지 운전해서 가려고? 안개 엄청 꼈고 바람 불고 난리야. 지금 간다는 건 어리석은 생각이야.

B: I'll be fine. It's not far and I'll call you as soon as I get home.
괜찮을 거야. 멀지도 않은데 뭐, 집에 가자마자 바로 전화할게.

0886 ★★★

invent
[invént]

(동) 발명하다, (사실이 아닌 것을) 지어내다   (파) invention 발명(품), 창의력

A: I'm so sorry for not showing up yesterday. I couldn't make it because...
어제 못 가서 정말 미안해. 내가 못 간 이유는…

B: I can't wait to hear what excuse you invented this time.
이번엔 또 무슨 변명거리를 지어내려나, 빨리 듣고 싶다.

0887 ★★★

manufacture
[mӕnjufӕktʃər]

(동) 제조(생산)하다, (물질을) 만들어 내다   (파) manufacturing 제조(업)

A: You have tons of stationery items in your house. Pens, notebooks and unique pencil cases.
너희 집에 문구류 정말 많네. 펜, 공책에 독특한 필통까지.

B: I'm crazy about those. I used to dream of becoming a CEO of a company that manufactures stationery products.
나 문구류 정말 좋아해. 예전에 문구류 제조하는 회사의 사장이 되는 게 내 꿈이었는데.

0888 ★

peach
[piːtʃ]

(명) 복숭아   (형) 복숭아색의

A: You got a new knitted sweater. What color is that? Is it peach or salmon?
너 니트 스웨터 새로 샀네. 무슨 색이야? 복숭아색이야 아니면 연어색이야?

B: Actually I can't tell. They say it's peach but I don't think so.
사실 나도 구분 못하겠어. 복숭아색이라고 했는데 내 생각엔 아닌 것 같아.

0889 ★★

ornament
[ɔ́ːrnəmənt]

(명) 장식품, 장신구

A: Can you believe how fast time flies? Christmas is just around the corner.
시간 진짜 빨리 가지 않아? 크리스마스가 코앞이네.

B: I know. We should decorate our Christmas tree. I'll go get the tree and the ornaments.
그러게 말이야. 우리 크리스마스 트리 장식해야지. 내가 가서 트리랑 장식할 거 가져 올게.

0890 ★★

reflect
[riflékt]

(동) 반영하다, 반사하다

A: Hey, stop where you are and turn around. So, what do you see?
야, 너 있는 데서 멈춰서 돌아 봐. 자, 뭐가 보여?

B: I can see myself reflected in your eyes. This is beautiful.
니 눈에 비친 내 모습이 보인다. 예쁘네.

Episode 090 · 중고 사랑 내 친구

기범: 이 옷 돈도 **thrift**할 겸 중고품 가게에서 샀다.

동현: 이거 **fiber**도 진짜 좋은 거 썼고 **elastic**해서 편하겠다.

기범: 응, 편해. 그리고 돈도 아꼈고.

동현: 너의 **pastime**이 중고품 수집이니까. 어깨에 두른 **rag** 같은 건 뭐냐? 웬 배달해주는 우유 **contract**하면 주는 기념품 수건을 두르고 있어?

기범: 이거 30년 전 유행했던 상표 스카프야.

동현: 나라면 내가 옷감을 **weave**해서 만들겠다. 여기 세워져 있는 저 길쭉한 건 또 뭐야?

기범: 그건 유명한 작품인데 무슨 **skeleton**을 복원해 놓은 거야. 너무 **sophisticated**해서 나도 잘 안 건드려. 잘못 건드렸다가 **mischance**하게 내려앉으면 곤란하니까.

동현: 난 니가 참 곤란한 친구라고 생각해.

0891 ★
thrift
[θrift]

명 절약, 검약 유 prudence 검약, 절약

A: Isn't that T-shirt the one I gave you five years ago?
그 티셔츠 내가 5년 전에 준 거 아니야?

B: That's right. **Thrift** has become a habit of mine. This is still in great shape.
맞아. 절약이 습관이 된 거지. 이거 아직도 상태 좋아.

0892 ★★
fiber
[fáibər]

명 섬유, 섬유질

A: You never eat vegetables? It's important to get enough **fiber** in your diet.
채소를 아예 안 먹는다고? 섬유질을 충분히 섭취하는 게 식단 구성에 얼마나 중요한데.

B: I just don't want to. They don't have any taste at all.
그냥 먹기가 싫어. 그것들은 아무런 맛도 안 나.

0893 ★
elastic
[ilǽstik]

형 탄력 있는 명 고무 밴드 유 flexible 신축성 있는

A: Where are you going so early in the morning?
이렇게 아침 일찍 어디 가?

B: I'm going to the laundry. My pants need a new **elastic** in the waist.
세탁소 가는 중이야. 바지 허리 부분에 새로운 고무 밴드가 필요해서.

0894 ★
pastime
[pǽstàim]

명 취미, 오락

A: You have so many fishing rods. Oh, I haven't seen this one before.
너 낚싯대 정말 많네. 어, 이건 내가 못 보던 거네.

B: Fishing has become my holiday **pastime**.
요새 낚시하는 게 휴일에 즐기는 취미가 됐어.

0895 ★★

rag
[ræg]

몡 누더기, (걸레 · 행주 등으로 쓰는) 해진 천

A: Mom, is there anything I can help you with?
엄마, 제가 뭐 도와드릴 거 없어요?

B: Then, go get a **rag** and wipe the dining table.
그럼, 가서 닦을 천으로 식탁 좀 닦으렴.

0896 ★★★

contract
[kántrækt]

통 계약하다, 줄어들다 몡 계약(서), 약정 유 agreement 협정, 합의

A: So, today is a big day for you. You must be really nervous now.
오늘 너한테 진짜 중요한 날이네. 너 지금 분명 엄청 떨리겠다.

B: And excited at the same time. I still can't believe I'm going to sign the **contract** for publication rights!
동시에 흥분되기도 하고 말이지. 아직도 판권 계약을 진행할 거라는 게 믿기질 않는다!

0897 ★★

weave
[wi:v]

통 (옷감 등을) 짜다, 엮어서 만들다

A: We're going to **weave** a basket. It's going to be a lot of fun.
바구니를 엮어서 만들 겁니다. 정말 재밌을 거에요.

B: Ok, I'll put some flowers in it later!
좋아요, 저는 거기에다 나중에 꽃을 꽂아야겠네요!

0898 ★★

skeleton
[skélətn]

몡 뼈대, 해골

A: What is that? Is that a **skeleton**?
저게 도대체 뭐라니? 해골이야?

B: Yes. I'm going to hang it on the door. Tomorrow is Halloween.
맞아. 문에다 걸어 둘 거야. 내일 핼러윈이잖아.

0899 ★

sophisticated
[səfístəkèitid]

혱 정교한, 세련된, 교양 있는 유 cultured 세련된, 교양 있는

A: This operating system is highly **sophisticated**.
이 운영 체제는 굉장히 정교하네.

B: It's not the final version yet. They're going to make it more user-friendly.
아직 최종 버전은 아니야. 그들이 그걸 사용자에게 더 편리하도록 만들 거야.

0900 ★

mischance
[mistʃǽns]

몡 불행, 불운

A: Are you sure that we're going to make it? What if we fail by **mischance**?
우리 해낼 수 있다고 확신해? 운 나쁘게 실패하면 어떡하지?

B: Don't say that. The word mischance is not in my dictionary.
그런 말 하지 마. 내 사전에 불운이란 단어는 없지.

 접두사 mis- 는 '나쁜, 잘못된'이라는 의미입니다. 운(chance) 앞에 mis-가 붙은 mischance는 나쁜 운, 즉 '불행, 불운'이라는 뜻이겠죠?

1 다음 단어에 맞도록 우리말 또는 영어로 바꿔 쓰시오.

01	pledge	_____	11	흘낏 보다, 대충 훑어보다 _____
02	fraud	_____	12	휙 지나가다, 섬광 _____
03	linger	_____	13	장식품, 장신구 _____
04	lead	_____	14	바보 같은, 어리석은 _____
05	moan	_____	15	반영하다, 반사하다 _____
06	invent	_____	16	쫓아 버리다, 물리치다 _____
07	organization	_____	17	불행, 불운 _____
08	weave	_____	18	계약하다, 계약(서) _____
09	rag	_____	19	뼈대, 해골 _____
10	elastic	_____	20	섬유, 섬유질 _____

2 다음 빈칸에 알맞은 단어를 넣어서 문장을 완성하시오.

01 I have an idea on how to _____ my sister.
나한테 내 여동생을 겁먹게 만들 방법에 대한 아이디어가 있다.

02 This is a great chance to _____ the popularity of our product.
이번이 우리 제품의 인기를 높이는 데 있어 참 좋은 기회인 것 같네요.

03 My brother works for a company that _____ car components.
우리 형은 차 부품 제조하는 회사에서 일해요.

04 I love this bookstore because there are _____ used books here.
수많은 중고책들이 있어서 저는 이 서점이 참 좋아요.

05 Practicing _____ has become a part of me.
절약을 실천하는 것이 제 몸에 배었어요.

DAY 31

에피소드 091~093

Episode **091** • 벼락치기 그만할 때도 됐잖아, 응?

대건: 이제 곧 기말고산데, 과학에서 **radioactive**의 피해 내용하고 세계사 시험 범위 필기한 것 좀 빌려 줄래? 나 완전 발등에 불 떨어졌다.

찬규: 또? 요 **parasitic**한 녀석아. 넌 시험이 담요 같은 걸로 덮어서 **smother**하는 뭐 그런 건 줄 아냐? 니가 좀 해.

대건: 그러지 말고 한 번만 더 도와 줘, 응? 늘 나 힘들 땐 니가 도와 줬잖아.

찬규: 뭔가 난관에 닥치면 **confront**해야지. 뭘 하라는 **cue**가 떨어져야 움직이냐? 니 머리는 **decease**한 상태와 같은 거지.

대건: 그치만 **decision**할 힘이 없어서 혼자서는 **pedal**을 밟고 나갈 수가 없단 말야.

찬규: 내가 이번에 도와 줘서 **scholar**가 됐다고 치자. 시험 끝나고 남는 지식이 있을까? 다 **vapor**할 걸? 멀리 보고 이번엔 니 힘으로 해 봐!

0901 ★

radioactive
[rèidiouǽktiv]

[형] **방사능의**

A: Hold on. Don't get close to me. What's that thing on your back that exactly looks like a **radioactive** substance?
야 정지. 나한테 다가오지 마. 니 등에 방사능 물질처럼 생긴 그거 뭔데?

B: It's just the design. 이거 그냥 디자인이야.

0902 ★

parasitic
[pæ̀rəsítik]

[형] **기생충 같은, 기생하는** [숙] be parasitic on ~에 기생하다

A: Is it only me? I've had an upset stomach since the day we went to eat crabs.
나만 그런 거야? 게 먹으러 갔던 날 이후로 계속 배탈기가 있네.

B: Is it a **parasitic** disease? I think you should go see a doctor.
기생충 때문에 생긴 질병인가? 병원에 가 봐야 될 거 같네.

0903 ★

smother
[smʌ́ðər]

[동] **(불을) 덮어 끄다, 숨막히게 하다** [유] extinguish (불을) 끄다 put out (불을) 끄다

A: Your dress caught fire! where's the fire extinguisher? Just let me **smother** it with my jacket!
드레스에 불붙었다! 소화기 어딨어? 그냥 내 재킷으로 덮어서 불 꺼야겠네!

B: What? Put it out, put it out! 뭐라고? 빨리 꺼 줘, 빨리!

0904 ★★

confront
[kənfrʌ́nt]

[동] **닥치다, 맞서다, 직면하다** [파] confrontation 대치, 대립

A: Hey, it's been a while. How have you been? 야, 오랜만이다. 잘 지냈어?

B: Well, it's been one thing after another lately. It's hard but I try to **confront** those problems directly.
음, 요즘 산 넘어 산이네. 힘들긴 하지만 그래도 문젯거리들을 직접 맞서려고 노력하고 있어.

0905 ★
cue
[kju:]

[명] (무엇을 하라는) 신호 [동] 신호를 주다

A: All right. So wait until I give you the cue and when I do, you go on the stage, okay?
자, 내가 신호 보낼 때까진 기다리고 내가 신호를 주면, 니가 무대에 올라가는 거야. 알았지?

B: No problem. I won't miss the **cue** this time.
걱정하지 마세요. 이번엔 신호 안 놓치겠습니다.

0906 ★
decease
[disí:s]

[명] 사망

A: Hey, mister walking dictionary. Are there any English words that you don't like to use?
걸어 다니는 사전 씨, 니가 쓰기 싫어하는 영단어 있나?

B: Well, words related to death like '**decease**'.
음, '사망'같이 죽음이랑 관련된 단어들이지.

0907 ★★★
decision
[disíʒən]

[명] 판단, 결단력 [파] decisive 결정적인, 결단력 있는

A: Have you not made a **decision** yet? It's been more than a week.
아직도 결정 안 내린 거야? 일주일도 넘었어.

B: As you know, it's a big decision and I'm terrible at making decisions.
니도 알다시피, 이게 중요한 결정이기도 하고 내가 결정을 못하기도 하고 말이지.

0908 ★
pedal
[pédl]

[명] (자전거 · 자동차 등의) 페달 [동] 페달을 밟다

A: Can you see that hill over there? Isn't it quite steep?
저 쪽에 저 언덕 보여? 심하게 가파르지 않냐?

B: I guess we're going to have to **pedal** hard up that one.
저거 올라가려면 페달을 힘껏 밟아야겠다.

0909 ★★
scholar
[skálər]

[명] 장학생, 학자 [유] intellectual 지식인

A: There will be a special lecture held on the 14th. Do you want to come with me? A great **scholar**, Dr. Robert will be the speaker.
14일에 특강 하나 있을 거야. 나랑 같이 갈래? 위대한 학자인 로버트 박사님이 연설자로 나오는 가 봐.

B: Wow, Dr. Robert? I'm in. What time exactly is it?
우와, 로버트 박사? 나도 가야지. 정확하게 몇 시야?

0910 ★★
vapor
[véipər]

[동] 증발하다 [명] 증기 [파] vaporize 증발하다, 증발시키다

A: I wonder how clouds are made and float the sky.
구름은 어떻게 만들어져서 저기 하늘에 떠다니는 건지 궁금하네.

B: Water **vapor** condenses to form clouds. Didn't you learn that in science class?
수증기가 응축되어서 구름을 형성하는 거잖아. 과학 수업에서 배우지 않았어?

Episode 092 • 지방에 살어리랏다.

미정: 와, 이제 **peak**에 올랐네. 공기도 좋고 분위기도 최고다!

대건: **sound**한 몸에 건강한 생각이 깃드는 법이지. **tranquil**해서 혼자 올라와 **solitude**를 즐기기에도 딱인 것 같군.

미정: 이럴 땐 **province**에 **dwell**하는 게 참 감사하지. 아까 올라오면서 본 풍경이 **vessel**을 타고 바다로 **voyage**하는 느낌이었다니까. 아까 돌부리에 **stumble**해서 넘어진 건 빼고 말이야.

대건: 조심 좀 했어야지. 아, 배고프네. 내가 **cozy**하고 맛도 훌륭한 식당 알아. 거기로 가자.

0911 ★★
peak
[pi:k]

몡 절정, 최고조, 봉우리 · 통 절정에 달하다 · 윤 zenith 정점, 절정

A: Don't you think Daegun is at the **peak** of his career? He publishes at least two books a year.
대건이가 경력의 정점에 있는 거 같지 않아? 1년에 적어도 책 2권은 출간하더라.

B: Definitely. I'm glad everything is going well with him.
그러게. 그가 잘 돼가는 거 보니까 좋다.

0912 ★★★
sound
[sáund]

몡 건강한, 타당한, 이상 없는 · 통 ~처럼 들리다 · 몡 소리

A: Did you get home safe that night? It was really cold, you know.
그 날에 집에 잘 들어갔어? 엄청 추웠잖아.

B: Of course, I did. I got home safe and **sound**.
물론 잘 들어갔지. 안전하고 이상 없이 말야.

 sound라고 하면, '소리'라는 뜻에만 집중하는데요, '건강한, 타당한, 이상 없는'이라는 의미의 형용사로도 사용된다는 거 꼭 명심해 주세요.

0913 ★
tranquil
[trǽŋkwil]

몡 고요한, 평온한 · 팜 tranquillize (진정제로) 안정시키다, 진정시키다

A: Do you want to see the photos that I took during my trip?
내가 여행 중에 찍은 사진들 볼래?

B: Sure. Wow, look at this village! I can sense the **tranquil** mood from the photo.
좋지. 오, 이 마을 좀 봐! 사진에서 평온한 분위기가 느껴진다.

0914 ★★
solitude
[sá:lətù:d]

몡 고독, 외로움 · 팜 solitary 혼자의, 혼자 사는 사람 · 숙 in solitude 혼자서, 외롭게

A: Isn't it boring to be in the hospital?
병원에 있으니까 지루하지 않아?

B: It's actually pretty good. I'm enjoying the **solitude** that I had longed for.
사실 난 좋다. 늘 원했던 고독을 즐기고 있지.

0915 ★★
province
[právins]

ⓜ (행정 단위) 주, 도, [the ~s] 지방, 시골

A: I still can't believe how much we have achieved together so far.
아직도 난 우리가 힘을 모아 지금까지 이뤄낸 것들이 믿기질 않아.

B: You're right. We were just a country boy and girl from the provinces.
맞아. 우린 그저 지방에서 올라온 촌놈들이었는데 말야.

0916 ★★
dwell
[dwel]

ⓓ 살다 거주하다, (어떤 감정이) 존재하다, 남다

A: I shouldn't have made that mistake. Our team lost because of me.
그 실수는 하지 말았어야 했는데 말야. 나 때문에 우리 팀이 졌네.

B: You don't have to dwell on it. Everybody makes mistakes.
그것에 연연할 필요 없어. 모든 사람들이 실수를 하지.

0917 ★★★
vessel
[vésəl]

ⓜ (대형) 선박, 용기, 그릇 ⓤ craft (비교적 작은) 보트, 배

A: Do you know what I dreamed last night? I was the captain of a big vessel. All of a sudden, the vessel flooded and began to sink.
어제 내가 무슨 꿈 꾼 줄 알아? 내가 큰 선박의 선장이었어. 갑자기 배에 물이 들어오더니만 가라앉기 시작하는 거야.

B: Why do you always have that kind of dream?
넌 왜 항상 그런 꿈만 꾸냐?

0918 ★★
voyage
[vɔ́iidʒ]

ⓜ 항해, (비교적 긴) 여행 ⓓ 항해하다 ⓤ sail 항해

A: I don't think I can go on this journey. I heard that it's going to be a long voyage and I get seasick easily.
난 이번 여행은 못갈 것 같다. 긴 항해가 될 거라고 들었는데 나 멀미가 심하거든.

B: Oh, is it really that bad?
오, 그렇게 심한 거야?

0919 ★★
stumble
[stámbl]

ⓓ 발이 걸리다, (실수로) 더듬거리다 ⓢ stumble into ~에 우연히 관여하게 되다

A: What was that? I stumbled and almost fell. Was that a rock?
뭐였어? 발 걸려서 거의 넘어질 뻔했네. 돌이었어?

B: No, you stumbled on the uneven pavement.
돌은 아니고, 고르지 않은 도로면에 발이 걸렸던 거야.

0920 ★
cozy
[kóuzi]

ⓗ 아늑한, 안락한

A: It's definitely a cold winter night, huh?
오늘이야 말로 진정하게 추운 겨울밤이네, 그렇지?

B: It is. I wish I could spend a cozy night reading or watching my favorite TV shows in front of the fireplace.
그러게. 벽난로 앞에서 책 읽거나 내가 좋아하는 TV 프로그램 보면서 아늑한 저녁을 보냈으면 좋겠다.

DAY 31

Episode **093** • 옷부심 (feat. 기능성 유니폼)

태훈: 우리 유니폼 재질이 진짜 좋아. **durable**하고. 신제품에는 항균 작용하는 기능도 **add**했다고 하네.

대건: 응, 땀을 많이 흘려도 **stink**도 안 나. 기능성 소재인가 봐. 가격도 **reasonable**하고.

태훈: 이번에 **satellite** 쏘아 올렸잖아, 비행사들 속옷도 이 섬유로 만들었대. 남극 **expedition** 팀에도 공식지원한다고 하더라고. **invest**하는 규모도 다르단 말이지.

대건: 현재 **exist**하는 섬유 중엔 최고야. 운동선수들이 **vote**했는데 득표수가 압도적이야.

태훈: 이렇게 **rapid**한 성장이면 5년 뒤엔 우리가 상상하지 못했던 신기한 소재의 의류가 나올 것 같다. 기대된다!

0921 ★★
durable
[djúərəbl]

⟨형⟩ 내구성이 있는, 오래가는 ⟨파⟩ durability 내구성, 내구력

A: What's the material of your curtains? It seems like it's very durable.
너희 커튼 소재가 뭐야? 내구성이 굉장히 좋아 보인다.

B: I forgot the name of it but it's definitely more durable than the previous one.
소재 이름은 잊어버렸는데 확실히 지난번에 쓰던 것보다는 내구성이 더 좋아.

0922 ★★
add
[æd]

⟨동⟩ 첨가하다, 덧붙이다 ⟨파⟩ addition 덧셈, 추가

A: I've just kneaded the dough. What's the next step?
밀가루 반죽은 끝냈습니다. 다음 과정은 뭔가요?

B: You're going to add one cup of sugar and half a cup of minced garlic.
설탕 한 컵 그리고 다진 마늘 반 컵을 첨가할 거예요.

0923 ★
stink
[stiŋk]

⟨명⟩ 악취 ⟨동⟩ 냄새가 나다, 수상쩍다 ⟨숙⟩ raise a stink 물의를 일으키다

A: Where is this stink coming from? Wait a minute. It's you!
이 악취는 도대체 어디서 올라오는 거야? 잠깐만. 너잖아!

B: Sorry, I haven't brushed my teeth for three days.
미안, 나 3일 동안 양치 안 했다.

0924 ★★
reasonable
[ríːznəbl]

⟨형⟩ 합리적인, 타당한

A: Do we have to work overtime again? Isn't it too much?
우리 또 야근해야 하는 거예요? 너무 심한 거 아닌가요?

B: I know. It's not a reasonable workload but we can't help it.
그러게. 뭐, 타당한 근무량이 아니긴 한데 어쩔 수가 없잖아.

 '합리적인'이라는 의미로 사용될 경우, 유사한 의미의 단어들로 sensible(합리적인), practical(실용적인)도 있답니다.

0925 ★★

satellite
[sǽtəlàit]

(명) 위성, 위성 도시

A: What would you like to do if you were a billionaire?
니가 억만장자라면 뭐 하고 싶어?

B: Hmm... I would launch my personal **satellite** into space. Wouldn't it be cool?
음… 내 전용 인공위성을 우주에 쏘아 올리고 싶네. 멋질 거 같지 않냐?

0926 ★★

expedition
[èkspədíʃən]

(명) 탐험, 원정대

A: Are you going on an **expedition** to the North Pole? You're wearing too much clothes now.
너 북극 탐험하러 가니? 지금 옷을 너무 많이 껴입었네.

B: I tend to get cold very easily. 내가 추위를 심하게 타거든.

0927 ★★★

invest
[invést]

(동) 투자하다 (파) investment 투자 (숙) invest in ～에 투자하다

A: Your Chinese has improved a lot! It's only been four months since you started learning it, hasn't it?
너 중국어 엄청 늘었네! 시작한 지 4달밖에 안 됐잖아, 그렇지?

B: I've **invested** all my free time in studying Chinese. Literally, all my free time.
내 자유 시간은 전부 다 중국어 공부에 투자했지. 말 그대로 자유 시간 전부 다.

0928 ★★★

exist
[igzíst]

(동) 존재하다, 현존하다 (파) existence 존재, 실재 (숙) exist on ～로 살아가다

A: Come over here. I was looking at news headlines and I saw this picture.
이리 와 봐. 뉴스 헤드라인 훑어보다가 이 사진을 봤어.

B: Wow, do these creatures actually **exist**?
와, 이런 생명체가 실제로 존재하는 거야?

0929 ★★★

vote
[vout]

(명) 투표 (동) 투표하다 (유) poll 투표, 개표 (숙) cast a vote 투표하다

A: Lots of people are standing in line. What is this line for?
많은 사람들이 줄을 서 있네? 이거 무슨 줄이지?

B: They are waiting to cast their **votes**.
투표하려고 기다리는 사람들이야.

0930 ★★

rapid
[rǽpid]

(형) (짧은 시간에 이뤄지는) 빠른, 민첩한

A: Be careful. The current is still very **rapid** and strong.
조심해. 물살이 아직 엄청 빠르고 세다.

B: What if I get swept away? I don't even know how to swim.
나 급류에 떠내려가면 어쩌지? 수영할 줄도 모르는데.

DAY **31**

DAY 31 Review

1 다음 단어에 맞도록 우리말 또는 영어로 바꿔 쓰시오.

01 vapor ＿＿＿＿＿＿＿＿＿

02 solitude ＿＿＿＿＿＿＿＿＿

03 vessel ＿＿＿＿＿＿＿＿＿

04 dwell ＿＿＿＿＿＿＿＿＿

05 voyage ＿＿＿＿＿＿＿＿＿

06 peak ＿＿＿＿＿＿＿＿＿

07 decease ＿＿＿＿＿＿＿＿＿

08 smother ＿＿＿＿＿＿＿＿＿

09 stink ＿＿＿＿＿＿＿＿＿

10 rapid ＿＿＿＿＿＿＿＿＿

11 닥치다, 맞서다, 직면하다 ＿＿＿＿＿＿＿＿＿

12 방사능의 ＿＿＿＿＿＿＿＿＿

13 (행정 단위) 주, 도, 지방 ＿＿＿＿＿＿＿＿＿

14 아늑한, 안락한 ＿＿＿＿＿＿＿＿＿

15 건강한, ~처럼 들리다, 소리 ＿＿＿＿＿＿＿＿＿

16 투자하다 ＿＿＿＿＿＿＿＿＿

17 투표, 투표하다 ＿＿＿＿＿＿＿＿＿

18 위성, 위성 도시 ＿＿＿＿＿＿＿＿＿

19 탐험, 원정대 ＿＿＿＿＿＿＿＿＿

20 합리적인, 타당한 ＿＿＿＿＿＿＿＿＿

2 다음 빈칸에 알맞은 단어를 넣어서 문장을 완성하시오.

01 My brother announced his ＿＿＿＿＿＿＿ not to go to university.
제 남동생은 대학교에 가지 않겠다는 그의 결정을 알렸어요.

02 The saddle of the bike was so high that I couldn't reach the ＿＿＿＿＿＿.
자전거 안장이 너무 높아서 발이 페달에 닿지 않았어요.

03 I want to lead a ＿＿＿＿＿＿ life in the country after retirement.
저는 퇴직 후엔 시골에서 평온한 삶을 살고 싶어요.

04 I ＿＿＿＿＿＿ over a rock and fell to the ground on my way here.
나 여기 오는 길에 돌멩이에 발이 걸려서 넘어졌어.

05 I love wearing jeans because they are very ＿＿＿＿＿＿.
청바지는 내구성이 굉장히 좋기 때문에 저는 청바지 입는 걸 아주 좋아해요.

DAY 32

에피소드 094~096

Episode **094** • 수도권은 좀 다르구먼?

대건: 이번 대회에서 우승했다며? 축하해! 그동안 힘들었지?

은수: 그 말 들으니 옛날을 **recall**하게 되네. 그래도 **local** 대회에서는 늘 1등 하며 장래가 **promising**되는 선수로 불리다가 수도권으로 이사 와서 이 문화에 **integrate**되려고 많이 노력했었지. 한참이나 모든 게 뜻대로 되지 않아 **heavily**하게 울다 잠든 적도 있고, 떨어지는 **meteor**를 바라보며 **kneel**하고 잘되게 해 달라고 소원도 빌었었지.

대건: 마음 고생이 심했구먼.

은수: 새로운 친구들이랑 **interact**하고 싶었지만 처음엔 잘 안 됐잖아. **prominent**한 내 치아 때문인가 괜한 자격지심도 있었고 말야. 그땐 정말 아무나 **grab**하고 울며 하소연하고 싶었어.

0931 ★★★

recall
[rikɔ́:l]

㉠ 회상하다, 기억해 내다, 회수하다 ㉡ 회상, 상기 ㉢ recollect 기억해 내다

A: Do you know where Changyu lives nowadays?
요새 찬규 어디에서 사는지 알아?

B: Well, if I **recall** correctly, he lives in Beijing, China.
어, 내가 기억하는 게 맞다면, 중국 북경에 살 거야.

0932 ★★★

local
[lóukəl]

㉠ 지역의, 현지의 ㉢ regional 지방의, 지역의

A: Remember I recently had an interview with NBS? I just got a call and they say that it's going to be aired on a **local** radio show!
나 최근에 NBS랑 인터뷰했던 거 기억하지? 방금 전화 받았는데 그거 지역 라디오 쇼에서 방송될 거래!

B: Wow, congratulations! When exactly will it broadcast?
오, 축하해! 정확히 언제 방송되는 거야?

0933 ★★

promising
[prámisiŋ]

㉠ 촉망되는, 유망한 ㉣ unpromising 유망하지 못한

A: Doesn't this guy act really well? I've seen his latest movie three times. 이 사람 연기 진짜 잘하지 않아? 나 그 사람 최근 영화 세 번 봤어.

B: He does. I think he's one of the most **promising** new actors in the film industry.
진짜 잘하지. 내가 봤을 땐 영화계에서 가장 유망한 신인 배우들 중 한 명인 거 같아.

0934 ★

integrate
[íntigreit]

㉠ 통합되다, 통합시키다

A: Time flies. It's been more than six months since you moved to India. 시간 빨리 간다. 너 인도로 이사간 지 벌써 6개월 지났네.

B: You're right. I remember how difficult it was to **integrate** into Canadian culture. It was hard for me to get used to.
그러게. 인도 문화에 통합되는 데 얼마나 어려웠었는 지 기억나네. 적응하기 어려웠었지.

0935 ★★
heavily
[hévili]

(부) (양·정도가) 심하게

A: How's the weather outside? 오늘 밖에 날씨가 어때?

B: It rained **heavily** last night, so it is a little cold today.
긴밤에 비가 심하게 왔지, 그래서 오늘은 좀 쌀쌀하네.

0936 ★
meteor
[míːtiər]

(명) 유성, 별똥별

A: So, tonight is the night. I can't wait to see the **meteor** shower!
드디어 오늘 밤이네. 빨리 유성우 보고 싶어!

B: I'm excited because this will be the first time in my whole life to **see one**.
살면서 이런 거 보는 건 처음이어서 나도 기대된다.

0937 ★★
kneel
[niːl]

(동) 무릎을 꿇다 (숙) kneel in prayer 무릎 꿇고 기도하다

A: What were you doing in front of the alter the other day? I saw you **kneeling**.
너 저번에 제단 앞에서 뭐 하고 있었어? 무릎 꿇고 있는 거 봤어.

B: Oh, you mean on the 4th? I was praying for my family.
아, 4일 말하는 거야? 가족들 위해서 기도하고 있었지.

0938 ★
interact
[ìntərǽkt]

(동) 소통하다, 상호작용을 하다 (파) interaction 상호작용

A: I have a nephew who just turned six this year but I don't know how to **interact** with him. Any ideas?
나 올해 여섯 살 된 조카가 있는데 얘랑 어떻게 소통해야 할지 모르겠어. 좋은 생각 있어?

B: It's easy. First, you should get down to your nephew's level.
쉽지. 우선, 네 조카의 눈높이에 니가 맞춰야 해.

접두사 inter- 에는 '~ 사이에, 가운데(between)'의 의미입니다. act는 '행동하다'라는 뜻이잖아요. 무언가의 사이에서 서로 행동하다 interact 즉, '소통하다, 상호작용을 하다'라는 의미가 된답니다.

0939 ★★
prominent
[prámɪnənt]

(형) 툭 튀어나온, 중요한, 눈에 잘 띄는

A: I can't find our client here. Can you tell me what he looks like?
여기서 우리 고객을 못 찾겠어. 그분 생김새 좀 말해 줄 수 있어?

B: Well... oh! He has a **prominent** nose and cheekbones.
어 그게… 아! 그분 코랑 광대뼈가 툭 튀어나와 있어.

0940 ★
grab
[græb]

(동) 움켜잡다, 급히 ~하다, 눈길을 끌다

A: How much time do we have before our train departs?
우리 열차 출발하기 전까지 시간 얼마나 있어?

B: Let's see... about 30 minutes? Let's just go **grab** a quick bite. I'm **starving** now. 어디 보자… 한 30분? 우리 가서 간단히 요기 좀 하자. 지금 너무 배고프다.

> 대건: 이 작은 장치가 전력을 **generate**하고 이 커다란 기계를 **handle**하다니 신기하지 않아?
>
> 용호: 부품이 **import**한 제품이라 비싸긴 하지만 이거 없으면 **manual**로 해야 하니까, 뭐.
>
> 대건: 보관도 쉽잖아. 장치만 따로 빼서 벽에다 **hang**해도 되고.
>
> 용호: 이거 발명한 사람 얘기 들어 봤어? 전자 제품 수리가 **livelihood**인 아저씨가 작업 중에 **proper**한 장치가 필요하다고 느껴서 회사 대표에게 제품 개발 **permission**을 받으러 갔다가 문전박대 당했다지.
>
> 대건: 그래서 사직서에 **signature**해서 제출하고, 직접 만들어서 특허내고 대박난 거잖아. 엄청난 **impact**가 생긴 거지.

0941 ★
generate
[dʒénərèit]

(동) 발생시키다, 만들어내다 (유) produce 생산하다

A: Why do you put those pictures of products on your blog?
너는 왜 이런 제품 사진을 블로그에 올리는 거야?

B: It's actually a brand deal. I **generate** income by doing this.
사실은 광고 계약이야. 난 이렇게 하면서 수익을 만들어내는 거지.

0942 ★★★
handle
[hǽndl]

(동) 다루다, 취급하다 (명) 손잡이

A: I don't want to do anything. Why is everybody bothering me?
아무 것도 하기 싫어. 왜 모두 다 나만 괴롭히는 거야?

B: Seems like you're under a lot of stress. You have to learn how to **handle** it for your own sake.
너 스트레스 많이 받는가 보네. 널 위해서 스트레스 다루는 방법을 배워야 해.

0943 ★★
import
[impɔ́:rt] (동)
[ímpɔ:rt] (명)

(동) 수입하다 (명) 수입

A: What's so special about this bakery? 이 빵집이 왜 특별한 거야?

B: The baker, who's also the owner of this bakery, **imports** only authentic ingredients from his country.
이 빵집의 주인이기도 한 제빵사는 고국에서 믿을 만한 재료들만 직접 수입한대.

 import는 이렇게 외워보세요. 항구(port) 안(im)으로 물건을 들여온다. 즉, '수입하다'라는 뜻이 되겠죠? 반대로 항구 밖으로 (ex) 물건을 내다 판다, export는 '수출하다'의 의미입니다.

0944 ★
manual
[mǽnjuəl]

(형) 수동의 (명) 설명서

A: Check this out. I got a new camera with the bonus from my company.
이거 봐라. 회사 보너스로 새 카메라 샀다.

B: Wow, it's the latest one! I love it a lot because it has both **manual** and automatic functions.
오, 이거 최신형이네! 이거 수동이랑 자동 기능 둘 다 되서 내가 좋아하지.

DAY 32

0945 ★★★

hang
[hæŋ]

[동] 걸다, 매달다 [유] dangle 매달리다, 달랑거리다 [숙] hang on ~에 달려있다

A: Did you find your way here all right? Oh, give me your coat. Let me **hang** it up on the rack.
길 찾아 오시는 데 힘든 건 없었나요? 아, 코트 이리 주세요. 제가 선반에 걸어드릴게요.

B: Oh, thanks. You're very kind. 오, 감사합니다. 굉장히 친절하시네요.

0946 ★

livelihood
[láivlihùd]

[명] 생계 수단 [참] occupation 직업

A: Have you heard from Daegun recently? I wonder what he does for a living these days.
최근에 대건이 소식 들은 거 있어? 요새 무슨 일 하는지 궁금하네.

B: I talked with him on the phone last month and he said that he earns a **livelihood** by teaching kids.
지난달에 통화했는데 애들 가르치면서 생계를 꾸려나가고 있다더라.

0947 ★★★

proper
[prάpər]

[형] 적절한, 제대로 된 [숙] at a proper time 제때에

A: There's nothing but instant noodles in the cupboard. You have to eat some **proper** food.
찬장에 아무 것도 없고 라면만 있네. 너 제대로 된 음식 좀 먹어야 해.

B: Cooking is difficult for me. But when it comes to noodles, it's so easy! 요리하는 게 나한테 어려워. 근데 라면은 참 쉽단 말이지!

0948 ★★

permission
[pərmíʃən]

[명] 승인, 허락 [유] sanction 승인 authorization (공식적인) 허가

A: I cannot believe that you just took my car out yesterday without **permission**.
너 어제 허락도 없이 내 차를 그냥 가져가다니 말야.

B: Sorry. I had to because I promised my friends that I would take them to the airport yesterday.
미안해. 어제 내가 친구들을 공항에 데려다 주기로 약속해서 그럴 수 밖에 없었어.

0949 ★★

signature
[sígnətʃər]

[명] 서명, 특징

A: All right. I've gone over all the conditions thoroughly.
네, 모든 조항을 자세히 읽어보았습니다.

B: Okay, there's a place for your **signature** at the bottom of the page.
좋습니다. 페이지 하단에 보시면 서명란이 있습니다.

0950 ★

impact
[ímpækt]

[명] 영향, 충돌, 충격 [유] influence 영향 [숙] make an impact on ~에 영향을 주다

A: Can you show me how to activate this machine?
이 기계 어떻게 작동시키는지 보여주실 수 있나요?

B: It's easy. It will be activated any time there's an **impact**. See?
쉽습니다. 충격이 가해질 때마다 작동이 될 거에요. 보이시죠?

Episode 096 • 집 나가면 고생이다!

미정: 유학 생활은 어때? 잘 **adapt** 하고 있어?

대건: 말도 마. **hinder** 하는 것들이 너무 많아. 처음에 공항에서 **baggage** 찾고 이동할 때부터 말야. 춥지도 않은 날씨에 **blizzard** 가 갑자기 몰아치더라. 그리고 룸메이트가 있는데 문화가 다르니까 서로 **differ** 하네. 학교 생활도 좀 힘들고.

미정: 버틸 수 있겠어?

대건: 그래도 불합리하게 **discriminate** 하는 건 없어서 좋아. 교육받는 것을 시험 점수와 **equate** 하지도 않고 말야. 다음 주에 유학생 대표 **election** 후보 뽑는다던데 거기에 지원하려고. 낙오자와 **pioneer** 가 있다면 난 **latter** 를 택하겠다!

0951 ★★
adapt
[ədǽpt]

(동) (상황에) 적응하다, 조정하다, 맞추다　(파) adaptive 적응할 수 있는

A: Your daughter transferred to a new school. How is she doing?
너희 딸 새 학교로 전학갔지. 딸은 어떻게 지내?

B: Well, not so good. You know, it takes kids a while to adapt to a new circumstance.
음, 아주 좋지는 않네. 너도 알다시피 애들은 새로운 환경에 적응하려면 시간이 좀 걸리잖아.

0952 ★★
hinder
[híndər]

(동) 방해하다, 저해하다　(유) obstruct 방해하다

A: It might be a little bit late but I'm glad we changed a few parts.
조금 늦은 것일 수도 있지만 몇 군데 변경해서 기뻐.

B: Well, we're still not sure if the changes will help or hinder our project. We'll see.
음, 아직 이 변화가 우리 프로젝트를 도울지 아니면 방해할지는 확실치 않아. 한번 지켜보자.

0953 ★★
baggage
[bǽgidʒ]

(명) 수하물, 짐　(유) luggage 짐

A: Why hasn't my baggage come out yet? This is weird.
내 짐은 왜 아직도 안 나오지? 좀 이상하네.

B: Are you sure that this is the right section?　이 구역이 확실한 거야?

0954 ★
blizzard
[blízərd]

(명) 눈보라

A: It looks like a blizzard is on the way. We'd better go back to our shelter quickly.　곧 눈보라가 몰아칠 거 같다. 빨리 피신처로 돌아가야겠어.

B: Let's move! I don't want to be snowed in again.
어서 움직이자! 다시 눈에 파묻히기 싫어.

0955 ★★
differ
[dífər]

(동) 다르다, 의견이 다르다　(유) contrast (뚜렷한) 대조를 보이다

A: Are you saying that you agree with me on this matter?
이 사안에 대해서는 저랑 의견이 같다는 말씀이시죠?

B: Oh, no. I have to differ with you on that matter.
아, 아니요. 그 사안에 대해서 당신 의견에 동의할 수 없습니다.

DAY 32

discriminate
0956 ★
[diskrímineit]

ⓢ 차별하다, 식별하다 ⓤ distinguish 구별하다

A: You're already 22. Don't you think it's about time to **discriminate** between right and wrong?
너도 벌써 22살이다. 이제는 옳고 그른 건 식별할 수 있는 나이라고 생각하지 않니?

B: Mentally, I'm not as mature as you think I am.
정신적으로 난 니가 생각하는 것 만큼 성숙하지 못해.

 criminate는 '(누군가에게) 죄를 지우다'라는 뜻입니다. 여기에 접두사 dis- 가 붙었죠? 이 접두사는 분리(apart)라는 의미입니다. 이 사람 저 사람 분리해서(dis) 다르게 죄를 지우다(criminate). discriminate, 즉 '차별하다'라는 의미가 되는 거지요.

equate
0957 ★
[ikwéit]

ⓢ 동일시하다 ⓟ equation 동일시, (수학) 방정식

A: A lot of parents **equate** education with good grades on tests. I don't get it.
많은 부모들은 교육을 시험 점수 잘 받는 것과 동일시한단 말이지. 이해가 안 돼.

B: I can understand why. Because they lived in a competitive society. Not much has changed.
난 이해된다. 그들은 경쟁 사회 속에서 사셨으니까. 변한 게 별로 없는 거지.

election
0958 ★★
[ilékʃən]

ⓝ 선거, 당선

A: I'm so sorry that you didn't win this election.
이번 선거에 당신이 당선되지 못해서 참 유감입니다.

B: It's all right. Maybe I wasn't enough to be **elected**.
괜찮습니다. 제가 당선되기에 충분하지 않았었나 봅니다.

pioneer
0959 ★★
[pàiəníər]

ⓝ 개척자, 선구자

A: I've got a question. So, Disney is a mouse, right? Then who is Walt Disney? Are they both the same thing?
나 질문 있어. 그러니까 디즈니가 쥐 맞지, 그렇지? 그럼 월트 디즈니는 누구야? 둘 다 같은 건가?

B: What are you talking about? Walt Disney is the man who created Mickey Mouse. He was a **pioneer** in animations and cartoons.
무슨 소리하는 거야? 월트 디즈니는 미키 마우스를 만든 사람이잖아. 그는 만화 영화의 선구자였지.

latter
0960 ★★★
[lǽtər]

ⓝ (둘 중에) 후자 ⓐ 후자의, 마지막의

A: We have CGB and Negabox in our town. Oh, the **latter** has been recently constructed.
우리 마을에 CGB랑 Negabox 있다. 아, 후자는 최근에 지어진 거야.

B: Then let's go to that one. 그러면 거기로 가자.

1 다음 단어에 맞도록 우리말 또는 영어로 바꿔 쓰시오.

01	meteor	_____	**11**	촉망되는, 유망한	_____
02	kneel	_____	**12**	통합되다, 통합시키다	_____
03	recall	_____	**13**	(양·정도가) 심하게	_____
04	impact	_____	**14**	적절한, 제대로 된	_____
05	permission	_____	**15**	서명, 특징	_____
06	livelihood	_____	**16**	수동의, 설명서	_____
07	pioneer	_____	**17**	다르다, 의견이 다르다	_____
08	equate	_____	**18**	선거, 당선	_____
09	latter	_____	**19**	수하물, 짐	_____
10	discriminate	_____	**20**	방해하다, 저해하다	_____

2 다음 빈칸에 알맞은 단어를 넣어서 문장을 완성하시오.

01 My sister plays a _____ role in the music industry.
제 여동생은 음악 업계에서 중요한 역할을 맡고 있어요.

02 I want to _____ well with those around me.
저도 제 주변 사람들과 잘 소통하고 싶어요.

03 We have to _____ more ideas for the meeting next week.
우리는 다음 주 회의를 위해서 더 많은 아이디어를 만들어내야 해요.

04 I know a guy who _____ cars from Germany to Seoul.
저는 차를 독일에서 서울로 수입하는 일을 하는 한 사람을 알고 있어요.

05 We need to _____ to the new system quickly.
우리는 빨리 새로운 시스템에 적응해야 합니다.

DAY 32

DAY 33

에피소드 097~099

Episode 097 • 타고난 게임 감각

우식: 넌 게임을 얼마나 열심히 하길래 **perspiration**을 흘리냐?

대건: 이 **plumber**, 아니다! 슈퍼마리오 게임하고 있는데 도와줘. 이 판은 도저히 못 깨겠어. **ladder**를 타고 내려가야 하나? 왜 이렇게 어렵지?

우식: 게임에 **innate**한 내가 봤을 때, 넌 너무 **stubborn**해. 왜 사다리만 보면 **vertical**로 내려가려고 해? **secure**한 길만 찾다간 보너스를 못 받는다고.

대건: 그래도 안전한 게 **efficient**한 거 아닌가?

우식: 절대 아니지! 내가 **explain**할게. 게임에서 **flood**가 났어, 그럼 넌 피하지? 난 그 물 속으로 들어가서 물고기를 보너스로 얻는다고! 이게 게임 감각인 거야. 알겠지?

0961 ★
perspiration
[pə̀ːrspəréiʃən]

[명] 땀, 노력, 분투 [파] perspire 땀을 흘리다

A: Your hands are so sweaty with perspiration. Are you all right?
네 손이 땀으로 많이 축축하네. 괜찮아?

B: I usually sweat a lot. Don't worry. 나 원래 땀 많이 흘려. 걱정하지 마.

0962 ★
plumber
[plʌ́mər]

[명] 배관공

A: Halloween is just around the corner. What are you going to dress up as?
이제 곧 핼러윈이네. 너는 어떤 복장을 할 거야?

B: Super Mario, the coolest plumber in the world.
난 세상에서 제일 멋진 배관공, 슈퍼 마리오로 할 거야.

0963 ★★
ladder
[lǽdər]

[명] 사다리

A: I've never seen you climb a ladder like that. What's up?
니가 이렇게 사다리 올라가는 건 본 적이 없는데. 무슨 일이야?

B: My keys are on the roof. Why is it so shaky? I don't want to fall off.
내 열쇠가 지붕에 올라가 있거든. 이거 왜 이리 흔들거리냐? 떨어지기 싫은데.

0964 ★
innate
[inéit]

[형] 타고난, 선천적인 [유] inborn 타고난, 선천적인

A: Are you sure that this is your first time playing drums? You have an innate sense of rhythm.
너 드럼을 처음 치는 거 확실해? 리듬 감각은 타고났네.

B: Well, I guess so. This is easy for me. 뭐, 그런 거 같다. 이거 나한테 쉬운데.

0965 ★★

stubborn
[stʌ́bərn]

⟨형⟩ 고집스러운, 고질적인 ⟨유⟩ obstinate 고집이 센

A: Come on. Don't be so stubborn.
어서. 고집 좀 그만 부려.

B: You're right. I should be flexible sometimes.
니 말이 맞아. 가끔은 나도 융통성이 좀 있어야해.

0966 ★★

vertical
[vɔ́:rtikəl]

⟨형⟩ 수직의 ⟨명⟩ 수직 ⟨파⟩ vertically 수직으로 ⟨참⟩ perpendicular 직각의, 수직의

A: Be careful. There's a vertical drop to the ocean.
조심해. 바다 쪽으로 수직 낭떠러지가 있다.

B: Wow, that's truly a vertical drop.
우와, 저거 심한 수직 낭떠러지네.

 이 단어도 horizontal과 같이 알아 두세요. horizontal, '수평(선)의, 수평선'이라는 의미입니다.

0967 ★★★

secure
[sikjúər]

⟨형⟩ 안전한, 안심하는 ⟨동⟩ 획득하다

A: Why does everybody want to be a public servant? Does that mean people dream about the same thing?
왜 모두 공무원이 되고 싶어 할까? 모두들 같은 꿈을 꾸는 걸까?

B: They want to get a secure job. 안정적인 직업을 구하고 싶은 거지.

0968 ★★

efficient
[ifíʃənt]

⟨형⟩ 효율적인, 유능한 ⟨파⟩ efficiency 효율성, 효율화

A: Dad allowed me to get my own car. What car should I buy?
우리 아빠가 내 차 사는 거 허락하셨어. 어떤 걸로 사야 할까?

B: You should get a fuel-efficient car.
연료 효율성이 좋은 걸로 사야지.

0969 ★★★

explain
[ikspléin]

⟨동⟩ 설명하다, 해명하다 ⟨파⟩ explanation 설명

A: My phone died right before I got your call and I didn't have any extra battery this morning.
니 전화 받기 직전 내 전화기에 배터리가 나갔고 오늘 아침에 여분 배터리도 없었어.

B: That doesn't explain why you didn't call me again.
그건 니가 다시 나에게 전화하지 않은 이유를 설명하기에 부족해.

0970 ★★★

flood
[flʌd]

⟨명⟩ 홍수 ⟨동⟩ 물에 잠기다, 범람하다

A: The river is going to flood! What should we do?
강물이 넘칠 거 같다! 우리 어떻게 해야 하지?

B: We should move to higher ground right now. I can't believe this is happening to us.
지금 어서 빨리 높은 지대로 이동해야지. 이런 일이 우리한테 일어난다는 게 믿기 어렵네.

DAY 33

Episode 098 • 덮어놓고 먹으면 배탈 나기 십상

대건: 아이고 배야…

찬규: 너 어제 **feast**에 다녀온다더만. 많이 먹고 왔어? 그 고급 호텔 연회에는 어떻게 가게 된 거야?

대건: 당연히 내 힘만으로 그런 곳에 갈 확률은 **hardly**하지. 우리 누나가 거기 높은 사람 **garment** 담당이거든. 누나가 데려간 거야. 입구에서부터 **greet**하는 게 다르더라. 의외로 의상 코드는 **informal**한 거였지. 엄청 규모가 컸는데, 그런 걸 어떻게 **manage**하는 지도 궁금하더라. 저번에 친구네 집 창고에서 소규모로 생일 파티 할 땐 천장에서 물이 뚝뚝 **drop**했는데 말이지. 난 성격이 **passive**해서 춤추는 **instead**에 음식만 엄청 먹었거든. 덕분에 소화가 안 되서 **pharmacy**에 들러야만 했지.

0971 ★★

feast

[fiːst]

[명] 연회, 잔치 [동] (즐겁게) 맘껏 먹다

A: How do you like your new job as a chef?
요리사로 일하는 건 마음에 들어?

B: It's very satisfying. Oh, yesterday, I prepared a wedding **feast** and all the guests liked it!
무척 만족스러워. 오, 내가 어제 결혼식 연회를 준비했는데 하객들이 다 좋아하더라고!

feast가 '연회'라는 의미로 쓰이는 경우 비슷한 단어로 banquet이 있답니다. 이 또한 '연회, 만찬'이라는 뜻입니다.

0972 ★★

hardly

[hάːrdli]

[부] 거의 ~ 아니다 [유] scarcely 거의 ~ 않다

A: Do you still keep a journal these days?
너 요새도 계속 일기 써?

B: No. I **hardly** writing anything these days because I'm so busy.
아니. 너무 바빠서 요즘은 거의 안 써.

0973 ★★

garment

[gάːrmənt]

[명] 의복, 옷

A: I can't believe we're going to graduate from school next year.
내년이면 졸업한다는 게 믿기질 않네.

B: Aren't you excited? Now that I have a serious interest in clothes, I'll look for a job in the **garment** industry.
기대되지 않아? 지금 난 옷에 관심이 많으니까, 의류 관련 산업쪽에 취업할 거야.

0974 ★★

greet

[griːt]

[동] 환영하다, 받아들이다

A: Our VIP guests will be here in a minute. Make sure you **greet** them warmly.
우리 VIP 손님들이 곧 도착하실 거예요. 따뜻하게 환영해 주셔야 합니다.

B: Yes, sir.
네, 알겠습니다.

0975 ★★
informal
[infɔ́:rməl]

(형) 일상적인, 평상복의, 편안한

A: What's an informal expression to greet a friend of yours in English?

너의 친한 친구들한테 영어로 인사할 때 쓸 수 있는 일상적인 표현은 뭐야?

B: I know a lot but let me tell you one way. You just say "Hey, how are you doing?"

여러 가지 알고 있는데 한 가지만 가르쳐 줄게. 그냥 "Hey, how are you doing?"이라고 하면 돼.

0976 ★★★
manage
[mǽnidʒ]

(동) 관리하다, 간신히 해내다

A: I got my first monthly salary today. How do you manage yours?

오늘 첫 월급을 받았어. 넌 니 월급 어떻게 관리해?

B: I pay for rent, utility bills and food expenses then I just save the rest of it.

나는 집세, 공과금 내고, 식비 쓰고 나머지는 다 저축하지.

0977 ★★★
drop
[drap]

(동) 떨어뜨리다, 약해지다, 그만두다 (명) 방울, 감소

A: Dinner is ready. Now, I want you to serve the food. Oh, be careful not to drop these plates.

저녁 준비 다 됐다. 이제 네가 음식을 상에다 옮기면 좋겠다. 아, 접시 떨어뜨리지 않게 조심하렴.

B: Okay, Mom.

네, 엄마.

0978 ★★
passive
[pǽsiv]

(형) 소극적인, 수동적인 (파) passively 소극적으로

A: How can you be so active with everything you do? I'm so passive and I want to change my personality.

넌 어떻게 매사에 활동적일 수 있어? 난 너무 수동적이거든 그래서 이 성격을 바꾸고 싶다.

B: You don't have to change who you are unwillingly. Just accept the way you are.

마지못해 성격을 바꿀 필요는 없지. 그냥 너의 있는 그대로를 받아들여.

0979 ★★★
instead
[instéd]

(부) 대신에 (유) alternatively 그 대신에

A: Wow, this is so sweet. We're out of sugar, aren't we?

와, 이거 진짜 달다. 우리 설탕 다 떨어졌잖아, 안 그래?

B: Yes, we ran out of it. I used honey instead.

어, 다 먹었지. 대신에 내가 꿀을 넣었어.

0980 ★
pharmacy
[fá:rməsi]

(명) 약국, 약제학

A: I'm going to the pharmacy to pick up a few things. Do you want me to get you anything?

나 뭐 좀 사러 약국 갈 거야. 뭐 필요한 거 있어?

B: Oh, get me some Band-aids.

오, 반창고 좀 사다 줘.

DAY 33

Episode 099

향수는 제발 씻고 나서 뿌리자.

미정: 너 **perfume** 뿌렸어?

대건: **react**가 이상한데? 냄새 좋지 않아? **vine**향인데.

미정: 너 땀이라도 **wipe**하고 뿌렸어야지. 향수 냄새랑 땀 냄새랑 섞여서 냄새가 이상하잖아. 내가 아무거나 뿌리지 말라고 **forewarn**했잖아. **respire**하기도 힘드네.

대건: 그렇다고 **irritable**한 반응이냐. 그래도 향수가 **genuine**한 거라 비싸게 주고 샀는데.

미정: 알았다. 그나저나 우체국 가서 편지는 잘 보냈고?

대건: 아, 그게… 큰일이야. 내가 봉투 **seal**하는 걸 깜박했어.

미정: 저런, 니 기억력… 건망증도 참 **terminal**한 단계구나.

0981 ★★

perfume
[pə́:rfju:m]

[명] 향수, 향내 [동] 향기를 풍기다 [유] fragrance 향기, 향수

A: Look at all those **perfumes**. Are they all yours?
향수 많은 것 좀 봐라. 이거 다 네 거야?

B: They are. I love to collect perfumes.
그렇지. 나 향수 모으는 거 좋아해.

0982 ★

react
[riǽkt]

[동] 반응하다, 반응을 보이다

A: Thanks for getting me this skateboard. I can't wait to ride it!
이 스케이트보드 사다 줘서 고마워. 빨리 이거 타보고 싶다!

B: Make sure to keep it away from water. The frame is made from iron so it will **react** with water and air, and it will rust.
물 가까이엔 두지 마. 철로 만든 프레임이라 물이랑 공기에 반응해서 녹이 슬 수도 있어.

0983 ★★

vine
[vain]

[명] 포도나무, 덩굴 식물

A: I've never seen these types of leaves before. What are they?
이런 종류의 잎은 본 적이 없어. 그것들은 뭐지?

B: They're **vine** leaves. A vine that produces grapes.
포도나무 잎이잖아. 포도가 열리는 나무말이야.

0984 ★★★

wipe
[waip]

[동] 닦다, 지우다 [명] 물수건

A: It's raining cats and dogs outside. I'm soaked.
밖에 비 엄청나게 퍼붓는다. 나 다 젖었어.

B: Okay, can you please **wipe** your feet first before you come in?
그래, 들어오기 전에 발부터 좀 닦아 줄래?

0985 ★
forewarn
[fɔːrwɔ́ːrn]

[동] 경고하다, 주의를 주다

A: What time should I get to your house?
내가 몇 시에 너희 집에 도착하면 되는 거야?

B: Before seven would be great. Oh, I have to **forewarn** you that we have a very fierce dog.
일곱 시 전이면 좋지. 오, 미리 주의를 주자면 우리 집에 엄청 사나운 개가 있어.

0986 ★
respire
[rispáiər]

[동] 호흡하다

A: Look how beautiful these fish are. I wonder how they **respire** in the water.
물고기들이 얼마나 예쁜지 좀 봐. 얘네는 물속에서 어떻게 호흡하는지 궁금하다.

B: They respire through their gills. You really didn't know that?
물고기는 아가미로 호흡하잖아. 너 진짜 몰랐어?

0987 ★
irritable
[írətəbl]

[형] 짜증을 내는, 화가 난 [파] irritate 짜증나게 하다, 거슬리다

A: Why are you always **irritable** after a nap? Aren't you supposed to feel good?
넌 왜 항상 낮잠을 자고 일어나면 짜증을 내? 기분이 좋아야 하는 거 아니야?

B: Because you always wake me up while I'm still sleeping.
그야 네가 항상 내가 자는 중에 날 깨우니까 그렇지.

0988 ★★
genuine
[dʒénjuin]

[형] 진품의, 진실한

A: You got a leather jacket. Isn't it heavy to wear? Is that **genuine** leather?
가죽 재킷 샀구나. 그거 입기에 무겁지 않아? 그거 진짜 가죽이야?

B: It's not that heavy to wear and of course it's genuine.
입기에 그렇게 무겁지 않아. 그리고 당연히 진짜지.

genunine이 '진품의'라는 의미로 쓰이는 경우 authentic(진본인, 진품인)이라는 단어도 같이 알아 두세요. authentic Italian food라고 하면 '진정한 이탈리아 음식,' 즉 정통 이탈리아식'이렇게도 해석할 수 있겠죠?

0989 ★★
seal
[siːl]

[동] 봉인하다, 밀봉하다 [명] 바다표범 [숙] seal off ~을 봉쇄하다

A: I'm off to the post office to send this letter.
편지를 보내러 우체국 좀 다녀올게.

B: Did you check that you **sealed** the envelope?
너 봉투 밀봉했는지 확인했어?

0990 ★
terminal
[tə́ːrminl]

[형] 말기의, 불치의 [명] 터미널, 말단, 종말

A: What did the doctor say about her grandfather?
의사가 그녀의 할아버지에 대해 뭐라고 했대?

B: His cancer is not **terminal**, so his odds of recovery are high.
암이 말기는 아니라서 할아버지가 회복할 가능성도 높대.

DAY 33 Review

1 다음 단어에 맞도록 우리말 또는 영어로 바꿔 쓰시오.

01 flood _____	11 고집스러운, 고질적인	_____
02 plumber _____	12 땀, 노력, 분투	_____
03 hardly _____	13 사다리	_____
04 instead _____	14 일상적인, 편안한	_____
05 pharmacy _____	15 환영하다, 받아들이다	_____
06 garment _____	16 떨어뜨리다, 약해지다, 방울	_____
07 react _____	17 호흡하다	_____
08 terminal _____	18 포도나무, 덩굴 식물	_____
09 forewarn _____	19 봉인하다, 바다표범	_____
10 irritable _____	20 닦다, 지우다, 물수건	_____

2 다음 빈칸에 알맞은 단어를 넣어서 문장을 완성하시오.

01 I'm sure that you have an _____ sense of humor.
나는 너에게는 타고난 유머 감각이 있다고 확신한다.

02 I think we should find a _____ place to store our valuables.
나는 우리의 귀중품을 보관할 안전한 장소를 찾아야 한다고 생각한다.

03 I don't want to play a _____ role in our group any more.
저는 더 이상 우리 그룹 안에서 소극적인 역할을 하고 싶지 않아요.

04 I met a lot of friends from high school at a wedding _____.
나는 결혼식 연회에서 고등학교 때 친구들을 많이 만났다.

05 Are you sure that this watch is _____?
당신 이 시계가 진품인 거 확실해요?

대건: 우와~ 여기가 너희 쌀가게구나.

덕선: 아니, 정미소야. 우린 완전 **fine**한 품질의 **grain**들만 취급해. 무농약 자연 농법으로 키워서 면역력이 우수하지. **infection** 같은 건 상상도 할 수 없어.

대건: 근데 아까부터 왜 이리 **itch**하지?

덕선: 곡물 먼지 때문에 그럴 거야. 자, 그럼 여기 앞에 쌀포대 좀 저쪽에 여러 **layer**로 쌓아 봐.

대건: 나 그냥 놀러온 거 아니었냐? 무슨 **maid**처럼 일을 시키려고 그래?

덕선: 어? 니 지금 쌀포대 발로 밟았지? 법적으로 **liable**한 부분이야. 손해배상 청구한다.

대건: … 이것만 다 옮기면 되지? *(잠시 후)*

덕선: 포대 옆에다가 우리 정미소 이름 좀 적어 줘. *(잠시 후)* 야! 넌 무슨 해외 **nationality** 소지자냐? 한글을 **misspell**하면 어떡해! 이거 봐. 받침을 **omit**하고 말이야.

0991 ★★

fine
[fain]

圏 질 좋은 몜 벌금

A: Did you get the package that I sent you?
내가 보낸 소포 받았어?

B: I did! Thanks for the **fine** tea. My dad really loved it.
받았지! 질 좋은 차 고마워. 우리 아빠가 정말 좋아하셨어.

0992 ★★★

grain
[grein]

몜 곡물, 알갱이 ㈴ kernel (견과류·씨앗의) 알맹이

A: Didn't you tell me that you're on a diet? Now you're eating bread.
너 살 뺀다고 하지 않았어? 근데 지금 빵을 먹고 있네.

B: It's not just bread. It's bread made from whole wheat **grain**.
이건 그냥 빵이 아니거든. 이건 통밀로 만들어진 빵이야.

0993 ★★

infection
[infékʃən]

몜 전염병, 감염 ㈚ infectious 전염성의 ㈜ spread an infection 전염병을 퍼뜨리다

A: Hey, don't wipe your face with that towel. That's mine. You have a cold and it can increase the danger of **infection**!
야, 그 수건으로 얼굴 닦지 마. 내꺼란 말야. 너 감기 걸렸는데 그거 쓰면 나도 감염 위험률이 높아지잖아.

B: That's ridiculous! 뭔 되지도 않는 소리야!

0994 ★★

itch
[itʃ]

圐 가렵다, 가렵게 하다, 근질거리다 ㈚ itchy 가려운, 가렵게 하는

A: Why does this sweater **itch** so much?
이 스웨터를 입으면 왜 이렇게 가렵지?

B: That's because it's made from cheap synthetic fabrics.
저렴한 합성섬유로 만든 거니까 그렇지.

0995 ★★
layer
[léiər]

閔 층, 막, 겹 图 층층이 쌓다

A: This cheese cake is so creamy.
이 치즈 케이크 진짜 크림 같이 부드럽네.

B: And it has more than 20 thin layers. It's just melting in my mouth.
게다가 20개도 넘는 얇은 층으로 겹겹이 쌓여 있어. 그냥 입에서 녹네.

0996 ★★★
maid
[meid]

閔 가정부

A: Hey, do I know that woman in the living room? I don't think so.
야, 거실에 저 여자분 내가 아는 분인가? 아닌 거 같은데.

B: Oh, she's a maid, who does the housework for me.
아, 가정부 이모. 집안일 해주시는 분이야.

0997 ★★
liable
[láiəbl]

閔 법적 책임이 있는, ~할 것 같은, ~하기 쉬운

A: Make sure you use all those machines carefully. If you cause any damage to them, you'll be held liable for it.
여기 있는 기계들을 조심해서 이용하십시오. 만약 어떠한 손상이 생기면 그에 대해 법적 책임을 지게 됩니다.

B: Okay. 네.

0998 ★★
nationality
[næʃənǽləti]

閔 국적

A: How do you speak English so well? Have you studied in America?
너 영어를 어떻게 그리 잘하는 거야? 미국에서 공부했었어?

B: Well, actually I have dual nationality. Korean and American.
음, 사실 나 이중 국적이야. 한국인 그리고 미국인이기도 해.

0999 ★
misspell
[mispél]

图 철자를 잘못 쓰다

A: Here's my draft. Go over this and let me know if I misspelled any words.
여기 내 원고 초안이야. 검토해 보고 철자를 잘못 쓴 단어들이 있으면 말해줘.

B: No problem. That's what I do best.
걱정 하지 마시게. 그건 내가 제일 잘하거든.

1000 ★★
omit
[oumít]

图 빠뜨리다, 생략하다, 제외시키다 回 omission 생략, 누락

A: Should I answer all the questions?
모든 물음에 답해야 하는 건가요?

B: If you're still a student, it's okay to omit questions 5 and 6.
아직 학생이시면 5번, 6번 질문은 생략하셔도 됩니다.

Episode 101 • 나란 남자, 버리지 못하는 남자

대건: 뭐해?

우식: TV 닦고 있지.

대건: **obsolete**한 TV를 아직도 갖고 있는 거야? 요즘 같이 **micro**한 초소형 TV가 나오는 때에… 그거 테두리가 **metal**이네? **lift**하기 엄청나게 힘든 **likely**한 예감이 드는구먼.

우식: **nonetheless**, 이게 참 좋더라고. 이사 올 때 동생이 버리자고 했는데 왠지 내 **intuition**상 그럼 안 될 것 같았거든. 왠지 보고 있으면 **heal**되는 느낌?

대건: 난 오래 사용했던 물건이나 관심사에 애정을 쏟는 사람한테 정말 **homage**를 표하고 싶어. 우리 아빠도 **greenery**에 빠지셨거든. 보면 멋있어.

1001 ★

obsolete
[ὰsəlíːt]

ⓗ 구식의, 쓸모 없는, 한물간　ⓐ up-to-date 최신의, 최신식의

A: Wow, isn't that a video cassette player? Does it still work?
　우와, 저거 비디오 카세트 재생기 아니야? 아직도 작동하는 거야?

B: No, it doesn't work any more. These are obsolete now.
　아니, 작동은 안 해. 이제 구식이지 뭐.

 obsolete는 무언가가 시대에 뒤떨어졌거나 구식일 경우에 사용할 수 있는 형용사입니다. 비슷한 단어로 outdated 그리고 old-fashioned 이렇게 같이 알아 두세요.

1002 ★

micro
[máikrou]

ⓗ 아주 작은　ⓝ 아주 작은 것

A: What's that thing you're playing with? Wow, you got a micro RC car. Where did you get it?
　너 갖고 노는 거 뭐야? 오, 아주 작은 RC카 샀구만? 이거 어디서 샀어?

B: I got this online from an overseas seller.
　온라인으로 해외 판매자한테서 샀지.

1003 ★★★

metal
[métl]

ⓝ 금속

A: Why do you have a metal detector in your garage?
　차고에 금속 탐지기는 도대체 왜 있는 거야?

B: I just bought it at a flea market. It was super cheap.
　벼룩시장에서 그냥 산 거야. 엄청나게 싸더라고.

1004 ★★★

lift
[lift]

ⓥ 들어 올리다　ⓝ (기분이) 고무됨, 들어 올림

A: Why do you lift your eyebrows so often?
　눈썹을 왜 자꾸 치켜 올리는 거야?

B: I do this when I'm nervous or worried about something. I have a very important test tomorrow.
　난 긴장하거나 뭔가 걱정거리가 있으면 이래. 내일 정말 중요한 시험이 있거든.

DAY 34

1005 ★★★
likely
[láikli]

(형) ~할 것 같은, 그럴듯한 (참) prone (좋지 않은 일) 당하기 쉬운

A: Don't you think you should book our flight tickets in advance?
우리 비행기표 미리 예약해야 할 것 같지 않냐?

B: You're right. It's likely that the tickets will sell out pretty quickly.
맞아. 표 엄청 빨리 매진될 거 같더라고.

1006 ★★
nonetheless
[nʌnðəlés]

(부) 그럼에도 불구하고, 그렇더라도

(유) nevertheless 그럼에도 불구하고 despite ~에도 불구하고

A: How are you finding your life in Germany? Is studying going well?
독일 생활은 좀 어때? 공부는 잘 돼 가고?

B: It's way more difficult than I thought it would be, nonetheless, I love being here.
생각했던 것보다 훨씬 더 어려워. 그럼에도 불구하고 여기 있는게 참 좋아.

 이 단어는 nevertheless(그럼에도 불구하고), however(그렇지만)랑 같이 묶어서 알아 두세요

1007 ★
intuition
[intju:íʃən]

(명) 직감, 직관 (유) instinct 본능, 직감

A: Are you sure we're going the right way? It's starting to get dark.
우리 제대로 가고 있는 거 맞아? 어두워지기 시작하는데.

B: Trust me. No, trust my intuition. It says this is the right way.
날 믿어. 아니, 내 직감을 믿어 봐. 이 방향이 맞다고 하니까.

1008 ★★
heal
[hi:l]

(동) 치유되다, 치유하다

A: Hey, there's no scar on the back of your hand.
오, 손등에 흉터 하나도 없네.

B: I applied the ointment you recommended every day and the cut healed up without leaving any scar.
니가 추천해 준 연고를 매일 발랐거든, 그러니까 아무런 흉터 없이 상처가 나았어.

1009 ★
homage
[hámidʒ]

(명) 경의, 존경의 표시 (숙) pay homage to ~에 경의를 표하다

A: I want to pay homage to the courage you showed us last weekend.
지난 주말에 당신이 보여준 용기에 경의를 표하고 싶어요.

B: I just did what I had to do. Thanks.
그냥 제가 해야 할 일을 한 거예요. 고마워요.

1010 ★
greenery
[grí:nəri]

(명) 화초, 녹색 나뭇잎

A: Mom and Dad want to eat out this weekend. Where should I take them?
엄마, 아빠께서 이번 주말에 외식하고 싶어 하시거든. 부모님을 어디로 모셔야 할까?

B: How about JB Restaurant? It has a great view. Oh, and it is adorned with greenery and flowers in the garden.
JB 식당 어때? 전망도 좋고. 아, 거기 정원을 화초랑 꽃으로 꾸며놨어.

Episode 102 • 지나친 스트레스는 건강에 해롭습니다.

용호: **outstanding**한 **gear**를 갖추고 이렇게 **freezing**한 날씨에도 훈련하는데 왜 **fruitless**한 걸까? 뭐가 문제인 거지?

영수: 난 니가 충분히 이 분야에 **excel**하다고 생각해. 이건 다른 요소이지만, **specific**하게 말하면 네 마음 가짐의 문제야. 항상 넌 누구보다 **outrun**해야겠다는 생각 뿐이잖아. 운동을 전혀 즐기지 못하고 있어. **pasture**에 뛰어다니는 **goat**들을 생각해 봐. 마음의 안정! 이게 너한텐 꼭 필요한 거지. 이런 현실을 부정하지 말고 **face**하길 바란다.

1011 ★★★

outstanding
[autstǽndiŋ]

(형) 뛰어난, 두드러지는

A: As it's your dad's birthday today, I brought a wine that is outstanding in quality.

오늘 너희 아빠 생신이어서 내가 질이 뛰어난 와인 한 병을 가져 왔다.

B: Wow! This is a very expensive wine

우와! 이거 되게 비싼 와인이잖아!

 남들 다 안에 있는데 혼자서 바깥에(out) 서 있는(standing) 상황입니다. outstanding, 눈에 확 띄겠죠? 그래서 '뛰어난, 두드러지는'이라는 의미입니다.

1012 ★★

gear
[giər]

(명) 장비, 복장, 기어

A: Did you have fun riding your new bike?

새 자전거 타보니까 재미있었어?

B: Not really. I was halfway up a hill when my bike slipped out of gear all of a sudden.

별로. 언덕 중간쯤 올라가고 있었는데 갑자기 기어가 빠지더라고.

1013 ★

freezing
[frí:ziŋ]

(형) 몹시 추운

A: Are you not ready yet? I'm freezing outside! Let's get going.

아직도 멀었어? 밖에서 얼어 죽겠네! 빨리 가자.

B: Sorry. I'm almost done. Give me just a couple of minutes.

미안. 거의 다 됐어. 조금만 더 시간을 줘.

1014 ★★

fruitless
[frú:tlis]

(형) 성과 없는

A: Let's just stop working on this project. It would be fruitless to continue.

이 프로젝트는 그만두자. 계속 해봤자 성과가 없을 것 같아.

B: Yeah, it's a shame that we can't make it happen.

그럽시다. 성공하지 못해 아쉽네.

DAY 34

1015 ★★
excel
[iksél]

⟨동⟩ 뛰어나다, 탁월하다 ⟨형⟩ superior (더) 우수한

A: Why am I so terrible at sports? I remember that I excelled at them when I was young.
난 왜 이렇게 운동을 못하는 걸까? 어릴 적엔 진짜 잘했던 거 기억나는데.

B: I think you should lose weight first.
내가 봤을 때 넌 살부터 빼는 게 좋을 것 같다.

1016 ★
specific
[spisífik]

⟨형⟩ 구체적인, 명확한, 특정한 ⟨유⟩ particular 특정한, 까다로운

A: Anything specific you want to eat for dinner? I'll cook for you tonight.
저녁으로 특별히 뭐 먹고 싶은 거 있어? 오늘 밤은 내가 요리하지.

B: I'm craving seafood spaghetti.
나 해물 스파게티 먹고 싶다.

1017 ★
outrun
[áutrán]

⟨동⟩ ~보다 더 빨리 달리다, 웃돌다

A: What just passed by? It was so fast that I couldn't even tell what it was.
방금 지나간 거 뭐였어? 너무 빨라서 뭐였는지도 모르겠네.

B: I guess it was a motorcycle! That can outrun any car on the road.
오토바이 같았어! 저건 도로에 있는 그 어떤 차보다도 더 빨리 달리겠다.

1018 ★★
pasture
[pǽstʃər]

⟨명⟩ 초원, 목초지 ⟨동⟩ 풀밭에 내어놓다 ⟨유⟩ grassland 풀밭, 초원

A: Can we just stop for a moment? Look outside. A flock of sheep are grazing in the pasture.
잠깐만 멈춰 볼까? 밖에 좀 봐. 양떼 한 무리가 초원에서 풀을 뜯고 있어.

B: I kind of envy them. I'm very hungry now!
아 쟤네 좀 부럽다. 지금 엄청 배고파!

1019 ★
goat
[góut]

⟨명⟩ 염소

A: Hey, come over and join us. We're about to eat salad with goat's cheese.
야, 여기 이리로 와서 합석해. 우리 막 염소 치즈로 버무린 샐러드 먹으려던 참인데.

B: No, I'll pass. I can't digest dairy products.
아니, 난 괜찮아. 난 유제품 소화 못 시켜.

1020 ★★★
face
[feis]

⟨동⟩ 직시하다, 직면하다

A: I'm totally exhausted but it's only round 3. What should I do?
나 완전히 지쳤는데 이제 겨우 3회전이야. 어쩌면 좋지?

B: I hate to admit it but let's just face it. I don't think we can win this.
인정하긴 싫지만 상황을 직시하자. 우리 이 경기 못 이겨.

1 다음 단어에 맞도록 우리말 또는 영어로 바꿔 쓰시오.

01	maid	_____	11	가렵다, 근질거리다 _____
02	layer	_____	12	철자를 잘못 쓰다 _____
03	grain	_____	13	그럼에도 불구하고 _____
04	infection	_____	14	아주 작은 (것) _____
05	liable	_____	15	직감, 직관 _____
06	greenery	_____	16	구식의, 쓸모 없는 _____
07	lift	_____	17	장비, 복장, 기어 _____
08	specific	_____	18	뛰어나다, 탁월하다 _____
09	pasture	_____	19	성과 없는 _____
10	outrun	_____	20	직시하다, 직면하다 _____

2 다음 빈칸에 알맞은 단어를 넣어서 문장을 완성하시오.

01 Is it true that you have Canadian _____?
네가 캐나다 국적을 가지고 있다는 게 사실이니?

02 I was very surprised that you were _____ from our team.
나는 네가 우리 팀에서 제외됐다고 해서 엄청 놀랐어.

03 It's _____ that he will not show up today.
그 친구는 오늘 안 나타날 것 같다.

04 I made this song to pay _____ to my teacher.
저는 제 스승님께 경의를 표하기 위해 이 노래를 만들었습니다.

05 There's no doubt that you are an _____ singer.
당신이 정말 뛰어난 가수라는 데에는 의심의 여지가 없다.

DAY 34

DAY 35 에피소드 103~105

Episode 103 • 폭탄 소리

미정: 한 시간쯤 전에 폭탄 **explode**하는 소리 안 들렸어? 나 완전 **bewilder**했잖아.

대건: 청력이 **correct**하네. 나도 **curious**해서 창문 밖으로 **peer**했는데, 저기 아래쪽에서 터뜨린 거더라고. 건물 철거하나 봐. 내가 알기로 그 쪽 도로 **pave**한 지 얼마 안 됐는데.

미정: 어제 집에 올 때 그쪽 길은 **block**하더니, 그린 거였구나!

대건: 갑자기 드는 생각인데, 폭탄 설치할 때 정확하게 **fix**시켜야 할 거 같지 않아?

미정: 당연하지. 잘못했다간 엄청나게 **affect**할 테니까. 무엇보다 생명에 **fatal**할 수 있잖아.

1021 ★★★
explode
[iksplóud]

(통) (폭탄이) 터지다, 폭발하다, (감정 등이) 폭발하다 (유) go off (폭탄이) 터지다

A: How did your mom react when you said that you wouldn't go to university?
엄마한테 너 대학교 안 갈 거라고 말씀드리니까 뭐라고 하셔?

B: She literally **exploded** with anger.
화 많이 내시면서 말 그대로 폭발하셨어.

1022 ★★
bewilder
[biwíldər]

(통) 당황하게(혼란스럽게) 하다 (유) confuse 혼란스럽게 만들다

A: Why is there a sudden change in the plan? It just **bewilders** me. I thought it was fixed.
왜 계획에 갑작스런 변경이 있는 거죠? 저를 혼란스럽게 하네요. 이미 확정된 걸로 알았는데 말이죠.

B: Sorry. We were told that cost reduction is necessary so we had to revise the plan a little.
죄송합니다. 경비 절감이 필요하다고 지시를 받아서 계획을 조금 수정할 수밖에 없었습니다.

1023 ★★★
correct
[kərékt]

(형) 정확한, 맞는 (통) 바로잡다 (유) accurate 정확한

A: Okay, what do you say to my English sentences? Am I a language genius or what?
자, 내가 만든 영어 문장들 어때? 난 언어 천재 같은 그런 사람인가?

B: I have to stay that everything is grammatically **correct**, but we don't speak like that. 음, 전부 문법적으로는 정확한데, 우리는 그렇게 말 안 해.

1024 ★★★
curious
[kjúəriəs]

(형) 궁금한, 호기심이 많은 (파) curiosity 호기심

A: Your brother is such a **curious** boy. He always asks me questions whenever he sees me.
너희 동생은 참 호기심이 많은 애야. 나만 보면 이것저것 물어본다니까.

B: That's the way he is. 원래 그런 애야.

1025 ★

peer
[piər]

(동) (잘 안 보여서) 유심히 보다, 응시하다　(명) 또래, 동등한 사람

A: Did you see that guy wearing a red cap? What does he keep peering?
빨간 모자 쓰고 있는 저 남자 보이니? 뭘 계속 유심히 보는 거지?

B: Well, the thing is that he's not peering at us. So I don't care.
음, 우릴 유심히 쳐다보고 있는 건 아니네. 그래서 상관없어.

1026 ★★

pave
[peiv]

(동) (길 등을) 포장하다

A: Let's not drive this way. This morning I heard that they are paving the road during today.
이 길로는 가지 말자. 아침에 오늘 이 길 포장 작업할 거라고 들었어.

B: Oh, I see. 아, 그래 알겠어.

1027 ★★★

block
[blak]

(동) 차단하다, 막다　(숙) be blocked up 완전히 막히다

A: It's snowing heavily. How can we go back home?
눈 엄청나게 온다. 집에 어떻게 가지?

B: The news said that most roads around here will be blocked until the snow stops.
뉴스에서 눈이 그칠 때까지 이 근처 대부분 도로 통행이 차단될 거라고 했는데.

1028 ★★★

fix
[fiks]

(동) 고정시키다, 정하다, 수리하다

A: My car won't start again! Can you come out and fix this thing?
내 차 시동이 또 안 걸리네! 나와서 이것 좀 고쳐 줄 수 있어?

B: Why don't you just take my car? I'm not going out today.
그냥 내 차 쓰는 게 어때? 나 오늘 안 나간다.

1029 ★★★

affect
[əfékt]

(동) 영향을 미치다, (질병이) 발생하다

A: Well, don't you think you should change this part?
음, 이 부분은 좀 바꿔야 할 것 같지 않아?

B: No, I'll just follow my intuition, which means your opinion won't affect my decision.
아니, 난 그냥 내 직관을 따를 거야. 너의 의견이 내 결정에 영향을 미치진 않을 거란 뜻이지.

 이 단어는 effect라는 단어와 구분해서 정리 둘게요. effect가 명사로 쓰이면 '결과, 영향'이라는 의미입니다. 물론 effect 가 동사로도 활용됩니다만 그 빈도가 낮은 편이에요. 이 때의 의미는 '(변화 등을) 초래하다'입니다.

1030 ★★

fatal
[féitl]

(형) 치명적인, 죽음을 초래하는　(유) deadly 치명적인

A: I just made a fatal mistake! I just deleted my final draft file and the thing is I don't have a backup.
막 치명적인 실수를 했어! 방금 내가 원고 최종 초안 파일 지워버렸는데 문제는 백업 파일이 없다.

B: You should have backed it up. I warned you.
백업 좀 했었어야지. 내가 경고했잖아.

미정: 잘 지냈어? 요즘 도통 연락이 안 되더라.

대건: 나 요즘 새 **literary** 작품 집필에 **embark**했거든. 내가 전하고자 하는 바를 **condense**해서 쓰고 싶은데 생각처럼 풀리질 않네. 이게 신경을 안 쓰려고 해도, 같이 일하는 편집자들한테 어떤 부분에 대해 **savage**한 비판을 받고 나면, 머리가 하얘진다니깐. **entire**한 분량을 10으로 봤을 때, 이제 겨우 2정도 했다.

미정: **meal**은 잘 챙겨먹고 일하는 거야?

대건: 아니, 실은 최근에 우리 엄마 **diabetes** 진단까지 받으셔서 **depress**하네. **crowd** 속에서 나만 혼자 덩그러니 남겨진 기분이야.

미정: 어이구, 일루 온나. 좀 **pat**해 줘야겠다. 힘 좀 내봐라. 뭐 먹을래? 내가 살게.

1031 ★★
literary
[lítərèri]

ⓗ 문학의, 문학적인 ⓟ literature 문학

A: Wow, you wrote your essay in a very literary style.
우와, 넌 에세이를 굉장히 문학적인 스타일로 썼네.

B: I know. Isn't it cool? Mine will stand out from those typical essays.
응. 멋지지 않아? 뻔한 에세이들 가운데 단연코 내 것이 두드러질 거야.

1032 ★
embark
[imbá:rk]

ⓥ ~에 착수하다, 승선하다

A: I still can't believe you will embark on a new journey of your life overseas.
난 아직도 니가 해외에서의 삶이라는 새로운 여정에 착수한다는 게 믿기질 않네.

B: I just didn't want to settle for the present. Let's keep in touch.
그냥 현실에 안주하기 싫었어. 계속 연락하자.

1033 ★★
condense
[kəndéns]

ⓥ (글 · 정보를) 압축하다, 응결되다, 농축시키다 ⓟ condensable 응축할 수 있는

A: Haven't you finished your paper yet? What's so difficult?
아직도 과제 못 했어? 뭐가 그리 어려워?

B: You want to know what's so difficult? I have to condense an article of 100 pages into just 5 pages!
뭐가 그리 어려운지 알고 싶다고? 100장짜리 글을 5장으로 압축해야 한다고!

1034 ★★
savage
[sǽvidʒ]

ⓗ (말 · 공격 등이) 맹렬한, 야만적인 ⓝ 야만인 ⓤ cruel 잔혹한, 잔인한

A: This village was totally destroyed by that savage storms last week.
이 마을은 지난주 맹렬한 폭풍 때문에 완전 부서졌네.

B: Yeah, the forces of nature. 그러게. 자연의 힘이지.

1035 ★★★
entire
[intáiər]

ⓗ 전체의, 완전한, (물품이) 흠이 없는

A: Are you done with your report? 보고서는 다 썼어?

B: I tried to work on it early this morning but my laptop wouldn't turn on. So I spent the **entire** day fixing it.
오늘 아침에 일찍 쓰려고 했는데 노트북이 안 켜지는 거야. 그래서 그거 손보느라 하루 전체를 다 보냈다.

1036 ★★★
meal
[miːl]

ⓜ 식사, 음식, 끼니

A: Seems like you've lost a lot of weight. What's the secret?
너 살 엄청나게 뺀 거 같네. 비결이 뭐야?

B: I only had a **meal** a day but I don't want to recommend you to do the same thing.
하루에 식사 한 번밖에 안 했는데 이 방법은 추천해 주고 싶지 않다.

1037 ★
diabetes
[dàiəbíːtis]

ⓜ 당뇨병

A: Stop eating bread. You're eating so much that it will increase the risk of developing **diabetes** or heart diseases.
빵 좀 그만 먹어라. 니 진짜 너무 먹는다니깐 그러면 당뇨병이나 심장병 같은 거 걸릴 확률이 높아진다고.

B: Am I eating too much? I don't think so.
내가 많이 먹는다고? 아니거든!

 질병과 관련된 몇 가지 어휘 정리해 볼게요. obesity(비만), stroke(뇌졸중), hypertension(고혈압)

1038 ★
depress
[diprés]

ⓥ 우울하게 만들다, 부진하다　ⓨ sadden 슬프게 하다

A: Hey, you look so down today. What's wrong?
야, 너 오늘 너무 안 좋아 보이는데. 뭔 일 있어?

B: Nothing. It's just that humid days like today always **depress** me.
아니야. 그냥 오늘 같이 습한 날은 항상 날 우울하게 하거든.

1039 ★★★
crowd
[kraud]

ⓜ 군중, 사람들, 무리　ⓥ 모이다, 군집하다

A: How was the carnival last night? Did you have fun?
어젯밤에 축제는 어땠어? 재밌었어?

B: Yes, I had fun. **Crowds** literally poured into the street.
어, 재밌었어. 사람들이 말 그대로 거리로 쏟아져 나왔지.

1040 ★★
pat
[pæt]

ⓥ 토닥거리다, 쓰다듬다, 톡톡(가볍게) 치다

A: Any beauty tips that you want to share with me?
뭔가 공유할 만한 예뻐지는 비법이 있어?

B: You should **pat** your face dry with a soft towel after washing. Don't rub it hard.
세수하고 나서 얼굴은 부드러운 수건으로 톡톡 치면서 닦아라. 막 문대지 말고.

DAY 35

Episode 105 • 그건 헛소문이거든요!

현실: 너 나를 **deceive**한 거야?

태훈: 내가 **adequate**하게 설명했잖아.

현실: 니 말은 그때그때 달라. **correspond**하질 않아. 그래도 솔직한 모습에 **familiar**해서 좋게 봤는데, 시험에서 **cheat**를 했다고? **hideous**한 소식이다.

태훈: 정말 아니라니깐, 얘가!

현실: 너의 그 뻔뻔한 **attitude**는 여전하구나. 이젠 니가 **barley**로 보리차를 끓인다고 해도 못 믿겠다. *(경적 소리, 빵)* 야, 뒤에서 **beep**하잖아. 차 좀 **elsewhere**로 움직여 봐.

1041 ★★
deceive
[disíːv]

(동) 속이다, 기만하다 (파) deception 속임, 사기

A: Why are you still grounded? What did you do?
너 왜 아직도 외출 금지야? 도대체 뭘 한 거야?

B: I tried to deceive my dad and that's what he hates the most.
아빠를 속이려고 했었는데 그게 우리 아빠가 제일 싫어하는 거야.

1042 ★★
adequate
[ǽdikwət]

(형) 충분한, 적절한

A: You haven't been giving your garden adequate water, have you?
너 정원에다 물을 충분히 안 주고 있구나, 그렇지?

B: Is it that obvious? I've been busy lately.
그렇게 티나? 요새 내가 좀 바빴어.

 이 단어는 inadequate와 묶어서 정리해 볼게요. 표제어 앞에 접두사 in-이 붙어 있죠? in-은 부정의 느낌을 줍니다. 충분하지 않은, 즉 '불충분한'이라는 의미의 형용사입니다.

1043 ★★
correspond
[kɔ̀ːrəspánd]

(동) 일치하다, 부합하다 (유) accord 부합하다

A: I'm just confused that your account and Yujin's don't correspond. Who's right and who's lying to me?
네 설명과 유진이의 설명이 일치하지 않아서 혼란스러워. 누가 맞고 누가 거짓말을 하는 거지?

B: Just trust me. Why would I lie to you?
그냥 날 믿어. 내가 왜 너한테 거짓말을 하겠어?

1044 ★★★
familiar
[fəmíljər]

(형) 익숙한, 친숙한

A: I don't know where this smell is coming from. It's so good.
이 냄새가 어디서 나는 건지 모르겠네. 참 좋네.

B: It's from a bakery near here. Everyone in this area is familiar with this delicious smell.
여기 근처 빵집에서 오는 거야. 이 근처 사람들은 전부 이 맛있는 냄새에 익숙하지.

1045 ★★

cheat
[tʃiːt]

ⓧ 부정행위를 하다, 속이다

A: There's just too much information to memorize. I just want to cheat on the test.
외울 것이 너무 많아. 시험에서 부정행위라도 하고 싶다.

B: Are you kidding? Don't even think about it.
농담하니? 그건 생각도 하지 마라.

1046 ★

hideous
[hídiəs]

ⓗ 불쾌한, 끔찍한

A: Be careful when you use that machine. I didn't pay enough attention and then I got this hideous scar in return.
그 기계 사용할 때 조심해라. 난 충분히 주의를 안 기울인 결과로 이 끔찍한 흉터를 얻게 되었지.

B: I'd rather just not use this. 그냥 이거 안 쓸래.

1047 ★★★

attitude
[ǽtitjùːd]

ⓝ 자세, 사고방식

A: Isn't Mijeong so positive and active?
미정이 진짜 긍정적이고 활동적이지 않아?

B: She is. I also like the fact that she has a good attitude.
그렇지. 좋은 사고방식을 갖고 있는 것도 맘에 들어.

1048 ★★

barley
[báːrli]

ⓝ 보리

A: Last night I dreamed that I was harvesting barely with you. Does that mean anything special?
어젯밤에 꿈을 꿨는데 너랑 같이 보리를 수확하더라고. 이거 뭔가 의미 있는 꿈인가?

B: It does. It means that you're going to buy me Boribap for dinner.
맞아. 오늘 저녁으로 나한테 보리밥을 살 거라는 의미지.

1049 ★

beep
[biːp]

ⓧ 경적을 울리다, 삐 소리를 내다

A: Something keeps beeping in the kitchen. What is that?
부엌에서 뭐가 계속 삐 소리 내는데? 저거 뭐지?

B: Oh, it must be the rice cooker. The rice is done.
아, 그거 밥솥 소리가 확실해. 밥 다 됐나 보다.

1050 ★★

elsewhere
[élswɛər]

ⓐ 다른 곳에서(으로)

A: I think we'd better not shop in this city. You know why?
우리 이 도시에서는 쇼핑 안 하는 게 낫겠다. 왜인 줄 알아?

B: I do. I just realized that prices here are much higher than elsewhere.
그럼. 여기 물가가 다른 곳보다 훨씬 더 높다는 걸 알았어.

DAY 35

DAY 35 Review

1 다음 단어에 맞도록 우리말 또는 영어로 바꿔 쓰시오.

01 pave ＿＿＿＿＿＿＿＿＿＿ 　　11 정확한, 바로잡다 ＿＿＿＿＿＿＿＿＿＿

02 block ＿＿＿＿＿＿＿＿＿＿ 　　12 당황하게 하다 ＿＿＿＿＿＿＿＿＿＿

03 peer ＿＿＿＿＿＿＿＿＿＿ 　　13 영향을 미치다 ＿＿＿＿＿＿＿＿＿＿

04 fatal ＿＿＿＿＿＿＿＿＿＿ 　　14 당뇨병 ＿＿＿＿＿＿＿＿＿＿

05 crowd ＿＿＿＿＿＿＿＿＿＿ 　　15 압축하다, 응결되다 ＿＿＿＿＿＿＿＿＿＿

06 literary ＿＿＿＿＿＿＿＿＿＿ 　　16 ～에 착수하다, 승선하다 ＿＿＿＿＿＿＿＿＿＿

07 savage ＿＿＿＿＿＿＿＿＿＿ 　　17 충분한, 적절한 ＿＿＿＿＿＿＿＿＿＿

08 cheat ＿＿＿＿＿＿＿＿＿＿ 　　18 익숙한, 친숙한 ＿＿＿＿＿＿＿＿＿＿

09 correspond ＿＿＿＿＿＿＿＿＿＿ 　　19 자세, 사고방식 ＿＿＿＿＿＿＿＿＿＿

10 hideous ＿＿＿＿＿＿＿＿＿＿ 　　20 다른 곳에서[으로] ＿＿＿＿＿＿＿＿＿＿

2 다음 빈칸에 알맞은 단어를 넣어서 문장을 완성하시오.

01 I'm very ＿＿＿＿＿＿＿＿ about the people who live upstairs.
난 위층에 사는 사람들이 누군지 정말 궁금해.

02 The building ＿＿＿＿＿＿＿＿ in flames in my dream last night.
어젯밤 꿈에 그 건물이 화염에 폭발했다.

03 It ＿＿＿＿＿＿＿＿ me when there's nothing to eat in the fridge.
냉장고에 먹을 게 없는 것은 나를 우울하게 한다.

04 She spent her ＿＿＿＿＿＿＿＿ life taking care of the poor.
그녀는 가난한 사람들을 돌보는 데 그녀의 삶의 전부를 보냈다.

05 Look how beautiful a field of ＿＿＿＿＿＿＿＿ is!
저 예쁜 보리밭을 보라!

DAY 36

에피소드 106~108

Episode 106 • 씁쓸함에 대하여

대건: 들었어? 그 무슨 섬이었더라? 암튼 그 지역에 **inhabit**하는 사람들, 특히 **livestock** 기르는 사람들을 **mindful**해서 재정되었던 법을 벌써 **abolish**한다더라. 진짜 **capricious**하지 않냐?

미정: 이건 뭐 병아리 **hatch**해놓고 세상에 나오자마자 치킨집으로 데려다 놓는 기분이랄까.

대건: 음… 비유가 적절친 않지만 동감해. 그 지역 사람들은 얼마나 **ordeal**을 겪겠어? 암튼 관련 부처에서 **negotiate**하려고 방안을 내놓았더라고. 늘 **identical**한 것 같애. 어떤 목적 달성을 위한 **mechanism**이 말야. 한편으론 좀 씁쓸하지.

1051 ★★

inhabit
[inhǽbit]

[동] ~에 살다, 거주(서식)하다 [파] inhabitable 살기에 적합한

A: Do you know what's so special about this island?
이 섬이 왜 특별한 줄 아나?

B: I do. I studied up before our trip and found out that there are more than 20 rare species that **inhabit** this island.
알지. 나 여기 오기 전에 공부했는데. 20종 넘는 희귀종들이 이 섬에 서식한대.

1052 ★

livestock
[láivstak]

[명] 가축

A: This town has changed a lot. Can you see the building over there? There used to be a market there for buying and selling **livestock**.
이 동네 엄청 바뀌었네. 저쪽에 건물 보이지? 저기 예전에 가축 사고파는 시장이 있었지.

B: Oh really? Interesting. 아 진짜? 신기하네.

1053 ★

mindful
[máindfəl]

[형] ~을 염두에 두는, 의식하는 [숙] be mindful of ~을 유념하다

A: Daegun, you are a truly considerate person. You're always **mindful** of the needs of others. I'm so touched.
대건아, 넌 진정 배려심 깊은 사람이구나. 항상 다른 사람들이 도움이 필요한지에 대해서 늘 의식하고 말이지. 완전히 감동이야.

B: I just try my best. 그냥 늘 최선을 다하는 거지 뭐.

1054 ★

abolish
[əbáliʃ]

[동] (법률 · 제도 등을) 폐지하다 [파] abolition (법률, 제도 등의) 폐지

A: What did you learn about at school today?
오늘 학교에선 무엇을 배웠는고?

B: We discussed whether we should **abolish** the death penalty or not.
오늘은 사형 제도를 폐지해야 되는지 아닌지에 대해 토론을 나눴어요.

비슷한 의미를 지닌 표현으로 do away with가 있습니다. '~을 폐지하다'라는 의미에요.

1055 ★

capricious
[kəpríʃəs]

(형) 변덕스러운, 잘 변하는

A: I heard that you teamed up with Daegun for the school project. Let me tell you something. He is very capricious.
너 학교 과제 대건이랑 같이 한다고 들었어. 뭐 하나 말해 줄게. 걔 완전 변덕스럽다.

B: Thanks for the heads-up.
경고해 줘서 고맙다.

1056 ★★

hatch
[hætʃ]

(동) 부화하다, 부화시키다 (명) (배 · 항공기의) 화물 출입구 (유) incubate (알을) 품다

A: Have you been enjoying raising chickens at home?
집에서 닭 키우는 거 재밌어?

B: Actually two more chicks hatched this morning. I feel like I've become rich.
사실 오늘 아침에 병아리 두 마리 더 부화했다. 부자 된 기분이야.

1057 ★

ordeal
[ɔːrdíːəl]

(명) 시련, 고난 (유) suffering 고통, 괴로움

A: I'm so glad you came back home in one piece.
아무 일 없이 무사히 돌아와서 어찌나 좋은지 모르겠다.

B: I couldn't have gotten through the whole ordeal without your support. Thanks again!
니 도움이 없었다면 이 시련을 극복해내지 못 했을 거야. 다시 한 번 고맙다!

1058 ★

negotiate
[nigóuʃièit]

(동) 협상하다, 성사시키다 (파) negotiation 협상, 교섭

A: Guess what? I successfully negotiated a contract today that will bring in a huge profit.
있잖아? 오늘 엄청난 수익을 불러들일 계약을 성사시켰어.

B: I knew you could do it. We should celebrate tonight.
니가 해낼 줄 알았다니깐. 오늘 밤에 축하 파티 해야지.

1059 ★★

identical
[aidéntikəl]

(형) 동일한, 똑같은

A: Why is your backpack almost identical to mine? Where did you get it?
넌 왜 가방이 내 거랑 거의 똑같은 거냐? 그거 어디서 샀노?

B: At the store that you bought yours.
니 가방 산 가게에서.

1060 ★

mechanism
[mékənìzm]

(명) (목적달성을 위한) 방법, 구조, 기계 장치

A: Don't you think it's time to come up with an effective mechanism for managing our product lines?
우리 제품 라인 관리하는 데 뭔가 효율적인 구조를 마련해야 될 때이지 않을까요?

B: It is about time. Let's talk about it in a meeting.
그럴 때가 왔죠. 회의 시간에 이야기 나눠 봅시다.

Episode 107 • 메이저급 UCC 콘테스트

대건: 야, 너 뭐 큰 방송사가 **hold**하는 콘테스트에 영상 출품할 거 작업은 잘 돼가? **genre**는 뭘로 했는지도 궁금하네.

미정: 응, 편집 그리고 추가 촬영 **ongoing**한 상태야. 책 보고 영상 편집 같은 거 배워도 좋지만 난 **firsthand** 몸으로 부딪치면서 배워나가는 중이지.

대건: 근데, 마감 얼마 안 남지 않았냐? 좀 더 **endeavor**해야 되는 거 아니야?

미정: 잘 될 거야. 내가 또 **optimist** 아니니. 너무 컴퓨터만 붙잡고 있으면 모니터가 내 시력을 **impair**할 거야. 느긋해야지. 사실 인제 목소리 **inaudible**한 부분에 더빙 한 번 더하고 **narrate**하면 거의 끝나.

대건: 그래, 장비 필요하면 말해. **lend**해 줄게.

1061 ★★★

hold
[hould]

⟨동⟩ 개최하다, (기록을) 보유하다

A: Who **holds** the world record for the 100-meter sprint? I forgot.
100미터 단거리 경주 세계신기록 보유하고 있는 사람 누구였지? 까먹었다.

B: How can you not remember? It's Usain Bolt.
어떻게 그걸 기억 못 하나? 우사인 볼트잖아.

1062 ★

genre
[ʒá:nrə]

⟨명⟩ 장르, 유형

A: You're reading a heroic fantasy again? I really don't understand that **genre**.
너 영웅 나오는 판타지 소설 또 읽고 있나? 난 진짜 그 장르는 이해를 못 하겠던데.

B: I'm sure if you sat down and read one, you'd get addicted too.
내가 장담하는데 일단 앉아서 한 번 읽으면 너도 중독될 거야.

1063 ★

ongoing
[áŋgouiŋ]

⟨형⟩ 진행 중인 ⟨유⟩ in progress 진행 중인

A: I can't take my eyes off of your **ongoing** beauty. You're more beautiful than an angel.
정말이지 계속 진행 중인 너의 아름다움에 눈을 뗄 수가 없다. 천사보다 니가 더 이뻐.

B: You don't have to flatter me. But thanks.
나한테 아첨할 필요 없거든. 어쨌든 고마워.

1064 ★

firsthand
[fə:rsthǽnd]

⟨부⟩ 직접, 바로 ⟨형⟩ 직접의, 직접 얻은

A: You've finally come back to Korea. It's been more than 2 years!
드디어 한국에 돌아왔구나. 2년도 더 됐네!

B: Yeah, I'm so happy that I gained a lot of priceless **firsthand** experience living overseas.
그러게. 해외에 살면서 직접 값을 매길 수 없는 좋은 경험들 많이 해서 너무 행복해.

1065 ★★

endeavor
[indévər]

ⓢ 노력하다, 시도하다 ⓜ 노력, 애씀

A: Is Daegun still unemployed? What does he do all day?

대건이 아직도 실직 중이야? 걔 하루 종일 뭐 한다니?

B: Hey, you know how hard it is to get a job these days. At least he **endeavors**.

야, 요새 일자리 구하기 얼마나 힘든지 알잖아. 그래도 걔 노력하고 있더만.

1066 ★

optimist
[áptəmist]

ⓜ 낙천주의자, 낙관론자 ⓟ optimistic 낙관적인

A: I've never seen you worry about anything. What's the secret? Let me know.

난 니가 뭔가에 대해 걱정하는 걸 못 봤다. 비결이 뭐야? 나도 좀 알자.

B: No secret. I'm just a born **optimist**.

비결 같은 거 없어. 난 그냥 타고난 낙천주의자야.

1067 ★

impair
[impéər]

ⓢ 손상(악화)시키다

A: Is it only me? I'm getting forgetful these days.

나만 그런가? 요새 계속 건망증이 늘어가네.

B: That's because you eat junk food and drink soda every day. They **impair** your ability to think clearly, you know.

그야 니가 매일 정크푸드 먹고 탄산음료 마시니까 그런 거지. 계속 그런 식으로 하면 또렷이 생각할 수 있는 능력이 손상된다니까.

1068 ★

inaudible
[inɔ́:dəbl]

ⓗ 들리지 않는 ⓟ inaudibility 청취 불능

A: Hey, you just spoke so quietly that you were almost **inaudible**. What did you say?

야, 니 너무 조용하게 말해서 거의 안 들렸어. 뭐라 그랬노?

B: I said that I was starving to death. 배고파 죽을 거 같다고 그랬어.

💡 audible, '잘 들리는'이란 의미를 가진 형용사 앞에 부정접두사 in- 이 붙은 형태랍니다. inaudible, '(잘) 들리지 않는'이란 의미겠죠?

1069 ★

narrate
[nǽreit]

ⓢ 내레이션을 하다, 이야기를 하다 ⓟ narrative 이야기, 이야기체의

A: Isn't that the guy who **narrated** the documentary, *The Great Pioneer, Daegun*?

저 사람 '위대한 개척자, 대건'의 다큐멘터리 내레이션 한 남자 아냐?

B: Oh, I think it is! Let's go take a picture together.

맞는 거 같애. 가서 같이 사진 찍자!

1070 ★★★

lend
[lend]

ⓢ 빌려주다

A: Daegun, can you **lend** me your car for a couple of days?

대건아, 차 며칠만 좀 빌려줄 수 있을까?

B: I will as long as you promise that you you'll drive it carefully.

조심히 운전한다고 약속만 한다면야 빌려줄게.

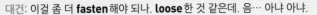

Episode 108 • 슬픈 혼잣말

대건: 이걸 좀 더 **fasten**해야 되나. **loose**한 것 같은데. 음… 아냐 아냐.

미정: 야, 넌 뭘 그렇게 **murmur**하고 있냐?

대건: 어, 아니 그게 여기가 느슨한 것 같아서.

미정: 역시 **ordinary**하지 않아. 고대 **myth**라던가 **documentary**에 보면 자주 혼잣말 하는 사람일수록 전생에 **dumb**이었을 확률이 높대.

대건: 어, 진짜?

미정: 당연히 지어낸 거지!

대건: 아, 나도 고치고 싶은데 잘 안되네.

미정: 병원 가서 **consult**해 봐. 농담 아니라 무슨 문제가 있을 수도 있잖아. **besides** 그런 니 모습 매력적이지 않아. 그리고 니가 요즘 하고 있는 **strenuous**한 운동은 당분간 좀 자제하구.

DAY 36

1071 ★★
fasten
[fǽsn]

(통) 잠그다, 고정시키다, 채우다

A: Make sure you fasten your helmet tight. You don't want to get hurt again, do you?
헬멧 단단히 써. 다시는 다치고 싶진 않잖아, 그렇지?

B: Don't worry, it's on good. Let's get going.
걱정 마 헬멧 잘 썼으니깐. 가자.

1072 ★★★
loose
[lu:s]

(형) 느슨한, 풀린, (옷이) 헐렁한

A: There's no place like home! I feel so relaxed right now.
집만한 곳이 없다니까! 집에 오니까 진짜 편하다.

B: I'll get a loose and comfortable T-shirt for you.
내가 느슨하고 편안한 티셔츠 가져다 줄게.

1073 ★
murmur
[má:rmər]

(통) 속삭이다, 중얼거리다 (유) mutter 중얼거리다, (작은 목소리로) 불평하다

A: Do you know that you murmured something in your sleep?
니 자면서 뭐라 중얼댔던 거 아나?

B: Again? It's like a chronic disease. Should I go see a doctor?
또? 이거 진짜 무슨 만성질병인가. 병원에 가 봐야 되나?

1074 ★★★
ordinary
[ɔ́:rdənèri]

(형) 평범한, 보통의

A: How was dinner at the newly opened restaurant that you went to?
최근에 새로 개업했다는 식당에서 먹은 저녁은 어땠어?

B: Well, it was just ordinary. I don't think I would go back.
음, 그냥 뭐 평범했어. 다시 가지는 않을 거 같애.

myth
1075 ★★
[miθ]

ⓟ 신화, 근거 없는 믿음, 지어낸 이야기

A: There's a myth about this statue. If you rub its belly, you will get your wish.
이 동상에 대한 신화가 하나 있지. 이 동상의 배를 문지르면 소원이 이루어진단다.

B: That's just ridiculous. I don't believe in that kind of stuff.
말도 안 되는 소리. 난 그런 거 안 믿는다네.

documentary
1076 ★★
[dàkjuméntəri]

ⓟ 다큐멘터리, 기록물 ⓗ 기록물의, 서류로 된

A: I really have no idea what to do in my free time. Any suggestions?
자유 시간에 뭘 해야 될지를 정말 모르겠다. 뭐 추천할 거 있어?

B: Well, in my case, I would just watch a documentary on Channel 10.
음, 나 같은 경우엔 그냥 채널 10번에서 다큐멘터리 보지.

dumb
1077 ★★
[dʌm]

ⓗ 벙어리의, 멍청한

A: I just saw Santa Claus parking his reindeer in your garage!
나 방금 니네 창고에 순록 주차하고 있는 산타클로스 봤어!

B: I'm not dumb enough to believe that. What are you trying to kid?
그런 거 믿을 만큼 멍청하진 않거든. 누굴 속이려 드는 거야?

consult
1078 ★★
[kənsʌ́lt]

ⓥ 상담하다, 상의하다 ⓟ consultation 협의, 상의 ⓢ consult on ~에 대해 상담하다

A: Will it be okay for me to take some oriental medicine? I'm not quite sure.
한약 좀 먹어도 될라나? 확실치가 않네.

B: You should definitely consult with your doctor first.
먼저 니 주치의랑 상의해 봐야지.

besides
1079 ★★★
[bisáidz]

ⓑ 게다가 ⓟ ~ 외에 ⓨ moreover 게다가 apart from ~ 외에는

A: Are you coming to Daegun's birthday party tonight?
오늘 밤 대건이 생일파티에 가냐?

B: I wasn't invited. Besides, I have other plans for tonight.
초대 못 받았어. 게다가 나 오늘 저녁에 다른 계획 있어.

이 단어는 '게다가' 또는 '~ 외에'라는 의미이죠. 이와 정말 비슷하게 생긴 beside는 전치사로 쓰이며 '~ 옆에'라는 의미로 활용되니 꼭 구분해서 정리해 두세요.

strenuous
1080 ★
[strénjuəs]

ⓗ 격렬한, 몹시 힘든 ⓟ strenuously 완강히

A: What should I be careful of until the next time I visit?
다음 방문 때까지 뭘 주의해야 할까요?

B: You have to avoid all strenuous exercise and don't take any medicine except for what I've prescribed.
모든 격렬한 운동은 피하시고 처방해 드린 약 이외에는 어떤 약도 복용하지 마세요.

1 다음 단어에 맞도록 우리말 또는 영어로 바꿔 쓰시오.

01 ordeal _____

02 capricious _____

03 mechanism _____

04 abolish _____

05 hold _____

06 firsthand _____

07 endeavor _____

08 fasten _____

09 besides _____

10 consult _____

11 가축 _____

12 염두에 두는, 의식하는 _____

13 부화하다(시키다), 출입구 _____

14 빌려주다 _____

15 들리지 않는 _____

16 진행 중인 _____

17 속삭이다, 중얼거리다 _____

18 느슨한, 헐거워진 _____

19 격렬한, 몹시 힘든 _____

20 신화, 근거 없는 믿음 _____

2 다음 빈칸에 알맞은 단어를 넣어서 문장을 완성하시오.

01 I think we should _____ over the price first.
우리 먼저 가격에 대해서 협상을 해야 할 것 같아요.

02 A large number of monkeys _____ this forest.
많은 수의 원숭이들이 이 숲에 서식합니다.

03 He describes him as an _____.
그는 자신을 낙천주의자로 묘사합니다.

04 Drinking a lot of soda can _____ your health.
탄산음료를 많이 마시면 네 건강을 손상시킬 수 있어.

05 The meal at the wedding was just _____.
결혼식장에서 먹은 식사는 뭐 그저 평범했다.

DAY 37

에피소드 109~111

● 적은 늘 내부에 있다.

용호: 의원님, 우리 당의 의견에 **oppose**하는 세력들이 늘고 있습니다.

대건: 음… **abrupt**한 입장변경 그리고 여러 의원들을 크게 **admonish**했었던 일, 뭐 그런 것 때문인가?

용호: 내부에 **confederate**가 있는 것 같은데 이 사람이 자기 세력을 자꾸 **gather**하고 있는 것 같습니다. **hypothesis**이긴 합니다만 이대로 뒀다간 다음 선거에서 패배의 직접적 **factor**가 될 수도 있을 것 같습니다.

대건: 정확한 **evidence**들을 잘 수집해서 범법행위가 발견되면 회의 참석 및 투표자격을 **ban**하는 사안에 대해서도 **contemplate**하자고. 내부의 적이 가장 무서운 법이지.

1081 ★★★

oppose
[əpóuz]

(동) 반대하다, (시합 등에서) 겨루다

(파) opposition 반대, 경쟁사 (반) support 지지하다, 지원하다

A: Hmm… I don't think that is a good idea.
음, 그거 좋은 아이디어인 것 같진 않은데.

B: You always oppose my suggestions. What is wrong with you?
넌 항상 내 제안에 반대하더라. 뭐가 문제야?

1082 ★

abrupt
[əbrʌ́pt]

(형) 갑작스런, 퉁명스러운 (파) abruptly 갑자기, 퉁명스럽게 (유) unexpected 예기치 않은

A: How was your blind date? Did it go well?
소개팅 어땠어? 잘 됐어?

B: I don't think so. The girl had an abrupt manner.
별로. 나온 사람의 태도가 퉁명스러웠어.

1083 ★

admonish
[ædmániʃ]

(동) 책망하다, 꾸짖다, (강력히) 충고하다

A: Look what you've eaten during this week. This is no good. I have to admonish you to eat more healthy foods.
이번 주 중에 드신 음식을 보세요. 이건 진짜 좋지 않아요. 좀 더 몸에 좋은 음식을 드시라고 충고해야겠어요.

B: All right, I'll try. 네, 노력할게요.

1084 ★

confederate
[kənfédərət]

(명) 공모자, 공범 (형) 공모한, 연합한 (파) confederation 연합, 연맹

A: The scale of this crime is pretty big. This is not something that only one criminal could have done.
이번 범죄는 규모가 상당하구만. 범죄자 한 명이 저지를 수 있는 규모가 아니란 말이지.

B: There must be a couple of confederates behind it.
배후에 공모자들이 분명 몇 있을 겁니다.

1085 ★★★
gather
[gǽðər]

ⓢ 모으다, 모이다

A: Hey, are you not ready yet? I'll go out and start the car.
아직 멀었어? 나가서 차 시동 건다.

B: Just give me one minute to **gather** my things then I'll be right out.
가져갈 것들 좀 모을 시간 1분만 줘 그리고 바로 나갈게.

1086 ★
hypothesis
[haipάθəsis]

ⓜ 가설, 추측

A: Let's work on this thing! It's going to be pretty profitable.
이 일 한번 제대로 착수해 보자고! 수익성이 어마어마할 거야.

B: Wait. Your statement is just a **hypothesis**. We should test and confirm it before we move on.
잠깐만. 니 말은 그냥 가설에 불과하잖아. 시험해 보고 검증한 다음에 진행하던가 해야지.

thesis라는 말에는 '논제, 논문' 이러한 의미가 들어있답니다. 접두사 hypo- 는 여기서 더 작은(less)의 의미로 사용되었죠. 논제보다 더 작은 무언가, hypothesis 즉, '가설'이라는 의미겠죠?

1087 ★★
factor
[fǽktər]

ⓜ 요인, 요소, 원인

A: Studies have proved that obesity is a risk **factor** for cancer.
연구 결과 비만은 암을 유발할 수 있는 위험 요인이래.

B: That's right. I've told you before.
맞아. 내가 전에 말했잖아.

1088 ★★★
evidence
[évədəns]

ⓜ 증거, 증언 ⓟ evident 분명한, 눈에 띄는 ⓤ proof 증거, 증명

A: I wasn't really there that day. I mean it.
저 그 날 거기에 없었어요. 진짜예요.

B: I have to tell you that anything you say can be used as **evidence** against you.
말씀하시는 어떠한 부분이던지 간에 당신에게 불리한 증언으로써 사용될 수 있다는 걸 말씀 드려야겠네요.

1089 ★
ban
[bæn]

ⓢ 금지하다 ⓜ 금지

A: Hey, put that phone in your bag. The use of cell phones is **banned** in the cinema. 야 전화기 가방에 넣어. 이 극장에서 휴대폰 사용은 금지되어 있어.

B: Come on. We are the only ones here. Isn't it OK to break the rules every once in a while?
야 왜. 여기 우리 밖에 없잖아. 가끔은 규율 같은 거 좀 어겨도 괜찮지 않을까?

1090 ★★
contemplate
[kántəmplèit]

ⓢ 고려하다, 심사숙고하다 ⓤ ponder 숙고하다, 곰곰이 생각하다

A: What do you say to my proposal? It's going to be a good opportunity for you. 내가 한 제안은 어떤가? 자네한테 엄청 좋은 기회가 될 걸세.

B: Hmm... I have to live abroad for a while, right? I need some time to **contemplate** it. Give me a couple of days. 음… 해외에서 한동안 살아야 된다고 하셨죠, 맞죠? 고려해 볼 시간이 필요해요. 며칠만 주세요.

Episode 110 • 범죄와의 전쟁

미정: 우리 옆 동네에도 **burglary**가 들었다메? 아오, **anxiety**가 이만저만이 아니다.
대건: 응, 집을 털고 난 다음에 **apparent**한 표식, 늘 똑같은 천으로 **knot**해놓고 그 끝은 한 번 **lick**해놓는대.
미정: 무서워 살겠나. 경찰이 **investigate**하고 있긴 한다더만. 음… 완전 **fierce**한 개를 키워야 되나? 집 밖에서 베란다로 못 타고 들어오게 **grease**도 발라놓고 말이지. 제아무리 잘 빠져나가도 **gravity**를 거스를 수 있겠어?
대건: 옛날이었으면 이런 범죄자는 **execute**당했을 텐데, 맞재?

1091 ★
burglary
[bə́:rgləri]

[명] 절도, 빈집털이

A: Did you hear that there was a **burglary** in our town yesterday?
어제 우리 동네에 빈집털이 있었다는 거 들었냐?
B: Yeah, I heard about it on the news.
어, 뉴스에서 들었어.

1092 ★★
anxiety
[æŋzáiəti]

[명] 불안, 염려 [유] concern 우려, 걱정 [숙] be in anxiety 걱정하고 있다

A: You look really weird today. What's up?
니 오늘 되게 이상해 보인다. 뭔 일 있어?
B: I'm feeling a lot of **anxiety** about my job interview this afternoon.
오늘 오후에 면접 보는데 엄청 불안하다.

1093 ★★
apparent
[əpǽrənt]

[형] 누가 봐도 알 수 있는, 분명한 [유] unmistakable 오해의 여지가 없는, 틀림없는

A: Daegun is so talented in languages.
대건이는 정말 언어에 재능이 넘쳐나는 거 같애.
B: See? I told you. It was **apparent** to me that he was a language genius.
봤지? 내가 말했잖아. 나한테는 얘가 언어 천재라는 게 딱 분명했었다니깐.

1094 ★★
knot
[nat]

[명] 매듭 [동] 매듭을 묶다(짓다)

A: Can you show me how to tie a **knot** one more time? I forgot the way you taught me.
매듭짓는 법 한 번만 더 보여줄래? 니가 가르쳐 준 방법 까먹었어.
B: All right. The way I tie a knot is pretty simple but very versatile.
그래. 내가 매듭짓는 방법은 참 쉬우면서도 다용도로 쓸 수 있지.

1095 ★★
lick
[lik]

[동] 핥다, 핥아먹다

A: I'm out of glue. How can I put a stamp on this letter?
풀 다 썼네. 편지에 우표 어떻게 붙이노?
B: You don't need glue. Just **lick** the stamp and then put it on the envelope.
풀이 무슨 필요가 있어. 그냥 우표를 혀로 핥은 다음에 봉투에 붙이면 돼.

1096 ★★
investigate
[invéstəgèit]

(동) 수사하다, 조사하다, 살피다

A: Did you just hear that? What was that sound?
방금 소리 들었어? 무슨 소리였지?

B: I'll go **investigate**. You stay here.
가서 살펴볼게. 넌 그냥 여기 있어.

 investigate만 따로 외우기 보다 비슷한 의미의 동사, **examine**(조사하다, 검토하다), **inspect**(조사하다, 점검하다) 등과 함께 묶어서 이해하시는 건 어떨까요?

1097 ★★
fierce
[fiərs]

(형) (사람·동물이) 사나운, 맹렬한 (유) ferocious 흉포한, 맹렬한

A: Do you still have that **fierce** dog at home? I'll never forget how he growled at me. 니 아직도 집에서 그 사나운 개 키우나? 날 보고 어찌나 으르렁거리던 지, 그걸 잊을 수가 없다.

B: Sure, and Peter is not just a dog. He's part of my family and always keeps me safe.
응, 피터는 그냥 개가 아니야. 가족이면서 늘 날 안전하게 지켜 줘.

1098 ★★
grease
[gri:s]

(동) 기름을 바르다 (명) 기름, 윤활유

A: Are you going to make pancakes? Make sure you **grease** the pan before you put the batter in, okay?
팬케이크 만들려고? 반죽 넣기 전에 팬에 기름 꼭 발라야 돼, 알았지?

B: All right. 알겠어.

1099 ★★
gravity
[grǽvəti]

(명) 중력, 심각성, 중대성 (유) importance 중요성

A: Let's go grab something to eat. How about a hamburger and fries?
나가서 뭐 좀 먹자. 햄버거랑 감자튀김 어때?

B: Um... Daegun, I don't think you realize the **gravity** of the situation. You totally messed up the most important presentation this afternoon.
어… 대건아, 니가 사태의 심각성을 깨닫지 못하는구나. 가장 중요했던 발표를 니가 오늘 오후에 완전히 망쳤다고.

1100 ★★
execute
[éksikjù:t]

(동) 처형하다, 실행하다 (파) execution 처형, 수행

A: I had a nightmare last night. I was a condemned criminal and I was about to be **executed** by firing squad! Then Mom woke me up by shouting "You're late for school!"
어젯밤에 악몽을 꿨다. 내가 사형수였는데 사격부대에 의해서 막 처형당하려던 순간이었어! 근데 엄마가 깨우시더라고, "학교 늦었다!"라고 소리 지르시면서.

B: What do you think it means?
그래서 그 꿈이 뭔 뜻 같냐?

Episode **111** • 될성부른 친구는 미리 친해 두자.

용호: 옆 반에 새로 전학 온 애 성격 완전 **explicit**하지 않냐?

찬규: 아버지가 **admiral**이시래. 제대하시면 **monument**도 세워질 예정이래.

용호: **patriot** 집안이구나. 아버지 성격을 많이 본받았나 봐. 뭐든지 그래야 할 **necessity**가 있다고 판단하면 **persevere**하더라고.

찬규: **notion**이 딱 탑재되어 있구만. 나중에 **judge** 같은 직업도 잘 어울리겠다. 눈빛 보면 그 누구도 **evacuate**하지 못할 테니.

용호: 그러게. 근데 자주 거주지를 **migrate**해야 되니까, 그건 좀 불편하겠더라.

1101 ★

explicit
[iksplísit]

형 (사람이) 솔직한, (글이) 분명한, 명백한, 노골적인

A: Why are you listening to this song? That's so inappropriate. It contains very explicit lyrics.

왜 이 노래 듣고 있어? 이거 너한테는 너무 부적절한데. 이거 가사가 굉장히 노골적이야.

B: I'm not thirteen any more. I can listen to anything I want.

내가 뭐 열세 살 먹은 애도 아니고. 듣고 싶으면 듣는 거지.

 '분명한, 명백한'의 의미로 사용될 경우, 비슷한 단어들로 **obvious**나 **specific** 등이 있습니다. 그리고 '(사람 성격이) 솔직하다'라는 의미로 사용될 경우에는 **frank**라는 단어가 유사한 의미를 전달합니다.

1102 ★

admiral
[ǽdmərəl]

명 해군 장성, 제독

A: Wow, you've collected a bunch of stuff related to the navy.

왜 니 해군 관련된 것들 엄청 모았구만?

B: When I was a kid, I dreamed of being an admiral.

나 어릴 적엔 해군 장성이 되는 게 꿈이었거든.

1103 ★★

monument
[mánjumənt]

명 기념물, 기념비 유 memorial 기념비

A: What would it feel like if people erected a monument for you in respect?

사람들이 너에 대한 존경의 표시로 기념비를 하나 딱 세워줬다 그러면 어떨 거 같애?

B: Hmm... I've never thought of that. What about you? How would you feel?

음… 글쎄. 그런 건 생각해 본 적이 없어서. 너는? 넌 어떤 느낌일 거 같아?

1104 ★★

patriot
[péitriət]

명 애국자

A: I didn't know that your grandfather was a Vietnam veteran.

너희 할아버지 베트남 참전 용사이셨다는 건 몰랐다.

B: If there's only one true patriot, he is the one.

진정한 애국자가 한 분 계시다면, 바로 우리 할아버지시지.

1105 ★★★

necessity

[nəsésəti]

ⓟ 필요성, 필수품 ⓨ requisite (어떤 목적을 위한) 필수품, 필요한

A: What's the worst thing that could possibly happen to you?

너한테 일어날 법한 일들 중에 가장 최악은 뭐일 거 같애?

B: Forcing me not to sleep? To me, sleeping is an absolute **necessity** for life.

잠을 못 자게 하는 거? 난 진짜 삶에 있어서 잠자는 게 절대적으로 필수야.

1106 ★★★

persevere

[pə̀:rsəvíər]

ⓢ 인내하며 계속하다 ⓟ perseverance 인내심

A: How did you get this done within 2 days? Thanks a lot.

이걸 어떻게 이틀 안에 한 거야? 진짜 고마워.

B: I was really tired and wanted to quit, but I **persevered** and got it done for you.

진짜 피곤해서 그만할까 했는데 널 위해서 진짜 인내심을 갖고 했다.

1107 ★★

notion

[nóuʃən]

ⓟ 개념, 관념

A: You know why I'm jealous of you? You have a vivid **notion** of what you want to do in the future.

니가 왜 부러운 줄 아나? 니는 미래에 뭘 하고 싶은지에 대한 아주 명확한 개념을 가지고 있잖아.

B: You can also make plans. I can help you if you want.

니도 계획 짜면 되지. 원한다면 내가 도와줄게.

1108 ★

judge

[dʒʌdʒ]

ⓟ 판사, 심사위원 ⓢ 판단하다

A: I don't think Daegun is suitable for our team. He's just ugly.

대건이는 우리 팀 구성원으로 적합치 못한 거 같애. 얘는 그냥 못 생겼어.

B: Hey, you should not **judge** him by his appearance.

야, 사람을 외모로 판단하면 안 되지.

1109 ★★

evacuate

[ivǽkjuèit]

ⓢ 피하다, 회피하다, 대피시키다

A: Did you see the news? There was a fire in a building in town and everyone in there was ordered to **evacuate**.

뉴스 봤나? 우리 동네 건물에 불 나 가지고 그 안에 있던 사람들 전부 다 대피하라고 하고 난리도 아니었다던데.

B: I was there!

내가 거기 있었다는 거 아녀!

1110 ★★★

migrate

[máigreit]

ⓢ 이주하다, (계절 따라) 이동하다

A: It's freezing cold these days. Can you see my breath now?

인간적으로 요새 너무 춥다. 내 입김 보이나?

B: Well, I wish I were a swallow so that I could **migrate** south in winter.

아, 난 제비였으면 좋겠는데 그러면 겨울에 따뜻한 남쪽 나라로 이동할 수 있잖아.

DAY 37 Review

1 다음 단어에 맞도록 우리말 또는 영어로 바꿔 쓰시오.

01	factor	_____	11	책망하다, 꾸짖다	_____
02	confederate	_____	12	중력, 심각성	_____
03	hypothesis	_____	13	수사하다, 조사하다	_____
04	abrupt	_____	14	매듭, 매듭을 묶다	_____
05	burglary	_____	15	처형하다, 실행하다	_____
06	anxiety	_____	16	인내하며 계속하다	_____
07	necessity	_____	17	피하다, 회피하다	_____
08	patriot	_____	18	해군 장성, 제독	_____
09	explicit	_____	19	기념물, 기념비	_____
10	judge	_____	20	개념, 관념	_____

2 다음 빈칸에 알맞은 단어를 넣어서 문장을 완성하시오.

01 I'll strongly _____ you if you make that suggestion at the meeting.
저는 당신이 회의에서 그 제안을 한다면 강하게 반대할 겁니다.

02 My younger sister has _____ living in Paris.
제 여동생은 파리에서 사는 걸 고려해 보고 있어요.

03 It is _____ that your daughter has a talent for writing.
당신 딸에게 글재주가 있다는 건 명확하다.

04 My dog is so _____ that people hesitate to visit my house.
우리 집 개가 워낙 사나워서 사람들이 집에 방문하길 주저한다.

05 I can't believe you didn't know that swallows _____ south in winter.
제비가 겨울에 남쪽으로 이동하는 걸 당신이 몰랐다는 게 믿기질 않는다.

DAY 38

에피소드 112~114

Episode 112 ● 주변에 멀쩡한 친구가 없다.

대건: 야! 아 놀래라. 넌 갑자기 우리 집에 **intrude**해서 지금 **outlandish**한 옷 입고 뭐하는 건데? 머리에 두른 건 또 뭐야? 니 무슨 **zealot** 이런 거냐?

우식: **lore**를 통해 전해 오는 전통의상을 재현한 거지. 올해 너의 운에 대해 점쳐 줄라고 왔다.

대건: 뭐래? 야, 최근 **experiment**한 결과에 따르면 너처럼 괴이한, **namely**하면, **intact**한 상태가 아닌 사람은 과거에 **extinct**한 동물과 뇌구조가 흡사하대.

우식: 음… 뭔 소리야?

대건: **vex**하지 말고 그냥 나가시라구요! 야야야, **fireplace**에 가까이 가지 마. 니 기괴한 옷에 불 붙으라.

1111 ★★
intrude
[intrúːd]

ⓢ 침범하다, 방해하다　ⓟ intrusive 거슬리는

A: I'm sorry to intrude, but did any of you park in front of our building?
방해해서 죄송합니다만 혹시 여기 분들 중에 저희 건물 앞에 주차 하신 분 계신가요?

B: I'm sorry. I'll move my car right now.
죄송합니다. 지금 바로 옮길게요.

1112 ★
outlandish
[autlǽndiʃ]

ⓐ 기이한, 이상한

A: I'm going to my cousin wedding this afternoon. How do I look?
나 오늘 오후에 사촌 결혼식에 가. 오늘 나 어때 보여?

B: Um... honestly, I really don't understand why you're wearing that outlandish dress.
어… 솔직히, 난 니가 왜 그 기이한 드레스를 입고 있는지 정말 이해가 안 돼.

1113 ★
zealot
[zélət]

ⓝ 광신자, 열광자

A: Look at all these rituals that you're having. I didn't know that you were such a zealot.
의례 치르는 것 좀 보소. 난 니가 이렇게 광신자인 줄은 몰랐네.

B: I don't consider myself a zealot. I'm just a religious man.
난 광신자가 아니여. 난 그저 신앙심 있는 사람일 뿐이지.

1114 ★
lore
[lɔːr]

ⓝ 구전지식, 구비설화

A: Are you sure that this will work? This herb is so bitter.
이거 진짜 효과 있는 거지? 이 약초 너무 쓴데.

B: Of course, I didn't make this up. I learned it from the lore of herbs.
당연히 효과 있지, 내가 만들어 낸 게 아니라니깐. 약초에 관련된 구전지식에서 배운 거야.

1115 ★★★

experiment
[ikspérəmənt]

(명) 실험 (동) 실험하다 (파) experimental 실험적인, 실험의 (유) trial 실험, 시험

A: Wait a minute. Did you just put some butter in the Soybean Paste Stew?

잠깐만. 너 방금 된장찌개에다가 버터 넣은 거야?

B: I did. Actually, I haven't made the stew this way before, so it's like an experiment.

어. 사실 전에는 나도 찌개 이렇게 끓여본 적은 없거든. 그러니까 이건 뭐 실험 같은 거지.

1116 ★★

namely
[néimli]

(부) 다시 말해서, 즉

A: Who made a mess in the kitchen again? You're in big trouble when I find out.

도대체 누가 또 부엌을 어지럽혀 놓은 거야? 알아내기만 하면, 진짜 각오해야 될 거다.

B: Well, there's one person that I can think of, namely me. I'm sorry, Mom.

음, 짐작 되는 사람이 한 명 있긴 있어요. 다시 말해 저란 말 인 거죠. 죄송해요, 엄마.

1117 ★

intact
[intǽkt]

(형) 온전한, 손상되지 않은 (유) undamaged 손상되지 않은

A: This food processor is still intact. How long have you used it?

이 믹서기 아직도 상태가 온전하네. 너 이거 얼마나 썼어?

B: Like 5 years so far? It is really durable. It's the best.

지금까지 한 5년? 진짜 내구성 좋은 거 같다. 최고야.

1118 ★

extinct
[ikstíŋkt]

(형) 멸종된, (화산이) 활동을 멈춘 (파) extinction 멸종, 소멸

A: What would it be like if dinosaurs were not extinct?

아직 공룡이 멸종하지 않았다면 어땠을까?

B: I would just tame one, and ride it to school.

난 그냥 한 마리 길들여서 학교에 타고 다닐 것 같다.

> 이 단어와 잘 어울리는 동사로 become(~이 되다), be presumed(~라 추정되다) 등이 있답니다. 예문 하나 보고 가죠.
> The species was presumed extinct. (그 종은 멸종된 걸로 추정됩니다.)

1119 ★★

vex
[veks]

(동) 성가시게(짜증나게) 하다

A: How can you do this to me?

어떻게 나한테 이럴 수가 있냐?

B: I said I'm sorry. It was a mistake. I didn't mean to vex you.

미안하다 그랬잖아. 실수였다니깐. 너를 성가시게 할 의도는 없었어.

1120 ★★

fireplace
[fáiərpleis]

(명) 벽난로

A: Hey, get me the remote control. It's on a shelf over the fireplace.

야, 리모컨 좀 갖다 줘. 벽난로 위에 선반에 있어.

B: This is exactly what I dreamed of. TV, snacks and a fireplace. This is perfect!

진짜 이거야 말로 내가 꿈꿔왔던 거네. TV 있지, 과자 있지, 그리고 벽난로 있지. 완벽해!

Episode
113 • 영혼 없는 칭찬

현실: 나 이 프로그램 코드 **input**하는 거 좀 도와줄래? 뭐가 문젠지 잘 안되네.

찬규: 어디 봐. 음… 이건 기한이 **expire**되었다네. 코드 갱신하고 다시 해 봐.

현실: 역시, **expert**는 다르네! 와, 근데 요새 운동하나? **forearm**이 오…. 허벅지는 무슨 **log** 두 개 겹쳐 놓은 거 마냥 두껍네!

찬규: **inborn**한 몸이지 하하. 너는 다이어트 하나? 그런데, 한두 달 **hostage**로 잡힌 사람처럼 살이 너무 많이 빠진 것 같다. **healthy**한 것 좀 챙겨 먹어라.

현실: 뭔가 **fundamental**한 식단 변화가 필요해. 사실 이 직업군에 있는 사람들이 대충 식사하는 게 **inevitable**하거든.

1121 ★

input
[ínpùt]

ⓝ 입력, 투입, 조언 ⓥ 입력하다, 제공하다

A: Are you available now? I really need your **input** on what to wear for the blind date.
니 지금 시간 되나? 나 소개팅 때 뭐 입어야 될지 니 조언이 간절하다.

B: All right. Take me to your wardrobe.
알았어. 네 옷장으로 날 인도하시게나.

1122 ★

expire
[ikspáiər]

ⓥ 만료되다, 끝나다 ⓟ expiration 만료, 만기

A: Hey, where are you headed so early?
이래 아침 일찍 어디 가나?

B: To the department of motor vehicles. My driver's license has **expired**.
자동차 부서에. 내 운전면허증 유효기간 만료돼서.

1123 ★★

expert
[ékspərt]

ⓝ 전문가 ⓐ 전문적인, 숙련된 ⓨ professional 전문가

A: Do you know the capital city of India? I knew it but I forgot.
인도 수도가 어디지? 알았는데 까먹었네.

B: Why don't you search it on the Internet? Don't ask me. I'm not a geography **expert**.
그냥 인터넷에서 찾아보지 그래? 나한텐 그런 거 묻지 마. 난 지리학 전문가가 아니야.

1124 ★

forearm
[fɔːráːrm]

ⓝ 팔뚝

A: Did you have fun with your friends last weekend?
지난 주말에 친구들이랑 재밌게 놀았어?

B: Oh, we went fishing and I got the fish as big as my **forearm**!
아, 우리 낚시 갔었는데 나 내 팔뚝만한 물고기 낚었어.

1125 ★★★
log
[lɔːg]

명 통나무 동 일지에 기록하다

A: There's nothing like enjoying the heat from a log fire on a cold day. Would you like some hot chocolate?
추운 날엔 장작불 피워놓고 따신 열기 즐기는 게 최고야. 코코아 좀 마실래?

B: Sure, that sounds great.
물론, 좋지.

1126 ★
inborn
[inbɔ́ːrn]

형 타고난

A: You can play the violin, too? How many instruments can you play?
니 바이올린도 켤 아는 거야? 악기 몇 개나 다루는 겨?

B: I don't know. About 10? I think I have an inborn talent for music.
모르겠어. 한 10개? 음악에 타고난 재능이 있는 거 같애.

1127 ★
hostage
[hástidʒ]

명 인질 유 captive 사로잡힌, 억류된

A: Oh my! Thank god he came back in one piece.
오, 이런! 그가 무사히 돌아와서 신께 감사드려요.

B: I still can't believe he was held hostage for a week.
아직도 그가 1주일 동안 인질로 잡혀있었다는 게 믿기질 않아요.

1128 ★★
healthy
[hélθi]

형 건강한, 건강에 좋은

A: Don't lie in bed right after you had a meal.
밥 먹자마자 침대에 눕지 좀 마라.

B: This is how I stay healthy.
이게 내가 건강을 유지하는 방법이거든.

1129 ★★
fundamental
[fʌndəméntl]

형 근본적인, 핵심적인 명 기본 원칙 유 underlying 근본적인, 근원적인

A: Why doesn't it work? I read the instructions thoroughly and followed each step exactly as it is said.
이거 왜 안 되지? 설명서 제대로 읽고 적힌 대로 각 단계 따라했는데.

B: You sure? I think you made a fundamental mistake. You didn't put the battery in.
확실해? 니 근본적인 실수를 하나 한 거 같구만. 배터리를 안 넣었잖아.

1130 ★★
inevitable
[inévətəbl]

형 불가피한, 필연적인

A: It just keeps raining outside. I thought it was just a shower.
밖에 비가 계속 오네. 소나기인 줄 알았네.

B: Seems like getting wet is inevitable. Let's just go home.
보아하니 젖는 게 불가피해 보이는구만. 그냥 집에 가자.

inevitable과 비슷한 의미를 전하는 형용사로 unavoidable이 있는데요. avoidable, '피할 수 있는' 앞에 un-이 붙어서 부정의 의미를 더하고 있죠? 피할 수 없는, 즉 '불가피한'이란 의미를 전한답니다.

Episode 114 • 요리대회

용호: 니 어제 무슨 요리대회 나갔었잖아. 어땠어?
미정: 시간이 넘 부족해서 초조했고 걱정 때문에 가슴이 **tremble**하는데 옆에 한 참가자가 계속 **false**한 정보를 주면서 **temper**를 살살 건드리더라고. 그래도 거기에 **regardless**하고 더운 날씨에 사람들을 **refresh**할 초계국수를 만들었지. **select**한 재료로 말이야. 주최 측에서 신선함을 엄청 **emphasize**했거든. 특히 난, 닭고기 대신 **lean**한 양지살을 이용했고.
용호: 오, 나 그거 **partial**하는데. 젊은 **generation**뿐만 아니라 어른들도 좋아할 만한 메뉴네. 결과는?
미정: 아쉽게 2등이야. 담엔 더 잘해 봐야지.

1131 ★★★
tremble
[trémbl]

[동] 떨다, 떨리다 [유] quake (공포 등으로) 몸을 떨다

A: Did you make a good first impression with the presentation yesterday?
어제 발표 잘 해서 좋은 첫인상 남겼냐?
B: I totally messed it up. My voice **trembled** as soon as I began to speak.
완전히 망쳤어. 말하기 시작하자마자 목소리가 떨리더라니깐.

1132 ★★
false
[fɔːls]

[형] 틀린, 사실이 아닌, 가짜의 [유] incorrect 부정확한, 사실이 아닌

A: Did you hear how they caught the thief? It's a funny story.
도둑 어떻게 잡았는지 이야기 들었어? 웃기던데.
B: Yes, I did. He gave the hotel a **false** name, but it didn't match his ID. 어, 들었지. 그 사람이 호텔 들어갈 때 가짜 이름을 썼는데, 그게 신분증이랑 일치가 안 된 거지.

1133 ★★
temper
[témpər]

[명] 성질, 기질, 기분 [동] 완화하다, 억제하다

A: What was that about? Why did you fight with a server?
방금 그거 무슨 일이야? 웨이터랑은 왜 싸운 건데?
B: Sorry for making a scene in front of people. I should learn to control my **temper**.
사람들 앞에서 소란 피워 미안하다. 나 정말이지 성질 참는 법 좀 배워야겠어.

1134 ★★
regardless
[rigáːrdlis]

[부] 개의치 않고, 그럼에도 불구하고

A: Dad, can I order pizza now? I'm studying really hard and feeling hungry now.
아빠, 나 피자 좀 주문해도 돼요? 공부 열심히 하고 있는데 배고파요.
B: Sure. Order anything you want **regardless** of the price.
당연하지. 먹고 싶은 거 아무거나 시켜 가격 개의치 말고.

💡 regardless는 부사입니다. 이 단어는 regardless of라는 전치사 표현과 함께 익혀둘게요. regardless of '~에 상관없이'라는 의미입니다. '나이에 상관없이'라고 하려면 'regardless of age' 이렇게 쓰면 되겠죠?

1135 ★★

refresh
[rifréʃ]

[동] 생기를 되찾게 하다, (기억 등을) 새롭게 하다 [유] revitalize 활력을 불어넣다

A: Isn't it scorching hot today? I can't concentrate right now.
오늘 진짜 타는 듯이 덥지 않냐? 집중을 못 하겠다.

B: Neither can I. Let's take a short break. How about some iced tea to **refresh** ourselves?
나도 그러네. 잠깐 쉬었다 하자. 아이스티 좀 마시면서 기운 좀 낼까?

1136 ★★★

select
[silékt]

[형] 엄선된 [동] 선택하다

A: Are you really going to apply for Daegun University? They only **select** 100 applicants in total for enrollment.
너 진짜 내건 대학교 지원할라고? 입학생 통틀어서 100명만 선택한다던데.

B: I will either go to this university or retake the test.
난 이 대학교 가거나 아니면 시험 다시 보거나 둘 중 하나야.

1137 ★★

emphasize
[émfəsàiz]

[동] (중요성을) 강조하다 [파] emphasis 강조 [유] stress 강조하다, 강세를 두다

A: Okay, is there anything else that you'd like to tell us?
좋아요. 뭐 또 하고 싶은 말 있나요?

B: I'd like to **emphasize** the importance of eating breakfast.
아침식사의 중요성을 강조하고 싶네요.

1138 ★★★

lean
[li:n]

[형] 기름기가 적은 [동] 기울다, 기대다, 숙이다 [숙] lean on ~에 의지하다

A: You'd better not **lean** against the wall. I painted it today and it hasn't dried yet.
벽에 안 기대는 게 좋을 거야. 오늘 페인트칠 해놨는데 아직 안 말랐어.

B: Oh, thanks. I almost ruined my new coat.
아, 고마워. 새로 산 코트 버릴 뻔 했네.

1139 ★★

partial
[pá:rʃəl]

[형] ~을 매우 좋아하는, 부분적인, 불완전한

[유] incomplete 불완전한 [숙] be partial to ~을 매우 좋아하다

A: I'm thinking of going to an ice-cream store. You want to join me?
아이스크림 가게에 갈 거야. 너도 같이 갈래?

B: You didn't even have to ask. I'm very **partial** to ice cream.
물어 볼 필요도 없다. 나 아이스크림 정말 좋아해.

1140 ★★

generation
[dʒènəréiʃən]

[명] 세대, (전기 · 열 등의) 발생 [파] generate 발생시키다, 만들어 내다

A: Hey, stop wasting precious energy. If you aren't watching TV, then you should turn it off. We have to preserve resources for future **generations**.
야, 에너지 낭비 좀 그만 해. TV를 안 보면 꺼야 될 거 아니야. 미래 세대들을 위해서 자원을 보존해야 하잖아.

B: OK. I'll be more careful. 알았어. 주의할게.

1 다음 단어에 맞도록 우리말 또는 영어로 바꿔 쓰시오.

01 experiment   _____

02 vex   _____

03 intact   _____

04 zealot   _____

05 expire   _____

06 hostage   _____

07 select   _____

08 refresh   _____

09 partial   _____

10 lean   _____

11 즉, 다시 말해   _____

12 기이한, 이상한   _____

13 구전지식, 구비설화   _____

14 팔뚝   _____

15 타고난   _____

16 전문가, 전문적인, 숙련된   _____

17 입력, 조언, 입력하다   _____

18 떨다, 떨리다   _____

19 그럼에도 불구하고   _____

20 세대, (전기 · 열의) 발생   _____

2 다음 빈칸에 알맞은 단어를 넣어서 문장을 완성하시오.

01 I think a couple of native species of fish here have become _____.
내 생각엔 여기 있던 토착종 물고기 두어 종이 멸종한 거 같다.

02 You need to make _____ changes to your daily life.
당신은 일상생활에 근본적인 변화가 있어야 합니다.

03 The increase in the price of oil seems _____.
유가 인상은 불가피해 보입니다.

04 He always _____ the importance of giving a good first impression.
그는 좋은 첫 인상을 주는 것에 대한 중요성을 늘 강조한다.

05 You have to learn how to control your _____.
네 성질 컨트롤하는 법 좀 배워야 한다.

DAY 39 에피소드 115~117

Episode 115 ● 참 매력적인 그대, 뮤지컬

미정: 어제 뮤지컬 **finale** 진짜 멋있었지 않냐? 장면들이 머릿속에서 계속 **last**하네.
대건: 나도 그래. 일단 규모 자체가 **massive**한 것도 아닌데 배우들 역할이 음악이랑 완전히 **match**했어.
미정: 공연을 위해서 아예 우리 마을 외곽에 있는 홀에 연습 장소를 **locate**하고 엄청 연습했다더라고. 그 여자주인공, 체구는 작은데 발음이랑 성량이 좋아서 **audible**하더라. **complain**할 부분 하나 없는 공연이었어.
대건: 나 여주인공 **address**로 우편물 보낼라고. 아! 너 여주인공 모자 기념품 샀시? 나 주라.
미정: 공짜 좋아하면 **bald**한 사람 된다. 뭔가 다른 거랑 **barter**해야지.

1141 ★
finale
[finǽli]

영 (쇼·음악작품의) 마지막 부분, 피날레

A: Did you watch the last episode of the TV show *Walking Man* yesterday? 어제 '워킹맨' 마지막 회 봤냐?

B: Of course I did. I almost cried at the dramatic finale. It was a good TV series.
당연하지. 나 그 감동적이었던 마지막 부분에서 거의 울 뻔 했어. 정말 재밌는 드라마였어.

1142 ★★★
last
[læst]

동 계속되다, 지속되다, 견디다 파 lastly 마지막으로, 끝으로

A: You look exhausted. Did the meeting last long?
너 무척 지쳐 보인다. 회의 오랫동안 계속되었던 거야?

B: Not really. It was actually under for an hour. It's just that I didn't sleep at all last night.
아니. 회의는 한 시간 이내 정도였어. 그냥 어제 밤에 잠을 아예 못 자서.

1143 ★★
massive
[mǽsiv]

형 엄청나게 큰, 거대한 유 enormous 거대한

A: You've got a massive collection of baseball gloves.
야구글러브 진짜 엄청나게 많이 수집했구만.

B: Well, this is only half of it. The rest of my gloves are in the utility room.
음, 이건 그냥 절반이야. 나머지 글러브는 다용도실 안에 있지.

1144 ★★★
match
[mætʃ]

동 어울리다, 일치하다

A: I got a new coat the other day. How do I look?
저번에 코트 하나 새로 장만했는데. 어때 보여?

B: Wow, that wine color matches your pants perfectly.
오, 와인색이 니 바지랑 완전 잘 어울린다.

1145 ★★★
locate
[lóukeit]

(동) (특정 위치에) 두다, ~의 위치를 찾아내다 (형) relocate 이전시키다, 이전하다

A: How long will it take for you to locate my son? He must be very cold now.

우리 애 위치 찾아내는 데 얼마나 걸릴까요? 지금 애가 추워서 난리일 텐데.

B: We're trying our best but we can't guarantee how long it will take. Please be patient.

최선을 다 하고 있습니다만 정확히 얼마가 걸릴지 확신할 수는 없습니다. 조금만 더 기다려 주세요.

1146 ★
audible
[ɔ́:dəbl]

(형) 잘 들리는

A: Did you enjoy my song on the stage? I did my best for you.

무대에서 내가 부른 노래 잘 들었어? 널 위해 최선을 다했어.

B: Actually, your voice was barely audible over the noise of the crowd.

음, 사실 사람들 소음 때문에 니 목소리 거의 들리지 않았어.

1147 ★★
complain
[kəmpléin]

(동) 불평(항의)하다 (파) complaint 불평, 항의

A: Can I ask you something? How can you deal with all the difficulties? You never complain.

뭐 하나만 물어봐도 되나? 넌 어떻게 이 모든 어려움들에 대처할 수 있는 거야? 불평은 전혀 하지 않잖아.

B: I just deal with them because I know that there's no point in complaining.

그냥 대처하는 거지. 왜냐면 불평 가져 봤자 의미 없다는 걸 알거든.

1148 ★★
address
[ǽdres, ədrés] (명)
[ədrés] (동)

(명) 주소, 연설 (동) 연설하다, (~에게) 우편물을 보내다

A: Where did you get those chocolates from? Oh, is that a package that your girlfriend sent to you?

초콜릿 어디서 난 거야? 니 여자 친구가 보낸 그 소포에서 난 거야?

B: Actually, this was addressed to you, not me. I'm so sorry!

사실 이거 나한테 온 게 아니고 너한테 온 거야. 진짜 미안해!

1149 ★★
bald
[bɔ:ld]

(형) 대머리의, 벗겨진, 단조로운

A: I'm losing a lot of hair these days. What should I do?

요새 머리 너무 빠진다. 어쩌지?

B: You should either take medicine or consider getting a hair transplant. My brother started going bald in his early 20s.

약을 먹거나 모발이식 받는 걸 고려하거나 해야지. 내 남동생은 20대 초반 때 부터 머리 벗겨지기 시작했어.

1150 ★
barter
[bá:rtər]

(동) 물물교환하다, 교역하다

A: What would you say if I wanted to barter this paper clip for your car?

내가 이 클립 가지고 니 차랑 물물교환하고 싶다고 하면 넌 뭐라고 말할 거야?

B: I would say, "Go away. You fool."

이렇게 말하겠지, "저리 가, 이 바보야."

Episode 116 • 한번 패션왕은 어딜 가도 패션왕

대건: 야, 넌 무슨 쎈 감기 **drug** 먹고 옷 입었어? 쳐다보면 살짝 어지럽다. 산에 **ascend**하는데 그리 차려입고 왔어? 오… 눈에는 써클렌즈도 꼈네. 무슨 **comet**인 줄. 양말이랑 색도 맞추고 말여.

영수: **combination**이 프로급이지. 난 역시 패션에 **aptitude**가 있나 봐. 널 완전 **dominate**할 법한 아우라가 있지!

대건: 난 무슨 **bulb**인 줄 알았네. 번쩍번쩍, 눈에서 빛을 **emit**하네 아주 그냥. 등산 말고 어디 **festive**한 행사에 가야 어울리겠다.

영수: 그런 **flattery**는 사양할게.

대건: … 이게 아첨이라고?

1151 ★★
drug
[drʌg]

[명] 약, 약제, 의약품 [동] 약물을 투여하다

A: Why do I feel dizzy so often these days?
요새 왜 이리 자주 어지럽지?

B: It's because of the **drug** you're taking. It has some side effects like dizziness.
니가 먹고 있는 약 때문이지. 어지러움 같은 부작용이 있는 약이거든.

1152 ★★
ascend
[əsénd]

[동] 오르다, 올라가다 [파] ascendant 상승하는, 떠오르는, 조상

A: Why is he so popular among Koreans?
그분은 한국 사람들 사이에서 왜 그렇게 유명한 거야?

B: You really don't know why? He **ascended** the summit of Mt. Everest. 진짜 모른단 말이야? 에베레스트 산 정상에 오른 사람이잖아.

1153 ★★
comet
[kámit]

[명] 혜성

A: Wait a minute. Are you wearing contact lenses? Wow, your eyes are as beautiful as a **comet**.
잠깐만. 니 렌즈 끼고 있나? 와, 눈이 완전 혜성만큼 이쁜데.

B: I'm glad you noticed. You're the only one who did!
알아보다니 진심 기쁘다. 니만 알아봤다니깐!

1154 ★★
combination
[kàmbənéiʃən]

[명] 조합, (자물쇠 등의) 번호, 부호

A: We got Daegun and Taehun joining us. It's like a winning **combination**.
대건이랑 태훈이도 우리 팀에 합류한다. 이건 뭐 우승용 조합이구만.

B: Nobody can stop us! 우릴 막을 자는 아무도 없도다!

1155 ★
aptitude
[ǽptətjùːd]

[명] 소질, 적성 [파] apt 적절한, ~하는 경향이 있는

A: You got an A in math again? I'm jealous of you. I got a D.
수학 또 A 맞았어? 완전 부럽다. 난 D 받았는데.

B: I can tutor if you want. I must have an **aptitude** for mathematics.
니만 원한다면 내가 개인교습 해 줄게. 나 진짜 수학에 소질 있나 봐.

1156 ★★
dominate
[dámənèit]

(동) 지배하다, 군림하다, 압도적으로 우세하다 (파) dominant 우세한, (생물) 우성의

A: Mijeong and I were about to have conversations over current issues and you know what happened?
내가 미정이랑 같이 최근 시사 관련 대화를 막 하려던 참이었는데 어찌된 줄 아나?

B: She just **dominated** the whole conversation. Right?
미정이가 대화 전체를 그냥 지배했구만. 맞지?

 dominate와 비슷하게 생긴 단어 중에 donate가 있습니다. donate는 dominate랑은 전혀 다른 '기부하다, 기증하다' 란 의미를 지니고 있으니 구분해서 챙겨 두세요.

1157 ★★
bulb
[bʌlb]

(명) 전구

A: Hey, the **bulb** in the bathroom keeps flickering. Are you aware of it?
야, 화장실 전구 계속 깜박거리는데? 알고 있냐?

B: I know. It's time to change it.
알지. 바꿀 때 됐고만.

1158 ★★
emit
[imít]

(동) (빛·열·가스 등을) 내뿜다, 내다

A: Look at that chimney. Why is it **emitting** thick black smoke?
저기 굴뚝 좀 봐라. 왜 저렇게 시커먼 연기를 내뿜는 걸까?

B: Maybe they're burning trash or something?
쓰레기 같은 거 태우고 있는 거 아닐까?

1159 ★★
festive
[féstiv]

(형) 축제의, 기념일의, 축하하는

A: Christmas is just around the corner! I'm so excited that I'm going to spend my first one here in Canada!
크리스마스가 코 앞이구만! 캐나다에서 처음 보낼 크리스마스, 너무 기대된다.

B: The whole town is already in a **festive** mood.
마을 전체가 벌써 축제 분위기야.

1160 ★★
flattery
[flǽtəri]

(명) 아첨 (파) flatter 아첨하다

A: Mom, you're the most beautiful and intelligent woman I've ever seen. I'm so thankful that I'm your son.
엄마는 제가 본 여성 중에서 가장 아름답고 지적인 분이세요. 제가 엄마 아들이라는 데에 너무 감사드려요.

B: I'm not falling for your **flattery**. What do you want?
내가 니 아첨에 넘어갈 것 같냐? 뭐가 필요한데?

Episode 117 ● 역시 공대생은 달라.

대건: 웬 커피머신이야?

예나: 어, 이번에 우리 회사 30주년 **commemorate** 하는 행사에서 경품으로 탔지. 근데 이거 커피 **filter** 하는 게 잘 안되네.

대건: **compatible** 한 걸로 해야지. 니가 넣은 건 너무 촘촘하네.

예나: 오… 역시 공학을 **major** 해서 그런지 남달라.

대건: 그거랑 커피랑 뭔 상관이야. **bias** 라고. 암튼 커피 너무 먹지 마. 뇌기능 **inhibit** 한다더라. 그 외에도 **innumerable** 한 단점이 있어. **oral** 건강에도 안 좋고. 치아부식을 **accelerate** 한대.

예나: 뭐 그런 **absurd** 한 얘기들을 하냐? 좀 더 객관적 사실을 가져와 봐.

1161 ★
commemorate
[kəmémərèit]

(통) 기념하다, 축하하다 (유) celebrate 기념하다

A: Wow, what's this cake for?

와, 갑자기 웬 케이크야?

B: It's to commemorate the first day we met this time last year.

작년 이맘때 쯤 우리 처음 만났던 날 기념하려고!

1162 ★
filter
[fíltər]

(통) 여과하다, 거르다 (명) 필터 (유) purify 여과하다

A: Hold on. You just drink water directly from the tap? You need to filter it first.

잠깐만. 니 수돗물 그대로 마시려는 거야? 물 여과부터 해야지.

B: Tap water is not going to kill me. I'm all right. Oh, then how about you get me a water purifier?

수돗물 마신다고 안 죽는다. 난 괜찮다. 오, 그럼 니가 정수기 사주든가?

1163 ★
compatible
[kəmpǽtəbl]

(형) 호환이 되는

A: Hi, I'm looking for a printer for my desktop. Any recommendations?

안녕하세요. 제 컴퓨터에 연결할 프린터 좀 살까 해서요. 추천 좀 해 주실래요?

B: How about the 30-DG? This model is compatible with most PCs.

30-DG모델 어떠신가요? 이 모델은 대부분의 PC와 호환이 됩니다.

1164 ★★★
major
[méidʒər]

(명) 전공 (통) 전공하다 (형) 주요한, 중대한

A: We've encountered major problems lately. We've spent the entire budget as of yesterday. I'm afraid to say this but...

우리는 중대한 문제에 봉착했습니다. 어제부로 우리 전체 예산을 모두 소비했어요. 그래서 여러분들한테 이런 말하기 좀 유감스럽지만…

B: It's OK if you have to delay paying my salary for this month.

이번 달 월급 주시는 거 좀 미뤄야 된다해도 괜찮습니다.

1165 ★
bias
[báiəs]

(명) 편견, 편향 (유) prejudice 편견

A: Why did you get that tattoo on your ankle? I really don't get it.
발목에다가 그 문신은 왜 새긴 거야? 이해가 안 가.

B: You just have a bias against tattoos, but many people consider them art.
넌 그냥 타투 자체에 편견이 있는 거지 뭐. 근데 많은 사람들은 이걸 예술이라 여기지.

biased는 '편견이 있는'이란 의미의 형용사이구요. 이 단어 앞에 부정접두사 un-이 붙은 unbiased는 '선입견 없는'이란 의미를 전달해 주니 이 단어들도 같이 정리해 두세요.

1166 ★
inhibit
[inhíbit]

(동) 억제하다, 저해하다 (유) restrain (물리력을 동원해서) 저지하다, 억제하다

A: You should open the windows sometimes and air the room out. If not, a lack of oxygen could inhibit your brain development.
가끔 창문도 열고 환기도 좀 시키고 해라. 안 그러면 산소 부족으로 인해서 니 두뇌 발달을 저해할 수도 있다구.

B: Oh, thank you for... What? 아, 고맙… 뭐라고?

1167 ★★
innumerable
[injú:mərəbl]

(형) 셀 수 없이 많은, 무수한 (유) incalculable 헤아릴 수 없이 많은, 막대한

A: So, how was my final draft? I think it's close to perfect, but I just wanted to ask.
내 최종원고 어땠어? 뭐 거의 완벽에 가깝겠지만, 그냥 물어보고 싶었어.

B: Well, there were innumerable errors in it.
음, 그게 셀 수도 없을 만큼 많은 오류들이 있더라.

numerable이란 형용사는 무언가가 '셀 수 있는, 계산할 수 있는'이란 의미를 전해 주지요. 이 단어 앞에 부정 접두사 in-이 붙은 단어가 바로 innumerable이랍니다. '셀 수 없이 많은, 무수한', 감이 오죠?

1168 ★
oral
[ɔ́:rəl]

(형) 구강의 (명) 구두시험 (유) verbal 말로 된, 구두의

A: You didn't brush your teeth again, did you? Do you not care about your oral hygiene?
니 또 양치 안했지, 그렇지? 넌 구강 위생에 신경을 안 쓰냐?

B: Hey, look who's talking. Your feet smell terrible right now.
누가 할 소릴 지금. 니 발냄새 지금 진동하거든.

1169 ★
accelerate
[æksélərèit]

(동) 가속화하다, 속도를 높이다 (파) acceleration 가속, 가속도

A: Now, I want you to breathe in and out and then slowly step on the gas. Make sure you don't accelerate, okay? 자, 숨 한번 크게 들이마셨다가 내쉬고 그런 다음에 천천히 가속페달 밟는 거야. 갑자기 속도 높이진 말고, 알았지?

B: Okay. 응.

1170 ★★
absurd
[æbsə́:rd]

(형) 터무니없는, 우스꽝스런 (유) silly 우스꽝스러운, 어리석은

A: I got charged for this service that I didn't use. This is absurd.
이 서비스는 쓰지도 않았는데 비용이 부과되었네요. 좀 터무니없군요.

B: I apologize for your inconvenience. Let me take care of it right now. 불편을 끼쳐 드려 죄송합니다. 바로 처리해 드리겠습니다.

DAY 39 Review

1 다음 단어에 맞도록 우리말 또는 영어로 바꿔 쓰시오.

01	barter	_____	**11**	잘 들리는	_____
02	massive	_____	**12**	계속되다, 견디다	_____
03	bald	_____	**13**	주소, 연설, 연설하다	_____
04	ascend	_____	**14**	(빛 · 열 등을) 내뿜다	_____
05	flattery	_____	**15**	축제의, 기념일의	_____
06	aptitude	_____	**16**	편견, 편향	_____
07	comet	_____	**17**	가속화하다	_____
08	absurd	_____	**18**	호환이 되는	_____
09	commemorate	_____	**19**	억제하다, 저해하다	_____
10	filter	_____	**20**	전공, 전공하다, 주요한	_____

2 다음 빈칸에 알맞은 단어를 넣어서 문장을 완성하시오.

01 I'm looking for a scarf that _____ well with my coat.
제 코트랑 잘 어울릴 스카프를 찾고 있어요.

02 Why didn't you _____ to the manager about their bad service?
왜 형편없는 서비스를 받고도 매니저한테 항의하지 않은 거야?

03 My older brother tends to _____ the conversation with me.
우리 형은 나랑 하는 대화를 지배하려는 경향이 있어요.

04 I love the color _____ of your sweater.
난 네 스웨터 색깔 조합이 참 맘에 든다.

05 I found out that there are _____ errors in the user's manual.
나는 그 사용 설명서에 셀 수 없이 많은 오류가 있다는 걸 알게 되었다.

Episode 118 • 나 하나쯤이야 뭐.

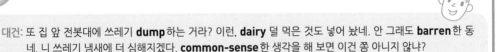

대건: 또 집 앞 전봇대에 쓰레기 **dump**하는 거라? 이런, **dairy** 덜 먹은 것도 넣어 놨네. 안 그래도 **barren**한 동네, 니 쓰레기 냄새에 더 심해지겠다. **common-sense**한 생각을 해 보면 이건 쫌 아니지 않냐?

우식: 내만 버리나? 니 말고 옆집, 뒷집 사람들은 다 버려. **compromise**할 줄도 알아야지. 이 **cruel**한 세상 혼자 사는 건 아니잖아?

대건: 니도 참 **cunning**한 사람이다. 너랑 **argue**해서 무엇하겠니. 니 같이 **eloquent**한 사람하고 말이지.

우식: 말 잘하는 거, **bliss**지. 그렇고말고.

1171 ★
dump
[dʌmp]

(동) (쓰레기 따위를) 내버리다, 헐값에 팔다　(숙) dump on ~을 못살게 굴다

A: This coffee is the worst ever. A total waste of money.
　이 커피는 진짜 최악이다. 정말 돈이 아깝다.

B: Hey, why did you **dump** it on the street? Go pick up the cup.
　야, 그렇다고 왜 길바닥에다 버리냐? 가서 컵 주워 와.

1172 ★★
dairy
[déəri]

(명) 유제품　(형) 유제품의

A: I have diarrhea every time I consume cheese or milk. Is it only me?
　치즈나 우유 마시면 설사를 하네. 나만 그러냐?

B: Maybe that's because you can't digest **dairy** products well.
　그거 니가 유제품을 잘 소화시키지 못해서 그럴 거야.

1173 ★★
barren
[bǽrən]

(형) 척박한, 황량한, 소득 없는

A: Wow, look at the landscape here.
　와, 여기 풍경 좀 봐.

B: So **barren**. All I see now is nothing.
　진짜 척박하구만. 지금 내 눈에 보이는 게 아무것도 없네.

1174 ★
common-sense
[kámənsèns]

(형) 상식적인, 양식 있는

A: My leg has been hurting for almost a week. This is pretty uncomfortable.
　거의 한 주 동안 다리가 아프네. 완전 불편해.

B: Look. If your leg hurts that much, isn't it **common-sense** to go see a doctor?
　야, 다리가 그렇게 아프면 병원에 가는 게 상식 아니냐?

1175 ★★
compromise
[kámprəmàiz]

(명) 타협, 절충 (동) 타협하다, (원칙 등을) 굽히다

A: We need to seek **compromise**.
우리도 이제 타협점을 찾아야죠.

B: I guess you're right. I'm just tired of having arguments.
자네 말도 맞는 것 같네. 언쟁 주고받는 데에도 이젠 신물이 나.

 접두사 com- 에는 기본적으로 '함께, 서로(together)'라는 의미가 들어 있답니다. 서로 간에(com) 어떻게 하자고 약속하는 (promise) 거니까 compromise, '타협하다, 절충하다'라는 의미가 되겠죠?

1176 ★★
cruel
[krúːəl]

(형) 잔혹한, 잔인한

A: Did you hear that Daegun messed up the interview and Taehun passed?
대건이는 인터뷰 완전 망쳤고 태훈이는 통과했다던데 들었나?

B: Taehun? He didn't prepare at all. Wow, that's a **cruel** twist of fate.
태훈이? 걔 아예 준비도 안 했잖아. 와, 정말 잔혹한 운명의 장난이구만.

1177 ★★
cunning
[kʌniŋ]

(형) 교활한 (명) 교활함 (유) crafty 술수가 뛰어난, 교활한

A: Why do you hang out with that woman? I told you she's as **cunning** as a fox.
저 여자랑 왜 어울리는 건데? 내가 걔 여우만치 교활하다고 말했잖아.

B: You sure about that? She seems very kind to me.
진짜 확실해? 나한테 굉장히 친절하던데.

1178 ★★
argue
[áːrgjuː]

(동) 언쟁을 하다, 주장하다

A: Thanks for helping me in that restaurant. You saved me.
나 식당에서 도와줘서 진짜 고마웠어. 니가 날 살렸다.

B: It was obvious that the guy was trying to cheat you. I'm always ready to **argue** for what is right.
그 남자가 너 속이려고 하는 게 뻔히 보이더라고. 난 항상 옳은 일을 위해 언쟁을 할 준비가 되어있어.

1179 ★★
eloquent
[éləkwənt]

(형) 말 잘하는, 청중을 사로잡는, 유창한 (유) persuasive 설득력 있는

A: You messed up your presentation today.
너 오늘 발표 완전 망쳤던데.

B: Don't bring that up again. I thought I was an **eloquent** speaker. This is frustrating.
그 말 다신 꺼내지 마. 난 진짜 내가 유창한 연설가인 줄 알고 있었는데. 완전히 좌절했다.

1180 ★★
bliss
[blis]

(명) 더 없는 기쁨, 행복

A: This steak is so good. It's just **bliss** that I'm able to eat something like this.
이 스테이크 정말 맛있네. 이런 거 먹을 수 있다는 거 자체가 더 없는 기쁨인 거 같애.

B: You're right. I'm also thankful that you're going to pay for mine, too.
맞아. 그리고 나는 니가 내 것까지 계산해 줄 거라는 데에 참 감사해.

Episode 119 · 창업, 그거 아무나 하는 거 아니다.

승용: 니 요새 이것저것 배우는데 완전 **eager**한데?

강범: 다니던 **enterprise** 그만두고 백수라서 시간이 **ample**하거든. 제빵 진짜 재밌어! 잘 구워냈을 때 바삭하고 촉촉한 **crust**! 요새 제빵사 **demand**도 많다던데, 빵집에 취업할까? 아님 창업?

승용: **deposit**은 어쩔라고? 니 너무 성급하다. 성공을 **ensure**하는 것도 아니고. 게다가 대기업 **merchandise**들이랑 비교했을 때 경쟁력도 아예 없잖아.

강범: 그러니까 니 말은 하지 말라는 것을 **mean**하는 거지?

승용: 응, **nearly** 망한다고 봐야지.

1181 ★★

eager
[íːgər]

ⓗ 열심인, 열렬한, 간절히 바라는 ⓨ anxious 열망하는

A: Are you still studying English? It's 2 in the morning. So eager to learn!
니 아직도 영어공부하고 있나? 새벽 2시구만. 학습에 완전 열심이네!

B: I'll prove that I can speak fluent English without going abroad!
해외 안 나가고도 영어 유창하게 할 수 있단 걸 증명해 보이겠어!

1182 ★★

enterprise
[éntərpràiz]

ⓜ 기업, 회사, 사업 ⓨ firm 회사

A: I'm going to start a new business with a big enterprise next month.
다음 달에 대기업이랑 같이 새로운 사업 하나 시작할 거야.

B: Well, I hope it becomes successful. Good luck.
그래, 잘 되길 바라마. 행운을 빌어.

1183 ★★

ample
[ǽmpl]

ⓗ 충분한, 풍부한 ⓟ amplify 증폭시키다, 더 자세히 진술하다

A: How did you like your trip?
여행 어땠어?

B: It was perfect since I had ample money this time. I ate good food, did a lot of activities and stayed at a nice hotel.
내가 이번에는 돈이 충분히 있어서 최고였지. 좋은 음식 먹고, 이것저것 해 보고 또 멋진 호텔에서 묵고 말야.

비슷한 의미를 전하는 표현들 몇 개 같이 정리해 둘게요. plenty of '~가 많은', abundant '풍부한, 풍족한'도 함께 알아 두세요.

1184 ★★

crust
[krʌst]

ⓜ 껍질, 딱딱한 층

A: This is the first time I'm going to make apple pies. Any tips?
처음으로 사과파이 만들 거야. 뭐 조언할 만한 거 있나?

B: Make sure you bake them until the crust turns golden.
껍질 부분이 노릇노릇해질 때까지 구워야한다는 거.

1185 ★★★
demand
[dimǽnd]

(명) 수요, 요구 (동) 요구하다 (유) request 요청, 요청(요구)하다

A: I heard your business is going well.
요새 사업 잘 된다며.

B: Yeah, I'm thankful for that, but to meet the demand for our product, I cannot sleep more than 3 hours a day.
응, 참 감사할 일인데 상품 수요를 맞춰야 되니까 요새 하루에 3시간 이상은 잘 수가 없다.

1186 ★★
deposit
[dipázit]

(명) 보증금, 예금 (동) (특정한 곳에) 두다

A: How much of a deposit should we put down for this house?
이 집 보증금은 얼마를 걸어야 되는 거죠?

B: 3,000 dollars.
3,000달러요.

1187 ★
ensure
[inʃúər]

(동) 보장하다, 확실하게 하다

A: Mom, have a great dinner with Dad and don't worry about the house.
엄마, 아빠랑 저녁식사 맛있게 하시고 집 걱정은 하지 마세요.

B: I won't. Please ensure that you turn off the gas stove after you're done cooking.
응, 알았다. 너 요리 다하면 반드시 가스레인지는 꺼야 된다.

1188 ★★
merchandise
[mə́:rtʃəndàiz]

(명) 상품 (동) 판매하다

A: I didn't know that you were so into basketball.
난 니가 농구에 그렇게 관심이 있는 줄은 몰랐네.

B: I am. Especially Michael Jordan. I've been collecting his official merchandise for years.
있고말고. 특히 마이클 조던. 조던 공식상품도 수년째 계속 모으고 있는 중이야.

1189 ★★★
mean
[mi:n]

(동) 의미하다, 의도하다 (형) 못된 (유) signify 의미하다, 뜻하다

A: What do you mean by that? Are you saying that you are going to quit?
그건 무슨 의미인 거지? 그만둘 거란 말인가?

B: No, I'm just saying... you know you can offer me a raise.
아니, 그게 아니라 그냥… 월급 좀 올려주셨으면 하는 거죠.

1190 ★★★
nearly
[níərli]

(부) 거의

A: Did you have fun at the concert you went to?
콘서트 가서 재밌게 놀다 왔어?

B: Not at all. The audience was nearly all guys. That was horrible.
아니. 관객들 거의 전부 남자뿐이었다니깐. 이건 뭐 끔찍했다 정말.

Episode **120** • 될 사람은 되고 안 될 사람은 정말 안 된다.

대건: 야, 니는 무슨 여행을 갔다 온 게 아니고 단식원에서 살다 왔나? 무슨 몸이 **corpse**가 되어 왔네.

상화: 에헤이, 무슨 그런 **insult**를. 근데 생각해 보니 사실이네. 말도 마라. 시작부터 꼬였어. 항공기 **navigation**부터 10시간 넘게 지연되더만. 암튼 여행지에 도착했는데 **epidemic**이 돈다네? 가게도 다 문 닫았고 먹을 게 없단 걸 **notice**했지. 그래도 뭔가는 나오겠지 하고 계속 가는데 자판기가 있더라. 동전 **insert**하고 음료수를 막 뽑는데 갑자기 옆에서 어떤 **mammal**이 튀어 나오는 거야! 와, 이대로 걸렸다간 **martial**한 기술이고 뭐고 저놈이 날 **cripple**할 수도 있겠다 싶어서 담벼락 위로 최선을 다해 **leap**했지. 휴… 살아 돌아와서 너무 기쁘다.

DAY 40

1191 ★

corpse
[kɔːrps]

명 시체, 활기를 잃은 것

A: You haven't forgotten over your ex-girlfriend, have you? You look like a living **corpse**!
아직도 전 여자 친구 못 잊었냐? 완전 산송장 같다고 너.

B: I only wish I could see her again.
다시 그녀를 볼 수만 있다면 좋겠어.

1192 ★★

insult
[ínsʌlt] 명
[insʌ́lt] 통

명 모욕 통 모욕하다

A: What is wrong with your friend, Daegun? I was just trying to help him but he **insulted** me in front of people today!
니 친구 대건이 왜 그래? 난 그저 도와주려던 참이었는데 사람들 앞에서 날 모욕했다니깐!

B: Really? There must have been some misunderstanding between you guys.
진짜? 너네 둘 사이에 뭔가 오해가 있었던 듯 싶은데.

1193 ★★

navigation
[nævəgéiʃən]

명 (배 · 항공기) 운항, 항해

A: You were serious when you told me that you're going to be a sailor.
니가 내한테 항해사 될 거라고 했던 게 진심이었구나.

B: I was! Now I'm studying with an expert in **navigation**.
진심이었지 그럼! 요새 항해 전문가한테 이것저것 배우고 있어.

1194 ★

epidemic
[èpədémik]

명 유행병, 전염병 유 plague 전염병

A: Did you know that more than 3 million people died from this **epidemic** last year?
300만 명 이상이 작년에 이 유행병으로 죽었다는 거 알고 있나?

B: Wow, that is a lot.
와… 엄청 많네.

1195 ★★★

notice
[nóutis]

(동) 알아차리다 (명) 안내판

(파) noticeable 뚜렷한, 분명한 (숙) at short notice 예고 없이, 촉박하게

A: Hey, guess what the difference is in my room.
야, 내 방에 뭐 달라진 거 없나 맞춰 봐.

B: Well, the first thing I **noticed** about the room is this bad smell.
글쎄, 내가 딱 처음 알아차린 건 이 구린 냄새.

1196 ★★

insert
[insə́:rt]

(동) 넣다, 삽입하다

A: Where should I **insert** coins? I can't find the slot!
동전은 어디다가 넣어야 되는 거야? 동전 투입구를 찾질 못하겠네.

B: Actually you need a bill for this vending machine. It doesn't accept any coins.
그 자판기 쓰려면 지폐 있어야 돼. 동전은 안 돼.

1197 ★

mammal
[mǽməl]

(명) 포유동물

A: What other **mammals** are there except for dogs and cats and...?
강아지나 고양이 제외하고 또 포유동물들 뭐 어떤 거 있지?

B: Human beings!
인간!

1198 ★

martial
[má:rʃəl]

(형) 싸움의, 전쟁의 (유) warlike 호전적인, 전쟁의

A: Stop playing with those nunchucks. Do you think my house is a **martial** arts club?
그 쌍절곤 그만 좀 돌려. 우리 집이 무슨 무도관인 줄 아냐?

B: Bring it on! 덤벼!

1199 ★★

cripple
[krípl]

(동) 불구로 만들다, 심각한 손상을 주다

A: Did you hear about Mr. kim's car accident?
김 선생님 교통사고 소식 들었어?

B: Yes, I heard about it. Sadly, he got **crippled** with the accident
응, 들었어. 슬프게도 그 사고로 다리를 절게 되었대.

 단어가 조금 어렵죠? 상대적으로 조금 쉬운 단어 하나와 묶어서 정리해 볼게요. **disable**이란 동사입니다. '신체에 장애를 입히다' 라는 의미를 전달해 줍니다.

1200 ★★★

leap
[li:p]

(동) (높이·길게) 뛰다, 뛰어넘다 (명) 급증

A: Did you just see that? That boy with a baseball cap **leaped** over the stream!
방금 봤어? 야구모자 쓴 애가 개울을 뛰어넘었다고!

B: I did. I thought he was an Olympic athlete.
봤지. 난 무슨 올림픽 선수인 줄 알았다니까.

1 다음 단어에 맞도록 우리말 또는 영어로 바꿔 쓰시오.

01 eloquent   _____

02 argue   _____

03 dairy   _____

04 barren   _____

05 ample   _____

06 nearly   _____

07 eager   _____

08 leap   _____

09 navigation   _____

10 cripple   _____

11 더 없는 기쁨, 행복   _____

12 교활한, 교활함   _____

13 넣다, 삽입하다   _____

14 상식적인   _____

15 보증금, 두다   _____

16 의미하다, 못된   _____

17 기업, 회사, 사업   _____

18 모욕, 모욕하다   _____

19 유행병, 전염병   _____

20 알아차리다, 안내판   _____

2 다음 빈칸에 알맞은 단어를 넣어서 문장을 완성하시오.

01 I don't want to _____ my principles.
저는 제 원칙을 굽히고 싶지 않아요.

02 The coffee tasted so bitter and burned that I _____ it down the drain.
커피에서 쓴 맛과 탄 맛이 나서 그냥 하수구에 버렸어요.

03 I've been collecting my favorite singer's official _____ for a long time.
저는 오랫동안 제가 제일 좋아하는 가수의 공식 상품을 수집하고 있어요.

04 You should know that they cannot _____ you a position.
당신은 그 사람들이 당신에게 일자리를 보장해줄 수 없다는 사실을 알아야 한다.

05 How can you not know human beings are also _____?
넌 어떻게 사람도 포유동물이라는 걸 모를 수가 있니?

Episode 121 ● 걱정 마세요, 다 싸우면서 친해지는 거니까.

대건: 이번 **feature** 기사에 실린 작가들 글 중에 뭔가 **notable** 한 그런 건 없었나?

찬규: 있었지. 무슨 **monologue** 로만 글을 채운 작가였는데. 뭔가 **odd** 해서 끌려.

대건: 넌 독특한 네 외모만큼 특이한 것을 좋아하는구나.

찬규: 너도 평범하지는 않지. 그나저나 넌 얼굴이 **despair** 인데 머리는 왜 짧게 자른 겨? 그 스타일이 니 얼굴을 더 **accentuate** 하게 하는 것 같다.

대건: 뭐? 넌 성격이 사회적으로 **acceptable** 할 만한 수준이 아닌 거 같다.

찬규: 머리 다시 보니까 되게 **barbaric** 하다. **bull** 닮았네. 저기 좋은 미용실 많은데, 가서 **counsel** 해 봐. 이게 다 니랑 나랑 친해서 하는 소리 아니냐. 알지?

1201 ★★★
feature
[fíːtʃər]

영 특집, 특징(특성) 동 특징으로 삼다

A: You got a new camera. Isn't that one pretty expensive?
카메라 새 거 샀네. 그거 꽤 비싸지 않냐?

B: It is but I'm pretty satisfied with several **features** that are user-friendly.
비싼데 사용자 친화적인 몇 가지 특징들 덕분에 꽤 만족스러워.

1202 ★★
notable
[nóutəbl]

형 주목할 만한, 눈에 띄는, 유명한

유 remarkable 주목할 만한, 놀라운   숙 be notable for ~로 유명하다

A: You are from Yeongju, right? What is your hometown **notable** for?
니 영주에서 왔다 그랬지, 그치? 너네 고향은 뭘로 유명해?

B: Yeongju is especially notable for apples.
영주는 특히 사과로 유명하지.

1203 ★
monologue
[mánəlɔːg]

명 독백

A: Who is that comedian? I don't think I've seen him on TV.
저 코미디언은 누구야? TV에서 본 적 없는 것 같은데.

B: His **monologue** series is very popular online.
그의 독백 시리즈가 온라인에서 아주 인기가 많아.

1204 ★★
odd
[ad]

형 특이한, 이상한, 홀수의   유 peculiar 이상한, 기이한

A: You know what rhymes with Friday? Chicken!
금요일이랑 각운을 이루는 단어가 뭔 줄 아니? 닭고기!

B: Well, you have a really **odd** sense of humor.
흠… 넌 정말 이상한 유머감각을 갖고 있어.

1205 ★★
despair
[dispéər]

명 절망 동 절망하다

A: I messed up everything this time.
이번엔 아주 그냥 전부 다 망쳤구만.

B: Things look pretty bad now but don't **despair**. You'll find a way out of this.
뭐 지금은 굉장히 힘들겠지만 절망하지 마라. 해결책을 찾을 수 있을 거야.

1206 ★
accentuate
[æksént∫uèit]

동 두드러지게 하다, 강조하다

A: Wow, look what Taehun is wearing.
와, 태훈이가 입고 있는 것 좀 봐.

B: He is in good shape so he always wears clothes that **accentuate** his muscles.
쟤 몸매 좋아서 늘 지 근육 두드러지게 해 주는 옷 입더라고.

DAY 41

1207 ★★
acceptable
[ækséptəbl]

형 (사회적으로) 용인되는, 받아들일 수 있는 반 unacceptable 받아들일 수 없는

A: Sorry, Mr. Kim. The traffic was really bad this morning and my dog died last night. That's why I'm late for work.
김 부장님 죄송합니다. 오늘 아침에 차도 말도 안 되게 막히고요 게다가 어젯밤에 키우던 강아지가 죽었거든요. 그래서 늦었습니다.

B: Do you really think that's an **acceptable** excuse?
음, 자넨 그게 정말 받아들일 수 있는 변명거리라 생각하는 건가?

 접미사 -able에는 '~할 수 있는, ~하기 쉬운'이라는 의미가 들어 있답니다. 그리고 동사 accept에는 '~을 받아들이다'라는 의미가 들어있지요. 이 두 녀석이 합쳐진 단어가 acceptable, '받아들일 수 있는, 용인되는'을 의미랍니다.

1208 ★
barbaric
[ba:rbǽrik]

형 야만적인

A: Do we really have to do this ritual? I think it's pretty **barbaric**.
우리 이 의식을 꼭 해야 되는 거야? 굉장히 야만적인 거 같은데.

B: When in Rome, do as the Romans do.
로마에 가면 로마법을 따라야지.

1209 ★★
bull
[bul]

명 황소

A: Why are you wearing those brown pants? They make you look like a **bull**.
니 그 갈색 바지는 왜 입고 있는 거야? 황소처럼 보이는구만.

B: You want to be gored by a bull?
황소한테 한번 치여 볼래?

1210 ★★
counsel
[káunsəl]

동 상담을 하다 명 변호인 유 attorney 변호사

A: I really want to lose weight but it's really hard.
나 진짜 살 빼고 싶은데 잘 안 된다.

B: I know a man who **counsels** those who want to lose weight. Why don't you go to his office?
내가 살 빼려는 사람들 상담해 주시는 분을 알고 있지. 이 분 사무실에 가 보는 건 어때?

Episode 122 • 농사는 과학입니다.

우식: 너는 무슨 농사를 이렇게 **monotonous**하게 짓냐? 이렇게 작물을 **cultivate**하니까 **expense**만 많이 들고 수확량은 **decline**하지.

대건: 잘 모르겠다. 니가 여기 **native**이니까 조언 좀 줘 봐.

우식: 음… 우선 **drastic**한 변화가 필요해. 내가 **evaluate**했을 때 말이지. 우선 밭고랑 배치를 직선모양으로 두고, 씨를 뿌릴 때 너무 빼곡히 **fill**하지 말자구. 비용이 많이 들더라도 **drain**할 수 있는 배수 시스템도 구축하고 말야. 안 그럼 씨가 썩는다고. 야, 그냥 나한테 맡겨 봐. 내가 **outcome**으로 말해 주지.

1211 ★★
monotonous
[mənátənəs]

형 단조로운 파 monotonously 단조롭게 monotone 단조로운 소리

A: Why did you quit your job? You said you liked it.
일은 왜 그만둔 거야? 나한테는 재밌다 그랬잖아.

B: Well, I thought it was pretty cool at first. But I realized that it was just monotonous work, and there's nothing worse than that.
처음에는 재밌는 줄 알았지. 근데 하다보니 이건 뭐 그냥 단조로운 일이더라고. 그것보다 최악인 게 또 없거든.

   mono-는 '혼자서'라는 의미를 갖고 있답니다. 독백을 영어로 monologue라고 하잖아요. 둘이서 하는 건 dialogue, 즉 대화고요. 이 단어 외울 때엔 혼자(mono) 이야기 하다 보니 톤(tone)이 단조롭다. monotonous, '단조로운' 이렇게 외워 보세요.

1212 ★★
cultivate
[kʌ́ltəveit]

동 경작하다, 재배하다 파 cultivation 경작, 재배

A: Look how barren the land is. There's literally nothing.
땅 척박한 것 좀 봐라. 말 그대로 진짜 아무것도 없네.

B: Well, the land around here has never been cultivated. That's why.
그러게, 이 부근 땅이 한 번도 경작됐던 적이 없거든. 그게 이유지.

1213 ★★★
expense
[ikspéns]

명 비용, 경비 파 expend (시간, 노력 등을) 소비하다 expenditure 지출, 경비

A: Are you really going to get your own car? Maintaining a car is a big expense.
너 진짜 차 살 거야? 차 유지하는 거 진짜 비용 많이 든다.

B: I know, but I'm sick and tired of using public transportation.
알아. 그래도 대중교통 이용하는 건 이제 완전 몸서리 난다구.

1214 ★★★
decline
[dikláin]

동 감소하다, 거절하다 반 rise 오르다, 증가하다

A: Is Daegun going to be at our party tomorrow night?
대건이도 내일 우리 파티에 참석하는 거야?

B: No, I invited him but he declined.
아니, 초대했는데 거절하더라고.

1215 ★★★
native
[néitiv]

[명] 현지인, 토착민 [형] 태어난 곳의 [유] indigenous 토착의

A: It always amazes me how many languages you can speak fluently. Especially English! You speak English just like a **native**.
도대체 너는 몇 개 국어를 유창하게 하는 건지 늘 놀랍다. 특히 영어! 넌 영어를 완전히 현지인처럼 말하잖아.

B: I'm flattered, but I still have a long way to go.
비행기 태우지 마라. 아직 갈 길이 멀다.

1216 ★
drastic
[drǽstik]

[형] 과감한, 극단적인

A: You know what? I'll follow my intuition and it tells me to break up with my girlfriend. I'll do it!
그거 아나? 난 내 직관을 따를 건데 말이지 얘가 지금 나한테 여자 친구와 헤어지라고 신호를 보내고 있어. 그렇게 해야겠어.

B: Don't you think that's a little **drastic**?
그건 좀 너무 극단적인 거 같지 않냐?

1217 ★
evaluate
[ivǽljuèit]

[동] 평가하다, 감정하다 [파] evaluation 평가 [유] assess (가치나 양을) 평가하다

A: I don't like this education system where they always **evaluate** us with grades.
늘 점수로 우리를 평가하는 이 교육체계가 싫어.

B: I don't, either. Isn't it sad that we spend our youth this way?
나도. 우리 청춘을 이렇게 소비한다는 게 참 슬프지 않냐?

1218 ★★★
fill
[fil]

[동] 채우다, 때우다, 작성하다

A: How was the party? Did it go well?
파티 어땠어? 잘 됐어?

B: It was really successful. More than a hundred people **filled** the party room!
정말 성공적이었지. 파티룸이 백 명도 더 되는 사람들로 채워졌었다니까!

1219 ★★
drain
[drein]

[동] (액체를) 빼내다 [명] 배수관 [유] sewer 하수관

A: Okay, so what's next? It's been easy to follow so far.
네, 다음 과정은 뭔가요? 지금까지는 따라오기 굉장히 쉽네요.

B: **Drain** the canned tuna before adding it to the pot.
냄비에 넣기 전에 참치 캔의 기름을 쫙 빼주세요.

1220 ★★
outcome
[áutkʌm]

[명] 결과 [유] consequence (발생된 일의) 결과

A: What do you think? Are we going to make it?
넌 어때? 우리가 해낼 수 있을까?

B: For sure. I'm pretty confident of a successful **outcome**.
당연하지. 난 성공적인 결과를 아주 확신해.

Episode 123 • 꿈이란 실현시키기 위해 있는 것 (feat. 개인위성)

대건: 인터넷 뉴스 보니까 뭐, 지구 근처로 **orbit**하게 개인위성 제작해서 쏘아 올리려는 사람이 있더라? 근데 그게 **legitimate**한 건가?

찬규: 대한민국 **constitution** 제1조 1항을 보면…

대건: 아, 그건 나도 아니까 그만 얘기하고.

찬규: 응, 가능하대. **economical**한 이윤을 바라고 하는 게 아니라 개인 돈으로 준비 중이었는데 다행히 요즘엔 **donation**도 많이 들어온대.

대건: 되게 신중해야겠다. 한번 쏘고 나면 **modify**하거나 이러질 못하니까. 올라가다 **burst**하면 끝이네.

찬규: **barometer**를 달아 놓고 어찌 조종할 거 같더만. 암튼 성공하면 **astronomy** 전공인 나 또한 엄청 뿌듯할 듯!

대건: 위싱에다가 그 아저씨 이름 **consonant**만 따서 새기면 재밌겠다.

1221 ★★
orbit
[ɔ́:rbit]

[동] 궤도를 돌다 [명] 궤도

A: How many space stations are there in **orbit** around the moon?
달 궤도에 있는 우주 정거장은 몇 개쯤 되겠노?

B: How would I know that? Just search on the Internet.
내가 그걸 어찌 알겠어? 그냥 인터넷으로 검색해 봐.

1222 ★
legitimate
[lidʒítəmət]

[형] 합법적인, 정당한 [유] legitimacy 합법성, 적법성

A: Is it going to be okay for us to set up the tent here and stay the night?
우리 여기다가 텐트 치고 하룻밤 묵는 거 괜찮은 거야?

B: Sure, it's a **legitimate** place to camp.
당연하지. 여기 캠핑하는 데 합법적인 장소야.

1223 ★★
constitution
[kɑ̀nstətjú:ʃən]

[명] 헌법, 구조, 본질 [유] constitute ~을 구성하다, (법률을) 제정하다

A: Do you know what July 17 is?
7월 17일이 무슨 날인지 아니?

B: Of course, I know. July 17 is **Constitution** Day in Korea.
물론 알지. 7월 17일은 한국에서 제헌절이잖아.

1224 ★★
economical
[èkənɑ́mikəl]

[형] 경제적인, 실속 있는

A: When did you get a new car? I thought you drove an SUV.
새 차는 언제 뽑았대? 난 너 사륜구동 차 운전하는 줄 알았는데.

B: Well, a couple of months ago? Driving a compact car is more **economical** these days.
음, 두어 달 전? 요즘 같은 때엔 경차 모는 게 더 경제적이잖아.

1225 ★

donation
[dounéiʃən]

(명) 기부, 기증 (숙) make a donation 기부하다, 기증하다

A: Why didn't you tell me that you make a **donation** every month?
너 매달 기부하는 거 왜 말 안 했어?

B: You know, it's not a big deal. I just want to keep doing this for those in need.
에이 이게 뭔 대수라고. 그냥 도움이 필요한 사람들을 위해서 계속 기부하고 싶어.

1226 ★★

modify
[mádəfài]

(동) 수정하다, 조정하다 (유) convert 전환시키다

A: Hmm... the recipe says that I need olive oil but we don't have any.
음… 레시피에서는 올리브오일 쓰라고 되어 있는데 지금 올리브유가 없네.

B: Then we can just **modify** the recipe. How about canola oil?
그럼 그냥 레시피 좀 수정하면 되지. 카놀라유는 어때?

DAY 41

1227 ★★★

burst
[bəːrst]

(동) 터지다, 터뜨리다 (숙) burst into tears 갑자기 울음을 터뜨리다

A: Stop blowing up that balloon. It looks like it's going to burst.
그 풍선 그만 좀 불어라. 터질 거 같단 말이야.

B: Not yet. Don't worry.
아직은 아니야. 걱정 마.

1228 ★★

barometer
[bərámitər]

(명) 기압계, (여론 등의) 지표

A: Hey, look. The **barometer** is falling. Should we really sleep outside?
야 봐봐. 기압계 떨어지고 있잖아. 우리 진짜 밖에서 자야 돼?

B: Well, we lost a bet and this is the penalty.
뭐, 우리가 내기 졌잖아. 이게 벌칙이고.

1229 ★★

astronomy
[əstránəmi]

(명) 천문학

A: Wow, you have so many telescopes in your house.
와, 너네 집에 망원경 엄청 많네.

B: I do. I'm going to pursue a career in astronomy. I'm so excited.
그렇지. 난 천문학을 업으로 삼으려고. 기대 돼.

1230 ★

consonant
[kánsənənt]

(명) 자음, 자음글자

A: Wait a minute. Is that a **consonant** or a vowel? I'm confused.
잠깐만. 저거 자음이야 모음이야? 아 헷갈려.

B: It's definitely a consonant.
당연히 자음이지.

 이 표제어에는 '자음 (소리), 자음 글자'란 의미가 있지요. 당연히 '모음, 모음자'란 의미의 단어도 같이 챙겨 두면 좋겠죠? 이에 해당하는 단어는 vowel입니다.

DAY 41 Review

1 다음 단어에 맞도록 우리말 또는 영어로 바꿔 쓰시오.

01 feature _____

02 acceptable _____

03 monologue _____

04 native _____

05 cultivate _____

06 outcome _____

07 donation _____

08 consonant _____

09 orbit _____

10 donation _____

11 상담을 하다, 변호인 _____

12 야만적인 _____

13 두드러지게 하다, 강조하다 _____

14 (액체를) 빼내다, 배수관 _____

15 단조로운 _____

16 합법적인, 정당한 _____

17 경제적인, 실속 있는 _____

18 헌법, 구조 _____

19 기압계, 지표 _____

20 터지다, 터뜨리다 _____

2 다음 빈칸에 알맞은 단어를 넣어서 문장을 완성하시오.

01 It's _____ that you don't mention anything about money.
네가 돈에 대해서 어떤 것도 언급하질 않다니 이상하다.

02 Don't _____ even if things look bad now.
비록 지금 상황이 안 좋아 보여도 절망하지 마.

03 I'm afraid you _____ our invitation.
저희 초대를 거절하셨다니 참 유감스럽군요.

04 Some say life can be _____ by how much money they have.
몇몇 사람들은 그들이 얼만큼 많은 돈을 가지고 있냐로 삶이 평가될 수 있다고 이야기해요.

05 You need to _____ your diet to be healthy.
너 건강해지려면 식단 좀 수정해야 할 필요가 있어.

DAY 42

에피소드 124~126

Episode 124 • 영화 시사회

효진: 어제 영화 **preview** 갔었다며? 누구랑 갔어?

기범: 어, 친구들이랑 갔지. 내 고등학교 동창 중에 영화일 하는 애 있잖아. 아, 그 친구 곧 결혼한다고 **bride** 될 사람도 **contact**해서 같이 왔었고. 근데 우산을 안 챙겨가서 들어가기도 전에 소나기에 흠뻑 **soak**했다니까.

효진: 아쉽네. 나도 그 영화 보고 싶었는데. 시사회 표 주는 이벤트에서 내 차례 기다리고 있었는데 근데 다른 영화 줄에 서 있었던 거 있지? 알고 나서 한참동안 **absently**하게 서 있었네. 영화는 재밌었어?

기범: 좀 뻔한 스토리더라. 한때 형제처럼 지냈던 주인공 둘이 있는데, 한 명이 다른 한 명을 어떤 계기로 **mistrust**하게 되고 결국 배신을 하더라고. 거기에 화가 난 다른 한 명이 그 배신자 집에 **raid**해서 **avenge**하고 그런 이야기.

효진: 내가 좋아하는 장르의 영화는 아니었네. 그냥 남자들끼리 뭉쳐서 **mutual**하게 **bond**하기에 좋은 그런 마초적인 스토리였겠네.

1231 ★

preview
[príːvjùː]

[명] 시사회 [동] 시사평을 쓰다

A: I was invited to the press **preview** of a new movie today and it was really good.
오늘 새 영화 언론 시사회 초대 받아 다녀왔는데 정말 재밌더라.

B: Oh, what movie are we talking about?
어, 무슨 영화 얘기하는 거야?

💡 일상생활에서 자주 들어본 단어인 거 같지 않나요? pre-에는 '미리, 앞서(before)'라는 의미가 들어 있지요. 영화나 어떤 프로그램 같은 걸 미리 보는 것, preview, 즉 '시사회'라는 의미가 되겠죠?

1232 ★★

bride
[braid]

[명] 신부

A: Can you believe that our wedding ceremony is tomorrow?
내일이면 우리 결혼식이라는 게 믿어져?

B: I'm so looking forward to being a **bride**.
신부가 되기만을 고대하고 있는 걸.

1233 ★★

contact
[kántækt]

[동] 연락하다 [명] 접촉 [숙] keep in contact with ~와 계속 연락하다

A: I can't believe how many people have come to my birthday party. How did you do this?
이렇게 많은 사람이 내 생일파티에 참석하다니 믿을 수가 없네. 어떻게 한 거야?

B: Well, I just **contacted** everyone on the list.
뭐 그냥 명단에 있는 사람들 전부 다 연락했지.

1234 ★★
soak
[souk]

(동) 흠뻑 젖다, ~을 적시다, 담그다 (유) steep (액체에) 적시다, 담그다

A: Are you just going to put that dirty shirt in the washer directly? You should soak it in lukewarm water for a while first.
그 더러운 셔츠를 그냥 바로 세탁기에 넣겠다고? 먼저 미지근한 물에 한동안 담가 놔야지.

B: You make my life more complicated.
너 때문에 내 인생이 더 복잡해지는구나.

1235 ★
absently
[ǽbsəntli]

(부) 멍하니, 무심코

A: Why were you absently standing in front of our classroom this afternoon?
너 오후에 왜 우리 교실 앞에서 멍하니 서 있었던 거야?

B: Sorry? You must have mistaken someone else for me. I didn't even go to school today.
뭐? 다른 사람하고 착각한 거 같은데. 나 오늘 학교에 안 갔어.

1236 ★
mistrust
[mistrʌ́st]

(동) 불신하다 (명) 불신

A: Who are you going to vote for in this election?
이번 선거에서 누구 뽑을 거야?

B: Well, I don't know yet. I have a strong mistrust of politicians.
음, 글쎄 아직 모르겠는데. 난 정치인들을 불신하거든.

1237 ★
raid
[reid]

(동) 급습(습격)하다 (명) 습격 (유) invade (군사적으로) 침입하다, 침략하다

A: Five innocent people died in another raid.
다섯 명의 무고한 사람들이 또 다른 습격에 의해 사망했어.

B: This is crazy. 진짜 이건 말도 안 돼.

1238 ★
avenge
[əvéndʒ]

(동) 복수하다

A: How was the movie? What's it about? 영화 어땠어? 뭔 내용이었는데?

B: It actually has a pretty simple story. The main actor avenges his father's murder.
그냥 뭐 단순한 이야기지. 주인공이 아버지 살해당한 것에 대해 복수하는 거야.

1239 ★★
mutual
[mjú:tʃuəl]

(형) 상호간의, 공동의, 공통의

A: So, how did you two become close? 둘이 어떻게 친해진 거예요?

B: Oh, we found out that hiking was a mutual hobby. That played a big role in it.
아, 알고 보니 서로 공통되는 취미가 등산이더라고요. 그게 우리 친해지는 데 큰 역할을 했죠.

1240 ★★
bond
[band]

(동) 유대감을 형성하다, 접착시키다 (명) 유대, 채권 (유) ties 유대

A: It seems that Daegun and you have become closer these days.
너 요새 대건이랑 더 친해진 거 같다.

B: Yeah, he helped me a lot when something bad happened to me. That strengthened the bond between us.
어, 걔가 나 안 좋은 일 생겼을 때 많이 도와줬어. 그게 우리 사이의 유대감을 더 단단하게 해 준 것 같아.

Episode 125 ● 자나 깨나 보안조심

대건: 사장님, 드디어 우리가 **aspire**하던 업계 1위 달성이 눈앞이네요! 시장 점유율도 우리 쪽이 더 우세합니다. 우리 신제품이 소비자들을 제대로 **charm**했네요.

태훈: 아직 방심은 이르네. 세계적인 기업으로 **propel**하려면 말이지. 시설들을 좀 더 **automate**하고 제품 **transport**하는 차량들도 철저히 관리하세. 아 그리고 보안에 철저히 신경 쓰도록! 얼마 전에 **permit**도 없는 사람이 **trespass**해서 우리 신제품용 **calligraphy** 컴퓨터 파일을 가져가려다 딱 걸렸다 하더군.

대건: 네, 그게 참 때마침 진행 중이던 전산 보안검사 **due**로 모두가 한곳에 모였을 때였더라고요. 하마터면 큰 **victim**이 될 뻔 했습니다.

DAY 42

1241 ★★
aspire
[əspáiər]

ⓥ 열망하다, 염원하다 ⓟ aspiration 열망, 포부 ⓢ aspire to ~을 갈망하다

A: I'm so sorry that you failed the national exam. Why do you want to be a public servant so bad?
국가고시 떨어진 거 안됐네. 근데 왜 그렇게 공무원이 되고 싶어 하는 거야?

B: I **aspire** to get a stable job.
안정적인 직업을 염원하는 거지.

1242 ★★★
charm
[tʃɑːrm]

ⓥ 매혹하다 ⓝ 매력, 부적 ⓤ attraction 매력, 끌림

A: Isn't Daegun a man of great **charm**?
대건이 정말 매력 있는 애 같지 않냐?

B: Are you serious? You really should go see a doctor.
진심이야? 너 진짜 병원 가 봐야겠다.

1243 ★
propel
[prəpél]

ⓥ 나아가게 하다, 추진하다, 몰고 가다

A: Come on. We really have to take this opportunity. It will help us **propel** forward.
있잖아. 우리 무조건 이번 기회 잡아야 돼. 우리가 앞으로 더 나아갈 수 있도록 해 줄 테니깐.

B: Definitely! But can we take a coffee break first?
당연하지! 근데 잠깐 커피 한 잔씩 하고 시작하면 어때?

1244 ★
automate
[ɔ́ːtəmèit]

ⓥ 자동화하다

A: Every process is so time-consuming. Don't you think?
매 과정이 너무 시간 잡아먹는 거 같애. 안 그러냐?

B: I do. I wish we could just **automate** the process. Then we'd have plenty of extra time.
그렇지. 이 과정을 자동화할 수만 있다면 좋을 텐데. 그러면 여분 시간도 많이 생길 테고.

1245 ★★
transport
[trænspɔ́ːrt] 동
[trǽnspɔːrt] 명

동 수송하다, 이동시키다 명 수송 유 convey 실어 나르다, 운반하다

A: Did you read the novel that I recommended?
내가 추천해 준 소설책 읽었나?

B: I did. I was literally **transported** back to the year 1890.
어. 나 말 그대로 1890년으로 이동한 것 같았다니깐.

1246 ★★★
permit
[pə́rmit] 명
[pərmít] 동

명 허가증 동 허용(허락)하다 파 permission 허락, 허가 유 allow 허락하다, 용납하다,

A: Excuse me. Listening to the radio out loud is not **permitted** in the library.
저기요. 도서관 안에서는 라디오 크게 듣는 건 허용되질 않습니다.

B: Oh, I'm sorry. I'll just turn it off.
아, 죄송합니다. 바로 끌게요.

1247 ★
trespass
[tréspəs]

동 무단침입하다 명 무단침입

A: We're so sorry but in our defense, we just went inside to pick up our soccer ball. We didn't mean to **trespass**.
정말 죄송합니다만 사실, 저희는 축구공 가지러 들어갔던 거예요. 무단침입 하려는 의도는 아니었습니다.

B: Then why didn't you ring the doorbell?
그러면 왜 초인종을 누르지 않았죠?

1248 ★
calligraphy
[kəlígrəfi]

명 서체, 서예

A: Your handwriting is the worst I've ever seen. Didn't you tell me that you're learning **calligraphy**?
진짜 니 글씨체는 내가 봤던 것 중에 최악인 거 같애. 니 서예 배우고 있다 그러지 않았나?

B: For your information, my handwriting was worse than this before.
참고로 말해주는데, 내 손글씨 예전엔 이거보다 더 엉망이었어.

 graphy라는 단어엔 '무언가에 대해 쓴 것'이라는 의미가 들어있어요. 이 앞에 **calli-** 가 붙었죠. 이 말은 라틴어에서 온 것으로 '아름답다'라는 의미가 있습니다. 아름다운 쓰기라, **calligraphy**, '서체, 서예'라는 의미가 되겠죠?

1249 ★★★
due
[djuː]

형 ~ 때문에, ~하기로 되어있는

A: Sorry that I couldn't meet the deadline. It was **due** to a lack of time.
마감기한 못 맞춰서 죄송해요. 시간이 부족해서 그렇게 됐네요.

B: Well, I'll just let it slide this time, but only this time.
음, 이번에는 그냥 넘어가겠어요. 하지만 딱 이번만이에요.

1250 ★★
victim
[víktim]

명 피해자, 제물 유 casualty 사상자, 피해자

A: Why are you treating me like this? I'm the **victim** of a crime.
왜 저한테 이런 대접하는 거죠? 전 범죄 피해자라고요

B: Okay, but we need you to come with us to the police station first.
네, 그래도 먼저 저희랑 같이 경찰서에 가 주셔야 합니다.

Episode 126 • 그래도 아직은 살만한 세상이구먼유.

유린: 와, 이번 **drought** 증말로 심했다 아녜요? 소방서에서 **intervene**해 줘서 그나마 살았잖아요.

연수: 그재잉. 소방서에서 논에다 **irrigate**해서 살았지. 참 고마운 일이여. 비가 좀 더 **pour**해야 좋을 터인디.

유린: 이럴 때 느끼지만 자연을 참 **value**해야 쓰겄어요. 그래도 이번에 여기저기 봉사단체 뿐만 아니라 시에서도 생필품을 이것저것 **contribute**해 줘 갖고 내사마 눈물이 찔끔 나드만요. 사실 여태까지는 독단적이고 **arbitrary**한 시의 행동에 쪼매 서운했었걸랑요.

연수: 우리가 할 일은 농작물 잘 자라게 **nurture**하는 게지. 그럴라면 늘 요놈들을 **observe**해야 할 것이고. 그나저나 아픈 데는 좀 나았는가?

유린: 아, **antibiotic** 먹고 있어유.

DAY 42

1251 ★
drought
[draut]

[명] 가뭄

A: Look at all the rice paddies. The area is so barren.
논 상태 좀 봐라. 여기 완전 황폐하구만.

B: Yeah, it's due to two years of severe **drought**.
맞아, 2년간의 심한 가뭄 때문이지 뭐.

1252 ★★
intervene
[ìntərví:n]

[동] (상황 개선을 위해) 개입하다, 끼어들다 [유] intercede 중재에 나서다, 탄원하다

A: Hey, stop fighting with each other.
야, 서로 그만들 좀 싸워.

B: Who asked you to **intervene**? You have nothing to do with this.
누가 너한테 개입해 달라 그랬냐? 이 일이랑 전혀 상관도 없잖아 넌.

inter-에는 '~ 사이에'라는 between의 의미가 포함되어 있답니다. 그리고 어근 vene에는 '오다, 나타나다' 즉 come의 느낌이 들어 있죠. 언쟁이 오고가는 누군가들 사이에(inter) 오다(vene), intervene 즉, '개입하다, 끼어들다'라는 의미겠죠?

1253 ★
irrigate
[írrigate]

[동] (땅에) 물을 대다, 관개하다, 세척하다 [파] irrigation 관개, 물을 끌어들임

A: Can you help me this weekend? I have to **irrigate** our rice paddies.
이번 주말에 나 좀 도와줄 수 있어? 우리 논에다가 물 좀 대야 되는데.

B: I'm in as long as you promise to offer lunch.
뭐 점심을 주겠다고 약속해 주면 할게.

1254 ★★★
pour
[pɔ:r]

[동] (비가) 마구 쏟아지다, 붓다, 따르다 [숙] pour out (숨기고 있었던 감정이나 말을) 쏟아 놓다

A: Hey, **pour** the sauce carefully. Remember the last time that you spilled a lot of it?
야, 소스 조심히 부어. 지난번에 소스 엄청 쏟은 거 기억하지?

B: All right. That's not going to happen again. Watch me.
알았어. 그럴 일은 다신 없을 거야. 나 하는 거 보라고.

1255 ★★★

value
[vǽljuː]

⟨동⟩ 소중하게 여기다 ⟨명⟩ 가치, 가치관

A: Why does Daegun always just go home when we have a staff dinner?
대건 씨는 왜 항상 우리 회식할 때 그냥 집에 간데요?

B: He **values** the time that he spends with his family.
그 사람, 가족들이랑 보내는 시간을 굉장히 소중히 여기더라고.

1256 ★★

contribute
[kəntríbjuːt]

⟨동⟩ 기부하다, 기증하다, 기여하다, 기고하다 ⟨파⟩ contribution 기부금, 기여

A: Our opponents are so strong. What should we do?
상대방이 너무 강해요. 어쩌죠?

B: You know the answer. To win this game, everybody has to **contribute**, okay?
답은 하나야. 이기려면 모두들 최대한 기여해야 해, 알았지?

1257 ★

arbitrary
[ɑ́ːrbətrèri]

⟨형⟩ (행동 · 결정 등이) 제멋대로인, 임의적인, 독단적인

A: I still can't believe you chose that one. Were you out of your mind?
난 아직도 니가 그걸 골랐다는 게 이해가 안 된다. 뭐 정신 잠깐 나갔었나?

B: I'm sorry. It was a completely **arbitrary** decision.
미안해. 그냥 완전 임의적인 결정이었어.

1258 ★

nurture
[nə́ːrtʃər]

⟨동⟩ (잘 자라도록) 양육하다, 보살피다

A: Isn't our teacher great? He always tries to **nurture** our creativity.
우리 선생님 진짜 최고지 않냐? 항상 우리 창의력을 키워 주시고 말이지.

B: He's the best teacher ever. I don't want to graduate.
진짜 최고야. 졸업하기 싫다.

1259 ★★★

observe
[əbzə́ːrv]

⟨동⟩ 관찰(주시)하다, ～을 보다, 목격하다 ⟨파⟩ observant 관찰력 있는, (법률 · 관습을) 준수하는

A: Do you know why my cat keeps hiding in the closet?
우리 집 고양이가 자꾸 옷장 안에 숨으려고 하는 이유를 아나?

B: Well, it's not the exactly same but a similar pattern was **observed** from my cat. Maybe it's a cat's natural instinct?
음, 완전히 똑같진 않은데 우리 고양이도 비슷한 패턴으로 행동하는 거 여러 번 봤지. 뭐 고양이들의 자연적인 특성 아닐까?

1260 ★

antibiotic
[æntibaiátik]

⟨명⟩ 항생제 ⟨숙⟩ take an antibiotic 항생제를 복용하다

A: What are these pills on your desk? Are they vitamin C? Can I take some?
책상 위에 이 알약들 뭐야? 비타민 C야? 나 좀 먹어도 되나?

B: You'd better not. They are **antibiotics** that I've started taking recently.
안 먹는 게 좋을 걸. 그거 내가 요새 먹기 시작한 항생제다.

1 다음 단어에 맞도록 우리말 또는 영어로 바꿔 쓰시오.

01	raid	_____	11	흠뻑 젖다, ~을 적시다 _____
02	bond	_____	12	불신하다, 불신 _____
03	absently	_____	13	복수하다 _____
04	trespass	_____	14	~ 때문에 _____
05	propel	_____	15	열망하다, 염원하다 _____
06	observe	_____	16	수송하다, 이동시키다 _____
07	irrigate	_____	17	서체, 서예 _____
08	drought	_____	18	개입하다, 끼어들다 _____
09	pour	_____	19	양육하다, 보살피다 _____
10	contribute	_____	20	제멋대로인, 임의적인 _____

2 다음 빈칸에 알맞은 단어를 넣어서 문장을 완성하시오.

01 I'm glad that we have a _____ hobby.
나는 우리에게 공통되는 취미가 있어서 참 좋아.

02 Let me give you my _____ number in case you need it.
필요하실 경우를 대비해서 제 연락처를 하나 드릴게요.

03 The process of making chocolate in this factory has been _____.
이 공장에 초콜릿 제조 과정은 자동화되었습니다.

04 You're not _____ to take photos inside of a museum.
박물관 안에서는 사진 촬영이 허용되지 않습니다.

05 Don't forget to take your _____ after each meal.
식사 후에 항생제 먹는 거 잊지 마세요.

DAY 43

에피소드 127~129

Episode 127 • 나보다 그대를 더 배려합니다. (feat. 동물 친구들)

재범: 넌 공연할 때 왜 언제나 **acoustic**한 장비만 쓰는 거야?

길수: **trivial**한 이유일 수도 있는데 내가 한참 고향집 **garage**에서 이것저것 연결해서 연습하고 했었거든. 근데 우리 집 근처에 다양한 동물들 **habitat**이 있었어. 짐승 **herd**들이 무리지어 이동하기도 했고. 아! **leopard**무늬 고양이도 봤다. 근데 이 전자파 같은 게 얘네한테 상당히 해로울 수 있더라고. 혹시나 안 좋은 무언가가 걔네한테 **occur**하면 안 되잖아. **indispensable**한 소중한 동물들이니까. **imagine**해 봐. 걔네가 사람이었으면 **petition**을 제출했을 거 아냐.

재범: 음… 하여튼 넌 참 특이해.

1261 ★

acoustic
[əkú:stik]

[형] (악기 · 공연에서) 전자장치를 쓰지 않는, 음향의, 소리의

A: Can you see that girl playing the **acoustic** guitar? She's great.
저기 어쿠스틱 기타 치고 있는 여자 보이지? 굉장하다.

B: She's my younger sister.
걔 내 여동생이야.

1262 ★

trivial
[tríviəl]

[형] 사소한, 하찮은 [유] minor 가벼운, 별로 중요하지 않은

A: I hit the utility pole driving my dad's car. I'm so doomed when he finds out.
아빠 차 몰다가 전봇대에 부딪혔다. 아빠 아시면 난 완전 죽은 목숨이구만.

B: Well, I was about to tell you my problem, but compared to yours, mine seems **trivial**.
음, 나도 문제 있어서 말하려던 참이었는데 니꺼에 비하면 내껀 뭐 그냥 하찮네.

1263 ★★

garage
[gərá:dʒ]

[명] 차고 [동] (차를) 차고에 두다

A: I visited the town where my friend stays and every house there has a two-car **garage**. It was very interesting.
친구 있는 동네에 갔었는데 거기 있는 집들은 전부 차 두 대 들어갈 수 있는 차고가 있더라. 신기했어.

B: Wow, but we don't need one now that we don't have a car.
와, 근데 우린 뭐 그런 거 필요 없잖아, 차 한 대도 없는 걸.

1264 ★

habitat
[hǽbitæt]

[명] 서식지

A: We'd better get out of here as soon as possible. Bears must be around here!
우리 한시라도 빨리 이 곳을 빠져나가야 돼. 주변에 곰들이 있는 게 분명해!

B: Wait a minute. Does that mean that this is their **habitat**?
잠깐만. 그 말인즉슨 여기가 곰 서식지란 거야?

1265 ★★
herd
[hə:rd]

(명) (짐승의) 떼 (동) 이동하게 하다, (짐승을) 몰다

A: Hey, look. A **herd** of deer is grazing by the river peacefully.

야, 저거 봐. 한 무리 사슴 떼가 강가에서 평화롭게 풀 뜯고 있네.

B: I envy them. I'm starving. 난 쟤네가 부럽다. 배고프거든.

1266 ★
leopard
[lépərd]

(명) 표범

A: Daegun always picks his nose and flicks the boogers. Gross.

대건이 쟤 항상 코딱지 파서 튕기네. 더러워 죽겠어.

B: Well, a **leopard** can't change his spots.

표범도 자기 얼룩은 못 바꾼다잖아. 즉, 제 버릇 개 못 준다는 거지.

1267 ★★★
occur
[əkə́:r]

(동) 일어나다, 발생하다, 존재하다 (파) occurrence 발생하는 일, 발생

A: What did the doctor say? How bad is your disease?

의사가 뭐라디? 얼마나 심각한 거야?

B: Well, it's not as bad as you think. He said that this disease tends to **occur** in those who work at a desk for a long time every day

그게, 니가 생각하는 것만큼은 심각하진 않다. 이 질병은 매일 책상에서 오래 일하는 사람들 한테 잘 발생한데.

1268 ★★
indispensable
[ìndispénsəbl]

(형) 없어서는 안 될, 필수적인

A: How is your English study going? 영어 공부는 어떻게 잘 되가나?

B: It's going pretty well and online dictionaries have become **indispensable**. I'm thankful for computer technology.

잘 돼가지, 이제 온라인 사전은 없어서는 안 될 존재가 되어버렸네. 진짜 컴퓨터 기술에 감사 할 나름이여.

 dispensable이라는 형용사에는 '없어도 되는, 불필요한'이란 의미가 들어있어요. 이 앞에 부정 접두사 in- 이 붙은 단어가 오늘의 표제어! 즉, '없어서는 안 될, 필수적인'이란 의미입니다. 비슷한 느낌 전하는 형용사로 essential도 같이 챙겨 두세요.

1269 ★★★
imagine
[imǽdʒin]

(동) 상상하다 (유) envision 마음속에 그리다, 상상하다

A: I wonder how it feels, I mean to have a concert.

그게 어떤 느낌일지 궁금해. 그러니까 콘서트를 한다는 거.

B: **Imagine** what 30,000 people do for me with their energy.

3만 명의 관중이 기를 불어넣어 준다고 상상해 봐.

1270 ★★
petition
[pətíʃən]

(명) 탄원서, 탄원 (동) 청원하다 (유) entreat 간청하다

A: Are you not going to sign this **petition**? Come on.

니 이 탄원서에다가 서명 안 할 거야? 어서 해 줘.

B: I don't even know exactly what it is for. Why would I just sign it?

아니 이게 정확히 뭐에 관한 건지도 모르잖아. 내가 왜 그냥 서명해야 하지?

Episode 128 • 증거를 찾아야 하는데…

찬규: 그 뭐야, 태훈이 드디어 **seize**됐다며?

대건: 응, 외곽 지역 **wander**하다가 잡혔다네. 근데 경찰 측에서 밤새 **interrogate**했는데 **plausible**한 알리바이가 있어서 경찰 측에서도 난감해 한다고 하더라고. 오히려 경찰을 **persuade**하기까지 했더먼. **ignoble**한 녀석. 하여튼 머리는 엄청 좋아. 내가 **bet**하는데, 곧 풀려날 거야.

찬규: 우리를 **betray**하고 참 뻔뻔하기도 하다. 아, 뭔가 뚜렷한 **testimony**가 있어야 되는데 **abstract**한 심증만 있어서 참 답답하네.

1271 ★★★

seize
[siːz]

Ⓢ 체포하다, 꽉 붙잡다, 점령하다

A: Why did we not seize this great opportunity? It was the last chance.
우리 왜 이 좋은 기회를 못 붙잡았던 걸까? 마지막 기회였는데.

B: Well, let's just forget about it. We can't turn back time.
음, 뭐 그냥 잊어버리자. 시간을 되돌릴 순 없잖아.

1272 ★★★

wander
[wándər]

Ⓢ 돌아다니다, 거닐다, 다른 데로 (정신이) 팔리다

A: Where have you been? I thought you got lost.
도대체 어디 있었던 건데? 난 또 니 길 잃은 줄 알았잖아.

B: I wandered aimlessly through the woods and I actually did get lost. But thanks to my map application, I managed to get here.
난 숲속을 정처 없이 돌아다니다가 진짜 길을 잃었다. 다행히 지도 앱 덕분에 되돌아 온 거야.

 이 표제어랑 정말 비슷하게 생긴 단어 중에 **wonder**가 있답니다. 이 단어는 무언가에 대해 '궁금해 하다, 경이로운 것' 이런 의미조? 완전 다른 뜻이니 구분해서 챙겨 두세요.

1273 ★

interrogate
[intérəgèit]

Ⓢ 심문(추궁)하다

A: Anyway, what do you do for a living? I teach English.
어쨌건 간에, 직업은 뭐예요? 저는 영어 가르치는데.

B: Well, I interrogate bad people like criminals for a living.
음, 저는 범죄자 같은 나쁜 사람들 심문하는 일을 해요.

1274 ★

plausible
[plɔ́ːzəbl]

Ⓗ 그럴듯한, 타당한 듯한 Ⓨ believable 그럴듯한

A: Well, that sounds plausible but I'm not falling for it.
음, 뭐 그럴듯하게 들리긴 한다만 난 그 말에 속지 않지.

B: Come on. I'm telling you the truth right now.
아 쫌. 지금 난 진실을 말하고 있다고.

1275 ★★
persuade
[pərswéid]

(동) 설득하다, 납득시키다 (파) persuasive 설득력 있는

A: Who wants to be the representative of our team for the discussion?

우리 팀 토론 대표자는 누가 할래?

B: I'm out. I'm so easily **persuaded**.

난 빠질게. 나는 너무 쉽게 설득 당해.

1276 ★
ignoble
[ignóubl]

(형) 비열한, 야비한, 조악한

A: Are you really going to hide Daegun's phone just because you don't like him? That's pretty **ignoble**.

대건이 안 좋아한다고 정말 그 애 전화기를 숨기려고 하는 거야? 완전 비열해.

B: No, it isn't! 비열한 거 아니거든!

1277 ★★
bet
[bet]

(동) 장담하다, 돈을 걸다

A: I think Daegun will show up pretty soon. 대건이 인제 금방 올 거 같은데.

B: Hey, do you want to **bet**? I bet 10,000 won that he won't show up today.

나랑 내기 할래? 난 얘 오늘 안 나타난다에 만원 건다.

1278 ★★
betray
[bitréi]

(동) 배신하다, (적에게 정보를) 넘겨주다 (유) disclose (비밀이던 것을) 밝히다, 폭로하다

A: Is it true that you got offered money to **betray** us?

너 우릴 배신하는 대가로 돈 받았다는 게 사실이야?

B: Well, technically I got money but I wasn't going to betray you guys.

엄밀히 말하자면, 돈은 받았는데 너희들 배신할 생각은 아니었어.

1279 ★★
testimony
[téstəmòuni]

(명) 증거, 증언

A: Yesterday, I had a chance to meet this guy and listen to his personal **testimony** of the Iraq war.

어제 내가 어떤 남자를 만났는데 이 분한테 이라크 전쟁에 대한 개인적인 증언을 들을 수 있었지.

B: Wow, I wish I had been there.

아, 나도 거기 있었으면 좋았을 텐데.

1280 ★★
abstract
[æbstrǽkt]

(형) 추상적인 (동) 추출하다 (반) concrete 사실에 의거한, 구체적인

A: What do you say to my idea? Isn't it unique?

내 아이디어 어때? 굉장히 독특하지 않냐?

B: It's a little bit **abstract**. I want you to make it more specific.

조금 추상적인 거 같다. 그걸 좀 더 구체적으로 만들어 주라.

Episode 129 • 기숙사에서

영수: 와, 나 주말에 기숙사에서 자는데 추워서 죽을 뻔했음, 진심. 몸이 막 떨리고, 입이 얼어서 **utter**하지 못 할 정도던데.

대건: 이번에 **designate**되신 우리 **noble**하신 총장님께서 **official**한 회의에서 에너지 절약을 몸소 실천하자며 주말 난방 사용량을 **deplete**하셨대. **minimum**한 연료만 쓰자, 이 말씀인 거지.

영수: 내가 **interfere**할 부분은 아닌데 내 **standpoint**에서 보면 진짜 난방 좀 더 해야 된다고 **insist**하고 싶다. 와, 온도가 밖이랑 똑같던데 진짜.

대건: 그냥 **accustom**해져야지 뭐. 아님, 진짜 건의해 보든가.

1281 ★★
utter
[ʌ́tər]

[동] (입으로) 소리를 내다, (말을) 하다 [형] 완전한

A: She did not **utter** a word during lunch.
그분 점심 먹는 동안 한 마디도 안 하더라.

B: That's strange. She's outgoing and very talkative with new people.
그거 이상하네. 그분 외향적이어서 새로운 사람과도 얘기 많이 하는데.

1282 ★★
designate
[dézignèit]

[동] 지명하다, 지정하다 [형] 지명된 [유] appoint, name 임명하다

A: Every floor in this building has been **designated** as a non-smoking area. 이 건물 모든 층이 다 금연구역으로 지정돼 있어.

B: In this way, there will be less people smoking.
이렇게 하면 사람들이 담배를 덜 피울 거야.

1283 ★★★
noble
[nóubl]

[형] 고귀한, 고결한 [명] 귀족

A: Have you ever regretted working as a male nurse?
남자 간호사로 일하면서 한 번이라도 후회해 본 적 있어?

B: I haven't. I mean, it's a **noble** job caring for patients in need.
아니. 도움이 필요한 환자들을 돌본다는 게 참 고귀한 일이잖아.

1284 ★★★
official
[əfíʃəl]

[형] 공식적인 [명] (고위) 임원

A: Hey, it's me. Is there any chance that you'll be in Canada in May? I'll be on an **official** trip.
야, 나야. 혹시 5월에 캐나다에 있으려나? 그때 그리로 출장 갈 것 같거든.

B: Oh, sounds great! Sure, I'll be in Canada at that time.
오, 좋네! 나야 물론 그때 캐나다에 있을 거지.

1285 ★
deplete
[diplíːt]

[동] 대폭 감소시키다, 격감시키다 [파] depletion (자원 등의) 고갈, 소모

A: I heard you sold your car and then started riding a bike to work. Why? 니 차 팔고 회사에 자전거 타고 다닌다며. 왜?

B: You know, automobile exhaust **depletes** the ozone layer. I didn't want to be a part of it any more.
너도 알다시피 차량에서 나오는 배기가스가 오존층 두께를 격감시키잖아. 더 이상 나도 여기에 일조하고 싶지 않았어.

1286 ★★
minimum
[mínəməm]

ⓗ 최소한의 ⓜ 최소치 ⓤ least 가장 적은

A: You are going too fast. Can you just slow down a little bit?

지금 너무 빠르잖아. 속도 좀 낮춰 줄래?

B: Um, I'm driving at the **minimum** speed.

어… 나 지금 최저 속도로 가고 있는데.

1287 ★★
interfere
[ìntərfíər]

ⓥ 간섭(참견)하다

A: So did you just let him go out? Come on, that's so unfair.

그래서 뭐 걔가 그냥 나가도록 내버려뒀단 말야? 야, 그건 좀 불공평하다.

B: Thanks for your concern but would you not **interfere** in family problems?

걱정해 줘서 고맙긴 한데 우리 집안문제엔 간섭하지 말아 줄래?

DAY 43

1288 ★★
standpoint
[stǽndpɔint]

ⓜ 관점, 견지

A: So, how do you like my proposal?

내가 한 제안 어때?

B: From a practical **standpoint**, it's just something that I'd never agree to.

현실적인 관점에서 봤을 때, 이건 뭐 그냥 절대로 내가 동의하지 않을 그런 거네.

 이 단어를 외우실 땐 어떤 사안에 대해 내가 서 있는(stand) 장소(point), 즉 나의 '관점, 견지' 이렇게 외우시면 좋을 것 같아요. 비슷한 의미를 전하는 단어로 **perspective**(관점, 시각)가 있으니 같이 묶어서 정리하세요.

1289 ★★★
insist
[insíst]

ⓥ 주장하다, 고집하다 ⓟ insistent 고집하는, 우기는

A: Why do you **insist** that half of this money is yours? You didn't even work at all.

왜 자꾸 이 돈 절반이 니 돈이라고 고집부리는 거야? 넌 심지어 일도 아예 안 했잖아.

B: I dropped you off at work in the mornings and picked you up when you got off. How could you have worked without my help?

아침에 내가 회사 데려다 줬지 그리고 일 끝나면 내가 데리러 갔지. 니가 내 도움 없이 어떻게 일을 했겠냐?

1290 ★★
accustom
[əkʌ́stəm]

ⓥ 익숙해지다, 익숙하게 하다

A: Why is it so noisy around my studio? Even during the night.

내 원룸 근처 왜 이렇게 시끄럽지? 심지어 밤중에도 그렇다니깐.

B: That's because our studio is near a school. It took me a month to **accustom** myself to the noise.

우리 원룸이 학교 근처라서 그래. 난 이 소음에 익숙해지는 데 한 달쯤 걸렸다.

DAY 43 Review

1 다음 단어에 맞도록 우리말 또는 영어로 바꿔 쓰시오.

01	leopard	_____	11 (짐승의) 떼, 짐승을 몰다	_____
02	acoustic	_____	12 없어서는 안 될	_____
03	petition	_____	13 그럴듯한, 타당한 듯한	_____
04	habitat	_____	14 증거, 증언	_____
05	ignoble	_____	15 심문(추궁)하다	_____
06	wander	_____	16 고귀한, 귀족	_____
07	betray	_____	17 주장하다, 고집하다	_____
08	utter	_____	18 공식적인, 고위 임원	_____
09	interfere	_____	19 익숙해지다, 익숙케 하다	_____
10	deplete	_____	20 관점, 견지	_____

2 다음 빈칸에 알맞은 단어를 넣어서 문장을 완성하시오.

01 I don't really think this is a _____ issue.
저는 정말로 이게 사소한 문제라고 생각하지 않아요.

02 We cannot predict what will _____ in the future.
우리는 미래에 무슨 일이 일어날지 예측할 수 없어요.

03 You have to _____ your younger brother to go back to school.
너는 남동생이 다시 학교 다니라고 설득해야 돼.

04 The idea that you came up with is still _____.
네가 생각한 그 아이디어는 아직 추상적이야.

05 We need to gather a _____ of five members to start this project.
이 프로젝트를 시작하려면 최소 5명의 팀원들을 모아야만 해.

DAY 44

에피소드 130~132

Episode **130** • 석별의 정

강범: 이렇게 떠나신다니 아쉽구려.

대건: 그러게요. 이 마을에 10년 넘게 살았는데… **uproot**하려니 섭섭해서 마치 **divorce**하는 기분이 드네요.

강범: 허허, 무슨 그런 말씀을. 이 마을 **construct**할 때부터 동네 **folk**들이랑 같이 애썼잖소. 이제는 저기 문화생활이 **abundant**한 도시로 나가서 더 풍요로운 삶을 누릴 자격이 **deserve**하죠. 내 **foretell**하는데 참 잘 살 거요. 부디 **thrive**하시오. 아 그리고 이건 우리가 준비한 선물이오. 당신 이름과 우리 편지를 **inscribe**해놓은 돌이라오.

대건: 아이고, 감사합니다. 우리 마을 **evergreen**이 그리울 때 다시 찾아뵐게요.

DAY 44

1291 ★

uproot

[ʌprúːt]

(동) 오래 살던 곳에서 떠나다, 뿌리째 뽑다, 근절하다

A: I heard you're going to transfer to the head office. I'm so happy for you.

너 본사로 전근가게 됐다며. 니가 잘 돼서 너무 좋네.

B: Thanks but it also means I have to **uproot** and head for Seoul. That's sad.

고마워, 근데 그건 동시에 오래 살던 여길 떠나 서울로 가야한단 뜻이니깐. 그건 슬프네.

1292 ★★

divorce

[divɔ́ːrs]

(동) 이혼하다 (명) 이혼 (유) separation 헤어짐, 별거

A: Have you heard that Taehun and Hyunsil got **divorced**?

태훈이랑 현실이 이혼했다는 소식 들었어?

B: Yeah, Daegun told me that. It just broke my heart when I heard of the news.

어, 대건이가 말해 주더라고. 소식 들었을 때 가슴이 너무 아프더라.

1293 ★★

construct

[kənstrʌ́kt]

(동) 건설하다, 구성하다 (명) 건축물

A: Hey, I'm here. What's that wood outside for?

야 내 왔데이. 밖에 나무는 뭐에 쓸라고?

B: I'm planning to **construct** a small wooden house. It's going to be cool.

조그마한 나무집 하나 지어 볼까 하고 있어. 멋질 것 같다.

1294 ★★★

folk

[fouk]

(명) 사람들, 민속음악, 여러분

A: Can you see that house over the hill? It looks very spooky.

언덕너머에 저 집 보이나? 완전 으스스하게 생겼네.

B: **Folks** say that house is haunted.

사람들이 그러는데 저 집 귀신 나온다더라.

1295 ★★★
abundant
[əbʌ́ndənt]

(형) 풍부한　(숙) be abundant in ~가 풍부하다

A: There's literally nothing to eat in the fridge.
아, 냉장고에 말 그대로 먹을 게 하나도 없다.

B: Hey, come over my house right now. Mom sent me a package and thanks to her, I've got **abundant** food.
야 그러면 지금 우리 집으로 와. 엄마가 택배 보내셨는데, 그 덕분에 지금 음식이 완전 풍부해.

1296 ★★
deserve
[dizə́:rv]

(동) ~을 누릴 자격이 있다(받을 만하다)

A: I'm sorry that I won't be at my desk for five days.
5일 동안 출근 안 하는 거 미안해.

B: You **deserve** a rest. You've worked so hard this year.
너는 쉴 자격이 있어. 올해 너무 열심히 일했잖아.

1297 ★
foretell
[fɔ:rtél]

(동) 예언하다　(유) predict 예측하다

A: What kind of super power would you like to have if possible?
가능하다면 어떤 종류의 초능력을 얻고 싶어?

B: Hmm... I would like the ability to **foretell** the future.
음… 난 미래를 예언할 수 있는 능력을 갖고 싶어.

1298 ★★
thrive
[θraiv]

(동) 번창하다, 잘 자라다　(유) prosper 번영하다, 번창하다

A: You're growing several cactuses. They look great.
너 선인장 여러 개 키우는구나. 그것들 멋지다.

B: They **thrive** with relatively little sunlight and water. It's really easy to grow them.
선인장은 비교적 햇볕과 물이 별로 없어도 잘 자라거든. 키우기 되게 쉬워.

1299 ★
inscribe
[inskráib]

(동) (이름 등을) 새기다, 쓰다

A: Is the watch you are wearing expensive? You wear it every day.
니가 차고 있는 시계 비싼 거야? 매일 차네.

B: My dad gave it to me when I was young. What's special about this is that my name is **inscribed** on the back.
아빠가 나 어릴 때 주신 거야. 특별한 점이 있다면 시계 뒤쪽에 내 이름이 새겨져 있다는 거.

scribe에는 '(무언가를) 쓰다(write)'의 의미가 들어있답니다. 이름 따위를 쓰긴 쓰는데 어떤 재료 안에다(in) 쓴다(scribe). inscribe, 즉 '(무언가를) 새기다'라는 의미가 되겠죠.

1300 ★
evergreen
[évərgri:n]

(명) 상록수

A: Look at all these **evergreens**. Hold on. Let me take a deep breath to suck up all the freshness.
와 여기 상록수들 좀 봐. 잠깐만. 숨 깊게 들이쉬어서 이 신선한 공기 다 마셔야지.

B: Are pines **evergreens**?
소나무가 상록수였던 거야?

Episode 131 • 안 아프려고 마시는데 마시는 게 아프다.

대건: 와 내 어제 진짜 너무 아파서 내 방에서 **groan**하고 있는데 누나가 말도 없이 내 방에 들어왔더라.

미정: 그래서?

대건: 주방에서 저녁 준비하는데 나 혼자만 방에 있다고 **conscience**가 있는 거냐고 하더라고. 내 아픈 것도 모르고 말이지. 근데 내 얼굴 한 번 확인하더니만 자기도 미안하고 **awkward**한 거지. 내가 사실 그렇게 아팠던 적이 없거든. 어쨌든, 우리 누나가 **botany** 전공했거든. 그러더니 바로 주방에 가서 무슨 **sage**인가 뭔가 풀이랑 꿀이랑 섞어서 주더라고. 근데 주면서 **caution**하더라. 많이 쓰니까 수저로 **stir**하면서 조금씩 마시라고.

미정: 얼마나 쓴데?

대건: 나 쓴 거 진짜 싫어하거든, 마음 같아선 그냥 **snatch**해서 창문 밖으로 던지고 싶었지만 누나 정성을 생각해서 딱 한 모금 마셨지. 그 후로 한동안 누나한테 **contemptuous**한 눈빛을 쏠 수밖에 없었다. 어찌나 쓰던지 **tongue**이 다 얼얼하더라.

1301 ★★

groan
[groun]

[동] (고통 · 슬픔 등으로) 신음 소리를 내다 [명] 신음

A: I saw you groaning a couple of times. Are you all right?
너 여러 번 끙끙 앓는 소리 내더만. 괜찮나?

B: Oh, I'm all right. I **groaned** because I got my credit card statement for this month
아, 개안타. 그냥 이달 신용카드 청구서 보니까 참 그 소리가 안 나올 수가 없더라.

1302 ★★

conscience
[kánʃəns]

[명] 양심, (양심의) 가책

A: Are you really sure that Daegun didn't eat my bread this morning?
대건이가 오늘 아침에 내 빵 안 먹었다고 지금 확신하는 거야?

B: The point is you didn't see him do it. So, it's just a matter of his **conscience**.
결정적인 게 걔가 그러는 걸 니가 본 것도 아니잖아. 그러니까 그냥 걔 양심의 문제인 거지.

1303 ★★

awkward
[ɔ́:kwərd]

[형] 어색한, 곤란한, 불편한

A: Are you sure there's nothing wrong with your washer? It's pretty **awkward** to operate.
니 세탁기 아무 이상 없는 거 확실하나? 작동시키는 게 영 불편한데.

B: That's just because it's over ten years old.
산지 10년 넘어서 그런 거여.

1304 ★★

botany
[bátəni]

[명] 식물학 [참] botanist 식물학자

A: How did you like your first day of university?
대학교 첫날이었는데 어땠어?

B: I loved it! I've already made a couple of friends that share my interest in **botany**.
완전 좋았지! 벌써 친구 몇 명 만들었는데 얘네랑 식물학에 대한 관심사를 공유할 수 있을 것 같애.

1305 ★
sage
[seidʒ]

[명] 세이지, 샐비어(약용 · 향료용 허브), 현자 [형] 현명한

A: Wow, your dad knows everything. He is a **sage**!
우와, 너네 아빠 모르시는 게 없네. 현명하신 분이시구나!

B: There's one thing he doesn't know. He forgot that today is my birthday.
아빠도 모르시는 게 하나 있지. 오늘 내 생일이라는 걸 잊으셨지.

1306 ★★
caution
[kɔ́:ʃən]

[동] 경고를 주다 [명] 조심 [파] cautious 조심스러운, 신중한

A: What's that ticket in your hand? Did you buy a concert ticket?
손에 들고 있는 그 표는 뭐냐? 콘서트 표 샀냐?

B: I got **cautioned** for speeding on my way here.
오는 길에 속도위반 경고 받았어.

1307 ★★★
stir
[stə:r]

[동] 젓다, 자극하다

A: Mom, how long should I **stir** the cake batter?
엄마, 케이크 반죽 언제까지 저어야 되요?

B: Until it thickens, and when it does, add some milk and a cup of sugar.
걸쭉해질 때까지. 걸쭉해지면 우유랑 설탕 한 컵 넣어라.

1308 ★★
snatch
[snætʃ]

[동] 잡아채다 [명] (노래 · 대화 등의) 단편, 한 조각

A: Hey! That guy just **snatched** your purse!
야! 방금 저 남자가 니 지갑 낚아채갔어!

B: Oh my god. Go get him!
헉! 가서 잡아!

1309 ★
contemptuous
[kəntémptʃuəs]

[형] 경멸하는, 업신여기는 [파] contempt 경멸, 멸시

A: Why did you just give me a **contemptuous** look?
너 왜 나한테 그런 경멸하는 듯한 눈길을 보내냐?

B: Think about what you did. You just picked your nose and flicked a booger at me!
니가 한 짓을 생각해 봐. 코 파더니만 나한테 튕겼잖아!

1310 ★★★
tongue
[tʌŋ]

[명] 혀, 혓바닥, 언어 [참] tongue-tied (긴장해서) 말이 잘 안 나오는

A: What did you eat without telling me? Stick out your **tongue**.
도대체 나한테 말도 안하고 뭘 먹은 거냐? 혀 내밀어 봐.

B: I can't and I won't.
안 되요, 안 내밀래요.

Episode 132 • 받은 은혜에 반드시 보답하리.

대건: 우리 회사 후원해 주시는 분 진짜 **generous**한 거 같지 않냐? 이번에 실험용 **instrument**도 여러 대 지원해 주셨네. 제품들 **function**이 완전 최신형이야! 그분에게 **burden** 드리고 싶진 않는데.

미정: 덕분에 재정적으로 힘든 시기를 **undergo**하고 있는 우리한텐 다시금 이 상황을 **settle**할 수있고 또 나아가 새로운 도약에 **underlie**하는 거지.아, 이번에 연구보조비로 또 엄청 **transfer**하셨더라.

대건: 암튼 굉장한 **influence**를 지니신 분임엔 틀림없어. 우리 연구 꼭 성공해서 이분을 **throne**에 앉혀 드리고 싶은 마음이다. 열심히 일해서 성공하자!

1311 ★★

generous
[dʒénərəs]

[형] 후한(너그러운), (돈에) 관대한 [파] generosity 너그러움

A: This is a really **generous** gift. I'm not sure if I should accept it or not.
이건 정말이지 후한 선물이네요. 이런 걸 받아도 될지 모르겠어요.

B: You should. You know you deserve it.
받으셔야죠. 그러실 자격이 있습니다.

1312 ★★

instrument
[ínstrəmənt]

[명] 기구, 계기 [유] implement 도구, 기구

A: You should be really careful when using those **instruments**. They're made from expensive new materials.
너 저 기구들 사용할 때 진짜 조심해야 된다. 비싼 신소재로 만들어진 것들이야.

B: Okay. I'll keep that in mind.
네. 명심할게요.

1313 ★★

function
[fʌ́ŋkʃən]

[명] 기능, 작용, 행사 [동] (제대로) 기능하다 [유] operate 작동되다, 가동되다

A: How do you like your new sofa?
새로 산 소파는 어때?

B: I'm fully satisfied with it. It can also **function** as a bed.
정말 만족스럽지. 그거 침대로 쓸 수도 있거든.

1314 ★★★

burden
[bə́:rdn]

[동] 부담을 지우다 [명] 부담, 짐 [숙] lay a burden on ~에게 부담을 지우다

A: I really didn't want to **burden** you with my worries but I needed someone that I could talk to.
내 걱정거리로 널 부담스럽게 하고 싶진 않았는데 진짜 얘기 나눌 사람이 필요했어.

B: It's all right, mate. Any time.
괜찮아 친구야. 언제든지 난 환영이야.

1315 ★★

undergo
[ʌ́ndərgou]

[동] (안 좋은 일을) 겪다, 당하다, 받다 [유] go through ~을 겪다

A: How do you feel now? Are you getting better?
몸은 좀 어때? 괜찮아지고 있는 거야?

B: I'm getting better. I **undergo** medical treatment occasionally.
나아지고 있어. 가끔 치료도 받고 있어.

1316 ★★★

settle
[sétl]

[동] 해결하다, 정착하다, 진정시키다 [숙] settle down to ~에 집중하기 시작하다(착수하다)

A: Are you still having problems with your relationship with your dad? Don't you think it's time to **settle** your differences with him?
아직도 아빠랑 사이가 안 좋아? 이제는 아빠랑 불화를 해결해야 할 때이지 않나?

B: I wish I could but he never listens to me.
나도 그러고 싶은데 아빠는 내 말 자체를 안 들으려 하셔.

1317 ★

underlie
[ʌndərlái]

[동] 기저를 이루다, 기초가 되다

A: You've written down so many of your thoughts and ideas in your notebooks.
공책에다가 니 생각이라던가 아이디어 같은 거 엄청 석어 놨구나.

B: They **underlie** much of my work.
그게 내 대부분 작품의 기저를 이루는 거지.

1318 ★★

transfer
[trænsfə́ːr]

[동] 송금하다, 이송하다, 옮기다, 환승하다

A: Where is the guy who was in the next bed? I haven't seen him yet today.
니 옆 침대에 계시던 아저씨 어딨어? 오늘 안 보이시네.

B: Oh, he was **transferred** to a different hospital last night.
아, 그분 어젯밤에 다른 병원으로 이송되었어.

> 접두사 trans-에는 기본적으로 '가로질러서(across)'라는 의미가 들어 있답니다. 그리고 fer에는 '옮기다, 나르다(carry)'라는 의미가 들어 있죠. 무언가를 가로질러서 여기서 저쪽으로 나르다, transfer 즉, '이송하다'라는 의미가 되겠죠?

1319 ★★

influence
[ínfluəns]

[명] 영향(력) [동] 영향을 미치다 [파] influential 영향력 있는

A: I don't want to do anything. Why is it so cold these days? It's not winter yet.
아무것도 하기 싫어. 요새 왜 이리 추운 건데? 아직 겨울도 아닌데.

B: See? This is the **influence** of the climate change.
봤지? 이게 기후변화가 미치는 영향이여.

1320 ★★★

throne
[θroun]

[명] 왕좌, 왕위

A: I've recently started watching the TV series *Game of **Thrones***. What would it be like to sit on the throne?
요새 TV 시리즈 '왕좌의 게임' 보기 시작했다. 왕위에 오른다는 거는 어떤 기분일까?

B: I don't think it would be as great as we expect. You'd have to care of the whole kingdom.
우리가 예상하는 것만큼 좋진 않을 거 같애. 전체 왕국을 다 돌봐야 되잖아.

> 이 표제어는 정말 비슷하게 생긴 단어 thorn과 구분해서 정리해 두어야 해요. thorn은 '(식물 따위의) 가시, 가시나무'를 의미하니까요!

1 다음 단어에 맞도록 우리말 또는 영어로 바꿔 쓰시오.

01 thrive _____
02 divorce _____
03 uproot _____
04 botany _____
05 contemptuous _____
06 groan _____
07 settle _____
08 underlie _____
09 burden _____
10 instrument _____

11 (이름 등을) 새기다, 쓰다 _____
12 예언하다 _____
13 상록수 _____
14 혀, 혓바닥, 언어 _____
15 경고를 주다, 조심 _____
16 어색한, 불편한 _____
17 너그러운, (돈에) 관대한 _____
18 영향, 영향을 미치다 _____
19 (안 좋은 일을) 겪다, 받다 _____
20 송금하다, 이송하다 _____

2 다음 빈칸에 알맞은 단어를 넣어서 문장을 완성하시오.

01 I think you _____ to be a great singer.
난 네가 훌륭한 가수가 될 자격이 있다고 생각해.

02 There's an _____ supply of bottled water in the utility room.
다용도실에 충분한 양의 생수(병)가 있습니다.

03 I think it's just a matter of individual _____.
난 이건 그냥 개인의 양심 문제라고 생각해.

04 You should _____ the batter until it is well mixed with the melted chocolate.
녹인 초콜릿과 반죽이 잘 섞일 때까지 저어야 합니다.

05 My electric coffee maker doesn't seem to be _____ well.
제 전기 커피 메이커가 제대로 작동을 안 하고 있는 것처럼 보여요.

Episode 133 • 조심했어야지.

찬규: 어제 무슨 **gust**가 그리 몰아 치냐? 아주 그냥 창문 하나를 **smash**했다니깐. 난 누가 밑에서 작은 돌 같은 거 **fling**하는 줄 알았어.

대건: 진짜로 주변에 니 **foe**가 던진 건 아니고? 그러게 내가 애들 못살게 구는 거 좀 **refrain**하라고 그랬잖아.

찬규: 뭔가 좀 **practical**한 말을 해라. 내가 애들을 언제 괴롭히디? **proof**를 대 봐. 아 농담 아니고 뭔가 유리조각이 여기 손등에 **embed**된 **sensation**이 든다. 지금 병원에 가 봐야겠지?

대건: 당연하지. **fortunate**한 줄 알고 얼른 가 봐.

1321 ★
gust
[ɡʌst]

(명) 돌풍 (동) (갑자기) 바람이 몰아치다

A: Where have you been all day long? A gust of wind kept knocking at my window and it was pretty scary.
하루 종일 어디 있었냐? 돌풍이 계속 창문 두들겨서 무서워 죽는 줄 알았네.

B: Sorry, I was so tired I fell asleep at the library.
미안, 너무 피곤해서 도서관에서 잠들어 버렸어.

1322 ★
smash
[smæʃ]

(동) 박살내다, 때려 부수다 (명) 박살나는(요란한) 소리 (유) shatter 산산조각 내다

A: Who broke my radio?
누가 내 라디오 망가뜨렸어?

B: It was Changyu. He came into your room and just smashed it to pieces.
찬규지. 니 방으로 들어가드만 라디오를 그냥 박살내던데.

1323 ★★
fling
[fliŋ]

(동) 내던지다, (욕설을) 퍼붓다

A: Did you just fling your phone to the ground? Pick it up.
너 방금 전화기 바닥에다가 내던진 거야? 주워라 빨리.

B: This is unfair. I didn't do anything wrong.
억울해요. 난 잘못한 게 하나도 없다구요.

1324 ★★
foe
[fou]

(명) 적, 원수, 적수 (유) opponent 상대, 반대자

A: What does the word 'foe' mean?
도대체 'foe'라는 단어 뜻이 뭐야?

B: It basically means someone's enemy.
쉽게 말해서 누군가의 적이라는 뜻이야.

1325 ★★
refrain
[rifréin]

통 (하고 싶은 것을) 삼가다 유 forbear (하고 싶은 말·행동을) 삼가다

A: And then you know what he said? He said that...
그러고 나서 걔가 뭐라 그랬는줄 아나? 걔가 말하길…

B: Hold on. You're trying to make a silly joke again, right? Please **refrain**.
잠깐만. 너 또 되지도 않는 농담 하려고 그러는 거지, 맞지? 제발 삼가해 주시오.

1326 ★★★
practical
[præktikəl]

형 현실적인, 실용적인 유 pragmatic 실용적인

A: How about you find another job if your current one isn't right for you?
지금 하는 일이 잘 안 맞으면 다른 일자리를 찾아보는 건 어때?

B: That's just too vague. I need **practical** advice.
그건 너무 모호하잖아. 난 뭔가 현실적인 조언이 필요하다고.

impractical이란 단어랑 같이 챙겨 둘게요. practical, '현실적인'이란 형용사 앞에 부정 접두사 im-이 붙었습니다. 당연히 '비현실적인'이란 뜻이겠죠?

DAY 45

1327 ★★
proof
[pru:f]

명 증거, 증명

A: Be honest with me, okay? Why did you take my sandwich out of my bag?
솔직하게 말해라, 알겠나? 너 왜 내 가방에서 샌드위치 빼갔는데?

B: I have no idea what you're talking about. There's no **proof** that I did that.
무슨 말 하는지 도통 모르겠네. 내가 그랬다는 증거도 없잖아.

1328 ★
embed
[imbéd]

동 박다, 끼워 넣다

A: Dad, the nails are solidly **embedded** in the wall. I can't pull them out.
아빠, 못이 벽에 단단하게 박혀있는데요. 저는 못 빼겠어요.

B: Just a second. Let me help you with that. 잠깐만 있어 봐. 내가 도와줄게.

1329 ★★
sensation
[senséiʃən]

명 느낌, 감각 파 sensational 선풍적인, 세상을 놀라게 하는

A: I heard you went to the hospital this morning. Why?
오늘 아침에 병원 갔었다며, 왜?

B: I felt a stinging **sensation** in my throat when I woke up and it really hurt. So I had to go to the hospital immediately.
일어나니까 목에 너무 따가운 느낌이 드는 거야. 얼마나 아프던지. 그래서 바로 병원 갔었지.

1330 ★★
fortunate
[fɔ́:rtʃənət]

형 운 좋은, 다행한

A: Now I can think again. I was so thirsty and hungry.
어우, 인제 쫌 뇌가 돌아가네. 목마르고 배고프고 힘들었네.

B: So was I. We are so **fortunate** to have found this convenience store.
나도. 이 편의점 찾아낸 건 정말 운이 좋았다.

Episode 134 • 먹는 걸로 싸우지 말자.

우식: 너 왜 자꾸 요즘에 날 **evade** 하냐?
대건: 됐어. 니랑 **friction** 일으키고 싶지 않으니까 저리 가.
우식: 말을 해야 알지!
대건: 넌 너무 많이 먹어. 우리 집에만 오면 안 그래도 **scarce** 한 식량 싹쓸이한다고. **concrete** 하게 여기서 말하기는 뭐하지만, 난 아르바이트로 **drudgery** 해서 연명하는데, 어? 집에 와서 쌀통 안을 **fumble** 해도 쌀이 없어서 **dough** 만들어서 기껏해야 수제비 해 먹는다고! 난 지금 굶어 죽기 일보 **brink** 야!
우식: 넌 뭐 전쟁 중인 **continent** 에서 온 난민이냐? 왜 그렇게 굶고 사노. 암튼 그런 상황은 몰랐네. 내가 **apologize** 할게. 우리 집에 있는 쌀 좀 가져다 줘야겠다.

1331 ★
evade
[ivéid]

[동] 피하다, 회피하다 [유] dodge (부정적인 방법으로) 기피하다, 회피하다

A: Is Daegun on his way here? Well, I should leave now.
대건이 여기 오는 중이라고? 음. 그럼 난 지금 가야겠다.

B: Are you going to **evade** him again? Just apologize to him.
또 걔를 피하려고? 그냥 사과해라.

1332 ★
friction
[fríkʃən]

[명] (의견이나 물리적) 마찰, 불화 [유] conflict 갈등, 충돌 [참] a friction burn 찰과상

A: Why do you guys not see each other?
왜 서로 안 보려고 드는 건데?

B: We still have **friction** that needs to be resolved.
아직 해결해야 할 불화가 있거든.

1333 ★★
scarce
[skɛərs]

[형] (자원 · 식량 등이) 부족한, 드문 [유] insufficient 불충분한

A: How's your life in New Zealand? It's already been a year.
뉴질랜드에서 살아 보니 어때? 벌써 1년이다.

B: Everything's good. Oh, food was a little **scarce** last winter.
다 좋아. 아, 작년 겨울에 먹을 거는 조금 부족하긴 했네.

1334 ★★
concrete
[kánkri:t]

[형] 구체적인, 콘크리트로 된 [명] 콘크리트 [동] 콘크리트를 바르다

A: Be careful when you pass by here. The **concrete** here hasn't set yet.
여기 지나갈 때 조심해. 콘크리트 아직 안 굳었다.

B: All right. I will.
네. 그럴게요.

1335 ★
drudgery
[drʌ́dʒəri]

명 힘들고 단조로운 일, 고역

A: Everything around me at work is pretty boring and irritating.

회사에만 가면 주변 모든 게 그냥 지루하고 짜증나고 그러네.

B: I feel the same way. I really want to get away from the drudgery of my daily routine.

나도 그래. 내 일상의 힘들고 단조로운 일에서 벗어나고 싶다.

1336 ★
fumble
[fʌ́mbl]

동 손으로 더듬거리다, 더듬어 찾다, 말을 더듬다   유 grope (손으로) 더듬다

A: Why are you so late?

왜 이렇게 늦었어?

B: You won't believe this. I was in the classroom and then suddenly the lights went off. I had to fumble around in the dark looking for the door.

내 말 못 믿을 거다. 내가 교실에 있었는데 갑자기 불이 다 꺼지더라고. 문 찾느라 어두운데 계속 더듬거려야 했다니깐.

1337 ★★
dough
[dou]

명 밀가루 반죽, 연한 덩어리

A: The rain hasn't stopped. How about we stay in and make homemade noodles?

비가 안 그치네. 우리 그냥 집에서 국수나 만들어 먹을까?

B: Sounds perfect. Let me make dough. Where's the flour?

좋지. 내가 반죽부터 할게. 밀가루 어딨어?

1338 ★
brink
[briŋk]

명 직전, (벼랑·강가 등의) 끝   숙 on the brink of ~ 직전의

A: Are there any positions available at your company? My office is on the brink of laying people off.

니네 회사에 남는 자리 좀 있나? 우리 회사 지금 인력들 막 해고하기 직전이야.

B: I don't think so, but I'll ask and get back to you.

글쎄, 없는 거 같은데 한번 여쭤 보고 다시 연락 줄게.

1339 ★★★
continent
[kántənənt]

명 대륙, 본토

A: Hey, I'm just curious. What's the biggest continent in the world?

야, 갑자기 궁금하다. 세계에서 가장 큰 대륙이 어디지?

B: Let me search on the Internet. Just a second.

인터넷에서 검색해 보지 뭐. 잠깐만.

1340 ★★
apologize
[əpálədʒàiz]

동 사과하다

A: I can't believe Taehun still hasn't apologized to me for breaking my favorite sunglasses.

태훈이는 내가 제일 아끼는 선글라스 망가뜨려 놓고 아직도 사과 안 할 수가 있냐.

B: He hasn't apologized to you? He's such a bad guy.

아직도 사과 안 했다고? 그런 나쁜 애가 있나.

Episode **135** • 음모론

> 미정: 웬일이지? 갑자기 예정에도 없던 특채 및 정규직 직원을 곧 **recruit**한다네?
> 대건: **board**에서 직원들 **appease**하려는 수작이지, 아니 **scheme**이지. 이번에 채용 관련해서 사내에서 **satire** 만화가 엄청 돌았잖아. 위에서는 **bother**하는 거지. 더 큰 수익 목표치를 **achieve**해야 되는데 밑에 직원들이 **roar**하면서 **vocal**한 입장을 보이니까 당근 몇 개 던져 주면서 **tempt**하는 거야.

1341 ★

recruit
[rikrúːt]

ⓥ 모집하다　ⓝ 신입 사원　ⓟ recruitment 신규 모집

A: Are you still between jobs? Then I've got some good news for you. We're going to **recruit** a couple of new teachers soon.
너 아직 구직 중이야? 그러면 내가 또 좋은 소식 하나 들려 주지. 우리 곧 새로 교사 몇 명 모집할 거야.

B: Oh, really? I'll definitely apply for a position!
아, 정말? 무조건 지원해야지!

1342 ★★★

board
[bɔːrd]

ⓝ 이사회, 승선　ⓥ 탑승하다

A: Is it true that your mom is one of the **board** members at Daegun Electronics?
너네 엄마 대건전자 이사진이라는 게 사실이야?

B: Yeah, so she hasn't been a good mom to me. She's just too busy to take care of me.
어, 덕분에 나한텐 좋은 엄마는 아니셔. 늘 바빠서 나 챙겨 주지 못하는 엄마셔.

1343 ★★★

appease
[əpíːz]

ⓥ 달래다, (분쟁 등을) 진정시키다

A: Daegun must have been really upset when he was told that he's useless.
대건이 쓸모없는 사람이란 말을 들었을 때 진짜 화났을 거야.

B: Who wouldn't? We should go **appease** him.
누군들 안 그러겠어. 우리 가서 애 좀 달래자.

 뭔가 외우기에 쉽진 않은 단어죠? 비슷한 의미를 전해 주는 동사 calm, pacify(진정시키다, 달래다) 이 두 단어랑 같이 챙겨 두세요.

1344 ★★

scheme
[skiːm]

ⓝ 계획, 책략　ⓥ 책략을 꾸미다　ⓤ ruse 계략, 책략

A: Some changes have been made to our training **scheme**. We're going to have to wake up at five every morning.
우리 훈련 계획에 몇 가지 변경사항이 있다. 매일 아침 다섯 시에 기상해야 된다.

B: Five every morning? That's too much. 매일 아침 다섯 시요? 너무하네요.

1345 ★★
satire
[sǽtaiər]

(명) 풍자, 빈정댐 (파) satirize 풍자하다

A: What's that radio program you always listen to before bed?

너 맨날 자기 전에 듣는 라디오 방송 뭐야?

B: It's called *Na Poong-ja*. It's super famous for their use of satire.

'나풍자'라는 프로지. 풍자를 잘 이용해서 되게 유명한 프로야.

1346 ★★
bother
[báðər]

(동) 신경 쓰다, 신경 쓰이게 하다, 귀찮게 하다

A: It's raining and you didn't bring your umbrella with you, did you? Do you want me to pick you up?

비 오는데 너 우산 안 가져갔지, 그치? 내가 데리러 갈까?

B: No, I'm all right. Don't bother.

아니, 괜찮아. 신경 쓰지 마.

1347 ★★
achieve
[ətʃíːv]

(동) 달성하다, 성취하다

A: Look how much you have achieved in only two years. This is pretty amazing.

겨우 2년 동안 니가 성취해 낸 것들 좀 봐. 진짜 대단하다.

B: There's still a long way to go. I can't just settle with this.

아직 가야 할 길이 멀다. 여기에서 안주할 순 없지.

1348 ★★★
roar
[rɔːr]

(동) 으르렁거리다, 함성 지르다 (숙) in a roar 떠들썩하게

A: Did you just hear a lion roar pretty close?

방금 엄청 가까운 데서 사자가 으르렁거리는 소리 들었어?

B: I did. I'm so scared right now. He won't hurt us, will he?

들었지. 지금 너무 무서워. 우릴 해치거나 그러진 않을 거야, 그치?

1349 ★★
vocal
[vóukəl]

(형) (의견을) 강경하게 밝히는, 목소리의, 발성의

A: Are they crazy? They're not even sure about what they do. But then just tell us to follow their lead?

이 사람들 미친 거야? 그 사람들은 자기들이 뭘 하는지도 정확하게 모르잖아. 근데, 그냥 자기네들을 따르라고?

B: You're very vocal with your opinion. 너 굉장히 강경하게 말하는구나.

1350 ★★
tempt
[tempt]

(동) 유혹하다, 유도하다 (파) temptation 유혹

A: Look at all those cookies on display. They are tempting me.

진열되어 있는 과자들 좀 봐. 쟤네가 나를 유혹하고 있네.

B: I wish you could enjoy them with me, but I know that you're on a diet.

나도 너랑 같이 먹을 수 있다면 좋겠지만 넌 다이어트 중이니깐 뭐.

1 다음 단어에 맞도록 우리말 또는 영어로 바꿔 쓰시오.

01 drudgery _____   11 느낌, 감각 _____

02 gust _____   12 적, 원수 _____

03 refrain _____   13 대륙, 본토 _____

04 proof _____   14 마찰 _____

05 embed _____   15 밀가루 반죽 _____

06 fumble _____   16 부족한, 드문 _____

07 concrete _____   17 달래다, 진정시키다 _____

08 scheme _____   18 달성하다, 성취하다 _____

09 bother _____   19 으르렁거리다 _____

10 recruit _____   20 이사회, 승선, 탑승하다 _____

2 다음 빈칸에 알맞은 단어를 넣어서 문장을 완성하시오.

01 My sister has a lot of _____ experience in sales and marketing.
우리 누나는 영업 마케팅 분야에 실용적인 경험이 참 많아요.

02 I'm very _____ that I have you in my life.
내 삶에 그대가 있다는 걸 보면 저는 참 운이 좋네요.

03 Let me teach you how to _____ difficult questions during an interview.
내가 인터뷰 중에 어려운 질문들을 어떻게 회피하는지 가르쳐 주지.

04 I _____ for not letting you know this earlier.
좀 더 일찍 이것을 알리지 못한 것을 사과할게.

05 I'm trying hard not to be _____ by that ice cream dessert.
저기 있는 아이스크림 디저트에 유혹되지 않으려고 엄청 노력 중이야.

DAY 46 에피소드 136~138

Episode 136 • 승부욕 강한 내 친구

태훈: 아… 요즘 우리 **pet**인 강아지에게 화장실로 가서 **flush**하는 거 훈련 중인데, 쉽지가 않네. 활동 범위를 화장실 근처로 **confine**해서 훈련시켜야겠어. 우리 강아지는 **overall**한 지능도 좋고 **vigor**도 넘치고 임무도 잘 **perform**하는데 말이지. **diverse**한 묘기도 부리고 말야.

대건: 근데 갑자기 웬 강아지 훈련이야?

태훈: 우리 동네에 나랑 라이벌인 애가 있는데 걔네 강아지한테 **overtake** 당할 순 없잖아?

대건: 너 이제 보니 성격이 내가 생각했던 거와는 **contrary**하네. 굉장히 **selfless**한 줄 알았더니, 승부욕 장난 아니구나!

1351 ★★
pet
[pet]

(명) 애완동물 (동) 어루만지다 (형) 귀여워하는

A: Wait a minute. I have to go get some **pet** food.
잠깐만. 나는 가서 애완동물 사료 좀 사야 된다.

B: All right. While you're at it, let me go find some wet wipes.
그래라. 니가 그거 하는 동안 난 가서 물티슈 좀 찾아야겠다.

1352 ★★★
flush
[flʌʃ]

(동) 변기 물을 내리다, (물로) 씻어 없애다, 붉어지다

A: You didn't **flush** the toilet, did you? Come on.
너 변기물 안 내렸지, 그렇지? 제발.

B: I didn't? Sorry. I must have forgotten.
내가 안 내렸나? 미안. 까먹었나 보네.

1353 ★★
confine
[kənfáin]

(동) 국한시키다, 가두다 (유) restrict 제한하다, 한정하다

A: I've maxed out my credit card again. I can't quit shopping online.
이번 달에 또 신용카드 한도 다 썼네. 온라인 쇼핑 끊을 수가 없다.

B: I think you should **confine** the use of your card to emergency expenses.
내가 봤을 때 너는 카드 사용을 긴급상황으로만 국한시켜야 할 것 같다.

1354 ★
overall
[óuvərɔːl]

(형) 종합적인, 전체의, 전반적인

A: Hey, how was the event? Was it successful?
야 행사 어땠노? 성공적이었어?

B: There were a few mistakes, but **overall** it was pretty successful.
몇 개 실수가 있긴 했는데 전반적으로 꽤나 성공적이었어.

1355 ★★
vigor
[vígər]

몡 활기, 기력

A: I think I have a lack of vigor these days. 나 요새 기력이 많이 딸리는 거 같애.

B: Why don't you stop by my house tonight? I can give you some red ginseng. 오늘 밤 우리 집에 잠깐 들리는 건 어떻노? 내가 홍삼 좀 챙겨 주지.

1356 ★★★
perform
[pərfɔ́:rm]

동 (일 · 과제 등을) 수행하다, 공연하다

A: Why did you choose to become a singer? You don't earn much money. 가수의 길은 왜 택한 거야? 돈도 많이 못 벌잖아.

B: It's not about money. I really love to perform in front of audiences. 돈 때문에 선택한 기 이니기든. 난 관객들 앞에서 공연 하는 게 너무 좋아.

1357 ★★
diverse
[divə́:rs]

형 다양한 파 diversity 다양성

A: Wow, I never expected these guests from diverse cultures. 와, 이렇게 다양한 문화권 손님들이 올 줄은 또 몰랐네.

B: See? This is why I was busy preparing for the meal. 봤지? 이래서 내가 식사 준비하느라 바빴던 거야.

1358 ★★
overtake
[óuvərteik]

동 추월하다, 앞지르다

A: Why is the car ahead of us moving so slowly? 저 앞 차 왜 저리 천천히 가는 건데?

B: Wait! It's dangerous to overtake at a bend. 잠깐만! 커브길 에서 추월하는 건 위험하다고.

 접두사 over- 에도 다양한 의미가 있는데요, 오늘은 '~ 위에서'라는 의미로 접근해 볼게요. 자, 무언가를 저기 위로(over) 이동시켜야하는데(take) 앞에 무언가가 가로막고 있어요. 그렇다면? 추월해야겠죠? overtake, '추월하다'라는 의미가 됩니다.

1359 ★★
contrary
[kántreri]

형 ~와 반대되는 명 반대 숙 on the contrary 그와는 반대로

A: Why does my cat not like drinking milk? Aren't cats supposed to love it? 우리 집 고양이는 왜 우유 마시는 걸 안 좋아하지? 좋아해야 되는 거 아니야?

B: Well, contrary to popular belief, cats actually don't like milk. 음, 뭐 일반적인 사람들 믿음과는 반대로 고양이들은 우유 별로 안 좋아해.

1360 ★★
selfless
[sélflis]

형 사심 없는, 이타적인

A: Isn't Changyu loyal to our community? 찬규는 진짜 우리 지역사회에 충실하지 않나?

B: Not only is he loyal but very selfless. He has devoted his whole life. 충실하기만 하나, 정말 이타적인 사람이지. 인생 전부를 헌신했잖아.

대건: 와, 니 진짜 집요하게 **persist**하네.

용호: 어 왔나? 뭘?

대건: 계란 흰자, 노른자 **separate**하는 거 귀찮지도 않나? 그리고 노른자도 몸에 좋다더만.

용호: 아직도 논란거리지. 아직 정확한 **clue**가 있는 것도 아니고. 암튼 이게 별거 아녀 보여도 나한텐 굉장히 중요한 부분이야. 최근에 늘어난 몸무게 보고 **dismay**한 탓도 있지만 요즘 내가 **doctrine**처럼 여기는 영양학책이 있는데 우리가 **consume**하는 게 신체에 **enormous**한 영향을 끼친대. **strain**이 될 수도 있고 말이지.

대건: 야, 그럴 거면 계란도 **electric**한 도구로 구운 통닭처럼 기름 쫙 빼고 먹으면 되지.

용호: 닭도 아니고 달걀에다 그 짓을 하라고? 가만 보면 니도 참 **normal**한 놈은 아니야.

1361 ★★

persist
[pərsíst]

(동) (집요하게) 계속하다, 지속되다 (파) persistence 지속됨, 고집

A: I have been limping for more than a week.
한 주도 넘게 다리 절뚝거리고 있다.

B: How many times do I have to tell you this? I said, if the pain **persists**, you should go see a doctor.
몇 번이나 말해 줘야 되노? 계속 통증이 지속되면, 병원 가 봐야 된다 그랬지.

 어근 sist에는 '서다(stand)'라는 의미가 들어 있답니다. 접두사 per-에는 '쪽, 내내(throughout)'라는 의미가 포함되어 있고요. 끝까지 무언가에 대해 주장하면서 서 있다, persist '(집요하게) 계속하다'라는 의미랍니다.

1362 ★★★

separate
[sépərèit]

(동) 분리하다, 나누다 (유) detach 분리하다, 분리되다

A: Are you going to cook eggs? I want mine without an egg yolk.
니, 계란 요리 할 거야? 내꺼는 계란 노른자 빼고 해 줘.

B: You're so demanding. You come here and **separate** the eggs.
아, 거참 바라는 거 많네. 니가 와서 계란 흰자하고 노른자 분리해.

1363 ★

clue
[klu:]

(명) 단서, 실마리, 힌트 (유) indication 암시, 조짐

A: Guess who I ran into on the street today?
오늘 길에서 누구 만났게?

B: Who? Is it someone I know? Come on, give me a **clue**.
누구? 내가 아는 사람이라? 아, 힌트 좀 줘 봐.

1364 ★

dismay
[disméi]

(명) 경악, 실망 (동) 놀라게 하다

A: Why are you looking at me in **dismay**?
뭐, 왜 날 그렇게 경악하면서 쳐다보는 건데?

B: Today is your sister's wedding and you're wearing a sweat suit?
오늘 니네 누나 결혼식인데 운동복 입고 있네?

DAY **46** (side tab)

1365 ★★
doctrine
[dáktrin]

(명) 교리, 신조

A: You have to memorize these no matter how hard it is. It's our basic **doctrine**.
아무리 힘들더라도 이건 외워야지. 우리 기본 교리란 말이야.

B: I can't even memorize my mom's number. Why should I do this?
난 우리 엄마 전화번호도 못 외우거든. 내가 이 것을 왜 해야 하는 거지?

1366 ★★
consume
[kənsúːm]

(동) 먹다, 마시다, 소모하다 (파) consumption 소모, 소비

A: You've changed the lights in your living room. They're pretty bright.
니 거실에 등 비꼈네. 꽤니 밝구만.

B: Not only are they brighter, they **consume** less electricity
더 밝기만 한 게 아니라 전기도 덜 소모하지.

1367 ★★
enormous
[inɔ́ːrməs]

(형) 막대한, 거대한

A: Congratulations on your graduation! You did it!
졸업 축하해! 드디어 했구나!

B: I spent an **enormous** amount of time working on my graduation thesis.
졸업 논문 쓰는 데 시간 엄청나게 썼다.

1368 ★★★
strain
[strein]

(명) 부담, 압박, 염좌 (유) pressure 압박, 압력

A: Isn't the day that you're supposed to meet your girlfriend's parents coming?
니 여자 친구 부모님 뵙기로 한 날 다가오고 있지 않나?

B: It's next week. I'm under great **strain** at the moment.
다음 주야. 나 지금 완전 압박 받고 있다.

1369 ★★★
electric
[iléktrik]

(형) 전기를 이용하는, 열광적인, 전기 장치의

A: Is the **electric** generator out again? I can't see anything.
전기발전기 또 나갔나? 아무것도 안 보인다.

B: No worries. I'll get a flashlight. Give me a second.
걱정 마셔. 손전등 가져올게. 잠깐만.

1370 ★★
normal
[nɔ́ːrməl]

(형) 정상적인, (정신이) 정상인 (명) 평균

A: Look what you have done to your hair. You're definitely not a **normal** person.
머리에다가 한 짓 좀 봐라. 넌 진짜 정상은 아니다.

B: No, I'm 100% normal.
아닌데, 나 100% 정상인데.

Episode 138 • 살 뺄 거면 먹지를 말던가, 먹을 거면 아프질 말던가.

대건: 야, 넌 살 뺀다면서 또 아이스크림, 그것도 **cone** 을 먹냐?

현실: 요즘 나 스트레스 장난 아니야. 잡생각 **dispel** 하는 데엔 단 거 만한 게 없지.

대건: 니 **digestion** 기능도 안 좋다며. 자꾸 단 게 땡긴다는 건 뭔가 몸에 이상이 왔음을 **signify** 하는 걸 수도 있어. 거기에 면역력까지 약해지면 먹다가 **seizure** 일으킬 수도 있다고.

현실: 안 그래도 요즘 추위를 잘 타는 **tend** 가 있어.

대건: 거봐. 니 몸속 **tissue** 들이 자꾸 신호를 **transmit** 하잖아. 나 말고 딴 애들한테도 물어 봐라. 모두 **unanimous** 할 걸? 니 몸에 **vital** 한 사안이니 내 말 꼭 들어.

1371 ★
cone
[koun]

명 (아이스크림) 콘, 원뿔, 원뿔형 물체

A: You're eating an ice-cream **cone** again? Aren't you on a diet?
또 아이스크림 콘 먹나? 다이어트 중 아니야?

B: Whatever. I'm hungry.
뭐래. 나 배고파.

DAY 46

1372 ★
dispel
[dispél]

동 떨쳐버리다, 없애다 유 eliminate 없애다, 제거하다

A: I keep having nightmares these days. What can I do?
요새 계속 악몽을 꾸게 되네. 뭐 어떡하지?

B: Well, the best way to **dispel** them is to eat a few pieces of garlic before bed.
음, 악몽을 떨쳐 버리기 제일 좋은 방법으로는 자기 전에 마늘 몇 알 먹는 거지.

1373 ★★
digestion
[didʒéstʃən]

명 소화, 소화력 파 digest 소화시키다

A: It's raining outside. How about the noodles for lunch?
밖에 비 오네. 점심으로 국수 어떻노?

B: I'll pass. I have poor **digestion** of flour-based foods.
난 사양할게. 밀가루 음식은 소화가 잘 안되더라고.

1374 ★
signify
[sígnəfài]

동 의미하다, 나타내다 파 signification 의미

A: Did you hear that Mijeong got a diamond ring from Daegun?
미정이 대건이한테 다이아몬드 반지 받았다는 거 들었나?

B: Well, I guess it's to **signify** how serious he is.
음, 그건 걔가 얼마나 진지한지를 나타내기 위해서일 거야.

1375 ★

seizure
[síːʒər]

명 (병의) 발작, 압수, 몰수

A: Is it true that Taehun had a heart **seizure**?

야 태훈이 심장발작 일으켰다는 게 사실이야?

B: He's in the hospital. Let's just pray for him.

그 애 지금 병원에 있어. 같이 기도해 주자.

1376 ★★★

tend
[tend]

동 ~하는 경향이 있다 파 tendency 성향, 경향

A: Have you heard the fact that women **tend** to live longer than men? That means I'm going to die earlier than you.

여자가 남자보다 더 오래 사는 경향이 있다는 거 들었냐? 그 말인즉슨 내가 너보다는 먼저 죽게 된다는 뜻이겠지.

B: Don't be so pessimistic. Nobody knows.

뭘 또 그래 비관적인 생각을 하노. 아무도 모르는 거야.

1377 ★★

tissue
[tíʃuː]

명 (생물) 조직, 화장지

A: Are you aware that your nose is bleeding now?

니 지금 코피 나는 거 알고 있나?

B: Oh my goodness! Do you have a **tissue**? 이런! 화장지 있나?

1378 ★

transmit
[trænsmít]

동 전송하다, 송신하다 파 transmission 전송, 송신

A: We finally got signals **transmitted** from our satellite.

드디어 우리 위성으로부터 전송된 신호를 수신했습니다.

B: We did it! I was worried we would fail again.

드디어 해냈네요! 또 실패하면 어쩌나 마음 졸이고 있었는데 말이죠.

접두사 trans- 에는 '가로질러서(across)'라는 의미가 들어 있답니다. 그리고 mit에는 '무언가를 보내다(send)'의 의미가 포함되어 있고요. 어떤 정보 따위를 가로질러서 보내다, transmit, 즉 '전송하다'라는 뜻이겠죠?

1379 ★

unanimous
[juːnǽnəməs]

형 모두 뜻이 같은, 만장일치의

A: Are you still taking this medicine? My uncle is a doctor, and he said all doctors are **unanimous** about the danger of this drug.

아직도 이 약 먹나? 우리 삼촌이 의사이신데 의사들 전부 이 약 위험성에 대해 만장일치 의견이라고 했다고 하드만.

B: But there's no other option. I don't want to go bald.

다른 방법이 없잖아. 대머리 되기 싫어.

1380 ★★

vital
[váitl]

형 필수적인, 생명과 관련된

A: Mom, do I really have to eat these vegetables? They taste terrible.

엄마 나 꼭 이 채소를 먹어야 되요? 맛 진짜 없다고요.

B: Of course you do. They include vitamins that are **vital** for your health. 당연히 먹어야지. 니 건강에 필수적인 비타민이 골고루 들어있단다.

1 다음 단어에 맞도록 우리말 또는 영어로 바꿔 쓰시오.

01 electric _____

02 diverse _____

03 selfless _____

04 flush _____

05 persist _____

06 dismay _____

07 consume _____

08 doctrine _____

09 signify _____

10 unanimous _____

11 활기, 기력 _____

12 국한시키다, 가두다 _____

13 수행하다, 공연하다 _____

14 종합적인, 전반적인 _____

15 부담, 압박, 염좌 _____

16 단서, 실마리, 힌트 _____

17 전송하다, 송신하다 _____

18 발작, 압수, 몰수 _____

19 필수적인, 생명과 관련된 _____

20 떨쳐버리다, 없애다 _____

DAY 46

2 다음 빈칸에 알맞은 단어를 넣어서 문장을 완성하시오.

01 He tried to _____ two cars in front of him.
그는 그의 앞에 있던 두 대의 차를 추월하려고 했다.

02 _____ to expectations, my younger brother did not win the game.
예상과는 반대로, 제 남동생은 그 경기에서 승리하지 못했습니다.

03 Police moved in to _____ the two groups.
경찰이 개입해서 두 그룹을 나누어 놓았다.

04 My dad has _____ interest in fishing gear these days.
우리 아빠는 요즘 낚시 장비에 막대한 관심을 가지고 계세요.

05 Drinking soda too often can impair _____.
탄산음료를 너무 자주 마시면 소화를 해칠 수 있어요.

Episode 139 ● 가만히 있으면 중간이라도 가지.

영수: 집 **entrance** 앞에서 혼자 뭐하노?

대건: 야, 문을 **unlock**해야 되는데 열쇠꾸러미에 열쇠가 너무 많아. 뭐가 뭔지 **distinguish**하질 못하겠어.

영수: 에헤이 이런 **timid**한 양반. 이런 **instance**에는 말이지, **velocity**로 이것저것 넣어 보는 게 최고지. **novel**도 안 봤냐? 나한테 **lumber**하게나.

(5분 후)

대건: 야, 오히려 더 헷갈리기만 하고 안 열리잖아. 에이 진짜. 내가 경비실에 다녀 올게 그냥. **meanwhile**에 조금 더 시도해 봐.

영수: 음… 다른 방향으로 **approach**해야겠군. 이번엔 웹툰에서 배운 방법으로!

1381 ★★★
entrance
[íntræns]

(명) 출입구, 입장, 입학

A: I'm sorry. I have to get this done before going home. It's going to take a little while.
미안해. 나 이거 집에 가기 전에 끝내야 된다. 시간 조금 걸릴 거 같은데.

B: It's all right. I'll be at the main **entrance**. 괜찮아. 중앙 출입구에 있을게.

1382 ★
unlock
[ʌnlák]

(동) (열쇠로) 열다, (비밀 등을) 드러내다

A: What would you do if you lost your key and couldn't **unlock** the door? 열쇠 잃어버려서 문 못 열면 너는 어떻게 할 거야?

B: I would just break the door down. You know I have a quick temper.
난 그냥 문을 부숴 버릴 거 같은데. 나 성질 급한 거 알잖아.

1383 ★★
distinguish
[distíŋgwiʃ]

(동) 구별하다, 구별 짓다 (숙) distinguish A from B A와 B를 구별하다

A: You mean that they are triplets? This is pretty interesting.
니 말인즉슨 쟤네들이 세쌍둥이란 거지? 패나 신기하구만.

B: Yes. Can you **distinguish** who's who? They look exactly the same.
응. 누가 누군지 구별할 수 있겠나? 다 진짜 똑같이 생겼어.

 무언가를 '구별하다'라는 의미로 사용될 때 비슷한 의미를 전하는 동사 differentiate라는 어휘도 같이 챙겨 두세요.

1384 ★★
timid
[tímid]

(형) 소심한, 용기가 없는

A: What do you see in Taehun? I don't think he's attractive at all.
닌 도대체 태훈이 어디가 좋은 거야? 걔 전혀 매력적이지가 않은데.

B: He doesn't have a **timid** personality like you do.
걔는 소심한 성격을 가지고 있진 않거든, 너처럼 말야.

1385 ★★★

instance
[ínstəns]

영 경우, 사례

A: Daegun is an instance of a poor guy who became massively successful. 대건이는 정말 가난한 상태에서 크게 성공한 사례를 보여주는 거 같애.

B: I know. He is definitely a self-made man. 그러게. 완전히 자수성가했지.

1386 ★

velocity
[vəlásəti]

영 빠른 속도, 속도 숙 at a velocity of ~의 속도로

A: Did you hear that Changyu got a new car?
찬규 새 차 샀다는 거 들었나?

B: He actually took me for a drive. It moves with the velocity of a bullet. 내 드라이브 시켜 줬었다. 완전히 총알 같은 속도로 달리던데.

1387 ★★

novel
[návəl]

영 소설 형 새로운 파 novelist 소설가

A: I can't believe you're about to publish a novel. People will call you a writer! Oh, what was the genre of it again?
니가 소설책을 곧 출간하게 되다니 믿을 수 없구만. 사람들이 널보고 작가님이라 할 거 아녀! 아, 장르가 뭐라 그랬지?

B: It's a romantic novel. 연애 소설이야.

1388 ★★

lumber
[lʌ́mbər]

동 떠맡기다, 느릿느릿 움직이다 유 plod (지쳐서) 터벅터벅 걷다

A: Why are you lumbering? 니 왜 그렇게 느릿느릿 움직이는 거야?

B: I sprained my ankle playing soccer.
축구를 하다가 발목을 삐었어.

1389 ★★

meanwhile
[míːnwàil]

부 그동안에, 한편 숙 for the meanwhile 당분간

A: I need to take a business trip to New York for a week.
나 뉴욕으로 일 주일 동안 출장 가야 된다.

B: Meanwhile, I'll stay here and take good care of your cats. Hope you come back in one piece.
그동안에 그럼 내가 여기 머물면서 니네 고양이 잘 돌봐 줄게. 무사히 잘 다녀와.

1390 ★★★

approach
[əpróutʃ]

동 접근하다, 다가오다

A: Is that the idea that you came up with? Don't you think it's too obvious? We need a different way to approach the assignment.
그게 니가 생각해 낸 아이디어야? 너무 뻔한 거 같지 않냐? 이 과제엔 뭔가 다른 접근법이 필요하다고.

B: You know what? You haven't come up with any ideas so far.
근데 그거 알아? 넌 지금까지 아무 아이디어도 안 냈잖아.

Episode 140 • 우리 함께 만들어가요, 아름다운 세상.

민희: 너 손목에 끼고 있는 팔찌는 뭐야?
승용: 아 이거? 우리 사회 소외계층 애들에게 전해주는 용기? 응원? 뭐 그런 거 **embody**하는 거야. 최근에 정부에서 공식적으로 **approve**한 기관에 기부하기 시작했거든. **initial**한 상황에는 많이 내진 못했지만 형편 되는대로 꾸준히 내고 있어. 애들에게 조금이나마 희망을 **arouse**하고 싶어.
민희: 어이구, 착해! 일로 온나. **embrace**해 주마. 사실 난 기부에 대해 맘속에 **inherent**하는 약간 **antipathy**가 있었거든. 근데 아이러니하게도 동시에 **keen**하게 돕고 싶은 마음도 있었고. 근데 니가 **convey**해 주는 이 느낌 덕분에 결심이 서네. 기관에 나도 문의해 봐야겠다.
승용: 이야, 니 마음의 **diameter**는 나보다도 더 넓구나. 내가 기관 번호 알려 줄게.

1391 ★
embody
[imbádi]

(동) 상징하다, 구현하다, 포함하다

A: Why do you waste your precious time on that stupid thing?
너는 왜 그렇게 너의 소중한 시간을 되지도 일에다가 쓰냐?

B: I just want to **embody** this 'stupid thing' and share it with others.
왜냐면 난 그 되지도 않는 일을 구현해서 다른 사람들과 공유하고 싶거든.

1392 ★★
approve
[əprú:v]

(동) 승인하다, 찬성하다, 인가하다 (파) approval 찬성, 승인

A: So, what do you say to my idea? 자, 내 생각 어때?

B: It sounds kind of interesting, but I don't **approve** of that.
뭐 흥미롭긴 하다만, 그걸 승인할 순 없어.

1393 ★★
initial
[iníʃəl]

(형) 처음의, 초기의 (파) initiate 개시하다

A: What was Hyunsil's reaction about your offer?
현실이가 니가 한 제안에 뭐 어떤 반응 보이디?

B: Her **initial** reaction was to decline my offer. But then later, she accepted it. 처음의 반응은 내 제안을 거절하는 거였지. 근데 나중엔 받아들였어.

1394 ★★
arouse
[əráuz]

(동) (느낌·태도를) 불러일으키다

A: Are you really sure that you didn't eat my sandwich? Your strange behavior right now **arouses** more suspicions.
니 진짜 내 샌드위치 안 먹은 거 확실해? 지금 니 이상한 행동이 더 의심을 불러일으키는데.

B: I don't even like sandwiches. 나는 샌드위치 좋아하지도 않는다.

1395 ★
embrace
[imbréis]

(동) 껴안다, 포옹하다, 수용하다 (파) embracement (제안, 견해 등을) 수락, 받아들임

A: I don't want anything to change. I don't want to get old. I just want everything to remain exactly the same.
변화가 싫어. 나이 먹기도 싫고. 그냥 모든 게 늘 그대로 변함없었으면 좋겠다.

B: It's time to **embrace** change. You know we all need to.
이젠 변화를 수용해야 할 때야. 우리 전부 그럴 필요 있는 거 너도 알잖아.

---

embrace의 대표적인 의미 두 가지를 꼽자면 '포옹하다, 수용하다'겠죠? 잘 안 외워질 때엔 유의어들을 곁들여 보세요. hug(포옹하다), accept(수용하다), 훨씬 낫죠?

1396 ★★
inherent
[inhíərənt]

(형) 내재하는 (숙) inherent in ~에 내재하는, 고유한

A: Why do people want to make a lot of money?
왜 사람들은 돈을 많이 벌고 싶어 하는 걸까?

B: I think it's just an **inherent** part of human beings. Money enables us to live a better life.
그건 인간에게 내재하는 어떤 한 부분인 거 같아. 돈이 더 나은 삶을 살 수 있도록 해 주거든.

1397 ★
antipathy
[æntípəθi]

(형) 반감 (유) hostility 적대감

A: You scratched my car because of your personal **antipathy** against me, didn't you? 너 나에 대한 개인적인 반감 때문에 내 차 긁은 거지, 그렇지?

B: No, why would I do that? I didn't even know that someone has scratched your car.
아니, 내가 왜 그런 짓을 하겠어? 난 누가 니 차 긁은 것도 몰랐다고.

 anti- 가 접두사로 사용될 경우 '~에 반대하는'이란 의미가 있답니다. 거기다가 어근 path는 '무언가를 느끼다'라는 의미를 담고 있고요. 무언가에 대해 반대하는 감정이라… antipathy, '반감'이라는 뜻이랍니다.

1398 ★★
keen
[ki:n]

(형) 열정적인, 간절히 ~하고 싶은 (유) eager 열렬한, 간절히 바라는

A: I'm so sorry that I couldn't make it to your first exhibition yesterday. I was **keen** to go there but something came up.
어제 네 첫번째 전시회에 못 가서 진짜 미안타. 정말 간절히 가고 싶었지만 일이 생겨서.

B: It's all right. Oh, your wedding is next Saturday. I can't make it.
개안타. 아, 다음 주 토요일이 니 결혼식이네. 난 못 간다.

1399 ★★
convey
[kənvéi]

(동) 전하다, 운반하다 (유) impart (정보, 지식 등을) 전하다

A: Do you know what these pipes are for? I don't know why they have to be where they are now.
이 파이프들의 용도는 뭘까? 이런 게 왜 지금 여기에 있어야 되는지 모르겠네.

B: Um, maybe it's because they **convey** water to each household in this town. 어… 그거야 파이프들이 각 가정으로 물을 운반해 주니까.

1400 ★★
diameter
[daiǽmətər]

(형) 지름, 배율

A: How was the practical test? I hope it was easy for you.
실기시험 어땠어? 만만했다면 좋겠다만.

B: It wasn't. We had to make two cakes and each had to be exactly 30 centimeters in **diameter**.
안 쉬웠어. 케이크 두 개를 만들어야 됐는데 각각 지름이 정확히 30센티미터여야 했거든.

Episode 141 • 여행을 떠나요!

대건: 오, 이번 **journey**는 잘 풀릴라나. 여기 원래 **congestion**이 심한 도로인데 전혀 안 막히네. 지난번 여행은 시작부터 완전 **disaster**였는데 그자? 이번엔 **mischievous**한 장난 칠 애들도 야영 갔고, **leisurely**한 휴가여행이 되겠어. 아, 맞다. 이거 좀 마셔 봐. 복숭아 **nectar**인데 엄청 달다.

미정: 이야, 좋네. 아 이번엔 니가 **kindle**하는 거지? **meantime**, 난 채소 손질할게. 그나저나 이번에 가는 데가 우리 시에서 가지고 있는 **domain**이라며?

대건: 응, 원래 개인 땅이었는데 얼마 전 시 소유지가 되면서 야영지로 **convert**했대. 덕분에 싸잖아.

1401 ★★★

journey
[dʒə́ːrni]

[명] 여행, 여정

A: What do you think life is?
삶이 뭐라고 생각하냐?

B: Life, well, life is like a **journey**. Sometimes, it's exciting but sometimes it's harsh.
삶이라, 음, 삶은 여행과도 같은 거지. 가끔은 신나지만 가끔은 가혹한 뭐 그런 거지.

1402 ★

congestion
[kəndʒéstʃən]

[명] 혼잡, 막힘 [파] congested 붐비는, (의학) 울혈로 막힌

A: How can you live in this city? The traffic is awful.
이 도시에서 어떻게 사노? 교통체증 최악이다.

B: **Congestion** gets worse at night. This is just nothing.
밤 되면 교통 혼잡 더 심해진다. 이건 아무 것도 아니다.

1403 ★★

disaster
[dizǽstər]

[명] 재앙 [유] catastrophe 참사, 재앙

A: How was the food at the restaurant I recommended?
내가 추천해 준 식당 음식 어땠어?

B: A total waste of time and money. The food there was a total **disaster.** It was far too salty!
완전 시간에 돈 낭비 했다, 거기 음식 완전 재앙 수준이더만. 진짜 너무 짜더라.

1404 ★

mischievous
[místʃəvəs]

[형] 짓궂은, 해를 끼치는 [파] mischief 장난기, 나쁜 짓

A: Daegun needs to grow up. He hid my socks in the freezer!
대건이 이놈 철 좀 들어야 된다. 내 양말을 냉동실에 숨겨놨더라니깐!

B: You know what? I've got some **mischievous** plans to pay him back. What do you say?
있잖아? 니가 복수할 수 있는 짓궂은 계획이 나한테 좀 있는데. 어때?

1405 ★
leisurely
[líːʒərli]

⟨형⟩ 느긋한, 한가한

A: What do you want to do after you're done with that project you're working on?
지금 진행 중인 프로젝트 다 마치면 뭐 하고 싶노?

B: I just want to sleep in and then just take a stroll at a leisurely pace.
그냥 뭐, 늦잠도 자고 느긋하게 산책도 좀 하고 그런 거.

1406 ★
nectar
[néktər]

⟨명⟩ 과일즙, 꿀

A: What's this? Why is it so sweet? What did you put in it?
이거 뭐야? 왜 이래 달지? 뭐 넣은 거야?

B: It's just peach and apple nectar. I knew you would like it.
그거 그냥 복숭아랑 사과 과일즙이야. 니가 좋아할 줄 알았지.

1407 ★★
kindle
[kíndl]

⟨동⟩ 불을 붙이다, 불붙다

A: Where is this smell coming from? It smells very exotic.
이 냄새는 어디서 나는 거지? 되게 이국적이네.

B: It's from the living room. I kindle incense these days.
거실에서 나는 거야. 내 요새 향 태우거든.

1408 ★
meantime
[míːntàim]

⟨명⟩ 그 동안 ⟨부⟩ 그 사이에 ⟨숙⟩ in the meantime 그러는 동안에

A: All right. You did such a great job today. I'll see you on Friday and you know what to do in the meantime.
그래. 오늘도 고생했네. 금요일에 보자. 그 동안 뭐해야 되는지 알겠지.

B: I do. I'll review what I learned today get ready for our next session. Don't worry.
알고말고요. 오늘 배운 거 복습하고 다음 수업 준비할게요. 걱정 마셔요.

1409 ★
domain
[douméin]

⟨명⟩ 소유지, 영역

A: Are you free now? Then help me solve this problem.
지금 한가하나? 그러면 내 이 문제 푸는 것 좀 도와 줘.

B: Well, since I'm smarter than you, I can help you with that. It's a math problem? Sorry, that's out of my domain.
뭐, 내가 너보다 훨씬 더 똑똑하니깐 그쯤이야 도와줄 수 있지. 수학문제였나? 미안, 수학은 내 영역이 아니다.

1410 ★★
convert
[kənvə́ːrt]

⟨동⟩ 전환시키다, 개조하다 ⟨파⟩ conversion 전환, 개조

A: You got another sofa? Wait a minute. Where's your old one?
니 소파 또 샀나? 어 잠깐만. 전에 쓰던 거는?

B: I sold it online and you know what's good about this new one? It can convert into a bed.
인터넷에 팔았지, 새로 산 거 뭐가 좋은 줄 아나? 이거 침대로 전환할 수도 있다고.

1 다음 단어에 맞도록 우리말 또는 영어로 바꿔 쓰시오.

01	timid	_____	11	사례, 경우	_____
02	lumber	_____	12	속도, 빠른 속도	_____
03	arouse	_____	13	출입구, 입장, 입학	_____
04	inherent	_____	14	지름, 배율	_____
05	convey	_____	15	처음의, 초기의	_____
06	embody	_____	16	반감	_____
07	leisurely	_____	17	과일즙, 꿀	_____
08	mischievous	_____	18	혼잡, 막힘	_____
09	kindle	_____	19	재앙	_____
10	domain	_____	20	그 동안, 그 사이에	_____

2 다음 빈칸에 알맞은 단어를 넣어서 문장을 완성하시오.

01 Why is it so hard for me to _____ between right and wrong?
난 왜 이렇게 옳고 그름을 구별 짓는 게 힘든 걸까?

02 Don't let that big dog _____ me!
저 큰 개가 나한테 접근하게 하지 마세요!

03 I just want to _____ you warmly.
전 그냥 당신을 따뜻하게 안아 주고 싶네요.

04 My parents don't _____ of me going abroad next year.
우리 부모님은 제가 내년에 해외에 나가는 것에 찬성하지 않으세요.

05 I'm going to _____ my car into a camper.
저는 제 차량을 캠핑용 차로 개조할 거예요.

DAY 48 에피소드 142~144

Episode 142 · 청소 그 놈

강범: 우와, 니네 아들 방 진짜 **neat**하네. 완전 **artificial**한데? 나 온다고 **intend**해서 청소 시킨 거 아녀?
은진: 아냐, 원래 지 방 청소는 이렇게 해.
강범: 와, 우리 애 방은 무슨 **moss** 나올 정도로 지저분한데. 가끔 내가 진정 사람을 **breed**했나 싶기도 할 정도야.
은진: 허허, 이것도 **drill** 시키면 돼. 우리 애도 첨엔 안 했거든.
강범: 야, 우리 애는 청소에 대한 개념이 **devoid**한 애야. 청소 자꾸 시키면 **conflict**만 더 늘걸? 그리고 요즘 뭐만 하면 자꾸 자기 노동 값을 **calculate**해서 용돈으로 달라 그런다니깐. 아우… 니네 애 우리 애랑 같은 반이지? 걔한테 **bribe** 좀 주고 우리 애 청소 좀 하게 만들어 달라고 해야겠다.

1411 ★★
neat
[ni:t]

(형) 깔끔한, 정돈된 (유) tidy 깔끔한, 잘 정돈된

A: Wow, what a **neat** handwriting. I'm so jealous.
와, 너 글씨체 완전 깔끔하네. 아우 질투 나.

B: Really? I'm not satisfied with my handwriting. I want it to be manlier. 진짜? 난 내 글씨체 만족 못하는데. 난 글씨체가 좀 더 남자다웠으면 좋겠거든.

1412 ★★
artificial
[à:rtəfíʃəl]

(형) 인위적인, 인공의 (유) man-made 사람이 만든, 인공의

A: Isn't the shampoo you're using more expensive than others?
니가 쓰는 샴푸 다른 거보다 더 비싸지 않아?

B: Well, it contains no **artificial** colors and substances which are bad for your scalp. I don't think it's expensive.
음, 뭐 두피에 해로운 인위적인 색깔이나 물질 같은 게 들어가지 않았거든. 그다지 비싸단 생각은 안 해.

> 이 표제어는 '(인위적으로) 합성한, 인조의'라는 의미를 전해 주는 형용사 **synthetic**과 함께 챙겨 두세요. 이 형용사는 '(천연적인 방법이 아니라) 화학적으로 합성되었다'라는 뉘앙스를 전해 줍니다.

1413 ★★★
intend
[inténd]

(동) 의도하다, 의미하다 (파) intention 의도, 목적

A: You really think I'm stupid? I thought you were my best friend.
넌 진짜 내가 멍청하다고 생각하나? 니가 나의 제일 친한 친구인 줄 알았는데.

B: It was **intended** as a joke. I'm sorry that it got you upset.
난 그냥 장난칠 의도로 그랬던 거야. 니가 속상하다 그러니 내가 미안하네.

1414 ★★
moss
[mɔːs]

명 이끼 파 mossy 이끼로 뒤덮인

A: Look at that stone wall. It's all covered with moss in a beautiful way. 야 저기 돌담 좀 봐. 이쁘게 이끼로 뒤덮여 있네.

B: Strike a pose before that. Let me take a picture of you.
저기 앞에서 포즈 좀 잡아 봐. 내가 사진 찍어 줄게.

1415 ★★
breed
[briːd]

동 새끼를 낳다, 사육하다 명 품종 유 race (동식물의) 품종

A: You want to go to a farm that I know? They have rare breeds of sheep. 내가 아는 농장에 갈래? 희귀한 종류의 양들 기르는 곳인데.

B: I love sheep. See? I'm wearing wool socks.
나 양 완전 좋아해. 보여? 나 양모로 만든 양말 신고 있잖아.

1416 ★★
drill
[dril]

동 반복연습 시키다, 훈련시키다 명 반복연습, 훈련

A: Did you hear the announcement? There's going to be a fire drill in an hour. 방송 들었나? 한 시간 뒤에 화재 훈련 있을 거래.

B: I did. It's been five days in a row. 들었지. 무슨 5일 연속으로 하냐.

1417 ★
devoid
[divɔ́id]

형 ~이 전혀 없는

A: I really don't know what you see in Daegun. He's a guy devoid of humor. 대건이 뭐가 좋다고 만나는지 도통 모르겠네. 애가 유머도 전혀 없고 말야.

B: That's what I like about him. I am full of humor.
그래서 내가 걔를 좋아하는 거야. 내가 유머로 가득가득하니깐.

1418 ★★
conflict
[kánflikt] 명
[kənflíkt] 동

명 갈등, 충돌 동 상충하다 유 dispute 분쟁, 논쟁

A: Can I just stay over tonight? There's a serious conflict between Mom and Dad, and I don't want to be involved in it.
오늘 너네 집에서 자도 되나? 엄마랑 아빠 사이에 뭔가 심각한 갈등거리가 있는데 지금 거기에 끼이고 싶질 않다.

B: All right. Make sure you bring your toiletries with you.
그래. 올 때 세면도구 꼭 챙겨오고.

1419 ★★
calculate
[kǽlkjulèit]

동 계산하다, 산출하다 파 calculation 계산, 산출

A: Help me out with this. I downloaded this app that checks my BMI but how does it work?
나 이거 하는 것 좀 도와줘. 내 체질량 지수 체크해 주는 앱 받았는데 어떻게 작동하는 거지?

B: Let me see. First enter your height and weight and then just click this button to calculate.
보자. 우선 니 키랑 몸무게 입력하고 그런 다음에 그냥 이 버튼 눌러서 계산하면 되네.

1420 ★★
bribe
[braib]

명 뇌물 동 매수하다

A: How did you make Changsu do his homework? He never listens to me. 창수 숙제하도록 뭐 어떻게 한 거야? 내 말은 절대 안 듣는데.

B: I offered him a bribe for finishing his homework.
숙제 끝내도록 내가 뇌물을 줬지.

Episode 143 • 함께 걷자, 우리.

창수: 어제 스터디 모임에 안 나오고 어디 갔던 거야?

재원: 아, 내가 참여하는 동아리 회장 형이 **convene**해서 갔었어. 이번에 **disabled**한 친구들을 위한 봉사활동이랑 캠페인 진행하기로 했거든. '함께 걷자, 우리'라고 **entitle**했지.

창수: 오, 그런 모임에도 나가는구나. 착하네.

재원: 처음에 회장 형이 무슨 질문을 했는데 완전 **embarrass**하게 하는 그런 건거야. 아니, 부끄러웠다고 해야겠지. 단지 **intelligence**가 조금 더 낮다는 이유로 이 친구들을 **fair**한 시각으로 대하지 않았던 적이 있었으니깐. 암튼, **converse**하다 보니 첨엔 **gloomy**했는데 갈수록 얼른 애들 도와 주러 가고 싶더라. 아! 이번에 장애인 복지에 **degree**를 가지고 계신 분들이 **institute**에서 많이 나와서 체계적으로 지도해 주실 거래. 너도 같이 갈래?

1421 ★
convene
[kənvíːn]

[동] (회의 등을) 소집하다 [유] convoke (공식적인 회의를) 소집하다

A: Can we postpone our meet-up? My company suddenly **convened** a meeting for a seminar.
우리 만나는 거 좀 미룰 수 있을까? 회사에서 갑자기 세미나 때문에 회의를 소집하네.

B: Well, it would have been better if you had told me that earlier. All right anyway. 음, 좀 더 일찍 말해 줬었다면 좋았겠지만. 어쨌든 알겠다.

DAY 48

1422 ★
disabled
[diséibld]

[형] 장애를 가진 [명] 장애인

A: Why didn't you get the phone earlier? I was worried about you.
니 왜 전화를 빨리 안 받았노. 걱정했잖아.

B: Sorry, I was helping a **disabled** man climb the stairs.
미안. 장애가 있는 남자 분 계단 오르는 거 도와 드리느라고.

1423 ★★
entitle
[intáitl]

[동] 자격(권리)을 주다, 제목을 붙이다

A: Your next book will be out pretty soon. Have you **entitled** it?
너의 다음 책이 곧 나오겠네. 제목은 지었고?

B: It's *Love Is Unbreakable*. How cool is that?
'사랑, 깨지지 않는 그것'이지. 제목 멋있지 않냐?

💡 접두사 en-에는 '만들다(make)'라는 의미가 내재되어 있답니다. title에는 서적, 칭호 따위의 뜻이 있죠. 즉, 책이나 누군가에게 어떤 칭호를 만들어주는 것, entitle, '제목을 붙이다, 자격을 주다'라는 뜻이 되겠죠?

1424 ★★
embarrass
[imbǽrəs]

[동] 당황스럽게 만들다 [참] humiliate 굴욕감을 주다

A: How was the job interview? Think you'll get the job?
면접은 어땠어? 붙을 거 같냐?

B: I messed it up. They asked me something personal, which totally **embarrassed** me. Then I don't even remember how I finished the rest of the interview.
완전 망쳤어. 개인적인 질문을 했는데. 나 심하게 당황했어. 나머지 면접을 어떻게 끝냈는지조차도 기억이 안 난다.

1425 ★★
intelligence
[ɪntéləʤəns]

몡 지능, 기밀, 정보요원

A: How could you not solve that easy question? I thought you were a person of average intelligence.
닌 어떻게 그렇게 쉬운 문제도 못 풀었냐? 난 적어도 니가 평균 지능을 지닌 놈인 줄 알았건만.

B: Maybe my intelligence is lower than average. I know I messed it up, so stop nagging.
뭐, 내 지능이 평균 이하였나보지. 아 나도 망친 거 아니까 그만 좀 해.

1426 ★★★
fair
[fɛər]

혱 공평한, 타당한 유 unbiased 선입견 없는, 편파적이지 않은

A: What? Are you really going to pick Taehun because you personally know him? That's not fair.
뭐요? 그냥 개인적으로 안다고 태훈이란 사람을 뽑을 거라고요? 그건 공평치 못한데요.

B: Well, I'll think it over once again. 그럼, 다시 한 번 생각해 볼게요.

1427 ★★
converse
[kənvə́:rs]

동 대화를 나누다

A: You speak Korean fluently. How can you be so natural at it? You never lived in Korea.
와, 니 한국말 엄청 유창하네. 어떻게 그렇게 자연스럽노? 니 한국에서 산 적도 없잖아.

B: Well, my mom is Korean so I had to converse only in Korean at home. 엄마가 한국인이셔서 집에서는 한국어로만 대화를 해야 했거든.

1428 ★★
gloomy
[glú:mi]

혱 우울한, 어둑어둑한 유 dim (빛이) 어둑한, 흐릿한

A: Hey, are you really okay? I've never seen you looking so gloomy.
니 진짜 개안나? 이렇게 우울해하는 거 본 적이 없는데.

B: I have a stomachache for a few days. I think something is wrong.
며칠째 배가 아파. 뭔가 잘못된 거 같애.

1429 ★★★
degree
[dɪgrí:]

몡 학위, 정도, 급

A: What is the new employee like? 신입 사원 어때?

B: He has a master's degree from Harvard. He's so intelligent but has poor sense of humor.
하버드 석사 학위가 있더라고. 굉장히 지능이 높긴 한데 유머감각이 없네.

1430 ★★
institute
[ínstətjù:t]

몡 기관 동 도입하다 유 establishment 기관, 시설

A: Did you see the news? There was a serious terror act in Paris. So many innocent victims.
뉴스 봤나? 파리에 완전 심각한 테러 발생했더만. 무고한 희생자들이 너무 많다.

B: We should institute new policies to increase public safety.
우리도 치안을 좀 더 강화하기 위해서 새로운 정책들을 도입해야 해.

Episode 144 • 보이지 않는 손

대건: 우리 부장님 바뀐다는 거 **confirm**된 거야? 근데 성격 더 **intense**한 분 오는 거 아녀? 아, 그럼 피곤한데.

미정: 그래도 좋으니 뭔가 좀 **insight**가 있는 분이었음 좋겠다. 우리 지금 부장님은 음… 부족해. 그나저나 무슨 **misdeed**를 저지르신 것도 아니고 불법 **league** 같은 데 가입도 안 하신 **neutral**한 분이셨는데 왜?

대건: **outer**의 압박이 있었던 게지. 아무래도 **motivate**해 주시거나 그런 부분엔 좀 약하셨으니깐.

미정: 아쉬워. 끝까지 같이 **accompany**할 줄로만 알았는데.

대건: 허허, 위에서 회사 **administer**하는 분들이 정하는 걸 우리가 어찌 하겠는고.

1431 ★★
confirm
[kənfə́:rm]

(동) 확정하다, 확인해 주다 (파) confirmation 확인

A: Hi, I'm calling to **confirm** my reservation for tomorrow.
안녕하세요. 내일 예약 좀 확인하려고 전화했어요.

B: Okay, may I ask your name?
아 네, 성함이 어떻게 되시죠?

1432 ★★
intense
[inténs]

(형) 극심한, 열정적인, 극도의 (유) severe 극심한, 혹독한

A: You haven't called me for two days in a row. You don't love me any more? I'm so disappointed.
이틀 연속으로 전화를 안 하더라? 이제 나에 대한 사랑이 식은 거야? 완전 실망이야.

B: Hey, didn't I tell you that I'm working on a new project? It requires **intense** concentration.
야, 내가 너한테 요새 새 프로젝트 진행 중이라 말하지 않았어? 완전 극도의 집중을 요한다고.

1433 ★
insight
[ínsàit]

(명) 통찰력 (형) insightful 통찰력 있는

A: I noticed that you read a lot of books recently. You didn't use to read anything. What made you change?
니 요새 책 많이 읽는다. 책 같은 거 안 읽었었잖아. 뭣 땜에 변한 거야?

B: Well, I found out that reading gives me **insight** into life.
음, 요새 느낀건데 독서라는 게 삶에 대한 통찰력을 주더라고.

 무언가에 대해 겉만 보는(sight) 것이 아니라 내면(in)까지 볼 수 있는 능력 insight, '통찰력'이라는 뜻이랍니다.

1434 ★
misdeed
[misdí:d]

(명) 악행, 비행

A: Daegun is your best friend and you know it was his mistake. He didn't intend it.
너 대건이랑 완전 친하고 이번엔 걔가 실수로 그런 거잖아. 걔가 의도한 건 아니야.

B: So what do you want me to do? To cover up for his **misdeeds**?
그래서 뭐 내가 어쩌길 바라는 건데? 걔 악행을 그냥 덮어 주라고?

1435 ★★★

league
[liːg]

(명) 연맹, 수준

A: I never knew you were such a good cook. Everything you made tonight was perfect.
니가 이렇게 요리 잘하는 줄은 몰랐네. 오늘 밤에 요리해 준 거 다 맛있었어.

B: I know. When it comes to cooking, you're not in my league.
나도 알아. 뭐 요리에 대해선 넌 내 수준이 안 되지.

1436 ★★

neutral
[njúːtrəl]

(형) 중립적인 (유) disinterested 사심이 없는, 객관적인

A: Whose side are you on? Me or your dad's? Pick one!
넌 누구 편이야? 나야 아니면 너네 아빠야? 골라 얼른!

B: Um, Mom? I'd like to remain neutral. 어… 엄마? 난 그냥 중립할래요.

1437 ★★

outer
[áutər]

(형) 외부의, 외곽의 (반) inner 안의, 내적인

A: Why didn't you remove the outer skin of the onion?
양파 바깥 껍질은 왜 제거 안 하신 거예요?

B: The outer skin part has more nutrition. Actually, I just made that up. I forgot to remove it.
껍질 부분에 영양분이 더 많거든. 사실 그냥 지어낸 거야. 벗긴다는 걸 깜박했네.

1438 ★

motivate
[móutəvèit]

(동) 동기를 부여하다 (유) inspire 영감을 주다

A: Recently I started tutoring but I don't know how to motivate my students. They never do homework.
최근에 과외를 시작했는데 학생들에게 어떻게 동기부여 해야 할지 모르겠다. 숙제를 아예 안 해.

B: To motivate someone, you have to be their role model first.
누군가를 동기부여하려면 너부터 모범이 되어야지.

1439 ★★★

accompany
[əkʌ́mpəni]

(동) 동행하다, 반주를 하다

A: All right. Make sure not to be late tomorrow morning. I'll see you then. 좋아. 내일 아침에 안 늦도록 하고. 그때 보자.

B: Oh, I have to tell you that my younger brother will accompany me on the trip. That will be okay with you, won't it?
아, 내일 내 남동생도 나랑 같이 여행에 동행할 건데. 괜찮지, 그렇지?

1440 ★

administer
[ədmínistər]

(동) 관리(운영)하다, 집행하다 (파) administration 집행, 행정부

A: Isn't it hard to administer tests? You have to make questions and grade your students and so on.
시험 관리하는 거 되게 어렵지 않아요? 문제도 만들어야 되고 학생들 점수도 매겨야 되잖아요.

B: Luckily, I've found it very satisfying.
다행히 전 제가 하는 일에 굉장히 만족하고 있어요.

1 다음 단어에 맞도록 우리말 또는 영어로 바꿔 쓰시오.

01 drill ＿＿＿＿＿＿＿＿

02 neat ＿＿＿＿＿＿＿＿

03 devoid ＿＿＿＿＿＿＿＿

04 convene ＿＿＿＿＿＿＿＿

05 institute ＿＿＿＿＿＿＿＿

06 disabled ＿＿＿＿＿＿＿＿

07 confirm ＿＿＿＿＿＿＿＿

08 neutral ＿＿＿＿＿＿＿＿

09 misdeed ＿＿＿＿＿＿＿＿

10 intense ＿＿＿＿＿＿＿＿

11 새끼를 낳다, 품종 ＿＿＿＿＿＿＿＿

12 이끼 ＿＿＿＿＿＿＿＿

13 의도하다, 의미하다 ＿＿＿＿＿＿＿＿

14 대화를 나누다 ＿＿＿＿＿＿＿＿

15 자격을 주다, 제목을 붙이다 ＿＿＿＿＿＿＿＿

16 학위, 정도, 급 ＿＿＿＿＿＿＿＿

17 동행하다, 반주를 하다 ＿＿＿＿＿＿＿＿

18 통찰력 ＿＿＿＿＿＿＿＿

19 관리하다, 집행하다 ＿＿＿＿＿＿＿＿

20 외부의, 외곽의 ＿＿＿＿＿＿＿＿

DAY 48

2 다음 빈칸에 알맞은 단어를 넣어서 문장을 완성하시오.

01 I don't really want to be involved in any ＿＿＿＿＿＿.
저는 정말이지 어떠한 갈등에도 연루되고 싶지 않아요.

02 I love this beverage because it contains no ＿＿＿＿＿＿ colors or ingredients.
저는 이 음료를 정말 좋아해요, 왜냐하면 인공 색소라던가 재료 같은 게 안 들어 있거든요.

03 How could you ＿＿＿＿＿＿ me in front of my boyfriend yesterday?
넌 어제 어떻게 내 남자 친구 앞에서 날 당황스럽게 할 수가 있니?

04 I was very impressed by your younger sister's high ＿＿＿＿＿＿.
나 네 여동생의 높은 지능에 무척 감명 받았어.

05 I'd like to ＿＿＿＿＿＿ everybody here to do what you want to do.
전 여기 있는 모든 분들이 하고 싶은 걸 꼭 하시라고 동기부여를 하고 싶습니다.

DAY 49

에피소드 145~147

Episode 145 • 통신기술의 발달이 가족에게 미치는 영향

병호: 오늘은 무슨 일이 있어도 6시까지는 집에 **contrive**할 수 있도록! **eminent**한 교수이자 나의 벗을 저녁 식사에 초대하였으니 말이다.

기모: 네 아버지. 전쟁이 **outbreak**하지 않는 한 꼭 6시 이전에는 현관문을 찍겠습니다. 사실 요즘 GPS 추적 앱의 **advent**로 인해 제가 다른 곳으로 갈 수도 없지요.

병호: 내가 첨단기술을 **advocate**하지는 않지만 GPS 앱은 참 좋은 것 같다. 엄마가 집에 올 때 지도도 쉽게 볼 수 있고. 아빠도 얼마 전에 휴대전화를 바꿨다. 최신형인데 **bargain**으로 샀지. 전에 쓰던 거는 쇳덩어리에 **bump**해서 소생 불가더구나.

기모: 저도 바꾸고 싶긴 한데 **capacity**가 안 되네요. 그나저나 오늘은 **casual**하게 입어도 되지요?

병호: 그렇지만, 그 티셔츠에 해골문양 패치는 **detach**하고 입었으면 좋겠구나.

1441 ★★
contrive
[kəntráiv]

(동) 어떻게든 ~하다, 성사시키다

A: We can't make it happen without Daegun. He's the specialist.
대건 씨 없이는 이걸 성공시킬 수가 없다. 그 사람이 전문가거든.

B: Okay, then let's **contrive** a way of meeting him. Do you know his phone number?
좋아, 그러면 어떻게든 그분을 만날 방법을 마련해 보자. 그 사람 전화번호 알아?

1442 ★★
eminent
[émənənt]

(형) 저명한, 걸출한

A: I'll undergo the operation tomorrow. I really hope it's successful.
내일 수술이네. 진짜 잘돼야 할 텐데.

B: No worries. We've chosen this hospital for its **eminent** surgeons.
걱정하지 마. 우리 이 병원 저명한 외과 전문의들 보고 선택했잖아.

1443 ★
outbreak
[áutbreik]

(명) (전쟁 · 사고 등의) 발발, 발생

A: Why are you still home? Aren't you supposed to be at school?
너 왜 아직도 집에 있어? 학교에 있어야 하는 거 아니야?

B: There was a mass **outbreak** of food poisoning at school, so our school is temporarily closed.
학교에 집단 식중독이 발생했거든요. 그래서 우리 학교 임시 휴교예요.

1444 ★
advent
[ǽdvent]

(명) 도래, 출현

A: You know what I'm thankful for these days? The **advent** of new technology that enables us to do so many things.
요즘 내가 감사하는 게 뭔 줄 알아? 참 많은 것들을 가능케 하는 새로운 기술의 출현이야.

B: I know. If it weren't for technology, we wouldn't be able to talk to each other online like we are now.
맞아. 기술이 없었다면, 이렇게 우리가 지금처럼 온라인으로 서로 이야기 나눌 수도 없었겠지.

1445 ★

advocate
[ǽdvəkèit] 동
[ǽdvəkət] 명

동 옹호하다, 지지하다 명 지지자, 옹호자 반 oppose 반대하다, 대항하다

A: Why do you **advocate** low-cholesterol diets so much? You're not even fat.
넌 왜 그렇게 낮은 콜레스테롤 식단을 옹호하는 거야? 너는 심지어 뚱뚱하지도 않잖아.

B: We only have one life to live and I want us to make full use of it.
한 번뿐인 인생이니 우리 오래 살아야지.

1446 ★★

bargain
[bá:rgən]

명 싼 물건, 합의, 매매계약 동 협상하다

A: Tomorrow is our pay day. I'm so ready to go hunt for **bargains**.
내일이면 월급날이다. 싼 물건들 사냥에 나서야겠어.

B: Please don't spend all of your salary this time.
제발 이번엔 월급 다 쓰면 안 된다.

1447 ★★

bump
[bʌ́mp]

동 부딪치다 명 혹, 충돌 파 bumpy (바닥이) 울퉁불퉁한, 평탄치 않은

A: Why is there a **bump** on your forehead?
너 이마에 왜 혹이 있어?

B: I bumped into a utility pole while I was riding my bike.
자전거 타다가 전봇대에 부딪쳤어.

1448 ★★

capacity
[kəpǽsəti]

명 능력, 용량, 수용력 파 capacious 널찍한, 큼직한 숙 at full capacity 전 능력을 기울이고

A: Do you think Daegun is the right person for the job?
대건이가 이 일에 적합한 사람일까?

B: No doubt. He has an enormous **capacity** for hard work.
의심의 여지가 없다. 힘든 일을 처리해내는 능력이 어마어마해.

 형용사 뒤에 –ity가 붙으면 어떤 성질이나 상태를 표현하는 명사를 만들어낼 수 있죠. capable, '~을 할 수 있는'이란 의미의 형용사 뒤에 –ity를 붙여서, capacity, 즉, '능력, 용량, 수용력'이라는 의미가 되겠네요.

1449 ★

casual
[kǽʒuəl]

형 격식을 차리지 않는, 평상시의

A: So tomorrow you're going to throw a party. Is there any dress code that I should follow?
내일은 니가 파티 여는 날이네. 지켜야 할 드레스 코드 같은 거 있어?

B: No, it's just a **casual** party. Dress casually.
아니, 그냥 격식 없는 파티야. 편하게 입어.

1450 ★

detach
[ditǽʃ]

동 떼어내다, 파견하다 파 detachment 파견대, 분리

A: I got a new jacket last weekend. What do you think? It has a hood and I can **detach** it if I want.
지난 주말에 새 재킷 샀어. 어때? 이거 모자도 있고 원하면 떼어낼 수도 있어.

B: Well, without that hood is definitely better.
음, 그 모자 없는 게 확실히 낫네.

Episode 146 ● 패션 전공했다고 다 옷 잘 입는 거 아님

대건: 넌 옷이 그게 뭐냐? **monk** 같기도 하고. 아니, **broom**만 있으면 타고 날아가겠네.

태훈: 대학에서 패션을 **minor**한 사람한테 말조심하지?

대건: 내가 비전공자로서 **advise**하는데 그런 거 입지 마!

태훈: 이거 편해서 네 것도 주문했어. **dispatch**했다고 메일 왔더라.

대건: 아 왜~! 안 그래도 세계 자원이 급속히 **diminish**하고 있는 마당에 나까지 자원을 낭비하게 생겼네. 그런 건 하기 전에 나랑 **confer**하라고. 너 옷 보려고 **bystander**들도 몰려들잖아. 널 **avoid**하고 싶다. 구경꾼들이 **avalanche**처럼 불어나네! "뭐 구경났다고 이래요? 가요, 가~!"

1451 ★★
monk
[mʌ́ŋk]

® 수도승, 수도자

A: Doesn't that **monk** look so young?
저 수도승 너무 어려 보이지 않아?

B: I know him personally. He's the youngest among the monks here.
개인적으로 아는 분인데. 여기 계신 수도승들 중에서 제일 어려.

1452 ★★
broom
[brúːm]

® 빗자루

A: You're going to mop the floor without sweeping it first?
너 먼저 바닥 쓸지도 않고 걸레질하라고?

B: I wanted to sweep first but I don't have a **broom** in the house.
나도 먼저 쓸라고 했는데 집에 빗자루가 없어.

1453 ★★
minor
[máinər]

® 부전공의, 경미한 ® 부전공 ® major 주요한, 전공의

A: Do we have to fix that? It's just so **minor** that nobody will notice.
우리 저거까지 고쳐야 해? 너무 경미해서 아무도 못 알아볼 텐데.

B: Details make the products perfect. Stop whining and fix it.
작은 부분이 완벽을 만드는 거야. 그만 징징대고 고치기나 해.

1454 ★★
advise
[ædváiz]

® 충고하다 ® advice 조언, 충고

A: I'm going abroad for the first time on Tuesday. Any advice for me?
화요일 날 처음으로 해외 나간다. 나한테 조언해 줄 거 있어?

B: Let me **advise** you to carry your passport all the time.
여권은 항상 지니고 다녀야 한다는 거.

1455 ★★

dispatch
[dispǽtʃ]

통 발송하다, 파견하다

A: How was your business trip to Canada? 캐나다 출장은 어땠어?

B: It was great. I never expected our local cooperative company would dispatch a limousine to pick us up from the airport.
좋았어. 예상치 못하게도 지역 협력사에서 우리를 픽업하려고 공항에 리무진을 파견시켰더라고.

1456 ★★

diminish
[dimíniʃ]

통 줄어들다, 약해지다 유 decrease 줄다, 감소하다

A: Is it natural for me to feel dizzy once in a while?
가끔씩 어지러운데 이거 괜찮은 거야?

B: That's a common side effect of the medicine you're taking. It should diminish over time.
니가 복용하는 약의 흔한 부작용이야. 시간이 지나면 약해져.

 diminish의 다양한 유의어들 중에서도 decrease(줄다, 감소하다) 그리고 lessen(줄이다) 이렇게 두 개는 같이 알아 두세요.

1457 ★

confer
[kənfə́ːr]

통 상의하다, 수여하다

A: What do you say to our proposal? 저희가 드린 제안이 어떻습니까?

B: This is a very important matter. Can you give me some time? I think I have to confer with my family first.
이게 참 중요한 사안이라서요. 시간 좀 주실래요? 가족들이랑 먼저 상의해 봐야 할 것 같아요.

1458 ★

bystander
[báistændər]

명 구경꾼, 행인 유 onlooker 구경꾼

A: Did the police catch the criminal? 경찰들이 범인 잡았대?

B: They did, but a couple of bystanders were wounded during the chase. 잡았대. 근데 추격 중에 행인 몇이 다쳤다더라고.

1459 ★★★

avoid
[əvɔ́id]

통 회피하다, 피하다, 막다 파 avoidance 회피, 방지

A: Can I ask why you keep avoiding me? Did I do anything wrong?
왜 자꾸 날 피하는지 물어봐도 돼? 내가 뭐 잘못한 거 있어?

B: Just think what you did.
네가 한 것을 한번 생각해 봐.

1460 ★

avalanche
[ǽvəlæntʃ]

명 눈사태, (산)사태 유 landslide 산사태, 압도적인 득표

A: How is the recruitment going? 신규 채용은 어떻게 되어가고 있어요?

B: We ran an ad in the local paper and received an avalanche of resumes.
지역 신문에 광고를 냈더니 이력서가 눈사태처럼 들어왔어요.

유린: 나 요즘 영어 **dictation** 시작했는데. 한 개도 못 쓰겠어. 마음 같아선 영어 잘하는 사람 두뇌랑 내 두뇌랑 **exchange**하고 싶다.

근철: 내가 영어 공부하라고 말할 때 **dismiss**하더니만?

유린: 아니, 그땐 **capital**이 있어서 학원 다녔고. 요즘은 돈이 없어서 혼자 공부하거든. **civilization**의 혜택을 누리려면 영어는 잘해야지!

근철: 너 그 비싼 학원 다니고도 영어는 거의 못 하는 거 같은데… 몇 달 동안 학원에 **endow**했네.

유린: 조언 좀 해 봐.

근철: 받아쓰기랑 말하기랑 **blend**해 봐. 어느 정도 익숙해지면 영어 **fiction**도 읽어 보고.

유린: 그래야겠다. 나의 영어 공부에 대한 총알은 이미 **fire**된 거지. 니가 **lingual**한 부분은 잘 아니까 나 좀 많이 도와줘.

1461 ★★
dictation
[diktéiʃən]

(명) 받아쓰기, 받아쓰기 시험

A: What are we going to do today?
오늘은 우리 뭐 할 거예요?

B: I was going to give you a pop quiz, but instead, I'll give you a **dictation** exercise.
쪽지시험 보려고 했는데, 그거 대신에 받아쓰기 시험을 보도록 하겠어요.

1462 ★★★
exchange
[ikstʃéindʒ]

(동) 교환하다 (명) 교환, 환전

A: I'm so sad that today is your last day here.
오늘이 여기에서 너의 마지막 날인 게 너무 슬프다.

B: So am I. Let's **exchange** our email addresses and keep in touch.
나도. 이메일 주소 교환하고 계속 연락하자.

1463 ★★
dismiss
[dismís]

(동) 묵살(일축)하다, 해고하다 (유) disregard 무시(묵살)하다

A: Did you hear that several new employees were **dismissed** this morning?
오늘 아침에 신입 사원 몇 명이 해고당한 거 들었어?

B: Yes, but I don't understand why they got dismissed.
들었지, 근데 왜 해고당한 건지 이해가 안 되네.

1464 ★★★
capital
[kǽpətl]

(명) 자본금, 수도 (형) 대문자의, 사형의

A: I'm stupid. Help me solve this crossword puzzle. What's the **capital** of Canada?
나 바보네. 나 십자말 풀이 좀 도와줘. 캐나다의 수도가 어디지?

B: What? How can you not know that? It's Ottawa.
뭐? 어떻게 그걸 모를 수가 있지? 오타와잖아.

1465 ★
civilization
[sìvəlizéiʃən]

(명) 문명, 전 세계 (사람들) (파) civilize 개화(교화)하다

A: You have to help me do this. It's not for us, but for the future of **civilization**. 너 내가 이거 하는 거 도와 줘야 해. 우리를 위한 일이 아니라, 문명의 미래를 위한 일이라고.

B: You mean, helping you clean your dirty room?
너의 더러운 방 청소를 도와주는 게?

1466 ★★
endow
[indáu]

(동) (학교 등의 기관에) 기부하다, (능력 · 자질 등을) 부여하다

A: You've solved all of these way earlier than I expected. You're such a genius.
내 예상보다 훨씬 일찍 이걸 다 풀었네. 넌 천재다.

B: Nature has **endowed** me with intelligence.
하늘에서 나에게 지적능력을 부여하신 거지.

1467 ★★
blend
[blend]

(동) 섞다, 혼합하다, 섞이다 (유) mix 섞이다, 혼합되다

A: Aren't you curious as to why oil can't **blend** with water?
기름이 물과 왜 안 섞이는지 궁금하지 않아?

B: I'm just curious why you're curious about that scientific fact.
난 그냥 니가 왜 그 과학적인 사실에 대해 궁금해하는지가 궁금해.

 blend와 비슷하게 생긴 형용사 bland는 '단조로운, (음식 따위가) 별 맛이 안 나는, 특징 없는'의 의미를 갖고 있으니 꼭 구분해서 알아 두세요.

1468 ★
fiction
[fíkʃən]

(명) 소설, 허구 (파) fictional 허구적인, 소설의

A: I'm going to work with Woosik. You know him personally, right? What is he like?
내가 우식 씨랑 일하게 됐거든. 너 그 분 개인적으로 알지? 그분 어때?

B: I have to warn you that what he says is **fiction** from start to finish. You'd better not work with him.
너한테 경고하는데 그 사람 말하는 게 처음부터 끝까지 허구야. 그 사람이랑 같이 일 안 하는 게 좋을 거야.

1469 ★★★
fire
[fáiər]

(동) 발사되다, 발화되다, 해고하다 (명) 발사, 불

A: Look at the ocean. It's so clear and transparent. We brought fireworks with us, didn't we?
바다 좀 봐. 정말 깨끗하고 투명하네. 우리 폭죽 챙겨왔지, 그렇지?

B: We did. Here you are. Make sure you are careful when you **fire** them, okay? 응, 여기 있어. 쏠 때 조심해라. 알겠지?

1470 ★★★
lingual
[líŋgwəl]

(형) 말(언어)의, 혀의

A: Where would you like to be born if you had a chance to live one more life? 한 번 더 살 기회가 주어진다면 어디에서 태어나고 싶어?

B: I'd like to be born in a country that is multi-**lingual**. Then I would be naturally bilingual.
난 여러 언어를 사용하는 국가에서 태어나고 싶어. 그럼 자연스럽게 2개 국어 구사하겠지.

DAY 49 Review

1 다음 단어에 맞도록 우리말 또는 영어로 바꿔 쓰시오.

01 contrive   _____

02 bump   _____

03 advent   _____

04 confer   _____

05 monk   _____

06 bystander   _____

07 endow   _____

08 dictation   _____

09 lingual   _____

10 civilization   _____

11 (전쟁·사고 등) 발발, 발생 _____

12 떼어내다, 파견하다 _____

13 능력, 용량, 수용력 _____

14 방송하다, 파견하다 _____

15 눈사태, (산)사태 _____

16 줄어들다, 약해지다 _____

17 부전공, 경미한 _____

18 묵살(일축), 해고하다 _____

19 자본금, 수도, 대문자의 _____

20 소설, 허구 _____

2 다음 빈칸에 알맞은 단어를 넣어서 문장을 완성하시오.

01 An _____ architect is going to build our new house.
저명한 건축가가 우리 새 집을 지을 거예요.

02 I personally _____ a new method of teaching a foreign language.
저는 개인적으로 새로운 외국어 교수법을 지지합니다.

03 We'd better leave early to _____ the rush hour.
우리 러시아워를 피하려면 좀 일찍 출발하는 게 좋겠어요.

04 How about we _____ folk and up-to-date melodies together?
우리 민속적인 선율과 최신 멜로디를 섞어보는 건 어떨까요?

05 I need to _____ these shoes for a bigger pair.
나는 이 신발을 더 큰 걸로 교환해야 한다.

DAY 50 에피소드 148~150

Episode 148 • 어학원의 메카

대건: 이 동네엔 **lofty**한 건물들이 많네.

수영: 응?

대건: 요즘 이 동네에 어학원 다니거든. 어학원 건물들 높이도 그렇고 거리마다 **continuous**하단 말이지.

수영: 응, 가끔 머리 아플 때 여기 **backward**하면서 세어봤는데 어학원만… 30개 되려나? 건물주들이 더 이상 어학원은 못 들어오게 **mediate**해도 안 되나 봐. 좀 **moderately**하게 있어야 되는데 말이야. **overlap**하는 게 너무 심하네.

대건: 맞아. **particular**한 개성이 있는 게 아니라 비슷한 것들을 **sequence**대로 나열해 둔 거지.

수영: 응, 심지어 건물 앞에서 **usher**하는 분들 생김새도 획일적이야. 나 취직시켜 주면 내 외모 덕에 그 학원이 더 **shine**할 텐데.

1471 ★★
lofty
[lɔ́:fti]

⑱ (건물·산 등이) 아주 높은, (생각·목표 등이) 고귀한

A: Every time I run into these skyscrapers, I'm amazed at how lofty they are.
이 고층 건물들을 마주할 때마다 어떻게 저렇게 높을 수 있는지 깜짝 놀란다.

B: I get a stiff neck trying to look at the tops of them.
난 건물들 맨 꼭대기 쳐다보느라 목이 다 결린다.

1472 ★★
continuous
[kəntínjuəs]

⑱ 계속되는, 지속적인, 계속 이어지는 ㈜ constant 끊임없는, 거듭되는

A: The rain has been continuous for five days in a row.
무슨 비가 5일 연속으로 계속 오네.

B: I'm happy with it. Now that I lost my job, I don't have to go out. I just stay in bed and sleep as much as I want.
난 좋아. 지금 일자리도 잃었는데, 나갈 필요도 없고. 그냥 침대에 있다가 잠 오면 마음껏 자고.

1473 ★★
backward
[bǽkwərd]

⑱ 뒷걸음질하는, 발전이 더딘

A: How was your trip to India? Where exactly did you stay?
인도 여행은 어땠어? 정확히 어디에 있었던 거야?

B: I was in a rather backward part of the country but I learned a lot from this trip.
나는 상대적으로 발전이 더딘 곳에 있었어. 근데 이번 여행을 통해 많은 걸 배우고 왔지.

DAY 50

1474 ★

mediate
[míːdièit]

(통) 중재하다, 조정하다

A: Mom and Dad had an argument and they've been ignoring each other ever since. What's a good way to mediate the situation?
엄마랑 아빠가 말다툼하신 뒤로 아예 아는 척도 서로 안 하시던데. 이 상황을 중재할 좋은 방법은 뭐가 있을까?

B: Don't they love hiking? Surprise them with brand-new hiking gear.
두 분 다 등산 좋아하시지 않나? 새 등산 장비 준비해서 놀라게 해드려.

1475 ★★

moderately
[mádərətli]

(부) 적당히, 중간정도로

A: Happy New Year! What are your New Year's resolutions?
새해 복 많이 받아! 너의 새해 소망은 뭐야?

B: Most of all, I'm going to try to drink soda moderately.
무엇보다도, 탄산음료를 적당히 마시는 걸 한번 시도해 보려고.

1476 ★

overlap
[òuvərlǽp]

(통) 겹치다, 중복되다 (명) 공통부분

A: How can you be so good at both math and science?
야 넌 어떻게 수학이랑 과학 둘 다 잘할 수 있는 거야?

B: There's a considerable overlap between the two.
두 개 사이에 상당한 공통부분이 있거든.

1477 ★★★

particular
[pərtíkjulər]

(형) 특정한, 까다로운 (유) specific 특정한, 구체적인 (숙) in particular 특히, 특별히

A: Any particular flavor that your mom likes? I want to get her some ice cream. 어머니가 좋아하시는 특정한 맛 있어? 어머니께 아이스크림 좀 사드리게.

B: She loves strawberry. 우리 엄마는 딸기맛을 좋아하셔.

1478 ★★

sequence
[síːkwəns]

(명) 순서, 연속적인 사건들 (통) 차례로 배열하다
(숙) in sequence 차례차례로 out of sequence 순서가 엉망인

A: Are you sure that you carefully sorted out these papers? They're not in sequence. 너 이 서류들 제대로 정리한 거 확실해? 순서가 안 맞는데.

B: They're not? That can't be possible. I double checked carefully.
순서가 안 맞다고요? 그럴 리가 없는데. 제가 주의 깊게 두 번이나 확인했어요.

1479 ★

usher
[ʌ́ʃər]

(통) 안내하다 (명) 좌석 안내원

A: Did you find your way to his office all right? It must have been complicated for you. 그분 사무실 잘 찾아갔어? 너한테는 복잡했을 텐데.

B: It was easy. His secretary ushered me from the entrance.
쉽던데. 그 분 비서가 입구에서부터 안내해 주셨어.

1480 ★★

shine
[ʃain]

(통) 빛나다, 광을 내다

A: Dad, can you teach me how to shine dress shoes? I have to go to a friend's wedding.
아빠, 정장 구두를 어떻게 광을 내는지 가르쳐 주실래요? 저 친구 결혼식 가야 해요.

B: All right. It's time to give you a flawless lesson. Go get your shoes.
오냐. 결점 하나 없는 가르침을 하사할 때가 되었네. 가서 신발 가져라.

Episode 149 • 토론의 달인

태원: 선배님! 이번 토론 대회도 좋았어요. 우승하려고 열심히 **contend**하는데, **spear**와 방패의 싸움이긴 했지만, 선배의 꼼꼼한 성격 **trait**을 바탕으로 준비한 **logic**이 확실한 공격들이 압권이었어요.

대건: 너무 **magnify**하지 마. 부끄럽게.

태원: 그래도 그 **triumph**는 어디 안 가죠, 학교 신문에 선배 기사를 메인으로 **issue**할 거래요. 제 친구가 신문사 기자거든요. 전국 대회 준비도 하시는 거죠?

대건: 응, 시작했으니 책임지고 **undertake**해야지.

태원: 누가 선배 준비하는 데 **obstruct**하면 말씀해 주세요! 전국 대회는 봄이었나요?

대건: 새싹이 **sprout**하는 봄에 열린다네.

태원: 표현이 시적이네요.

1481 ★★
contend
[kənténd]

[동] (언쟁 중에) 주장하다, (~을 얻으려고) 다투다

A: I'm going to **contend** with my best friend for a prize. This is no good. 내 제일 친한 친구랑 상을 두고 다투게 돼 버렸네. 좋지 않아.

B: You must be in trouble.
네가 난처하겠구나.

DAY 50

1482 ★★
spear
[spiər]

[명] 창 [동] (창 등으로) 찌르다

A: Wow, look at those **spears** on display. They look so real.
와, 저기 진열된 창들 좀 봐. 완전 진짜같이 생겼네.

B: They are real. 저거 다 진짜 창이야.

spear 외에 sword(칼), lance(긴 창), javelin(투창), bow(활) 등의 무기들도 있습니다.

1483 ★
trait
[treit]

[명] (성격상의) 특성

A: Did you know that Hyunsil loses her temper pretty easily?
현실이가 화를 꽤 잘 내는 거 알고 있었어?

B: I did. I've known her for more than ten years. It's one of her **traits**.
알지. 알고 지낸 지가 10년이 넘었는데. 그거 걔 특성 중의 하나야.

1484 ★★
logic
[ládʒik]

[명] 논리, 타당성 [파] logical 논리적인, 타당한

A: Isn't your brother so eloquent? I can't believe he's five years younger than me.
너희 남동생 정말 말 잘하지 않아? 나보다 다섯 살이나 어리다니 믿기질 않는다.

B: I can tell that there's always **logic** in what he says. He's brilliant.
확실한 건 걔가 하는 말에는 항상 논리가 있어. 애가 똑똑해.

1485 ★★

magnify
[mǽgnəfài]

[동] 과장하다, 확대하다 [유] enlarge 확대(확장)하다

A: Don't make that stupid mistake again, okay? Let's just not **magnify** the trouble.
다신 그런 어리석은 실수 하지 마라, 알았지? 골칫거리 확대하지 말자고.

B: I won't let you down any more. 더 이상 실망시키지 않겠습니다.

1486 ★

triumph
[tráiəmf]

[명] 업적, 승리 [동] 승리를 거두다 [유] accomplishment 업적, 공적

A: It's me, Daegun. Don't you recognize me?
나야, 대건이. 나 못 알아보겠어?

B: You underwent plastic surgery! Your face is now one of the greatest **triumphs** of modern science. You look totally different.
너 성형수술했구나! 얼굴이 지금 현대과학의 위대한 승리네. 완전히 다른 사람이야.

1487 ★★★

issue
[íʃu:]

[동] 발행하다 [명] 주제, 문제, 발행 [숙] be at issue 쟁점이 되고 있다

A: Why did you not take that offer? It guarantees a lot of money in return. 그 제안은 왜 안 받아들인 건데? 큰 돈이 보장되는 거잖아.

B: Can you just stop talking about the money? It's not an **issue** for me. 돈 얘기는 좀 그만하면 안 될까? 나한테는 돈이 문제가 아니라고.

1488 ★★

undertake
[ʌ̀ndərtéik]

[동] 착수하다, (책임 등을) 맡다, 약속하다

A: Mom, I'm going to **undertake** an important project at work, so I won't be home for a while.
엄마, 나 회사에서 중요한 프로젝트를 맡게 되었어요. 그래서 얼마 동안 집에 못 들어올 거구요.

B: Make sure not to skip meals. Staying healthy comes first.
끼니는 절대 거르지 말고, 건강부터 챙겨야 해.

접두사 under-는 '아래에서, ~ 아래의'라는 의미가 있습니다. 어떤 일을 아래에서(under) 맡다(take), undertake, 즉, '(책임 등을) 맡다, 착수하다'라는 의미가 됩니다.

1489 ★★★

obstruct
[əbstrʌ́kt]

[동] (일의 진행을) 방해하다, (진로 · 시야 등을) 막다 [유] impede 지연시키다, 방해하다

A: Come over here. I saved the best spot for you.
이쪽으로 와. 내가 널 위해 최고의 자리를 맡아놨지.

B: Wow, there's nothing to **obstruct** our view of the stage.
우와, 무대를 가리는 게 전혀 없네.

1490 ★

sprout
[spraut]

[동] 싹이 나다, 자라나다 [명] 새싹 [유] germinate 싹트다, 싹트게 하다

A: I've just planted the lettuce seeds that you gave me.
나 네가 준 상추 씨앗을 방금 심었다.

B: Good. They will **sprout** in just a few days. Let's have a barbecue after they've grown enough to eat.
좋아. 며칠만 있으면 싹이 날 거야. 먹을 수 있을 만큼 충분히 자라면 바베큐 파티 한번 하자고.

Episode
150 ● 내가 중요해? 선물이 중요해?

영수: 이번 여행 최악이었어.

은혜: 뭐? 그래서 **souvenir**는 안 사 온 거야?

영수: **beloved**가 죽을 뻔했는데 그게 말이야? 여행 둘째 날에 **magnitude**가 엄청난 지진이 난 거야. 처음엔 신나는 일인 줄 알고 넋 놓고 **behold**하고 있다가 알아차린 거지. 다행히 안전지대로 대피했는데 뉴스에서 그러길 **nuclear** 발전소를 건드렸다나. 그래서, 그 주변에 대피 못 한 사람들은 나중에 **leper**가 될 확률도 조금 있다고 그러더라고.

은혜: 그 정도 되면 **council**에서도 **accountable**한 부분 아니야? 법적 절차를 **initiate**한다든가.

영수: 안 그래도 현지 언론사에서 **coverage**하는데 난리가 났더라. 자연은 참 무서워.

1491 ★
souvenir
[sùːvəníər]

명 기념품

A: Do you know what he gave me as a souvenir from Paris? A tissue, literally a tissue from Paris!
파리 갔다 오면서 걔가 기념품이라고 뭐 준 줄 알아? 휴지 한 장. 말 그대로 파리산 휴지 한 장!

B: Do you know what I got? I got a plastic bag made in Paris.
난 뭐 받은 줄 알아? 파리에서 만든 비닐봉지 하나 받았다.

DAY **50**

1492 ★★
beloved
[bilʌ́vd]

명 가장 사랑하는 사람 형 가장 사랑하는, 인기 있는

A: The building that we're looking at now is so beautiful.
지금 우리가 보고 있는 건물 진짜 예쁘네.

B: It's actually one of the most beloved structures in our town.
실제로 우리 동네에서 제일 인기 있는 건축물 중에 하나야.

1493 ★★★
magnitude
[mǽgnətjùːd]

명 (엄청난) 규모, 지진 규모, (별의) 광도

A: What happened to our office?
우리 사무실에 무슨 일이 있었던 거야?

B: I tried to warn you. Now you understand the magnitude of the situation, don't you?
내가 너한테 경고하려고 했는데. 이제 상황의 규모를 알겠지, 그렇지?

1494 ★★★
behold
[bihóuld]

동 보다, 바라보다

A: I love it when a light breeze blows like this. Or should I say, behold the gentleness of the wind!
난 이렇게 산들바람이 불 때가 참 좋더라. 아니면 이렇게 말해볼까, 보라, 저 바람의 온화함을!

B: Did you eat something that doesn't agree with you? Why did you change your way of speaking? Weird.
너 뭐 몸에 안 맞는 거 먹었어? 말투는 왜 바꾸는 건데? 이상해.

1495 ★★
nuclear
[njúːkliər]

ⓗ 원자력의, 핵의 ⓜ 핵에너지, 핵무기

A: Would you agree if a **nuclear** power station was to be constructed in your town? 너희 마을에 원자력 발전소가 들어선다면 넌 동의할 거야?

B: Absolutely, not. To me, it's too dangerous.
당연히 아니지. 그건 너무 위험해.

1496 ★
leper
[lépər]

ⓜ 나환자

A: My feet really hurt. Are we there yet? 발이 너무 아프네. 아직 멀었어?

B: Hey, look. Isn't that the movie set of *Leper Colony* right there? Looks like we've just arrived.
야. 봐. 저거 '나환자 수용소' 영화 세트장 아니야? 막 도착한 거 같네.

1497 ★★★
council
[káunsəl]

ⓜ (지방) 의회, 위원회 ⓨ committee 위원회

A: I have a special announcement to make. I'm going to run for city **council**. 나 특별히 발표할 게 있어. 나 시의회 의원 출마할 거야.

B: Are you serious about this? You never mentioned this before.
이거 정말이야? 이런 거 전혀 언급한 적 없잖아.

1498 ★
accountable
[əkáuntəbl]

ⓗ (해명할) 책임이 있는

A: You know you're **accountable** for what you did yesterday. I can't just let it slide.
어제 네가 한 일에 대해 책임이 있는 거 알고 있지. 그건 그냥 넘어갈 수가 없다.

B: I do. I have nothing to say about it. 응. 내가 뭐라고 할 말이 없다.

1499 ★
initiate
[iníʃièit]

ⓔ 개시하다, 착수시키다 ⓨ launch 시작(착수)하다

A: What we've found is a miracle medicine. We're going to **initiate** a new era! 우리가 발견해낸 건 기적적인 명약이야. 우리가 새로운 시대를 개시하겠구만!

B: And then we are going to be super rich!
그리고 우리가 부자가 되는 거지!

 initiate와 비슷한 의미를 지닌 동사 start나 begin과 같이 묶어서 알아 두세요!

1500 ★
coverage
[kávəridʒ]

ⓜ (방송 등의) 보도, (정보의) 범위, (보험) 보장

A: I can't believe this issue is not getting much **coverage** in the mass media. 이 문제가 언론에서 충분히 보도되고 있지 않다니 믿을 수가 없네.

B: There must be something that we don't know.
우리가 모르는 뭔가가 있는 게 틀림없어.

1 다음 단어에 맞도록 우리말 또는 영어로 바꿔 쓰시오.

01	continuous	_____	11	순서, 차례로 배열하다	_____
02	overlap	_____	12	좌석 안내원, 안내하다	_____
03	moderately	_____	13	뒷걸음질하는, 발전이 더딘	_____
04	mediate	_____	14	논리, 타당성	_____
05	contend	_____	15	(성격상의) 특성	_____
06	triumph	_____	16	창, (창 등으로) 찌르다	_____
07	magnitude	_____	17	과장하다, 확대하다	_____
08	nuclear	_____	18	(방송 등의) 보도	_____
09	leper	_____	19	(지방) 의회, 위원회	_____
10	accountable	_____	20	개시하다, 착수시키다	_____

2 다음 빈칸에 알맞은 단어를 넣어서 문장을 완성하시오.

01 I'm impressed by how _____ those mountains are.
저 산들이 어찌나 높은지 인상 깊네요.

02 Is there a _____ Japanese food that you want to eat tonight?
오늘 밤에 먹고 싶은 특정한 일본 음식이 있나요?

03 I'm sure you're the right person to _____ this project.
당신이 이 프로젝트를 책임질 적임자라고 확신해요.

04 I can't wait to see this tree _____ leaves.
난 이 나무에서 잎이 자라나는 걸 빨리 보고 싶어.

05 Make sure you bring me a _____ when you come back.
너 돌아올 때 나한테 꼭 기념품 하나 사다 줘야 해.

DAY 51

에피소드 151~153

Episode 151 ● 대대로 전해 내려오는 비법

현실: 이 **crook**아! 니가 보내준 **parcel** 안에 멀미약 엉터리더라.

찬규: 응? 효과 없어?

현실: 귀밑이랑 맥박 뛰는 데 **smear**하면 멀미 안 한다면서. 버스에 발만 올려도 울렁거리더라. 이건 다음 주 비행기 **aboard**할 때 못 써. 환불해 줘.

찬규: 할아버지가 옛날에 **blacksmith**셨는데 **decay**하고 있는 낙엽을 모아서 아침 **dew**를 맞도록 둔 다음에 말려서 그걸 앉는 곳 **beneath**에 두면 멀미가 없대. 우리 집 대대로 내려오는 비법이야.

현실: 이번에도 사기면 **accuse**한다. 근데 내가 무슨 **reptile**이냐? 이 한겨울에 낙엽을 어디서 모아.

1501 ★
crook
[kruk]

몡 사기꾼 통 (손가락 · 팔을) 구부리다 숙 by hook or by crook 수단과 방법을 안 가리고

A: I got these flowers thinking of you. I know you love freesia.
니 생각하면서 꽃을 샀어. 너 프리지아 좋아하잖아.

B: I saw you picking up that bouquet out of a trash can. You are such a **crook**.
쓰레기통에서 그 꽃다발 주워오는 거 봤다. 이 사기꾼아.

1502 ★★
parcel
[páːrsəl]

몡 소포, 구획 통 소포를 싸다 유 package 소포

A: Didn't you get a small **parcel** last week?
너 지난주에 작은 소포 하나 받지 않았어?

B: I was wondering who sent it because nothing but my name was written on it. It was you!
내 이름 말고는 적힌 게 없어서 누가 보냈다 궁금해하고 있었는데. 아, 니가 보냈구나!

1503 ★★
smear
[smíər]

통 마구 바르다(문지르다), 더럽히다 몡 얼룩 유 daub (페인트 · 진흙 등을) 바르다

A: Look what your cousin has done to the windows. He **smeared** jam all over them!
너희 사촌이 창문에 해놓은 것 좀 봐라. 잼을 마구 발라놨네!

B: That's just something kids do. Don't scold him. Let me just clean the windows, okay?
그냥 애들이 하는 일이지 뭐. 애 나무라지 마. 내가 창문 청소할게, 알았지?

1504 ★★
aboard
[əbɔ́:rd]

⊕ (배·기차·비행기 등에) 탑승하여 ⊕ 타고 ⊕ go aboard 승선하다

A: How long have we been **aboard**? I feel super dizzy.
우리 탑승한 지 얼마나 됐어? 너무 어지러워.

B: You must be really seasick. It's only been twenty minutes.
뱃멀미 심하게 하네. 20분밖에 안됐어.

 진짜 비슷하게 생겼지만 조금 다른 **abroad**와 구분해서 챙겨 두셔야 해요. **abroad**는 '해외에서, 해외로'라는 의미를 전해 준답니다.

1505 ★★
blacksmith
[blǽksmìθ]

⊕ 대장장이

A: What are you going to dress up as on Halloween?
핼러윈 때 뭘로 변장할 거야?

B: I'm thinking of a **blacksmith**. What do you think? Isn't it unique?
대장장이를 생각 중이야. 어떻게 생각해? 특이하지 않아?

1506 ★★
decay
[dikéi]

⊕ 썩다 ⊕ 부패, 쇠퇴 ⊕ rot 썩다, 썩히다 ⊕ be in decay 쇠퇴하고 있다

A: Can't you smell something awful? What is that?
뭔가 고약한 냄새나지 않아? 저거 뭐야?

B: I believe it's the smell of **decaying** leaves. I'm making organic fertilizer. 이거 낙엽 썩는 냄새야. 유기농 비료 만들고 있다.

1507 ★★
dew
[dju:]

⊕ 이슬 ⊕ wet with dew 이슬에 젖은

A: Look at the grass. It's beautiful when wet from the morning **dew**.
여기 풀 좀 봐. 아침 이슬에 젖어있을 때 되게 예쁜 거 같아.

B: You're so descriptive. To me, it's just food for livestock.
넌 참 묘사를 잘하는구나. 나한테는 저건 그저 가축들이 먹는 음식인데.

1508 ★★★
beneath
[biníːθ]

⊕ ~의 아래에, (수준 등이) ~보다 못한 ⊕ underneath ~ 아래에, 밑에

A: Why were you hiding **beneath** the dining table?
너 왜 식탁 아래에 숨어있었던 거야?

B: I was playing hide-and-seek with my youngest brother.
막내랑 숨바꼭질하고 있었거든.

1509 ★★
accuse
[əkjúːz]

⊕ 고발(기소)하다, 비난하다 ⊕ blame for ~에 대해 비난하다

A: How could you **accuse** me of lying in front of friends? You know I didn't lie. 넌 어떻게 친구들 앞에서 내가 거짓말했다고 비난할 수가 있어? 내가 거짓말 안 한 거 넌 알잖아.

B: Sorry, I had to sell you out. 미안, 널 팔 수밖에 없었다.

1510 ★★★
reptile
[réptil]

⊕ 파충류

A: Why do you keep those **reptiles** in the house? I don't understand.
왜 집에서 파충류를 키우는 건데? 이해가 안 된다.

B: It's me that doesn't understand you. Aren't they cute?
나야말로 네가 이해 안 돼. 귀엽지 않아?

Episode 152 ● 내 코가 석 자

미정: 중세 시대에는 종교적인 **persecution**이 심했던 것 같아.

대건: 아니야, 오히려 종교적인 힘을 **abuse**하는 사례도 많았어. **sermon**의 영향력이 어마어마했으니 말이야. 가끔 **queer**한 이유로 죄 없는 이를 죄인으로 몰기도 했고.

미정: 그렇긴 해. 이에 대해 **protest**하는 세력들이 늘어났고, 종교의 불합리함을 **testify**하고 **reveal**했지. 시민이 종교의 힘을 **restrict**한 거야.

대건: 종교 이야긴 됐고, 나 회사에서 잘릴 것 같아. 우리 부서 전체 계약을 **terminate**한대. **affection**이 많이 가는 회사였는데…

1511 ★

persecution
[pə̀ːrsikjúːʃən]

ⓝ (종교적) 박해, 학대, 괴롭힘   ⓢ suffer persecution 박해를 받다

A: You got a rubber bracelet on your wrist. I've never seen you wearing accessories.
너 고무 팔찌 찼네. 액세서리 하는 거 한 번도 못 봤는데.

B: When you buy one of these, a portion of the money gets donated to those who suffered from persecution.
이걸 사면, 학대로부터 고통받는 사람들한테 돈의 일부가 기부되거든.

1512 ★★

abuse
[əbjúːz] ⓥ
[əbjúːs] ⓝ

ⓥ 남용하다   ⓝ 남용, 오용   ⓟ abusive 모욕적인, 폭력적인

A: I heard Daegun was hospitalized recently. Isn't he healthier than any of us?
최근에 대건이가 입원했다고 들었어. 걔 우리보다 훨씬 더 건강하지 않아?

B: He abused his body with years of smoking and drinking.
수년간 담배와 술을 남용했거든.

1513 ★★

sermon
[sə́ːrmən]

ⓝ 설교

A: Sweety, how many times do I have to tell you this? All boys are wolves.
얘야, 이걸 몇 번이나 말해 줘야 하겠니? 모든 남자들은 늑대야.

B: Dad, are you going to preach a sermon again?
아빠, 다시 설교 시작하시는 거예요?

1514 ★★

queer
[kwíər]

ⓗ 괴상한, 기묘한

A: I know it may sound queer when I say this, but I'm hungry again.
이런 말하면 조금 괴상하게 들릴 수도 있는데. 나 또 배고프다.

B: Seriously? We had a meal only an hour ago.
진심이야? 한 시간 전에 밥 먹었잖아.

1515 ★★
protest
[próutest]

[동] 항의하다, 시위하다 [유] demonstrate 시위에 참여하다

A: Why are those students out there with signs?
저기 밖에 학생들 왜 팻말 들고 서 있어?

B: They're **protesting** against the tuition increase.
등록금 인상에 반대해서 시위하고 있잖아.

접두사 pro-에는 '~ 앞에서(before)'라는 의미가 있답니다. 그리고 어근 test에는 '입증하다'라는 의미가 들어 있고요. 사람들 앞에서(pro) 무언가에 대해 입증하려 하는 것, protest, 즉 '항의하다, 시위하다'라는 뜻이겠죠?

1516 ★
testify
[téstəfài]

[동] (법정에서) 증언(진술)하다 [숙] testify to ~을 증명하다, ~의 증거가 되다

A: I know you have nothing to do with this and that you're 100% innocent. I can **testify** at the trial.
니가 이 사건과 관련이 없고 100% 결백하다는 거 알고 있어. 법정에서 증언할 수도 있어.

B: Thanks for believing in me. I really appreciate it.
나 믿어 줘서 고맙다. 진짜 고마워.

1517 ★★★
reveal
[riví:l]

[동] 밝히다, 폭로하다, 드러내다 [유] disclose 밝히다, 폭로하다

A: I have something to tell you now. But before that, promise me that you'll never tell anyone this.
나 너한테 할 말 있어. 근데 그 전에, 누구한테도 이거 말 안 하겠다고 약속해.

B: My lips are sealed. You know I never **reveal** a secret.
내 입 무겁다. 내가 비밀은 절대 폭로 안 하는거 너도 알잖아.

DAY 51

1518 ★
restrict
[ristríkt]

[동] 제한하다, 방해하다 [파] restriction 제한, 규제

A: I'm so happy that you're going to get married real soon. Let me give you a life lesson. The later you have a baby, the better.
네가 곧 결혼한다니 정말 기쁘네. 내가 인생 교훈을 하나 주지. 애는 늦게 가질수록 더 좋다는 거.

B: You're right. Having a baby may **restrict** my freedom.
네 말도 맞다. 애가 생기면 내 자유가 제한되겠지.

1519 ★★
terminate
[tə́:rmənèit]

[동] 끝나다, 끝내다, 종료되다 [파] terminal (질병이) 말기의, 공항 터미널

A: I'm so jealous of you having a stable job. You know my contract with this company **terminates** at the end of this year.
네가 안정적인 직업을 가지고 있어서 부러워. 난 회사랑 계약이 올해 말에 끝나잖아.

B: Sorry to hear that. I can help you job hunt if you want.
딱하네. 원한다면 너가 구직하는 거 도와줄게.

1520 ★★
affection
[əfékʃən]

[명] 애정, 애착, 보살핌 [파] affectionate 다정한 [유] fondness 애정, 애호

A: Guess where I'm going for my summer vacation. Jeju Island.
여름 휴가 때 내가 어디 가는지 맞혀 봐. 제주도.

B: It's obvious to me that you have a great **affection** for Jeju Island.
너는 확실히 제주도에 대한 애착이 강한 거 같아.

Episode 153 • 이건 얼마니, 이건 구짜. (부제: 네 것도 보세? 내 것도 보세.)

영수: 내가 존경하는 디자이너 형이 있는데 이 형은 역시 프로야, 능력도 좋고. 이번에 우리 동네에 패션 거리를 크게 **foster**한대. 옷의 **textile**만 봐도 명품이더라고, 역시 **dignity**를 유지하려면 그 정돈 돼야겠지?

예나: 비밀 하나 **disclose**해 줄까? 내가 **affirm**하는데 그거 다 가짜야. 어떻게 **confident**하냐고? 우리 **bridegroom**이 간호사잖아. 얼마 전에 그분이 비타민 주사 맞는다고 병원에 왔는데, **inject**하면서 옷을 봤는데 샤넬이 아니라, Channel, 채널이라고 적혀 있었다던데? 암튼 난 모르는 일이니까 우리 신랑은 **involve**하지 마라.

영수: 말도 안 돼. 그동안 내가 들었던 이야기, 옷들 전부 거짓말이었다는 거네?

예나: 뭘 혼자 **grumble**해. 믿은 니가 바보인 거지.

1521 ★★

foster
[fɔ́ːstər]

[동] 조성하다, 아이를 맡아 기르다 [숙] at foster 유모(수양 부모)에게 맡겨서

A: Let's say that you tried to have kids for years, but you couldn't. Would you consider **fostering** a child?
너가 수년간 애를 가지려고 해봤지만 그럴 수가 없었다고 해 보자. 그러면 너는 애를 맡아 키울 의향은 있어?

B: I can't say for certain, but I would consider it pretty seriously.
확실하게 말할 순 없다만, 뭐 꽤나 진지하게 고려해 볼 거 같아.

1522 ★

textile
[tékstail]

[명] 옷감, 직물

A: Congratulations on getting a job! I never thought you were going to work in **textiles**. You have no sense of fashion.
취직한 거 축하해! 니가 섬유 업계에서 일하게 될 줄은 꿈에도 몰랐다. 넌 패션 감각이 전혀 없잖아.

B: Is this how you congratulate me?
이게 너가 축하해 주는 방식이야?

1523 ★★

dignity
[dígnəti]

[명] 위엄, 품위, 존엄성 [유] majesty 위엄, 장엄

A: What are the things that you think are essential in our lives? And money doesn't count this time.
사는 데 있어서 필수적인 게 뭐가 있을까? 이번에 돈 얘기는 하지 말고.

B: Money doesn't count? Well, then I value the importance of human **dignity**.
돈은 안 된다고? 음, 그러면 난 인간 존엄성의 중요성에 가치를 두고 싶어.

1524 ★

disclose
[disklóuz]

[동] (비밀을) 밝히다, 폭로하다 [숙] disclose a secret 비밀을 폭로하다

A: I want to know what Cathy's real name is. Do you know?
Cathy의 본명이 뭔지 알고 싶어. 너는 알아?

B: Well, I've asked her several times but she refused to **disclose** it.
음, 내가 몇 번 물어봤었는데 걔가 밝히길 꺼리더라고.

1525 ★★
affirm
[əfə́:rm]

(동) 단언하다　(파) affirmative 긍정하는, 동의하는

A: Did you appraise the value of that painting? What did they say?

그 그림 작품 감정해 봤어? 뭐라고 해?

B: They said they couldn't **affirm** that it is genuine.

진품이라고 단언할 수가 없다더라.

1526 ★★
confident
[kánfədənt]

(형) 확신하는

A: I have a driving test tomorrow. My hands are shaking already.

내일 운전면허 시험이네. 벌써 손 떨린다.

B: I'm so **confident** that you'll do well. You've already driven my car a couple of times.

넌 잘할 거라고 내가 확신한다. 내 차도 벌써 몇 번 몰아 봤잖아.

1527 ★★
bridegroom
[bráidgrù(:)m]

(명) (보통 결혼 예정이거나 직후의) 신랑

A: What's the occasion today? You're all dressed up and look like a **bridegroom**.

오늘 무슨 행사야? 멋지게 차려입어서 새신랑 같아.

B: I have a blind date after work. Do I look OK now?

회사 마치고 소개팅 있거든. 지금 나 괜찮아 보여?

💡 신랑이란 뜻의 단어만 알고 있다면 섭섭하겠죠? 신부라는 의미를 전해 주는 단어 **bride**도 같이 챙겨 둡시다!

1528 ★
inject
[indʒékt]

(동) 주사하다, 주입하다　(파) injection 주사, 주입　(숙) inject into ~에 삽입하다

A: All right. So from now on, we're going to **inject** this drug twice a day until you're fully recovered.

자, 지금부터, 완전히 호전될 때까지 이 약물을 하루에 두 번씩 주사할 거예요.

B: I hate getting a shot.　나 주사 맞는 거 완전 싫어하는데.

1529 ★★
involve
[inválv]

(동) 연루시키다, 수반(포함)하다　(숙) involve in ~에 관여하게 만들다

A: Should I take this job offer? This job **involves** going abroad quite often.

이 일자리 제안을 받아들여야 하나? 꽤 자주 해외로 나가는 게 포함될 텐데.

B: It's you who has to make the decision. Just follow your intuition.

결정해야 하는 건 너니까. 그냥 직관대로 해.

1530 ★★
grumble
[grámbl]

(동) 투덜거리다　(명) 불평, 불만 사항　(유) gripe 불평을 해 대다, 불만

A: What do you constantly **grumble** about? Do you feel uncomfortable now?

뭐 때문에 계속 투덜거리는 거야? 지금 불편해?

B: I want to fart but I can't do it here.

나 방귀 뀌고 싶은데 여기선 그럴 수 없잖아.

DAY 51 Review

1 다음 단어에 맞도록 우리말 또는 영어로 바꿔 쓰시오.

01 parcel _____
02 crook _____
03 terminate _____
04 restrict _____
05 testify _____
06 queer _____
07 affection _____
08 involve _____
09 affirm _____
10 disclose _____

11 이슬 _____
12 파충류 _____
13 썩다, 부패, 쇠퇴 _____
14 대장장이 _____
15 설교 _____
16 (종교적) 박해, 학대 _____
17 옷감, 직물 _____
18 조성하다 _____
19 주사하다, 주입하다 _____
20 투덜거리다, 불평 _____

2 다음 빈칸에 알맞은 단어를 넣어서 문장을 완성하시오.

01 My youngest son _____ honey on the walls in the kitchen.
우리 막내 아들이 부엌에 있는 벽에다 꿀을 마구 발라놨어요.

02 I was wrongly _____ of stealing someone's bike.
저는 누군가의 자전거를 훔쳤다고 부당하게 고발되었어요.

03 I can't believe you _____ your position for your benefit.
나는 네 이익을 위해서 너의 직책을 남용했다는 게 믿기질 않는다.

04 Your facial expression _____ how you feel now.
네 얼굴 표정이 지금 니가 어떤 기분인지 드러내고 있다.

05 Don't forget that the event should be conducted with great _____.
그 행사는 품위를 지니고 치러져야 한다는 거 잊지 마세요.

DAY 52 에피소드 154~156

• 효도는 미루는 게 아니다.

대건: 우리 엄마 이제 인생의 **twilight**이시잖아. 건강검진하고 의사가 결과를 **analyze**해 보니, 뭔가 심각한 문제가 있다고 나한테 **brief**해 주네. 뭐라고 뚜렷하게 **define**할 수가 없대. 그렇게 **diagnose**하면 가족들은 어쩌라고. 그리고 당사자를 어떻게 **convince**하라는 건지. 안 그래도 우리 엄마 요새 건강에 대해 엄청나게 **conscious**하시는데.

태훈: 병원에서 잘못 **foresee**한 거 아닐까?

대건: 이게 무슨 일시적인 **whim** 탓도 아니고 검사 결과를 바탕으로 한 거니까. 학교에서 **anatomy**를 전공하고도 엄마한테 아무런 도움도 못 주네.

1531 ★
twilight
[twáilàit]

명 황혼, 땅거미, 황혼기 유 dusk 황혼, 땅거미 숙 in the twilight 황혼기에

A: Isn't this island so beautiful and peaceful?
이 섬 너무 아름답고 평화롭지 않아?

B: It is. I wish I could spend my twilight years here.
그러네. 내 황혼기를 여기서 보내고 싶다.

1532 ★
analyze
[ǽnəlàiz]

동 분석하다, 검토하다

A: My life is too complicated right now. I don't even know how to handle this situation.
지금 삶이 너무 복잡하다. 이 상황을 대처하는 방법조차 모르겠어.

B: It's time for you to step back and analyze what's going on in your life first.
한 걸음 뒤로 물러서서 먼저 어떤 일들이 일어나는 중인지 분석해 봐.

1533 ★★★
brief
[brí:f]

동 ~에게 알려주다 형 간단한, 잠시 동안의

파 briefly 잠시, 간단히 숙 hold no brief for ~을 지지하지 않다

A: Your story is just too long. Make it brief.
말이 너무 길어. 그걸 간단히 말해 봐.

B: All right. The point is that I got dumped last night.
알았어. 내가 하려는 말은 나 어젯밤에 차였다고.

1534 ★★
define
[difáin]

동 정의하다, 분명히 밝히다 숙 define as ~으로 정의하다

A: Can you define this term clearly? I have no idea what this means.
이 용어를 정확하게 정의할 수 있어? 이게 무슨 의미인지 전혀 모르겠어.

B: Let me see. Oh, this is a medical term. What made you think I would know this?
어디 보자. 아, 의학 용어네. 무엇 때문에 내가 이걸 알 거라고 생각했어?

1535 ★
diagnose
[dáiəgnòus]

ⓢ (질병 · 문제 등을) 진단하다

ⓟ diagnosis 진단 ⓢ be diagnosed with ~로 진단받다

A: You went to a dermatologist yesterday. What did they say?
어제 피부과 갔었다면서. 거기서 뭐라고 해?

B: It wasn't what I was expecting. The doctor was unable to diagnose my skin condition.
내가 예상했던 거랑은 달랐어. 의사가 내 피부상태를 진단하질 못하더라고.

1536 ★★
convince
[kənvíns]

ⓢ 설득하다, 납득(확신)시키다 ⓟ conviction 유죄 선고, 확신

A: Mijeong has already gone back to her hometown? Without letting us know?
미징이가 벌써 고향으로 놀아갔다고? 우리한테 알리지도 않고?

B: I tried to convince her to stay longer but it didn't work.
조금 더 지내다가 가라고 설득했는데 실패했어.

1537 ★★
conscious
[kánʃəs]

ⓗ 의식하는, 의식이 있는

ⓟ consciousness 의식, 자각 ⓢ be conscious of ~을 자각하다, 알고 있다

A: Is the guy conscious yet? 아직 그 남자는 의식 없어?

B: Not yet. I'm so worried about him.
아직. 그 사람이 너무 걱정된다.

1538 ★★
foresee
[fɔːrsíː]

ⓢ 예견하다, ~일 거라 생각하다 ⓤ anticipate 예상하다, 예측하다

A: Wouldn't it be good if we could foresee the future?
미래를 예견할 수 있다면 좋으려나?

B: It would depend on the situation. But life would not be as exciting as it is now.
어떤 상황이냐에 달렸지. 근데 그러면 삶이 지금만큼은 흥미진진하진 않을거야.

접두사 fore-에는 before의 느낌이 묻어있지요. '~ 전에, ~ 앞에' 이런 느낌 말이죠. 아직 일어나지 않은 일에 앞서서 (fore) 무언가를 보다(see), foresee, '예견하다'라는 의미랍니다.

1539 ★
whim
[wim]

ⓜ (일시적인) 기분, 변덕 ⓤ caprice 변덕 ⓢ on a whim 즉흥적으로, 충동적으로

A: Did you get a new car? You know our budget is tight.
새 차를 뽑았어? 우리 예산 빡빡한 거 너도 알잖아.

B: All I can remember now is that I just signed the contract on a whim and now I have the keys in my hand.
지금 내가 기억할 수 있는건 일시적인 기분에 계약서에 사인했다는 거야. 지금 손에 열쇠가 쥐어져 있네.

1540 ★
anatomy
[ənǽtəmi]

ⓜ 해부학

A: Are you aware that anatomy is a required course that we're supposed to take next semester?
해부학이 필수 과목이라 우리가 다음 학기에 들어야 하는 거 알고 있어?

B: I'd rather take next semester off. 차라리 다음 학기에 휴학을 해야겠다.

Episode 155 ● 고객 감동을 실현합니다. 단, 매뉴얼 대로만.

대건: 고객님, 조절나사를 **counterclockwise**로 한번 돌려 보시면 어떨까요?

미정: 자꾸 저를 **confuse**하지 마시고요. 이건 엄연히 제품 **defect**입니다. 제가 **warrant**도 갖고 왔잖아요! 왜 **ambiguous**한 얘기만 하는 거예요? 제대로 **alternative**를 주세요.

대건: 고객님, 그건 본사에 문의하시는 게 빠를 듯 싶네요.

미정: **commercial**을 많이 하고 **boom**하니, 회사에서 경영을 이렇게 하시나 봐요? **reputation**에 걸맞게 대처하셔야죠. 창의적인 아이디어로 **impress**해서 좋아했는데 실망입니다!

1541 ★
counterclockwise
[kauntərklákwaiz]

(부) 반시계 방향으로　(형) 반시계 방향의

A: Why is it so hard for me to open this jar?
이 병을 여는 게 나한테는 왜 이렇게 어렵지?

B: You have to turn the lid **counterclockwise**.
너 그 뚜껑을 반시계방향으로 돌려야 해.

1542 ★★
confuse
[kənfjúːz]

(동) 혼란시키다　(유) muddle 혼동하다, 헷갈리게 하다

A: I thought I just saw you in class. How can you be here now?
내가 방금 너를 교실에서 본 것 같은데. 지금 어떻게 여기에 있을 수 있어?

B: You must have **confused** me and my twin brother.
너가 나랑 내 쌍둥이 남동생이랑 혼동한 거야.

DAY **52**

1543 ★★
defect
[díːfekt]

(명) 결함, 결점　(동) (정당·국가를) 버리다　(유) deficiency 결함, 결핍　(숙) in defect 부족하여

A: Your eyesight is really bad. How can you not recognize something right in front of your face?
너 시력이 너무 나쁘네. 어떻게 니 얼굴 바로 앞에 있는 것도 뭔지 모를 수가 있어?

B: It's a birth **defect**. I didn't serve in the military because of it.
선천적인 결함이야. 눈이 나빠서 군대도 못 갔어.

1544 ★★
warrant
[wɔ́ːrənt]

(명) 보증서, 영장　(동) 타당하게 만들다　(숙) issue a warrant 영장을 발부하다

A: You have no right to enter my house. Get out of here right now!
당신은 내 집에 들어올 권리가 없습니다. 당장 나가세요!

B: Do you know what this is? It's a **warrant** to search your house.
이게 뭔지 아세요? 당신의 집을 수색할 영장입니다.

1545 ★
ambiguous
[æmbígjuəs]

(형) 애매모호한　(유) vague 모호한, 애매한

A: I'm sorry but I'm still not so sure if I can make it that day.
미안한데 그날 갈 수 있을지 아직 확실치가 않네.

B: why are you being so **ambiguous**? You know that really drives me crazy.
왜 이렇게 애매모호하게 구는데? 내가 그런 거 정말 싫어하는 거 잘 알면서.

 네? 이 단어 외우는 것 자체가 애매모호하시다구요? 그렇다면 상대적으로 조금 익숙한 단어들과 같이 외워 주면 좋겠죠. unclear(불확실한) 그리고 obscure(모호한)랑 묶어서 정리해 두세요.

1546 ★★
alternative
[ɔːltə́ːrnətiv]

(명) 대안　(형) 대체의　(파) alternate 번갈아 생기는　(유) substitute 대체물, 대리사

A: Why do you eat chicken breast sometimes? You're not even on a diet. 너는 왜 때때로 닭가슴살을 먹는거야? 다이어트하는 것도 아니잖아.

B: Every time I crave fried chicken, I eat it as a healthier **alternative**.
프라이드 치킨이 먹고 싶을 때마다, 더 건강한 대안으로 이걸 먹는 거지.

1547 ★★
commercial
[kəmə́ːrʃəl]

(명) 광고　(형) 상업적인

A: Why do you always watch independent films?
넌 왜 항상 독립 영화만 봐?

B: Although most of them are not a **commercial** success, they are worth watching.
대부분의 독립 영화가 상업적인 성공은 거두지 못했지만, 볼만한 가치가 있어.

1548 ★
boom
[buːm]

(동) 호황을 맞다, 쾅하는 소리를 내다　(명) (사업 · 경제의) 호황, 붐

A: How's your sandwich business going?
샌드위치 사업은 어때?

B: It's **booming** right now! Just let me know if you want to run a branch store. 지금 호황이야! 분점 내고 싶으면 말만 해.

1549 ★★
reputation
[rèpjutéiʃən]

(명) 평판, 명성　(파) repute 평판, 명성

A: Do you want to eat out at Daegun Restaurant tonight?
오늘 저녁은 대건 식당에서 외식할까?

B: No, their bad service has ruined their good **reputation**. I'm never going there again.
아니, 거기 나쁜 서비스가 좋은 평판을 다 망쳐놨어. 다신 거기 안 갈 거야.

1550 ★★
impress
[imprés]

(동) 깊은 인상을 주다, 감명을 주다　(파) impressive 인상적인, 인상 깊은

A: We've finally returned after two years. How do you feel now?
2년 만에 드디어 돌아왔네. 지금 기분이 어때?

B: I'm the happiest person in the world and I have to say, this place never fails to **impress**. 이 세상에서 내가 제일 행복한 사람이야, 그리고 이곳이 감명을 주지 않은 적은 없다고 말해야겠다.

대건: 이번에 **alumni** 모임 다녀왔는데 으리으리한 **complex** 안에 있는 연회장에서 하더라.

태훈: 반가운 얼굴들도 보고 맛있는 것도 먹고 왔겠네.

대건: 응, 그랬지. 근데 대화의 주제거리가 생각보다 무거웠어. 어찌 보면 **sensitive**하고. 경제적으로 어려운 나라에서 아기들을 **adopt**하는 이야기랑, **pension**에 관한 이야기도 나왔고 말이야. 이런 주제로 이야기를 나누는 건 누가 **coerce**해서가 아니라, 인문학에 **belief**가 있는 애들이 주도적으로 하는 토론이라 깊이가 있더라.

태훈: 최근에 입양률이 **increase**하는 추세라는 기사는 몇 번 본 적 있어. 인문학 이야기가 나와서 말인데, 나도 요즘 인문학과 관련된 책을 읽는 데에 제법 많은 시간을 **allot**하고 있어. 옛날처럼 쉬는 날마다 **idle**하던 내가 아니라고.

1551 ★
alumni
[əlʌ́mnai]

ⓜ 동창, 졸업생들

A: Mom, you never told me how you and dad met and started dating.
엄마, 엄마랑 아빠가 어떻게 만나서 데이트 시작하셨는지 저한테는 전혀 말씀 안 해주셨어요.

B: Oh, I didn't? Well, he and I met at our **alumni** reunion then he kept flirting with me.
내가 말 안 했나? 음, 아빠랑 엄마는 졸업생 동창회에서 만나서 니네 아빠가 엄마를 꼬셨지.

1552 ★★
complex
[kəmpléks]

ⓜ (건물) 단지, 복합 건물 ⓗ 복잡한 ⓨ complicated 복잡한

A: This is a really **complex** maze. How are you going to solve this?
이거 정말로 복잡한 미로 퍼즐이네. 이걸 어떻게 풀 거야?

B: I'm good at this kind of stuff. It's a piece of cake. Watch and be amazed!
나 이런 거 잘해. 식은 죽 먹기지. 보고 놀랄 준비나 해라!

DAY 52

1553 ★★
sensitive
[sénsətiv]

ⓗ 민감한, 세심한, (예술적으로) 감성 있는

A: Come over here and join us. We got plenty of ice cream.
이리 와서 우리랑 함께 하자. 우리가 아이스크림 많이 사왔어.

B: No, I'll just pass. My teeth are quite **sensitive** to cold foods.
아니야. 난 안 먹을래. 내 이가 찬 음식에 꽤 민감해.

1554 ★★★
adopt
[ədʌ́pt]

ⓥ 입양하다, 선정하다, 채택하다

ⓟ adoption 입양, 채택 ⓢ adopt A as B A를 B로 채택하다

A: You kept telling me that you wanted to have a cat, right? How about you **adopt** one of my cats? 너 나한테 계속 고양이 키우고 싶다고 말했지, 그렇지? 우리 집 고양이 한 마리 입양하는게 어때?

B: Wow, are you serious? I'd love to! 와, 진짜로? 완전 좋지!

드디어 출현했습니다. 무조건 한 번쯤은 헷갈리게 만드는 **adopt**! 이 친구는 **adapt**와 구분해서 정리해 두셔야 됩니다. **adapt**는 '적응하다, 조정하다'라는 의미의 동사라는 거 잊지 마세요!

1555 ★★

pension
[pénʃən]

옝 연금, 생활 보조금   윽 pensioned off (연금을 주어) 명예퇴직시키다

A: I heard that Cathy retired last month. How she can support herself?

Cathy가 지난달에 퇴직했다고 들었어. 그녀는 이제 어떻게 생활을 꾸려가지?

B: She has worked for this company for more than twenty years. She retired on a **pension**.

그 회사에서 20년 넘게 일했잖아. 그녀는 연금을 받기로 하고 퇴직한 거야.

1556 ★

coerce
[kouə́:rs]

동 (협박해서) 강압하다, 강제하다   윽 coerce into ～하도록 강요하다

A: Dad, please don't **coerce** me into marrying that guy. I really don't think he's my type!

아빠, 제발 그 남자랑 결혼하라고 강압하시지 마세요. 제가 좋아하는 스타일 아니에요!

B: Marriage is the most important thing in your life. You have to listen to me.

결혼은 네 인생에서 가장 중요한 일이란다. 아빠 말 들어.

1557 ★★

belief
[bilíːf]

옝 신념, 믿음   윽 beyond belief 믿을 수 없을 정도로

A: Isn't your husband really passionate?

너희 남편 정말 열정적이지 않아?

B: He sure is. I admire his strong **belief** in what he does.

정말 그래. 남편이 하는 일에 대한 강한 신념이 존경스러워.

1558 ★★

increase
[inkríːs]

동 (양·수·가치 등이) 인상되다, 증가하다   윽 be on the increase 증가하고 있다

A: Is this all you've got done all day long? You're so slow.

온종일 한 게 이게 다야? 너 너무 느리다.

B: Sorry, I know I have to **increase** productivity but I get distracted easily.

미안해. 내가 생산력을 증가시켜야 하는 걸 나도 아는데 쉽게 산만해져.

1559 ★★

allot
[əlát]

동 할당하다, 배당하다

A: It's your turn. Take a deep breath and make sure they've **alloted** ten minutes to you.

이제 너 차례다. 숨 깊게 들이마시고, 너한테 할당된 시간은 10분이라는 거 명심해.

B: Why are my hands shaking like crazy now?

손이 왜 이렇게 미친 듯이 떨리지?

1560 ★★★

idle
[áidl]

동 빈둥거리다, 공회전하다   형 실직상태인, 게으른

윤 unemployed 실직한   redundant 정리 해고당한

A: Did you have a great vacation? Tell me what you did.

휴가 잘 보냈어? 뭐 했는지 말해 줘.

B: It was the best vacation ever. I **idled** the days away, lying in my bed and watching TV.

최고의 휴가였다. 침대에 누워서 TV 보고, 그러면서 빈둥거렸어.

---

1 다음 단어에 맞도록 우리말 또는 영어로 바꿔 쓰시오.

01 define _____

02 foresee _____

03 diagnose _____

04 twilight _____

05 defect _____

06 boom _____

07 warrant _____

08 coerce _____

09 allot _____

10 idle _____

11 해부학 _____

12 ~에게 알려주다, 간단한 _____

13 (일시적인) 기분, 변덕 _____

14 반시계방향으로 _____

15 평판, 명성 _____

16 혼란시키다 _____

17 민감한, 세심한, 감성 있는 _____

18 졸업생들, 동창 _____

19 복잡한, (건물) 단지 _____

20 입양하다, 선정하다 _____

DAY 52

2 다음 빈칸에 알맞은 단어를 넣어서 문장을 완성하시오.

01 I'm _____ of the fact that I'm taller than my boyfriend.
난 내가 내 남자 친구보다 크다는 사실을 의식하고 있어.

02 My job is to _____ blood from patients.
제가 하는 일은 환자들 혈액을 분석하는 거예요.

03 You'd better not use _____ terms.
애매모호한 용어들은 안 쓰는 게 낫습니다.

04 We have to come up with an _____ approach to the issue.
우리는 그 사안에 관한 대안의 접근법을 찾아야 합니다.

05 I admire my dad's _____ in what he's doing.
저는 본인이 하시는 일에 대한 우리 아버지의 신념을 존경합니다.

Episode 157 • 참 안 맞네! 우리 사이

미정: 인물 **biography** 번역한다면서? 잘 돼 가?

대건: 응, 사실 약간 힘들어. 세 명이 한 팀으로 이 전기물을 **compile**하고 있는데 **shame**이 자꾸 생기네.

미정: 왜? 뭐가 문제야?

대건: 그 사람들하고 **collision**이 좀 있어. 마치 난 이 번역팀에 **belong**하지 않은 느낌? 주인공 **race**가 흑인이야. 원서에서는 침몰한 배를 **salvage**하면서 사람들에게 존경을 받는데, 우리 팀의 두 사람은 이 인물이 어렸을 적에 안좋은 일로 돈 버는 데 **indulge**했던 걸 중점적으로 번역하려 하는 거야. 동생들을 먹여 살리려고 잠시 몸담았던 것 뿐인데. 그 부분만 읽으면 이 인물을 **despise**할 수도 있잖아. 난 이 인물의 긍정적인 부분을 더 **prove**하고 싶은데… 나 이 팀이랑 너무 안 맞는 거 같아.

1561 ★★
biography
[baiágrəfi]

⽉ 전기, 일대기

A: Why is it so hard to get a hold of your brother these days? Is he working on something?
요즘 네 동생이랑 연락하기 왜 이렇게 힘들어? 걔 작업 중인 거야?

B: Yeah, he's super busy finishing off a biography of a famous film star. 어, 걔 유명한 영화 배우 전기 마무리하느라 눈코 뜰 새가 없나 봐.

1562 ★
compile
[kəmpáil]

⽉ 엮다, 편집(편찬)하다　⽤ compilation 모음집, 편집, 편찬

A: I can't believe your brother compiled a book of poems and published it. How old is he again?
네 남동생 시 엮어서 편찬한 거 출판했다며 대단하다. 몇 살이었더라?

B: Only fifteen. He must have a talent for writing.
겨우 15살. 글 쓰는 데 재능이 있나 봐.

접두사 com- 에는 함께(together)의 의미가 들어 있어요. 그리고 pile이 동사로 활용되면 '(물건 따위를) 차곡차곡 쌓다'라는 의미가 되고요. 무언가를 만들기 위해 여기저기서 가져 온 자료들을 함께(com) 차곡차곡 쌓아두다(pile). compile, '엮다, 편찬하다'라는 뜻이겠죠?

1563 ★★★
shame
[ʃéim]

⽉ 유감스러운 일, 수치심　⽤ 부끄럽게 하다

⽤ shameful 수치스러운　⽤ humiliate 굴욕감을 주다

A: You have to go back to your country tomorrow? It's a shame that I can't take you to more great places here in Korea.
너 내일 고국으로 돌아가야 해? 한국에서 좋은 곳에 많이 데리고 가지 못해서 유감스럽네.

B: I wish I could stay longer but my visa expires tomorrow. I'm going to miss you. 나도 더 있고 싶은데 내 비자 내일이면 만기 되거든. 너가 그리울 거야.

1564 ★

collision
[kəlíʒən]

(명) 충돌, 부딪힘 (파) collide 충돌하다, 부딪치다

A: Oh, doesn't your sister get off work around now? Let's pick her up, too. 지금쯤이면 너희 언니 퇴근할 시간 아니야? 언니도 태워서 가자.

B: No, let's just go home. There was a **collision** between us and we haven't spoken at all since then.
싫어요. 그냥 집에 가요. 언니랑 저랑 의견 충돌이 있었거든요. 그 뒤로 서로 말도 안 해요.

1565 ★★★

belong
[bilɔ́ːŋ]

(동) ~에 속하다, 소속감을 느끼다

A: I think I'm going to go home. I feel like I don't **belong** here.
나 집에 가야겠다. 여긴 내가 속해 있을 곳이 아닌 거 같다.

B: What are you talking about? Everybody likes you.
무슨 소리 하는 거야? 모두가 널 좋아해.

1566 ★★★

race
[réis]

(명) 인종, 민족, 품종

A: You're going to New York again? You love that city a lot.
너 또 뉴욕에 가려고? 그 도시 정말 좋아하네.

B: To me, New York is a city where there are people of different **races** and cultures. That's what attracts me.
나에게 뉴욕이란 도시는 다양한 인종과 문화가 공존하는 도시거든. 난 그런 것에 끌려.

1567 ★

salvage
[sǽlvidʒ]

(동) 구조하다, 인양하다 (명) 구조, 구조한 물품들 (숙) salvage from ~에서 건져내다

A: I'm so sorry that your workroom burned down.
네 작업실이 불에 다 타버려서 정말 유감이다.

B: I never imagined something like this would happen to me. Anyway, I managed to **salvage** my laptop and external hard drives.
이런 일이 나에게 생길 줄은 전혀 상상도 못했어. 어쨌든, 내 노트북이랑 외장하드들은 간신히 건졌다.

DAY 53

1568 ★★

indulge
[indʌ́ldʒ]

(동) 탐닉하다, (안 좋게 여겨지는 걸) 마음껏 하다 (숙) indulge in ~에 탐닉하다

A: Happy birthday! What are you going to do today?
생일 축하해! 오늘 뭐 할 거야?

B: I'm going to **indulge** myself and eat and drink whatever I want. I've been waiting for this moment.
먹거나 마시고 싶은 거 마음껏 다 먹고 마실 거야. 이 순간만을 기다려왔거든.

1569 ★

despise
[dispáiz]

(동) 경멸하다 (유) scorn 경멸하다 look down on ~을 경시하다

A: Let's order the shrimp and potato pizza. What do you think?
새우 감자 피자 시키자. 어때?

B: I **despise** shrimp on pizza. How about pepperoni and bacon?
난 피자 위에 올라간 새우 경멸해. 페퍼로니랑 베이컨은 어때?

1570 ★★★

prove
[prúːv]

(동) 입증(증명)하다 (숙) prove true 사실로 판명되다

A: Are you going to stay up all night working on that thing? It's two in the morning. 그거 하면서 밤을 꼴딱 새울 거야? 새벽 2시야.

B: Of course! I'll **prove** that I was right to everybody.
당연하지! 내가 옳다는 걸 모두에게 증명할 거야.

Episode **158** · 보약도 내 입에 맞아야 보약이지.

찬규: **pine** 진액이 무슨 성분이지?

현실: 그건 갑자기 왜 물어?

찬규: 회사 가기 전에 엄마가 소나무 진액을 마시라고 해서 마셨지. 난 회사 버스로 **commute**하거든. 여기서 **incident**가 터졌어. 배가 꾸르륵거리면서 **diarrhea**할 거 같더라고. 차는 계속 덜컹거리는데, 거기서 긴장이 풀리면 **disgrace**했겠지? **fossil**인 것 처럼 40분 동안 참았어. **howl**하고 싶었어. 엄마가 원망스럽더라.

현실: 소나무 진액에 **impure**한 거 아니야? 난 **immune**돼서 먹어도 괜찮던데. 근데, 다시금 정말 너를 **esteem**하고 싶다. 40분간 설사를 참다니.

1571 ★★
pine
[pain]

⒨ 소나무, 솔 ⒱ (누가 죽거나 떠나) 몹시 슬퍼하다 ㉾ pine for ~을 몹시 그리워하다

A: What did you put in this shake?
셰이크에 뭘 넣은 거야?

B: I put some **pine** needles in it. They're good for your brain.
솔잎 좀 넣었지. 네 두뇌에 좋은 거거든.

1572 ★
commute
[kəmjúːt]

⒱ 통근하다 ⒨ 통근

A: How do you **commute** to work?
회사 어떻게 통근하세요?

B: I walk to work. It used to take so much time from my house, so I got a studio around our office.
걸어 다녀요. 예전에는 집에서 너무 오래 걸렸었거든요, 그래서 회사 근처에 원룸을 하나 얻었어요.

1573 ★★
incident
[ínsədənt]

⒨ 일, 사건, 분쟁

A: Did the ceremony end well?
그 행사는 잘 끝났어?

B: Yes. It ended without any **incident**.
응. 다행히 아무런 사건 없이 잘 마무리됐다.

1574 ★
diarrhea
[dàiəríːə]

⒨ 설사 ㉾ come down with diarrhea 설사가 생기다

A: I love these peanuts. I don't even have to roast them.
이 땅콩 최고야. 이건 심지어 볶을 필요도 없어.

B: You eat them all. I get **diarrhea** when I have peanuts.
니 그거 다 먹어라. 난 땅콩 먹으면 설사를 해서.

1575 ★★
disgrace
[disgréis]

동 (체면에) 먹칠하다 명 망신, 수치 파 disgraceful 수치스러운, 부끄러운

A: I still can't believe what you did. You've disgraced the family name!

아직도 네가 한 일을 믿을 수가 없구나. 넌 가문 이름에 먹칠을 했어!

B: I'm sorry. I'm ready to be punished.

죄송해요. 전 벌 받을 준비가 되어 있어요.

1576 ★
fossil
[fásəl]

명 화석 숙 burn fossil fuels 화석 연료를 태우다

A: Can you believe these fossils are over three million years old?

이 화석들이 300만 년도 넘었다는 게 믿겨져?

B: Three million years? I can't even imagine what it would have been like then.

300만 년? 난 그때 당시가 어땠었을지조차 상상이 안 되는데.

1577 ★★
howl
[haul]

동 울부짖다, (바람이) 윙윙거리다

A: Why are your dogs howling?

너희 개들이 왜 울부짖는 거야?

B: There must be someone out there. Look. The delivery guy.

밖에 누구 왔나 본데. 봐. 배달원이네.

1578 ★
impure
[impjúər]

형 불순물이 낀, 순수하지 못한 파 impurity 불순물

A: Are you going to use that oil? It's hasn't been approved. What if it's so impure that it damages your car engine?

너 그 오일 쓰려고? 그건 승인된 것도 아니잖아. 불순물 많아 차 엔진 망가뜨리면 어쩌려고.

B: I'm a lucky guy. That's not going to happen to me.

난 행운의 사나이야. 그런 건 나한테는 안 일어날 거야.

 '순수한, 깨끗한'이라는 의미를 지닌 형용사 pure 앞에 부정 접두사 im- 이 붙었습니다. 즉, '순수하지 못한, 불순물이 섞인'이란 의미가 되는 거지요.

1579 ★
immune
[imjúːn]

형 면역이 된, 면역성이 있는

파 immunity 면역력, 면제 숙 become immune to ~에 면역이 되다

A: People keep leaving bad comments on your articles. What are you going to do?

사람들 계속 네 기사에다 악성 댓글 단다. 너 어떻게 할 거야?

B: Just ignore them. I'm quite immune to those haters.

그냥 무시해. 비방만 하는 사람들한테 면역이 돼버렸어.

1580 ★★
esteem
[istíːm]

동 존경하다, ~라고 여기다 명 존경 유 admiration 존경, 감탄

A: I can't accept this from you guys. It's too much.

제가 이런 걸 어떻게 받아가겠어요. 너무 과분한 거라.

B: It's not that big. Please take this gift as a token of our esteem.

거창한 거 아니에요. 저희 존경의 표시니까 그냥 받아 주세요.

DAY 53

Episode 159 • 내 동심이 파괴되었던 그 날

대건: 다리 아픈데 우리 저 **shade**에서 조금만 쉬자.

미정: 넌 몇 살 때 산타클로스가 없단 걸 알았어?

대건: 8살이었어. 아빠가 산타로 **disguise**하고 내 방에 들어오시길래 내가 방에 **illumination**을 켰다? 근데 불빛이 세서 아빠 검은 머리가 다 비치는 거야. 산타는 **eternal**한 존재라 믿었는데 **eventually** 난 **pessimist**가 되었지.

미정: 난 6살 땐가? 엄마 따라 의류 **recycle**하는 곳에 갔었는데 봉투에서 산타 옷이 나오는 거야. 아빠가 입었던 거 그대로. 그때 내 마음은 **collapse**했지. 그 뒤로 한 며칠 동안은 아빠랑 **relationship**이 안 좋았어.

대건: 듣고 보니, 이런 것들 **commonplace**한 속상함인가 보다.

1581 ★★★
shade
[ʃéid]

몡 그늘, 음영 동 그늘지게 하다 유 darken 어둡게 만들다, 어두워지다

A: Isn't it super hot today? I'm sweating so much.
오늘 진짜 덥지 않아? 땀이 줄줄 흐른다.

B: Why don't we go under those trees? There's plenty of shade.
우리 저기 나무 아래로 좀 갈까? 그늘도 많은데.

1582 ★★
disguise
[disgáiz]

동 변장하다, 위장하다, 숨기다 몡 변장, 변장술

유 conceal 감추다, 숨기다 camouflage 위장하다, 변장 숙 in disguise 변장한

A: How did you surprise your dad?
어떻게 너희 아빠를 놀라게 한 거야?

B: I disguised myself with a wig and his glasses. He couldn't tell it was me.
가발에 아빠 안경까지 쓰고 변장했지. 아빠가 나인 줄 눈치 못 채셨어.

guise라는 단어에는 '겉모습(외피)'이라는 의미가 있어요. 그리고 접두사 dis- 에는 not의 의미가 들어 있고요. 내가 아닌 (dis) 겉모습(guise)으로 바꾸는 것, disguise, 그렇죠! '변장하다, 위장하다'라는 뜻이 되겠네요.

1583 ★★
illumination
[ilùːmənéiʃən]

몡 조명, 불빛, 깨달음 파 illuminate (불을) 비추다, (이해하기 쉽게) 분명히 보여 주다

A: I have to take some photos indoors but the light is not bright enough. 실내에서 사진 좀 찍어야 하는데 빛이 충분히 밝질 않네.

B: Why don't you use your phone flash for illumination?
네 휴대 전화 플래시를 조명으로 써 보는 건 어때?

1584 ★★
eternal
[itə́ːrnl]

혱 영원한, 끊임없는 파 eternity 영원, 영겁 유 permanent 영구적인

A: I can't take this anymore. When will my sister's eternal whining stop?
더 이상 못 참겠다. 우리 언니 끊임없이 징징대는 거 언제쯤 멈출까?

B: It would be best for you to move into another house.
음, 네가 다른 집으로 이사 가는 게 최선일 거 같은데.

1585 ★★
eventually
[ivéntʃuəli]

(부) 결국, 드디어, 마침내 (유) in the end 마침내, 결국

A: Until when are you going to hide this as a secret? They will **eventually** find out.

언제까지 이걸 비밀로 해둘 건데? 결국엔 다 알아차리게 될 거야.

B: I will not let that happen! I'm going to hide this until I die.

그렇게는 안 되지! 죽을 때까지 비밀로 간직할 거야.

1586 ★
pessimist
[pésəmist]

(명) 비관주의자 (파) pessimism 비관주의, 비관적인 생각

A: Why are you being so pessimistic about everything?

넌 왜 일어나는 일들에 대해서 그리 비관적인 건데?

B: I'm a born **pessimist**. I expect the worst.

난 태어날 때부터 비관주의자였어. 난 최악을 예상하지.

1587 ★
recycle
[ri:sáikl]

(동) 재활용하다, 다시 이용하다

A: Are you just going to throw away these clothes? I think I can **recycle** them.

너 이 옷들 그냥 다 버리려고? 내가 재활용해 볼 수 있을 것 같은데.

B: All right. Take them if you want.

그래. 필요하면 가져가.

1588 ★★
collapse
[kəlǽps]

(동) 붕괴되다, 무너지다, 폭락하다 (숙) collapse from ~로 쓰러지다

DAY 53

A: You're still playing video games? And you haven't eaten anything. You should eat something now. If not, you're going to **collapse**.

너 아직도 비디오 게임하고 있어? 아무것도 안 먹고. 너 지금 뭐라도 먹어야 해. 안 그러면, 너 쓰러진다.

B: Hold on. Let me clear this stage first.

잠깐만. 먼저 이번 판만 깨고.

1589 ★★
relationship
[riléiʃənʃip]

(명) 관계, 관련성 (숙) maintain a close relationship with ~와 긴밀한 관계를 유지하다

A: Look what you're wearing now. Something's fishy. Are you in a **relationship**?

지금 너 입고 있는 것 좀 봐라. 뭔가 냄새가 나는데. 너 요새 누구 사귀는 거야?

B: Is it that obvious? I am.

그렇게 티 나? 그렇지. 누구 좀 만나고 있지.

1590 ★★
commonplace
[kámənplèis]

(형) 아주 흔한 (명) 다반사, 흔히 있는 일

A: Do you guys make hot pepper paste at home? I thought it was produced at factories.

고추장을 집에서 만들어요? 고추장은 공장에서 생산되는 줄로만 알았는데.

B: This is **commonplace** in my neighborhood.

우리 동네에선 흔한 일이야.

DAY 53 Review

1 다음 단어에 맞도록 우리말 또는 영어로 바꿔 쓰시오.

01	compile	_____	11	인종, 민족, 품종	_____
02	prove	_____	12	전기, 일대기	_____
03	salvage	_____	13	충돌, 부딪힘	_____
04	howl	_____	14	존경하다, 존경	_____
05	impure	_____	15	화석	_____
06	commute	_____	16	영원한, 끊임없는	_____
07	incident	_____	17	붕괴되다, 무너지다	_____
08	disgrace	_____	18	관계, 관련성	_____
09	pessimist	_____	19	아주 흔한, 다반사	_____
10	illumination	_____	20	결국, 드디어, 마침내	_____

2 다음 빈칸에 알맞은 단어를 넣어서 문장을 완성하시오.

01 My sister said that she doesn't feel like she _____ to a family.
내 여동생이 그러는데 자기는 가족에 대한 소속감을 느끼질 못 하겠다네.

02 My mom and I _____ pickles in a sandwich.
엄마랑 저는 샌드위치에 들어가는 피클을 경멸해요.

03 There must be something wrong with my _____ system.
내 면역 체계에 뭔가 문제가 있는 게 틀림없다.

04 This dessert is made from natural cheese and _____ needle powder.
이 디저트는 천연 치즈와 솔잎 가루로 만든 거예요.

05 I'm going to _____ myself as Santa Claus on Christmas Eve.
저는 크리스마스 이브에 산타클로스로 변장할 거예요.

DAY 54 에피소드 160~162

 Episode 160 • 서프라이즈는 이렇게 준비하는 거지.

대건: 나보다 덩치도 작은 네가 할 것이지, **dim**한 부모님 방에 선물 **conceal**하느라 힘 **exhaust**했다. 물 한 **sip**만 마시자.

채린: 작년이랑 **compare**했을 때 기술이 좋아졌어. **evolve**했네.

대건: 아빠가 문을 **slam**하고 나가셔서 걸리는 줄 알았어. 기념일 날까지 **detect**하시지 못하겠지?

채린: 그러길 빌어야지. 아 오빠, 편지랑 나머지 선물은 엄마 회사에 **register**했어?

대건: 당연하지. 이번엔 **recipient**도 제대로 적었어. 더 이상의 실수는 없다!

1591 ★★
dim
[dim]

형 어둑한, 흐릿한   동 (빛 밝기를) 낮추다

숙 take a dim view of ~을 좋지 않게 보다(여기다)

A: Don't you think that desk lamp is too dim for reading?
네 책상 스탠드 불빛이 책 읽기엔 너무 어둡지 않아?

B: Right? I'm thinking of getting a new one. 그렇지? 새것 하나 사야 할까 싶다.

1592 ★★
conceal
[kənsíːl]

동 감추다, 숨기다

A: Why are you wearing sunglasses inside? What are you, a superstar or something?
너 왜 실내에서 선글라스를 끼고 있어? 뭐, 연예인 그런 거라도 되나?

B: I just have to conceal my eyes. I've got a bruise to hide.
나 눈 감춰야 한단 말이야. 가려야 할 멍이 있어서.

DAY 54

1593 ★★★
exhaust
[igzɔ́ːst]

동 다 써 버리다, 기진맥진하게 하다   명 배기가스, 배기관   유 tire out 녹초가 되게 만들다

A: Were you online shopping again? If you keep spending your money this way, you will exhaust your savings!
너 또 온라인 쇼핑하고 있었어? 돈 자꾸 이런 식으로 쓰면, 저축해놓은 거 다 쓴다니깐!

B: But I bought these for you. They're yours.
나 이거 너 주려고 산 거야. 네 것이라고.

1594 ★★
sip
[sip]

명 한 모금   동 홀짝거리다, 조금씩 마시다   숙 have a sip 한 모금 마시다

A: Your beverage smells so good. Can I have a sip?
네 음료수 냄새 좋다. 한 모금만 마실 수 있을까?

B: No way. I never share food or beverages.
안 돼. 난 음식이나 음료수는 절대 같이 안 먹어.

액체류에 대한 '한 모금'을 의미하는 단어랍니다. 잘 붙어 다니는 동사로 **have**가 있어요. **have a sip of** '~ 한 모금을 마시다', 이 표현 정리해 두세요!

1595 ★★★

compare
[kəmpéər]

ⓢ 비교하다, 비유하다

ⓟ comparable 비슷한 ⓢ nothing can compare with ~와 비교할 만한 것이 없다

A: Your new house doesn't compare with your previous one.
너희 새집은 옛날 집이랑 비교가 안 되네.

B: I know. I'm glad I got this house at a very reasonable price.
그렇지. 이 집 싸게 사서 참 좋네.

1596 ★

evolve
[iválv]

ⓢ 진화하다, 발달하다 ⓢ evolve from ~로부터 진화하다

A: I think I got a nasty cold this time. I'm taking medicine for it but it doesn't seem to be working.
이번에 진짜 감기 심하게 걸린 거 같다. 약을 먹는 데 효과도 없는 거 같고.

B: It's obvious that viruses are able to evolve.
바이러스도 계속 진화할 수 있는가 봐.

1597 ★

slam
[slǽm]

ⓢ 쾅 닫다, 닫히다, 맹비난하다

A: Did you just see that? Daegun slammed the door and then left!
방금 봤어요? 대건이가 문을 쾅 닫고 나가버렸다고요!

B: He's going through puberty. We should understand his feelings.
지금 사춘기잖소. 우리가 기분 좀 이해해 줍시다.

1598 ★★

detect
[ditékt]

ⓢ 발견하다, 감지하다 ⓤ uncover (비밀 등을) 알아내다

A: I said, don't move and study hard. I can detect your movement behind me.
내가 움직이지 말고 공부 열심히 하라고 했지. 내 뒤에서 움직이는 거 감지된다.

B: I'm just taking a book out of my bag, Mom.
엄마, 나 그냥 가방에서 책 꺼내고 있거든요.

1599 ★★

register
[rédʒistər]

ⓢ 등기로 보내다, 등록하다, 표명하다 ⓟ registration 등록, 등기 처리

A: Congratulations on your new baby! I heard it's a girl. Where are you going now by the way?
아기 낳았다며, 축하한다! 딸이라고 들었어. 근데 지금 어디가?

B: I'm going to the district office to register her birth.
구청에 아기 출생 등록하러 가는 중이야.

1600 ★

recipient
[risípiənt]

ⓝ 수취인, 수령인

A: This package was left in front of my house, but there isn't any recipient indicated. What should I do?
이 소포 우리 집 앞에 있던 건데, 수취인이 안 쓰여 있어. 어쩌지?

B: How about we open it first and then think about what to do with it?
일단 우리가 먼저 열어본 다음에 어찌할지 생각해보는 건 어때?

Episode 161 • 영국 의회 탐방기

대건: 이번에 정치 체험단 자격으로 영국 **congress**에서 열린 회의 참관하고 왔어. 건물부터가 다르더라. **medieval**한 건물 느낌? 그리고 회의 분위기가 **solemn**했어. 방문증이 없으면 철저히 입구에서 **exclude** 시켜 버리더라고.

미정: 니가 그런 곳에 갔다고?

대건: 그렇다니까. 체험단에 뽑힌 덕분이지 뭐. 암튼 건물 얘기를 조금만 더 하자면 옛날 느낌 그대로를 살리기 위해 구조를 **reinforce**한 것 같았어. 그리고 위층에서 누가 **descend**하는데 회의와 **relative**한 엄청난 **figure**란 걸 **discern**했지. 난 총리인 줄 알았는데, 대박, 여왕 **majesty**이셨어.

1601 ★★★
congress
[káŋgris]

ⓝ 의회, 국회, 회의 ⓤ assembly 의회, 집회

A: Since I was a little kid, I've always wanted to be a politician so that I can, you know hold a seat in Congress.
꼬맹이일 때부터, 난 늘 정치인이 되고 싶었어. 그래서, 있잖아, 의회에 한 자리 차지하는 거지.

B: I'm glad you gave up that dream.
니가 그 꿈을 접어서 난 너무 다행이다.

1602 ★★
medieval
[mì:díí:vəl]

ⓐ 중세의 ⓟ medievalize 중세풍으로 하다, 중세를 연구하다

A: Can't you just get rid of that medieval looking chair? It smells terrible!
저 중세풍의 의자 좀 버릴 수 없어? 그거 냄새도 고약해!

B: No way. It's from my great-great grandfather.
안 돼. 저거 우리 증조 할아버지 때부터 내려온 거란 말야.

DAY 54

1603 ★★
solemn
[sáləm]

ⓐ 엄숙한, 근엄한 ⓟ solemnize 엄숙히 거행하다

A: How was the festival? Was it fun?
축제 어땠어? 재밌었어?

B: It wasn't a festival. It was just a contest where contestants come out and recite a poem in a solemn voice.
축제 아니었어. 그냥 참가자들 나와서 엄숙한 목소리로 시낭송하는 대회였어.

1604 ★★
exclude
[iksklú:d]

ⓥ 차단하다, 제외하다, 배제하다 ⓟ exclusion 제외, 배제

A: They are way cheaper than the same ones in Korea. I'm going to get all of these.
같은 물건을 한국보다 훨씬 더 싸게 살 수 있겠네. 다 쓸어가야겠다.

B: Those prices exclude tax.
이 가격은 세금을 제외한 거야.

1605 ★
reinforce
[rìːinfɔ́ːrs]

[동] (구조 등을) 보강하다, 강화하다

A: Stop making that type of joke. It only **reinforces** racial stereotypes.
그런 종류 농담 좀 그만 해라. 인종에 대한 고정 관념만 강화하는 거야.

B: Well, okay. I thought you liked this stuff.
뭐, 그래. 난 니가 이런 거 좋아하는 줄 알고.

이 표제어는 상대적으로 쉬워 보이는 녀석인 strengthen(강화하다, 강하게 하다)이라는 동사와 함께 묶어서 외우면 훨씬 더 쉬울 거예요.

1606 ★
descend
[disénd]

[동] 내려오다, 내려앉다, 경사지다

[파] descendant 자손, 후예 [숙] descend into (나쁜 상황 속으로) 서서히 빠져들다

A: The class is about to start. Let's just take the stairs.
수업 곧 시작하겠다. 그냥 계단으로 올라가자.

B: My feet hurt. I'll just wait for the elevator to **descend**.
발 아파. 난 그냥 엘리베이터 내려오는 거 기다릴래.

1607 ★★
relative
[rélətiv]

[형] 관계있는, 상대적인 [명] 친척

A: How do you know that guy? He's only been here for a couple of days.
저 남자애 어떻게 아는 거야? 여기 온 지 며칠밖에 안 된 사람인데.

B: He's a distant **relative**.
걔는 내 먼 친척이야.

1608 ★★★
figure
[fígjər]

[명] 인물, 수치 [동] 중요하다 [숙] figure out 이해하다, 알아내다

A: Guess who I ran into in Myeong-dong yesterday? I met G-Cat!
나 어제 명동에서 누구 만났게? G-Cat 봤다!

B: Wow, he's a leading **figure** in the Electronic Dance Music industry in Korea.
오, 한국 EDM 계에서 주도적인 인물이잖아.

1609 ★
discern
[disə́ːrn]

[동] (분명치 않은 걸) 알아차리다, 파악하다 [파] discernment 안목

A: You have to be true to your girlfriend. If not, she will eventually **discern** what type of person you are.
여자 친구한테 진실해야 해. 안 그러면, 결국 니가 어떤 사람인지 알아차리게 될 거다.

B: Stop nagging. You're not my girlfriend.
잔소리 그만해. 넌 내 여자 친구 아니거든.

1610 ★
majesty
[mǽdʒəsti]

[명] 폐하, 왕권, 장엄함

A: Your pictures capture the **majesty** of the mountains.
너 사진이 산의 장엄함을 잘 포착하고 있네.

B: Thanks. I'm taking a photography course these days.
고마워. 나 요새 사진 수업 듣고 있거든.

창수: 너 **debate** 대회 때 보니까 **coherent**한 태도로 **thesis**를 가지고 잘 하더라. 누구도 **dare**할 수가 없겠어. 비결이 뭐야?

상민: **several**한 방법이 있지. 우선 **theme**을 철저히 분석하고 머릿속으로 **rehearsal**을 해. **instantaneous**한 반박이 가능할 정도로 말이지.

창수: 와… 그 모든 연습이 널 **refine**해서 토론변기로 만들었구나! **contradict**할 수가 없다.

상민: 저기, 토론 병기겠지.

1611 ★★
debate
[dibéit]

ⓔ 토론 ⓣ 논의(논쟁)하다

A: Do you know there will be a debate on abortion at school tomorrow?
내일 학교에서 낙태에 관한 토론 있는 거 알고 있어?

B: I do. How could I forget about that? I'm so looking forward to it.
알지. 어떻게 내가 그걸 잊을 수 있겠어? 완전 학수고대 중이다.

1612 ★
coherent
[kouhíərənt]

ⓔ 일관성 있는, 논리 정연한 ⓡ inconsistent 일관성 없는, 내용이 다른

A: Why did you choose what Daegun proposed?
너 왜 대건이의 제안을 선택한 거야?

B: Because he proposed the most coherent plan to improve our work environment.
우리 작업환경을 향상하는 데 있어서 걔의 제안이 가장 논리 정연했거든.

DAY 54

1613 ★
thesis
[θíːsis]

ⓔ 논지, 학위 논문 ⓢ a thesis on ~에 대한 가설

A: You look so exhausted this morning. What's up?
너 오늘 아침 완전히 지쳐 보인다. 뭔 일이야?

B: I stayed up all night working on my graduation thesis. I want to sleep.
졸업 논문 쓰느라 밤을 꼴딱 샜거든. 자고 싶다.

1614 ★★★
dare
[déər]

ⓣ 감히 ~하다, ~할 엄두를 내다 ⓢ how dare you 어떻게 감히 네가 ~하다니

A: You didn't say anything at the discussion? Why not? You practiced a lot.
토론에서 아무 말도 안 했다고? 왜? 너 연습 많이 했잖아.

B: I didn't dare to tell them what I had prepared. Everyone else had such good ideas.
내가 준비한 걸 감히 말할 수가 없더라. 다른 사람들 전부 의견이 아주 좋더라니깐.

1615 ★★★
several
[sévərəl]

(형) 몇몇의, 각각의

A: Is it true that your friend over there is a writer?
저 쪽에 있는 네 친구 작가야?

B: Yes. He's already written several books.
어. 벌써 책 몇 권 썼어.

1616 ★★
theme
[θíːm]

(명) 주제 (유) motif 주제, 모티프 (숙) a timely theme 시기에 적합한 주제

A: Can I just stop you right there for a moment? My theme song is coming out!
잠깐만 거기서 멈출 수 있어? 내 주제곡이 흘러나오고 있어!

B: We're late already! Let's just go.
우리 늦었다고! 그냥 가자.

1617 ★
rehearsal
[rihə́ːrsəl]

(명) 예행 연습, 리허설 (숙) have a rehearsal 예행 연습을 하다

A: All right guys. We're going to have a final rehearsal tomorrow. Make sure to be on time.
자 얘들아. 내일 우리 내일 마지막 예행 연습할 거야. 제때 올 수 있도록.

B: Got it! 알겠어요!

1618 ★
instantaneous
[ìnstəntéiniəs]

(형) 즉각적인 (파) instantaneously 즉석으로, 순간적으로

A: There were some defects with the jeans I bought so I emailed the person in charge. Then, I got an instantaneous response from the company.
내가 산 청바지에 문제가 있어서 담당자한테 메일 보냈어. 그랬더니 답장이 즉각적이네.

B: Their customer service is good. 거기 고객 서비스 좋네.

1619 ★
refine
[riːfáin]

(동) 정제하다, 개선하다 (유) purify 정화하다

A: What do you think of my draft?
제 원고 어때요?

B: It was good but I think you have to refine your writing style. It's just too obvious and boring.
좋긴 한데, 글 쓰는 스타일을 좀 개선할 필요가 있어 보여. 그냥 너무 뻔하고 좀 재미없거든.

 더 고운(고른)(fine) 물질을 얻기 위해 다시(re) 어떤 작업을 행하는 것. refine, 즉 '정제하다, 개선하다'라는 의미가 되겠죠?

1620 ★
contradict
[kàntrədíkt]

(동) 부정(부인)하다, 반박하다

(유) controvert 반박(반증)하다 (숙) contradict oneself 모순된 말을 하다

A: What you've been saying makes no sense.
니가 줄곧 말한 거 말이 안 돼.

B: Are you contradicting me just to contradict me?
너 그냥 나 반박하려고 반박하고 있는 거지?

1 다음 단어에 맞도록 우리말 또는 영어로 바꿔 쓰시오.

01	compare	_____	11 어둑한, 흐릿한	_____
02	recipient	_____	12 진화하다, 발달하다	_____
03	sip	_____	13 발견하다, 감지하다	_____
04	figure	_____	14 등기로 보내다	_____
05	discern	_____	15 중세의	_____
06	majesty	_____	16 상대적인, 친척	_____
07	solemn	_____	17 예행 연습, 반복	_____
08	instantaneous	_____	18 부정하다, 반박하다	_____
09	dare	_____	19 토론, 논의(논쟁)하다	_____
10	coherent	_____	20 논지, 학위 논문	_____

2 다음 빈칸에 알맞은 단어를 넣어서 문장을 완성하시오.

01 My weakness is that I can barely _____ my anger.
제 약점은 화를 거의 감추지 못한다는 거예요.

02 It's unbelievable that you _____ your allowance within two days.
이틀 만에 네 용돈을 다 써버리다니 믿을 수가 없네.

03 I'm worried that our building is not _____ to withstand an earthquake.
우리 건물이 지진에 견딜 수 있도록 보강되어 있지 않다는 게 좀 걱정이 되네요.

04 You should know that the prices on the menu _____ tax.
메뉴판에 있는 가격은 세금을 제외한 금액이라는 것을 알고 있어야 합니다.

05 It's obvious that we need to _____ our current system.
우리의 현재 시스템을 개선해야 할 필요가 있다는 건 명백하군요.

DAY 55 에피소드 163~165

Episode **163** • (나름) 백분 토론

대건: 이 나라 지도자는 **tyrannical**한 정치를 하는 것 같아. **Jew**를 **degrade**하는 것도 모자라 상대 도시 중심부를 향해 미사일도 **deploy**했다고 하더라고. **dictator**인 거지.

우식: 이 두 나라는 **edge**와 끝에서 땅따먹기 하는 거 같다니깐. 전쟁 할 **worthwhile**이 있는 걸까? 사람으로 치면 서로 **vein**을 끊으려고 하는 것 같아. **virtue**라고는 찾아볼 수가 없네.

대건: **microscope**로 이 사람들 뇌를 관찰해 보고 싶어. 무슨 생각인지 모르겠어.

1621 ★
tyrannical
[tirǽnikəl]

ⓗ 폭군의, 입체적인　ⓟ tyrant 폭군, 독재자

A: Why is he so tyrannical? I want to quit because of him.
그 사람은 왜 그렇게 포악할까? 그 사람 때문에 회사 그만두고 싶다.

B: Are you talking about the guy who's also overbearing?
고압적이기도 한 그 남자 이야기하는 건가?

1622 ★★
Jew
[dʒú:]

ⓜ 유대인

A: Is that guy a Jew by any chance?
저 분 혹시 유대인이신가?

B: He is. That's why he didn't eat pork belly last night.
맞아. 그래서 어젯밤에 삼겹살 안 드셨잖아.

1623 ★
degrade
[digréid]

ⓣ 비하하다, 저하시키다　ⓤ disgrace (체면에) 먹칠하다, 수치

A: Didn't you use to drive to work? Now, you just ride a bike to commute. 회사에 차 타고 다니지 않았어요? 요샌 자전거로 통근하시네.

B: I'm concerned a lot about the environment. Automobile exhaust fumes degrade the air quality.
제가 환경에 대해 걱정이 많거든요. 자동차 매연이 공기 질을 저하하잖아요.

1624 ★
deploy
[dipl5i]

ⓣ (군대·무기를) 배치시키다, 효율적으로 사용하다　ⓢ deploy forces 병력을 배치하다

A: We're out of soldiers. We're gonna lose this stage.
병력 다 떨어졌다. 이 판 지겠는데.

B: Don't worry. Let me deploy more than 100 tanks to the battlefield.
걱정 마라. 내가 전장에 100대 이상의 탱크를 배치해 주지.

1625 ★

dictator
[díkteitər]

명 독재자 유 despot 폭군

A: What would you do if you were born in a country that was ruled by an absolute **dictator**?
절대적인 독재자에 의해 지배되는 국가에서 태어났다면 넌 어떻게 했을 것 같아?

B: I don't know. Maybe I would adapt quickly to the system.
글쎄. 아마 그냥 새 시스템에 금방 적응했을 거 같은데.

1626 ★★★

edge
[édʒ]

명 끝, 모서리, 위기 동 조금씩 움직이다

A: You're standing so close to the **edge** of the cliff.
너 벼랑 끝 쪽에 너무 가까이 서 있어.

B: Thanks. I could have died if you hadn't told me that.
고마워. 니가 말 안 해 줬으면 나 죽을 뻔했어.

1627 ★

worthwhile
[wə́ːrθwàil]

형 ~할 가치가 있는

반 useless 소용없는, 쓸모없는 숙 worthwhile to ~할 가치가 있는

A: Are you trying to fix your old laptop? Is it **worthwhile** to do that?
그 오래된 노트북 고치려고? 그럴만한 가치가 있어?

B: Sure, this laptop has gotten me through a lot of tough times.
물론이지. 이 노트북이랑 같이 힘든 시간 참 많이 보냈지.

 비슷한 의미를 전하는 단어로 **worth**가 있지요. 주의하실 점은 **worth** 뒤에는 반드시 명사(동명사도 가능)가 와야 된다는 것, **worthwhile**은 명사 뿐만 아니라 뒤에 **to**부정사도 쓸 수 있습니다.

1628 ★★★

vein
[vein]

명 정맥, (식물의) 잎맥 유 blood vessel 혈관

A: What is the name of the disease that you've been diagnosed with?
니가 진단 받은 병명이 뭔데?

B: It's deep **vein** thrombosis. Kind of a difficult name, right?
심부정맥 혈전증. 이름이 꽤 어렵지, 그렇지?

1629 ★★

virtue
[və́ːrtʃuː]

명 미덕, 선행, 장점 숙 by virtue of ~ 덕분에

A: Why haven't they delivered our fried chicken yet? We ordered it 20 minutes ago! 왜 아직도 프라이드 치킨 배달을 안 해 주는 거야? 20분 전에 시켰는데!

B: Patience is a **virtue**. Just wait for a little bit more.
야, 인내가 미덕이야. 그냥 조금 더 기다려 봐.

1630 ★★

microscope
[máikrəskòup]

명 현미경 숙 under a microscope 현미경으로, 꼼꼼하게

A: All right. I'm so ready to do our school project.
좋았어. 학교 과제 할 준비 완료됐어.

B: Good to hear that. I'll get the specimen. You go get the **microscope** and a slide. 좋아. 내가 표본을 가져올게. 너는 현미경이랑 슬라이드 좀 갖고 와.

 scope에는 '무언가를 보거나 관찰하는 데 사용되는 기기'라는 의미가 포함되어 있답니다. 아주 작은 것(**micro**)들을 관찰하는 기기(**scope**), **microscope**, '현미경'이 되겠죠?

Episode 164 • 자나 깨나 불조심

대건: 휴…. 우리 **extinguish**한 거 맞지?

찬규: 소화기 덕분에 살았네.

대건: **damp**한 옷 전자제품 근처에 두지 말랬잖아.

대건: 여기 **mine**한 것처럼 뻥 뚫린 **crater**은 뭐로 메꾸지? 집주인 아저씨 아시면 우리 완전 **burial**되는 거 아니야?

찬규: 일단, 쓸 수 있는 것부터 **categorize**하자. 그런 담에 **credible**한, 이것저것 **broad**한 지식의 소유자인 우리 형한테 전화 한번 해 볼게. 아, 진짜 이렇게 된 거 알면 집주인 아저씨가 우리 완전 **wary**하겠는데.

대건: 나 **trepidation**에 휩싸여 있는 기분이야.

1631 ★★

extinguish
[ikstíŋgwiʃ]

(동) (불을) 끄다, 없애다

A: Did you see the news? There was a fire in my town.
뉴스 봤어? 우리 동네에 불났었어.

B: I did. They said that it took more than fifteen fire engines to **extinguish** it.
봤지. 불을 끄려고 소방차가 15대 이상 왔대.

1632 ★★

damp
[dǽmp]

(형) 축축한, 눅눅한 (명) 얼룩 (유) soggy 질척한

A: Why is your hair so **damp**?
너 머리 왜 그렇게 축축해?

B: You haven't been outside today, have you? It's raining really hard.
오늘 종일 밖에 안 나갔구나, 그렇지? 비 정말 많이 와.

1633 ★★

mine
[main]

(동) 채굴하다, 지뢰를 매설하다 (명) 지뢰, 광산

A: We'd better watch out. I heard there might be **mines** around here.
우리 조심해야 해. 이 근처에 지뢰가 있을 수도 있다고 들었거든.

B: Seriously? Then let's just go back to our car.
진짜? 그럼 그냥 우리 차로 돌아가자.

1634 ★

crater
[kréitər]

(명) 큰 구멍, 분화구

A: How was the helicopter tour? Was it worth the money?
헬기 투어는 어땠어? 돈 쓸 가치가 있어?

B: It was really interesting. We even flew over the **crater** of a volcano.
진짜 흥미로웠어. 심지어 화산 분화구 위로 날아서 지나가기도 했다니깐.

1635 ★★
burial
[bériəl]

명 매장, 장례식 유 obsequies 장례식

A: Did you attend the burial?
장례식엔 참석했었어?

B: I did. Everybody cried and the rain didn't stop on that day.
응. 전부 다 울었고 그 날 온종일 비도 안 그쳤어.

1636 ★
categorize
[kǽtəgəràiz]

동 분류하다 숙 categorize as ~로 분류하다

A: I've got a question. Is chicken categorized as a meal or a snack?
나 질문이 하나 있어. 치킨은 식사로 분류될까 아니면 간식으로 분류될까?

B: Are you kidding me? It's neither. Chicken is love.
장난쳐? 둘 다 아니야. 치킨은 사랑이지.

1637 ★
credible
[krédəbl]

형 믿을 수 있는, 믿을 만한 유 plausible 그럴듯한

A: Are you sure that Taehun is a credible person? I've never worked with him before.
태훈이라는 분 믿을 만한 사람인 거 확실해? 그 사람이랑 전에 일해 본 적은 없어서.

B: Trust me. He's just the right person for this job.
내 말을 믿어 봐. 이 일에 적합한 분이니깐.

1638 ★★★
broad
[brɔ́ːd]

형 폭넓은, 개괄적인 파 broaden 넓어지다, 넓히다 숙 in broad daylight 대낮에

A: I wish my shoulders were broad like your brother's. He's such a model.
나도 너희 동생처럼 어깨가 넓었으면 좋겠다. 걔 완전 모델이야.

B: But his brain is empty. He doesn't even know the capital of China.
그럼 뭐해 뇌가 비었는데. 중국의 수도가 어딘 줄도 몰라.

DAY 55

1639 ★
wary
[wéəri]

형 경계하는, 조심하는 숙 keep a wary eye on ~을 감시하다

A: I've lost my phone. Wait, the girl who just asked for directions must have taken it!
나 전화기 잃어버렸어. 잠깐, 좀 전에 길 물어 봤던 그 여자가 가져갔나 봐!

B: I should have kept a wary eye on her.
내가 그 여자를 경계했어야 했는데.

1640 ★
trepidation
[trèpədéiʃən]

명 (앞일에 대한) 두려움, 공포

A: I enjoyed your performance on the stage. You were awesome!
무대 위의 네 공연 잘 봤어. 진짜 최고였어!

B: At first I felt so numb with trepidation and my mind went blank but then I did it anyway.
처음에는 공포감 때문에 완전 멍하고 아무 생각도 안 났었는데. 뭐 어쨌든 해냈네.

• 사장님, 저도 참 사랑합니다.

대건: 무슨 모임에 그런 옷을 입고 오냐? 그거 **uniform** 이야?

영수: 나 최근에 **merchant** 회사에 취직했잖아. 자랑 겸 입고 나왔지.

대건: 너 오징어 파는 아저씨 같애. 저기 오징어 한 **bundle** 만 주실래요?

영수: 야, 까불지 마. 우리 사장님이 날 얼마나 예뻐하시는데. 솔직히 첨엔 **transient** 한 일인 줄 알고 시작했는데, 내가 이것저것 **delicate** 한 것들도 처리가 **capable** 한 걸 아시고는 바로 과장직을 **delegate** 해 주셨어. 어디 **absence** 중 이실 때도 늘 나한테만 지시하시고 말이지. 역시 뭐든지 모험하듯이 **venture** 해야 일이 풀리나 봐.

대건: 잘해 봐. 그리고 나 동창회 회장 선거 나가는 거 알지? 나한테 한 표 **cast** 해야 한다.

1641 ★★★

uniform
[júːnəfɔ̀ːrm]

- 몡 유니폼, 교복 혱 획일적인

A: I love your school **uniform**. It looks great on you.
너희 학교 교복 예쁘네. 너한테 어울린다.

B: Thanks. It looks good and it's comfortable to wear.
고마워. 예쁘기만 한 게 아니라 입기에도 편해.

1642 ★★★

merchant
[mə́ːrtʃənt]

- 혱 해운의 몡 상인, 무역상 윾 retailer 소매업자, 소매상

A: You have a lot of wines in the living room. But you don't drink, do you? 거실에 와인이 많네. 그런데 너 술도 안 마시잖아, 맞지?

B: Didn't I tell you that my dad is a wine **merchant**?
우리 아빠가 와인 무역상이라고 말하지 않았었나?

1643 ★★

bundle
[bʌ́ndl]

- 몡 묶음, 꾸러미 통 ~을 마구 밀어 넣다

- 숙 not go on a bundle on ~을 별로 좋아하지 않다

A: What's that paper bag in your hand? It's pretty full of something.
손에 종이 가방 그거 뭐야? 뭐가 가득 들어있는데.

B: I've been absent for six months. It's a **bundle** of letters I got while I was away. 내가 6개월 동안 집에 없었잖아. 부재중에 도착한 편지 꾸러미야.

 '(무언가의) 꾸러미'라는 의미로 사용될 때 a bundle of의 구조가 많이 쓰이니 꼭 챙겨 두세요. 또한 bundle up이라는 표현은 '옷을 (따뜻하게) 껴입다'라는 의미도 있으니 요놈도 센스 있게 정리하세요.

1644 ★

transient
[trǽnʃənt]

- 혱 일시적인, 일시적으로 머무르는, 단기 체류의

A: I think I'm going to make a **transient** visit to your town this Wednesday. Will you be around?
나 이번 주 수요일에 너희 동네 잠깐 들릴 거야. 그때 너 만날 수 있으려나?

B: I would definitely make time for you! What time?
너를 위해서 어떻게든 시간 만들게! 몇 시?

1645 ★★
delicate
[délikət]

(형) 섬세한, 연약한, 은은한　(파) delicacy 연약함, (지역의) 별미

A: Where did you get this chocolate? It has such a delicate flavor.
이 초콜릿 어디서 산 거야? 맛이 되게 은은하고 좋다.

B: A friend of mine gave me this when he came back from his trip.
친구가 여행 다녀올 때 사다 준 거야.

1646 ★★
capable
[kéipəbl]

(형) ~을 할 수 있는, 유능한　(파) capability 능력, 역량　(숙) be capable of ~을 할 수 있다

A: Is this all you've done for the entire day? Don't you think you're capable of better work than this?
이게 온 종일 한 양이라고? 니 능력이면 이거보단 더 잘할 수 있단 생각 안 들어?

B: I'm not. You're just overestimating me.
안 들어. 니가 날 과대평가하는 거야.

1647 ★
delegate
[déligət]

(동) (권한·업무 등을) 위임하다　(명) 대표자　(파) delegation 대표단, 위임

A: Why do you always delegate unpleasant tasks to me? I don't understand.
왜 항상 불편한 일거리들을 저한테 위임하시는 건가요? 이해가 되질 않습니다.

B: That's why I hired you. That's your job.
그래서 내가 널 고용한 거야. 네 일이라구.

1648 ★★
absence
[æbsəns]

(명) 부재, 결석, 결근

A: Mr. Kim? Can I go home early today? I'm not feeling well.
전 부장님. 오늘 집에 일찍 가도 될까요? 몸이 안 좋아서요.

B: Again? You've already had many absences from work. Are you aware of that?
또? 자네 벌써 회사 결근이 많던데. 알고 있나?

1649 ★★
venture
[véntʃər]

(동) (모험하듯) 가다　(명) 사업　(파) venturous 모험을 좋아하는, 모험적인

A: We are about to venture into the unknown. Are you excited?
이제 곧 미지의 세계로 발을 들이게 될 거야. 즐겁지?

B: I'm actually pretty nervous. But I want to say I am. Because you're with me.
솔직히 꽤 긴장되긴 해. 그래도 즐겁다고 말할래. 니가 내 곁에 있으니깐.

1650 ★★★
cast
[kæst]

(동) (~에게) 표를 던지다, 캐스팅을 하다, (그림자를) 드리우다　(숙) cast a vote 투표하다

A: Look at those persimmon trees. They cast a long shadow on our front yard.
저 감나무들 좀 봐. 우리 집 앞마당에 긴 그림자를 드리우네.

B: Speaking of persimmon, don't you want to eat some right now?
감 얘기가 나와서 말인데, 지금 몇 개 먹고 싶지 않냐?

DAY 55 Review

1 다음 단어에 맞도록 우리말 또는 영어로 바꿔 쓰시오.

01	crater	_____	11	폭군의, 입체적인	_____
02	trepidation	_____	12	독재자	_____
03	wary	_____	13	정맥, (식물의) 잎맥	_____
04	broad	_____	14	미덕, 선행, 장점	_____
05	extinguish	_____	15	(군대·무기를) 배치시키다	_____
06	cast	_____	16	비하하다, 저하시키다	_____
07	delegate	_____	17	매장, 장례식	_____
08	transient	_____	18	믿을 수 있는, 믿을 만한	_____
09	venture	_____	19	부재, 결석, 결근	_____
10	delicate	_____	20	묶음, 꾸러미	_____

2 다음 빈칸에 알맞은 단어를 넣어서 문장을 완성하시오.

01 I think it is _____ to jog early in the morning.
저는 아침 일찍 조깅하는 건 가치가 있다고 생각해요.

02 Why is your room so cold and _____?
네 방 왜 이렇게 춥고 눅눅하니?

03 I don't understand why we have to _____ people according to their wealth.
저는 왜 사람들을 그들이 가진 재산에 따라 분류해야 하는 건지 이해가 안 돼요.

04 My roommate is from a family of wealthy _____.
제 룸메이트는 부유한 무역상 집안 출신이랍니다.

05 I heard that your sister is a _____ music teacher.
너희 언니가 아주 유능한 음악 선생님이라고 들었어.

에피소드 166~168

Episode
166 • 노력에 대한 값진 대가

대건: 오… 뭐야 이 **cordial**한 분위기… 암튼 축하해요. 태훈이 니도 그리고 제수씨도. 그동안 겨울이건 여름이건 속옷까지 **drench**하며 훈련하느라 고생했다. 니 수상은 **well-earned**한 거라 생각한다. **futile**한 수고가 아니었던 게지.

태훈: 고맙데이. 이 상장은 내 땀과 내 여자 친구의 내조로 **consist**되어있다고 생각한다. 얘 없었으면 사실상 불가능한 일이었지.

대건: 아 맞다, 이거 제수씨 선물. 디퓨저 알죠? 좋은 향을 **diffuse**해 주는 거예요. 향은 **vegetation**향으로 골랐고요. 근육이 **tense**하거나 신경 날카롭고 할 때 좋은 향이래요. 아 그리고 마지막으로 이거! 근육 회복에 좋은 특제 주스! 내가 과일 직접 **squash**해서 만들었데이. 꿀이랑 이것저것 **ratio** 맞춰서 넣은 거라 맛도 좋을 기다.

1651 ★★
cordial
[kɔ́ːrdʒəl]

(형) 화기애애한, 다정한 (파) cordially 다정하게, 지독히

A: Did you enjoy the party? 파티는 재미있었어?
B: Oh, yeah. It was my first time to join a party here in Canada. I got a **cordial** welcome from the host and other guests. 응. 캐나다 와서 처음 가 본 파티였어. 파티 주최자랑 다른 손님들이 굉장히 다정한 환영을 해 주더라.

1652 ★★
drench
[drentʃ]

(동) 흠뻑 적시다 (유) saturate 흠뻑 적시다, 포화 상태로 만들다

A: You must have just come back from your morning jog. You're **drenched** in sweat. 막 새벽조깅 하고 왔나 보네. 완전 땀에 흠뻑 젖었구만.
B: Yes, but I feel so good. 맞아. 근데 기분은 너무 상쾌하다.

1653 ★
well-earned
[weləːrnd]

(형) 당연한 보답으로 받은, 제 힘으로 번

A: I'm so happy that your mom is enjoying her life after retirement.
너네 어머니 은퇴하시고 잘 지내시는 거 같아서 참 좋네.
B: Yeah, she's having a **well-earned** rest. She deserves it.
응, 당연한 보답으로 쉬시는 거지. 그럴 자격이 있으시지.

1654 ★★★
futile
[fjúːtl]

(형) 헛된, 소용없는 (파) futility 헛됨, 무익 (숙) prove futile 허사로 돌아가다

A: Should we really do this again? It would be just **futile**. What's the point? 우리 이거 진짜 또 해야 되요? 어차피 소용없을 거잖아요. 도대체 왜 하는 거죠?
B: You want to know what the point of this is? The point is that we never give up on anything even if it seems futile.
왜 해야 되는 지 알고 싶어? 중요한 건 우린 절대 그 무엇에도 포기하지 않는다는 거야. 비록 그 무언가가 헛되어 보일지라도.

1655 ★★★
consist
[kənsíst]

동 ~로 되어있다(이루어져 있다) 숙 consist of ~로 구성되다, 이루어지다

A: Did you know that water **consists** of hydrogen and oxygen?

물이 수소와 산소로 이루어져 있다는 거 알고 있었냐?

B: Of course. Everyone knows that.

당연하지 말이라고 하나. 그거 모르는 사람이 어딨어.

1656 ★
diffuse
[difjúːz]

동 분산시키다, 확산시키다 형 널리 퍼진 파 diffusion 발산, 보급, 확산

A: Are you sure about this? It will only **diffuse** the issue.

진짜 이 계획 자신 있는 거라? 이슈거리만 더 확산시킬 텐데.

B: We have no other options.

다른 방안이 없다.

1657 ★
vegetation
[vèdʒətéiʃən]

명 초목, 식물 파 vegetate (사람이) 별로 하는 일 없이 지내다

A: The air here is so fresh and clean. I'm glad we came up this hill.

여기 공기 너무 맑고 깨끗하다. 여기 언덕에 올라오길 잘한 거 같애.

B: See? Lots of **vegetation** is here and this is just one of the great benefits of it.

보여? 여기 참 식물들도 많잖아. 이 신선한 공기가 얘네들의 훌륭한 이점 중 하나지.

1658 ★
tense
[tens]

형 긴장한, 신경이 날카로운 동 긴장하다, 긴장시키다

A: Why are my calf muscles so **tense**? I can't walk properly.

종아리 근육이 왜 이리 긴장되어 있지? 제대로 걷지도 못하겠네.

B: That's because you didn't do any stretching before and after your work out.

그야 니가 운동 전후에 스트레칭을 아예 안 해서 그렇지.

1659 ★
squash
[skwaʃ]

동 짓누르다, 으깨다, 억압하다 유 flatten 납작하게 만들다, 납작해지다

A: Why did you put the tomatoes at the bottom of the plastic bag? Many of them have been **squashed**.

왜 토마토를 비닐봉지 제일 아래에다가 넣어둔 거야? 여러 개 으깨졌잖아.

B: It's not a big deal. Just be positive. We just made a cup of tomato juice.

뭐 그게 대수라고. 긍정적으로 생각해. 우리 토마토주스 한 잔 만들었네 뭐.

1660 ★
ratio
[réiʃou]

명 비율, 비 유 proportion 비율, 균형

A: So, I made the same sculpture again with the advice you gave me. What do you say now?

여기, 선생님이 조언해 주신 거 바탕으로 다시 조각상을 만들었습니다. 이제 어떤가요?

B: Well, it is not made in the golden **ratio**. Do it again.

음, 황금비율로 만들어지질 않았군. 다시 하도록 해.

Episode 167 ● 나이 먹어도 싸울 땐 유치원생처럼

미정: 야, 내가 내 샌달 밑창 **cork**니까 물 닿게 하지 말라 그랬지.

대건: 야, 내가 음식물 쓰레기 **disposal** 확실히 하라 그랬지.

미정: 뭐래. 야 내가 빨래 널 때 종류별로 **unity** 있게 널라 그랬지.

대건: 뭐라노. 왜 **stare**하는데? 뿌린 대로 **reap**하는 거지. 니도 내 말 안 듣잖아.

미정: 누가 할 소릴? 같이 걸을 때도 맨날 지 혼자 **stride**해서 따라가기 힘들게 하고. 후… 나 피아노 **recital** 얼마 안 남았다. 성질 돋구지 마라잉. 뭔가 좀 집중할 수 있는 분위기를 **provide**해 달라고.

대건: 뭐래, 니야말로. 내 다음 책 **publish**해야 하는데 성질 좀 죽이지? 난 지금 내 몸 안에 **rage**가 가득하다고.

1661 ★★
cork
[kɔːrk]

(명) 코르크 (동) 코르크 마개로 막다

A: Can you help me pull the **cork** out of this bottle? I can't do this by myself. 이 병 코르크 마개 빼는 것 좀 도와 줄래? 혼자선 도저히 안 된다.

B: All right. Give me that. Wow, this is not easy. Do you have a bigger corkscrew?
그래. 이리 줘 봐. 와, 쉽지 않은데. 코르크 마개 따는 거 좀 더 큰 거 있나?

1662 ★★
disposal
[dispóuzəl]

(명) 처리, 처분, 배치, 배열

A: Wait a minute. I thought you worked at a food waste **disposal** company. Why are you making coffee at this coffee shop?
잠깐. 음식물 쓰레기 처리하는 회사에서 일하셨잖아요? 이 커피숍에서 왜 커피를 만들고 계세요?

B: I used to. I always had the dream of becoming a barista. And here I am.
그랬었죠. 사실 전 늘 바리스타 되는 게 꿈이었거든요. 그래서 제가 여기에 있는 거죠.

1663 ★★
unity
[júːnəti]

(명) 통일성, 통일, 통합 (유) union 통합, 결합, 연합

A: How do you like the dress I made? Keep it mind it's just a sample, though. 제가 만든 드레스 어떤가요? 아직 뭐 그냥 샘플이긴 하지만요.

B: Well, honestly, I like the materials you used but the dress itself just lacks **unity**.
음, 솔직히 니가 사용한 소재들은 참 좋은데 드레스 자체만 보면 통일성이 부족하네.

1664 ★★★
stare
[stɛər]

(동) 빤히 쳐다보다 (명) 응시

A: I know my make up is awkward today, so don't **stare** at my face any more. 야 나도 오늘 나 화장 이상한 거 아니까 내 얼굴 좀 그만 쳐다 봐라.

B: I'll try not to but I can't help it. It's just so funny.
그럴려고 하는데 어쩔 수가 없다. 진짜 완전 웃겨.

DAY **56**

1665 ★★
reap
[ri:p]

(동) 거두다, 수확하다　(유) obtain 얻다, 입수하다

A: We've spent most of our time getting this project done. Finally our product will be on the market soon. 이 프로젝트 처리하는 데 진짜 우리 대부분의 시간을 퍼부었구만. 이제 곧 제품이 시중에 출시될 테고 말이지.

B: Let's just say goodbye to all of our difficult times. Now is the time to reap our reward.
그간 힘들었던 순간들에게 작별인사나 하죠. 인제 우리 보상을 거둬들일 시간이에요.

 reap이 들어간 표현 하나 정리해 둘게요. You reap what you sow. (뿌린 대로 거둔다.)

1666 ★★
stride
[straid]

(동) 성큼성큼 걷다　(명) 진전, 걸음걸이

A: Look how much snow has piled up out there! 밖에 눈 쌓인 것 좀 봐!

B: Isn't it such a beautiful Christmas? How about we go out and stride the streets?
진짜 아름다운 크리스마스지 않냐? 우리 나가서 성큼성큼 걷는 건 어때?

1667 ★
recital
[risáitl]

(명) 발표회, 연주회

A: Tomorrow is the day. I'm so nervous right now.
드디어 내일이구나. 아 지금 너무 긴장된다.

B: It's okay. I'm pretty sure that you'll do well at your first piano recital. 괜찮아. 너의 첫 번째 피아노 연주회에서 잘 해낼 거라고 내가 확신한다.

1668 ★★★
provide
[prəváid]

(동) 제공(공급)하다, 규정하다

(유) distribute 유통시키다, 분배하다　(숙) provide for somebody ~을 부양하다

A: Why do you go to that conference regularly? You hate attending it.
너 그 회의에 왜 그렇게 자주 가는 거야? 거기 참석하는 거 싫어하잖아.

B: Well, coffee and donuts are provided before it starts.
음, 시작하기 전에 커피랑 도넛이 제공되거든.

1669 ★★★
publish
[pʌ́bliʃ]

(동) 출판(발행)하다, 게재하다　(유) put out 출간하다, 발행하다

A: Hey, it's been a while. How have you been?
야 오랜만이네. 어떻게 지냈어?

B: I've been under a lot of pressure to publish a new book. The thing is that I lack ideas right now. 새 책 출판하는 거 때문에 엄청 스트레스 받으며 지냈지. 중요한 건 지금 아이디어가 고갈상태라는 거.

1670 ★★
rage
[reidʒ]

(명) 분노　(동) 몹시 화를 내다, 급속히 번지다　(유) fury 분노, 격분

A: Why did he fly into a rage? Did I say anything wrong?
쟤 왜 버럭 화낸 건데? 내가 뭐 잘못 말한 거 있어?

B: You mentioned Hyo-jin, his ex-girlfriend. Whenever her name comes up, he goes into a rage. 니 쟤 전 여자 친구, 효진이 언급했잖아. 걔 이름이 언급되기만 하면 쟤 완전 화를 버럭버럭 내더라고.

Episode 168 • 사람을 생김새로만 판단해선 안 되는 이유

대건: 야 넌 무슨 생긴 건 **cradle**에서 갓 나온 애처럼 순하게 생겼는데 글투가 왜 그리 쎄냐? 니가 쓰는 **prose**들 읽어보니 뭐 막 **destruction** 하고 던지고 이런 얘기밖에 없어. 무슨 가파른 낭떠러지 끝에 있는 돌부리에 **cling**해 있는 사람 같애. 칭찬할 만한 부분은 하나도 없던데? 거 애들도 많이 볼 텐데 좀 **prudent**하게 생각하고 써라. 국문과 **diploma**도 있는 사람이 거 왜 그러시나.

은수: 아 뭐, 내 작품들이 독자들한테 **afflict**하는 것도 아닌데 왜. 한참 언론에서도 **ambitious**한 젊은 작가가 **emerge**했다고 칭찬해 주고 있는 판국에, 어? 그렇다고 내가 다른 작품을 **imitate**한 것도 아닌데 왜?

대건: 알았어, 알았어. 그냥 그렇다고.

1671 ★★
cradle
[kréidl]

⟨명⟩ 요람, 아기침대 ⟨동⟩ 부드럽게 안다

⟨숙⟩ from the cradle to the grave 요람에서 무덤까지, 일생 동안

A: Auntie Hyo-jin is here... Where's my little cutie?
효진 이모 왔다… 우리 귀염둥이 어딨니?

B: She's sleeping in the **cradle** right now. Don't wake her up.
애 지금 요람에서 잔다. 깨우지 마.

1672 ★★
prose
[prouz]

⟨명⟩ 산문(체) ⟨숙⟩ in prose 산문으로

A: Oh, you're reading Daegun's latest book. 어, 니 대건 작가 신간 읽고 있구만.

B: Yes. I love the way he writes, you know, his clear and straightforward **prose**. 응. 난 이 사람 글 쓰는 방식이 참 맘에 들어. 되게 명확하고 쉬운 산문체 말야.

1673 ★★
destruction
[distrʌ́kʃən]

⟨명⟩ 파괴, 말살 ⟨파⟩ destroy 파괴하다, 말살하다 ⟨유⟩ havoc 대파괴

A: The old building is already gone. How long did the **destruction** of it take? 전에 있던 건물 벌써 없어졌네. 다 파괴(철거)하는 데 얼마나 걸린 거지?

B: Only two days. The workers tore the building down so fast.
겨우 이틀. 거기 근무자들, 건물 진짜 빨리 허물던데.

DAY 56

1674 ★★
cling
[kliŋ]

⟨동⟩ 매달리다, 꼭 붙잡다, 들러붙다 ⟨숙⟩ cling to ∼을 고수하다, ∼에 매달리다

A: What are those magnets **clinging** to the fridge?
냉장고에 붙어있는 저 자석들은 다 뭐냐?

B: Oh, aren't they cute? I got them on the way back from New York.
아, 귀엽지 않냐? 뉴욕 갔다 돌아올 때 사온 거야.

1675 ★★
prudent
[prú:dnt]

⟨형⟩ 신중한 ⟨숙⟩ be prudent 신중을 기하다

A: That was such a **prudent** decision. I would have just messed everything up if I had been in your situation.
그거 정말 신중한 결정이었다. 내가 니 상황이었으면 난 그냥 다 망쳤을 거야.

B: Thanks. I'm glad the result turned out well.
고마워. 결과가 좋게 나와서 다행이네.

1676 ★
diploma
[diplóumə]

(명) 졸업장, 수료증, (대학) 과정

A: Isn't our boss a man of ability? He is such a capable manager.
우리 부장님 진짜 유능하신 분이지 않냐? 진짜 능력 있는 분이셔.

B: He is. I was really shocked when I learned that he didn't even get a high school **diploma**.
맞다. 나 부장님 고등학교 졸업장도 없다는 거 알았을 때 완전 충격 받았잖아.

1677 ★★
afflict
[əflíkt]

(동) 피해를 입히다, 괴롭히다 (유) torment 괴롭히다

A: You are watching a TV documentary. What is it about?
너 TV 다큐멘터리 보고 있네. 뭐에 관한 내용이야?

B: Disease and poverty **afflict** many people.
질병과 가난에 시달리는 사람이 많다는 거, 그런 내용이지.

1678 ★★
ambitious
[æmbíʃəs]

(형) 야심 있는, 야심적인 (파) ambition 야망, 포부

A: I love to cook. Cooking is all that I think of every day. I'm going to be the best in this cooking industry within two years!
난 요리하는 게 정말 좋아. 매일 요리만 생각하고 말야. 이 요리업계에서 2년 안에 최고가 될 거야!

B: Wow, that is so **ambitious**. Well, good luck with it.
와, 완전 야심차구만. 잘해 보시게나.

 '야심 있는' 이런 뉘앙스를 전달해 주는 형용사입니다. daring(대담한) 그리고 enthusiastic(열렬한) 이 두 단어랑 같이 묶어서 챙겨 두세요.

1679 ★★
emerge
[imə́:rdʒ]

(동) 모습을 드러내다, 부각되다, 나오다 (숙) emerge from ~에서 벗어나다

A: Anything new turn up while I wasn't here?
나 없는 동안 뭐 새로운 거 좀 나왔어?

B: Nothing new **emerged** during the investigation, sir.
조사 중에 나온 드러난 새로운 것은 없었습니다.

1680 ★★
imitate
[ímətèit]

(동) 모방하다, 흉내 내다 (유) imitation 모조품, 모방

A: Isn't it amazing that parrots can **imitate** human voices?
앵무새가 사람 목소리 흉내 낼 수 있다는 게 참 신기하지 않냐?

B: Well, I can do better than that. I can imitate parrots imitating my voice.
음. 난 더한 것도 할 수 있지. 난 내 목소리를 흉내 내는 앵무새를 흉내 낼 수 있어.

1 다음 단어에 맞도록 우리말 또는 영어로 바꿔 쓰시오.

01 cordial _____

02 consist _____

03 stride _____

04 disposal _____

05 reap _____

06 unity _____

07 destruction _____

08 prudent _____

09 afflict _____

10 emerge _____

11 헛된, 소용없는 _____

12 비율, 비 _____

13 긴장한, 신경이 날카로운 _____

14 초목, 식물 _____

15 분노, 몹시 화를 내다 _____

16 제공(공급)하다 _____

17 빤히 쳐다보다, 응시 _____

18 졸업장, 수료증 _____

19 매달리다, 꼭 붙잡다 _____

20 산문(체) _____

2 다음 빈칸에 알맞은 단어를 넣어서 문장을 완성하시오.

01 Why is your face all _____ with sweat?
너 얼굴이 왜 그렇게 땀에 흠뻑 젖어 있는 거니?

02 I _____ fresh tomatoes every morning to make juice.
저는 매일 아침 주스를 만들기 위해서 신선한 토마토를 으깹니다.

03 My brother works for a company that _____ workbooks for high school students.
제 동생은 고등학생 문제집 출판하는 회사에 다녀요.

04 There were times that I was _____ like you.
나도 자네처럼 야심 있던 때가 있었는데 말이지.

05 I can _____ a bird's chirping with my lips.
저는 입술로 새가 지저귀는 거 흉내 낼 수 있어요.

Episode 169 • 방귀 뀐 놈이 성질낸다더니

대건: 흠.. 아무리 **individual**한 성향이 중시되는 사회라지만 너 옷에 **adornment**가 너무 과한 거 아니야? **crab**에 간장 부어봤자 간장게장밖에 더 되겠냐는 거지.

영수: 야, 넌 **even**, 목욕도 잘 안하게 생긴데다가 무슨 얼굴이 아마존 **basin**만큼 넓은 주제에 왜 꾸미질 않는 겨? 사회 **ethics**에 어긋나는 거 아님?

대건: 그래, 얼굴이 하도 커서 나는 사진 찍으면 얼굴 부분만 **crop**해서 축소시킨다 왜. 그래, 태어날 때부터 얼굴 커서 **induce**하는 게 힘들었댄다. 요 녀석 **disrespectful**한 거 보게. 우리가 **dynasty**에 태어났고 내가 왕이면 널 옥살이 시켰을 텐데.

영수: 지가 먼저 시작해놓고, 성질은!

1681 ★★★
individual
[ìndəvídʒuəl]

(형) 개인의, 개성 있는   (명) 개인   (파) individualize 개별화하다, 개인의 요구에 맞추다

A: You're still watching TV? Didn't you tell me that you're going to study hard today?
아직도 TV 보고 있는 거야? 오늘 공부 열심히 할 거라고 말하지 않니?

B: Mom, an average **individual** watches TV for about 3 hours a day. Just let me finish watching this episode.
엄마, 평균적으로 개인이 하루에 TV 3시간은 본대요. 이 편만 다 보게 해 주세요.

1682 ★
adornment
[ədɔ́:rnmənt]

(명) 장식품, 꾸미기   (유) decoration 장식, 장식품

A: Did you stay over at Changyu's new studio yesterday? What was the studio like? 어제 찬규네 원룸에서 잤나? 원룸 뭐 어떻든데?

B: Well, it was just a tiny room without any **adornments**.
음, 뭐 그냥 아무런 장식 없는 조그만 방이었어.

1683 ★★
crab
[kræb]

(명) 게살, 게

A: Congratulations on your graduation! Is there anything you want to eat? I'll treat you today.
졸업 축하해! 뭐 먹고 싶은 거 있나? 오늘은 내가 산다.

B: I'm craving king **crab** right now! 나 대게 완전 먹고 싶어!

1684 ★★★
even
[í:vən]

(부) 심지어   (형) 짝수의, 고른   (파) evenly 고르게, 균등하게

A: are you enjoying summer there? What's the high temperature during the day?
거기서 여름 잘 보내고 있나? 낮 최고기온은 얼마나 되는고?

B: It's **even** cold in summer here. 여기 심지어 여름에도 춥다.

1685 ★★

basin
[béisn]

명 (강의) 유역, 대야, 분지

A: What's that big **basin** in the bathroom for?
화장실에 있는 저 큰 대야 뭐에다 쓰는 거야?

B: It's an essential item for my beauty. I put water in it and then wash my face, hair and sometimes my feet.
내 아름다움에 있어 필수 아이템이라 할 수 있지. 저기다가 물 담아서 얼굴도 씻고 머리고 감고 아 가끔 발도 닦고.

1686 ★

ethics
[éθiks]

명 윤리, 윤리학, 도덕원리

A: Do you really want to major in **ethics**? Hmm....
니 진짜 윤리학 전공하고 싶다고? 흠…

B: I know what you're about to say. Studying ethics won't be as easy as I think. 뭔 말 하려는지 알고 있어. 윤리학 공부하는 거 내 생각만큼 쉽진 않을 거야.

1687 ★★★

crop
[krap]

동 (일부분을) 잘라내다 명 농작물, 수확량

유 produce 농산물 숙 crop up 불쑥 나타나다, 발생하다

A: Why is napa cabbage so expensive this year? It's like golden cabbage. 올해 배추 왜 이렇게 비싸다냐? 이건 뭐 황금배추일세.

B: Well, I heard that this year's cabbage **crop** was small.
음, 올해 배추 수확량이 적었다드라고.

1688 ★★

induce
[indjú:s]

동 분만을 유도하다, 설득하다, 유도하다 유 inductive 귀납적인

A: What is this advertisement for? I really don't get it.
이 광고는 도대체 뭘 위한 걸까? 진짜 잘 모르겠네.

B: It's meant to **induce** people to eat more fruit and less meat.
사람들 과일 더 먹고 고기는 덜 먹으라고 유도하는 광고잖아.

1689 ★

disrespectful
[dìsrispéktfl]

형 무례한 숙 disrespectful to ~에게 무례한

A: How could you be so **disrespectful** to that person? I'm so disappointed.
너 그 사람한테 어떻게 그렇게 무례하게 굴 수가 있냐? 실망이야.

B: He cut in line first. 그 사람이 먼저 새치기 했다고.

 '존경심을 보이는, 경의를 표하는' 이런 의미의 형용사 respectful 앞에 부정의 의미를 가진 접두사 dis- 가 붙었네요. disrespectful, 존경심을 보이지 않는, 즉 '무례한'이란 의미랍니다.

1690 ★

dynasty
[dáinəsti]

명 왕조시대, 통치자 숙 found a dynasty 왕조를 세우다

A: Help me answer this history question. It's a true or false statement.
나 이거 역사 문제 푸는 것 좀 도와 줘. 참인지 거짓인지 고르는 거야.

B: Okay, let's see. The statement is... "The Joseon **Dynasty** lasted for about 500 years." It's definitely true.
어디 보자. 문제가… "조선왕조는 약 500년간 지속되었다." 당연히 참이지.

Episode 170 • 그놈의 핏줄이 뭔지

태훈: 너 왜 그렇게 형하고 사이가 안 좋은 건데?

대건: 우리 형 진짜, 같은 핏줄이지만 완전 **corrupt**한 사람 같애. **export** 관련 일 하는데 **profit** 챙겨야 되니깐 고객들 **court**하려고 진짜 오만 짓이란 짓은 다 한다니깐. 그때 내가 뭐 잘못 먹어서 **agony**로 괴로워하고 있는데 집에 온 거야. 난 '살았다' 싶었지. **immediate**한 조치라도 해 줄 거라고 생각했으니깐. 근데 자기 바쁘다고 그냥 나가더라? 와 나 그때부터 형이랑 전쟁을 **declare**했지.

태훈: 너희 형 창업하고 회사 키우느라 엄청 바빴잖아. 니가 이해 좀 해라.

대건: 음… 그건 그래, 여하튼 장사 수완은 좋아서 사막에서도, 에베레스트 같이 **altitude** 높은 곳에서도 잘 살아남을 위인이긴 해. 가끔 **rein** 풀린 말 마냥 막 휘젓고 다닐 땐 진짜 형의 숨겨진 뒷이야기들을 다 **expose**하고 싶지만 그래도 형이니까 뭐….

1691 ★

corrupt
[kərʌ́pt]

[형] 부패한, 타락한 [동] 오염(변질)시키다

[파] corruption 부패, 오염 [유] dishonest 정직하지 못한

A: That guy is a totally different person now. Don't you think?
저 분 이제 완전히 다른 사람이 됐네. 그렇지 않냐?

B: You're right. I can't believe he used to be a **corrupt** official who accepted bribes.
맞다. 뇌물 받았던 부패한 공무원이었다는 거가 믿기질 않는다.

1692 ★★

export
[ékspɔ:rt] [명]
[ikspɔ́:rt] [동]

[명] 수출 [동] 수출하다

A: Wow, this fruit tastes really extraordinary.
와, 이 과일은 맛이 정말 놀라운 거 같애.

B: That's what I'm talking about. Don't you think we're going to be rich if we **export** these around the world?
진짜 그렇지. 이거 전 세계로 수출하면 부자 될 거 같지 않냐?

1693 ★★★

profit
[prɑ́fit]

[명] 이윤, 수익 [동] 이익이 되다

[파] profitable 수익성이 있는, 유익한 [숙] turn a profit 이익을 내다

A: I'm very touched by your recent announcement.
니가 최근에 발표한 것에 나 무척 감동했다.

B: Oh, you mean my plan to donate all the **profits** from my latest book sales?
아, 이번 책 판매에서 얻는 수익금 다 기부할 거라는 거?

1694 ★★★

court
[kɔ:rt]

[동] ~의 환심을 사려하다, ~을 얻으려하다 [명] 법원

A: I'm so glad that you won the **court** case. You've been through many difficulties.
니가 법원 재판에 이겨서 정말 기쁘다. 이것저것 고생도 많이 했잖아.

B: It's been almost five years to get to this point. Finally I can sleep without a worry.
여기까지 오는데 거의 5년 걸렸네. 이제야 걱정 없이 푹 잘 수 있겠구만.

1695 ★★

agony
[ǽɡəni]

圐 극도의 고통, 괴로움　熟 pile on the agony (상황을) 더 골치 아프게 만들다

A: Have you fully recovered from your accident?
그 사고 있고 나서 완전히 나은 거야?

B: I don't think so. I'm still in **agony**, especially on rainy days.
완전히 나은 것 같진 않다. 특히 비 오는 날에 엄청 고통스러워.

1696 ★★★

immediate
[imí:diət]

圐 즉각적인, 당면한, 직속의　圂 immediately 즉시

A: Did you get that problem solved?
그 문제는 잘 해결하셨는가?

B: Oh, yeah. I took your advice and the effect was **immediate**.
어, 그럼. 니 말대로 했는데 효과가 즉각적이더라구.

1697 ★★★

declare
[diklέər]

圗 선언하다, 공표하다, 단언하다　圂 declaration 선언, 공표

A: Did you see the news? The French government has **declared** war on terrorists.
뉴스 봤어? 프랑스 정부가 테러리스트들에게 전쟁을 선언했어.

B: I did. Such terrors should be eliminated forever.
봤지. 저런 테러 같은 건 진짜 영영 사라져야 되는데.

1698 ★

altitude
[ǽltətjù:d]

圐 (해발) 고도, 고지　熟 at an altitude of ~의 고도로

A: Did you sleep well last night?
어젯밤 잘 잤나?

B: Not really. I find it hard to adjust to this city's high **altitude**.
그다지. 이 도시의 높은 고도에 적응하기 되게 힘드네.

💡 '(해발) 고도'라는 의미를 지닌 표제어입니다. 얘는 longitude(경도), latitude(위도) 이렇게 나머지 두 친구들과 묶어서 챙겨 놓을게요.

DAY 57

1699 ★★

rein
[rein]

圐 고삐, 통솔권

A: Don't be scared because horses can feel it. And remember to pull on the **reins** gently.
말들도 다 알아채니 겁먹지 마세요. 그리고 고삐는 부드럽게 당기시구요.

B: Okay. I'll try my best.
네. 최선을 다해 볼게요.

1700 ★★

expose
[ikspóuz]

圗 폭로하다, 드러내다, 노출시키다　圂 exposure 노출, 폭로

A: All right. We're all done with the photo shoot today. I can't wait to see the results.
자, 오늘 사진 촬영은 끝이네. 빨리 결과물 보고 싶다.

B: Hey, no! You're not supposed to **expose** the film to light. Don't open the back of the camera.
야, 잠깐! 필름 빛에다가 노출시키면 안 돼. 카메라 뒷뚜껑 열지 마.

Episode **171** • 자격증만 믿었다간…

용호: 에이. 야 이게 니가 **pursue**하는 요리냐? 살짝 **dismal**한디? 자격증도 딴 놈이 이렇게 요리를 못하노. 실력 없는 사람한테 **qualify**했구만 이거.

찬규: 아 미안해. 재료가 없어서 **improvise**해서 그래 됐네.

용호: 간이 너무 쎄. 매워서 죽을 것 같애.

찬규: 자, 주스 좀 마셔라. 속을 **relieve**해 줄 거야. 그건 그렇고 저번에 뭐 해외직구 한다더니 했나?

용호: 어, 한국에서 사면 **costly**해서 말야. **rechargeable**한 손전등이랑 이것저것 샀다. 근데 계획보다 비용을 **exceed**해서 관세 물 걸로 **predict**한다.

찬규: 직구 하는 **procedure** 안 복잡하나? 나도 요리도구 좀 사야 하는데.

1701 ★★

pursue
[pərsú:]

[동] 추구하다, 계속하다 [파] pursuit 추구

A: Are you sure you're going to go abroad next year? Come on, you're thirty.
너 진짜 내년에 해외 나갈라고? 야 너 인제 서른이야.

B: I've always wanted to **pursue** a medical career. Now is the time to make it happen.
늘 의사가 되기를 추구했어. 이제 꿈을 실현시킬 시간이라고 봐.

> 이 pursue는 진짜 비슷하게 생긴 purse랑 구분해서 정리해 두세요. '지갑'이란 뜻이죠?

1702 ★

dismal
[dízməl]

[형] 형편없는, 음울한

A: I can't believe how boring the concert was.
콘서트가 어떻게 그렇게 지루할 수 있는지.

B: Plus, the weather was really **dismal**. We wasted our time and money. 게다가 날씨도 완전 형편없었고. 시간 낭비 돈 낭비 했네.

1703 ★★

qualify
[kwáləfài]

[동] 자격을 주다, 자격을 얻다, 예선을 통과하다

[파] qualification 자격, 자격증 [숙] qualify for ~의 자격을 얻다

A: I've got a job interview next week. Do you think I'll get the position? 다음 주에 면접이네. 나 채용될 수 있을까?

B: Oh sure. Your experience abroad will definitely **qualify** you for the job.
당연하지. 니 해외 경력이면 그 직책에 충분히 자격을 얻을 거야.

1704 ★

improvise
[ímprəvàiz]

[동] 즉흥적으로 하다, 즉석에서 하다

A: Hey, I'm starving to death. Let's have dinner right now although it's only five in the afternoon.
야, 나 배고파 죽을 것 같애. 5시 밖에 안 되긴 했지만 그래도 저녁 먹자.

B: Well, there's not much in the fridge, so I'm just going to have to **improvise** a meal.
음, 냉장고 안에 뭐 별거 없어서 그냥 있는 걸로 저녁 준비 해야겠다.

1705 ★★
relieve
[rilíːv]

[동] 완화하다, 안도하게 하다, 없애(덜어)주다

A: I'm under a lot of stress! What's the best way to **relieve** stress immediately?
진짜 스트레스 팍팍 쌓이네! 스트레스 바로 완화시켜 줄 그런 좋은 방법 뭐가 있을까?

B: Eating something really spicy.
엄청 매운 거 먹는 게 최고지.

1706 ★★
costly
[kɔ́ːstli]

[형] 비용이 많이 드는, 대가(희생)가 큰 [반] inexpensive 비싸지 않은

A: Oh, you got a secondhand car. I thought you would get a new one.
오, 니 중고차로 뽑았네. 새 차 살 줄 알았더니만.

B: Well, buying a new one would have been too **costly** for my budget.
그게, 새 차로 뽑으면 내 예산에 비해 비용이 많이 들 것 같더라고.

1707 ★
rechargeable
[rìtʃáːrdʒəbl]

[형] 재충전되는 [파] recharge 재충전하다

A: Wait. Are you going to throw these batteries away? They are **rechargeable**.
잠깐만. 그 배터리 버릴라고? 그거 재충전되는 건데.

B: Oh, really? I didn't realize that.
아 맞나? 그건 또 몰랐네.

1708 ★★
exceed
[iksíːd]

[동] (수 · 양을) 초과하다, 넘어서다 [유] surpass 능가하다, 뛰어넘다

A: So, are we going to a grocery store now? I love to go grocery shopping!
지금 식료품점 가는 거야? 와 나 먹을 거 사러 가는 거 진짜 좋아!

B: Remember our total must not **exceed** $30. That's all we've got.
총액 30달러 넘으면 안 된다는 거 명심하고. 그게 우리가 가진 전부야.

DAY 57

1709 ★★
predict
[pridíkt]

[동] 예측(예견)하다 [유] prophesy 예언하다

A: What would you do if you could **predict** what will happen in the near future?
가까운 미래에 일어날 일에 대해서 예측할 수 있다면 넌 뭘 할 거 같애?

B: I'll invest in all kinds of things.
별의별 것에 다 투자할 거야.

1710 ★★
procedure
[prəsíːdʒər]

[명] 절차, 수순 [파] procedural 절차상의

A: Do you know the **procedure** for applying for a student loan?
학자금 대출 신청하는 절차 알고 있나?

B: Why, are you going to do that? Sure. Let me explain it easily.
왜, 니 그거 신청할라고? 알지. 쉽게 설명해 줄게.

DAY  57 Review

1 다음 단어에 맞도록 우리말 또는 영어로 바꿔 쓰시오.

01 induce _____

02 adornment _____

03 disrespectful _____

04 corrupt _____

05 agony _____

06 dismal _____

07 qualify _____

08 exceed _____

09 improvise _____

10 relieve _____

11 심지어, 짝수의, 고른 _____

12 윤리, 윤리학 _____

13 왕조시대, 통치자 _____

14 (해발) 고도, 고지 _____

15 고삐, 통솔권 _____

16 선언하다 _____

17 비용이 많이 드는 _____

18 절차, 수순 _____

19 추구하다, 계속하다 _____

20 재충전되는 _____

2 다음 빈칸에 알맞은 단어를 넣어서 문장을 완성하시오.

01 I love this fitness center because they provide an _____ locker for free.
제가 이 헬스장을 참 좋아하는데요, 왜냐하면 개인 사물함을 무료로 제공해 주거든요.

02 My mom said that this year's potato _____ in our field decreased.
엄마가 그러시는데 올해 우리 밭 감자 수확량이 감소했다네요.

03 You're not supposed to _____ film to sunlight.
필름은 햇빛에 노출시키면 안 된다.

04 We have to take _____ action to correct this problem.
우리는 이 문제를 바로잡기 위해서 즉각적인 조치를 취해야 합니다.

05 I can _____ that next year will be colder than this year.
내가 예측할 수 있는데 내년이 올해보다 더 추울 거야.

● 책 제목은 "동네 형이 들려주는 이야기"

> 태훈: 요즘 책 쓰는 건 어떻게 잘 **proceed**되가나? 손으로 쓰는 건가?
>
> 대건: 인제 막 **preface** 썼다. 아오, 힘들지만 **account**에 계약금 들어왔으니 열심히 해야지. 손으로 쓴다니, 무슨! 기술의 **advance** 덕분에 어디든 컴퓨터로 쓰고 전송하지. 아, 이번 책의 궁극적인 목표는 뭔가 **compulsory**한 건 아니지만 20대 청년들을 **bind**할 수 있는 그런 공감되는 이야기를 쓰는 거지. 부디 **bless**해 줘라.
>
> 태훈: 잘할 거여 넌. 근데 그렇다면 소재는 뭔가 **common**하고 공감할 수 있는 걸로 잡아야겠네?
>
> 대건: 그렇지. 요즘 20대 친구들은 살아나가기 위해 **debt**을 지고 있잖아. 그런 소재에 대해 **direct**한 스토리텔링을 함 구사해 볼라고.

1711 ★★★
proceed
[prəsíːd]

(동) (일 따위를) 진행하다, ~로 이동하다

(파) procedure 절차, 수술 (숙) proceed from ~에서 비롯되다

A: How is your project going? I hope it's going well now.
프로젝트는 어떻게 되고 있어? 잘 되고 있어야 할 텐데.

B: Not so good. Work is **proceeding** really slowly.
별로 좋지가 않아. 작업이 너무 더디게 진행되고 있어.

1712 ★★
preface
[préfis]

(명) 서문 (동) 서문을 쓰다, ~로 말문을 열다

A: Wow, I don't believe my eyes. You're reading a book! Are you okay? 와, 믿기질 않네. 니가 책을 읽고 있다니! 니 개안나?

B: I'm going to be smart from now on. Anyway, I was just reading the book's **preface**.
지금부터 나도 똑똑해질 거야. 뭐 어쨌건, 나 그냥 이 책 서문 읽던 중이었어.

1713 ★★★
account
[əkáunt]

(명) 계좌, 회계 (동) 간주하다, 설명하다 (숙) account for (~의 비율을) 차지하다, 설명하다

A: I think I have to open a bank **account** tomorrow. Can you come to the bank with me?
나 내일 은행 계좌 하나 터야 될 것 같은데. 같이 갈 수 있어?

B: When? I won't be available until 3 in the afternoon.
언제? 나 오후 3시까지는 시간 안 돼.

1714 ★★★
advance
[ædvǽns]

(명) 발전 (동) 다가가다, 진격하다, (지식 · 기술 등이) 진전되다

(유) progress 진전을 보이다 (숙) in advance 미리, 앞서

A: How long did you stay in Canada? Your English has **advanced** surprisingly. 니 캐나다에 얼마나 있었니? 영어가 완전 놀라울 정도로 발전했네.

B: I was there for three months. That's it. Thanks, by the way.
석 달 있었던 것 같은데. 그게 다여. 암튼 고맙소.

1715 ★
compulsory
[kəmpʌ́lsəri]

ⓗ 의무적인, 강제적인 ⓤ obligatory 의무적인

A: All right. Before we hit the road, you have to buckle up. It's **compulsory**.
그래. 출발하기 전에 안전벨트 해. 의무적인 거니까.

B: I was about to do that. Don't worry.
안 그래도 하려던 참이야. 걱정 마시게.

 compulsory와 유사한 의미를 전해 주는 형용사 mandatory(강제의, 의무의)와 imperative(꼭 해야 하는, 필수적인) 이렇게 두 개 같이 챙겨 둘게요.

1716 ★★
bind
[baind]

ⓗ 결속시키다, 묶다 ⓗ 곤경 ⓢ in a bind 곤경에 처한

A: Do we have any ribbon in the house? I kind of need it right now.
우리 집에 리본 좀 있나? 지금 좀 필요한데.

B: Oh, are you going to **bind** that package? Hold on. Let me go find some.
아, 포장한 거 묶으려고? 잠깐만. 가서 좀 찾아 볼게.

1717 ★★
bless
[bles]

ⓗ (신의) 축복을 빌다

A: Thank you so much for your hospitality. God **bless** you and your family.
환대해 주셔서 정말 감사했습니다. 당신과 가족 모두에게 축복이 있길.

B: It was good having you in our house for a while. We'll miss you.
우리 집에서 함께 시간 보낼 수 있어서 참 좋았어요. 그리울 거예요.

1718 ★★★
common
[kámən]

ⓗ 흔한, 공동의, 평범한 ⓢ in common with ~와 마찬가지로

A: Why did you name your dog "Alexander Smith"? It's so difficult to pronounce. You should have named him "Happy."
넌 뭐 강아지 이름을 "앨럭쌘덜 스미th"라고 지어 놨노. 발음하기 되게 어렵네. "해피" 이런 걸로 지었어야지.

B: That's just a **common** name. I don't like it.
그건 흔한 이름이잖아. 별로야.

1719 ★★
debt
[det]

ⓗ 빚, 부채, 신세를 짐

A: I heard you're paying off your **debts**.
요새 빚 갚고 있다며.

B: I regret buying stuff on impulse with my credit cards. I really shouldn't have done it.
신용카드로 이것저것 충동구매 했던 거 후회하고 있다. 그러질 말았어야 했는데.

1720 ★★★
direct
[dirékt]

ⓗ 직접적인 ⓗ 지휘하다, 총괄하다

A: Congratulations! You've been appointed to **direct** this new project.
축하해요! 새로운 프로젝트 총괄자로 임명되셨군요.

B: Thank you. It's going to be a little burdensome, but I'll do my best.
고마워요. 조금 부담스러운 직책이긴 하지만 최선을 다 할게요.

Episode **173** • 교육이란 건 교육적인 교육이어야만 한다.

강범: 요즘엔 교육을 곧 돈으로 알고 진출하는 **empire**들의 영향력이 **escalate**되고 있죠. 그런데 교육에 대한 통찰력을 갖고 이를 녹여낸 **curriculum**을 구비한 대안학교에서 학생들이 공부할 수 있다는 게 참 **privilege**인 것 같아요. 아이러니한 건 오히려 이런 학교에서 해외 명문대에 **passed**한 친구들이 속속 배출된다는 거구요. 재정적인 **distress**나 **crisis**는 없었는지요?

대건: 물론 있었죠. 거대 기업들이 재기하는 소송에 맞서기 위해 유능한 **attorney**를 선임하는 데 참 힘들었죠. 하지만 그럴 때일수록 좀 더 본연의 교육에 **devote**하였습니다. 확신이 있었으니까요.

강범: 이런 학교의 존재 자체가 든든합니다. 요즘 같은 세상에 참 **rare**한 곳이기도 하구요. 앞으로도 애써 주세요.

1721 ★★★

empire
[émpaiər]

[명] 거대 기업, 제국

A: You've finally started your own business. I'm so proud of you.
드디어 니 사업을 시작했구만. 완전 자랑스럽다.

B: Thanks. I'm going to make this tiny cafe into a worldwide **empire**.
고마워. 지금은 조그마한 카페이지만 전 세계적인 거대 기업으로 만들고 말 테다.

💡 비슷하게 생긴 umpire와 구분해서 챙겨 둡시다. umpire는 야구 경기 등의 '심판'이라는 의미입니다. 이 단어는 referee랑 같이 외워주시면 기억에 잘 남겠죠?

1722 ★

escalate
[éskəlèit]

[동] 확대(증가)되다, 악화되다 [유] extend 확대하다, 확장하다

A: Can you tell that prices have **escalated** recently?
요즘 들어 물가가 올라간 게 느껴져?

B: I sure can. Gas prices have gone up again.
물론이지. 차 기름값이 다시 올랐네.

1723 ★★

curriculum
[kəríkjuləm]

[명] 교육 과정, 이수 과정

A: Don't you think our current **curriculum** is just too narrow for our students?
우리 현재 교육 과정이 애들한테 좀 많이 제한적이라고 생각하지 않나요?

B: You're right. It's totally lack of diversity.
그러게요. 다양성이 많이 부족하네요.

1724 ★★

privilege
[prívəlidʒ]

[명] 특권 [동] 특권을 주다 [유] advantage 이점 prerogative 특권, 특혜

A: Are there any benefits if I get a membership card?
멤버십카드 발행하면 이점 같은 게 있나요?

B: Oh sure. You can enjoy countless **privileges** only given to our members.
물론이죠. 저희 회원들에게만 주어지는 셀 수 없을 만한 많은 특권을 누리실 수 있습니다.

1725 ★

passed

[pæst]

(형) (시험에) 합격한, 지나가 버린

A: Why are wearing that bucket hat? That craze has already passed.
왜 버킷햇을 쓰고 있냐? 그거 유행 지나가 버린 지가 언젠데.

B: Are you sure? This is my first time wearing one.
확실해? 나 오늘 처음 쓴 건데.

1726 ★★

distress

[distrés]

(명) 곤경, 고통 (동) 괴롭히다 (파) distressful 고민이 많은, 괴로운

A: Can you just take me somewhere now? I really want to get some fresh air.
나 지금 어디로 좀 데려다 주면 안 되냐? 바람 좀 쐬고 싶다.

B: You're still suffering from emotional distress, aren't you? All right, how about we go to the beach?
니 아직도 감정적인 고통을 겪고 있구만, 그렇지? 음, 바닷가로 가는 건 어때?

1727 ★★

crisis

[kráisis]

(명) 위기, 고비 (유) plight 역경, 곤경

A: Do you think you have a true friend?
닌 진정한 친구가 있다고 생각해?

B: Oh, sure. I can definitely think of someone that I can turn to in times of crisis.
물론이지. 내가 위기에 처했을 때 의지할 수 있는 누군가가 딱 떠오르네.

1728 ★

attorney

[ətə́:rni]

(명) 변호사, (사업 · 법률적 문제의) 대리인 (숙) hire an attorney 변호사를 고용하다

A: It's pretty obvious that we can't win this court case without help.
도움 없이는 이번 소송사건 못 이길 게 뻔한 거 같다.

B: Yeah, I think we should hire a capable attorney.
그러게. 유능한 변호사를 고용 해야 되겠어.

1729 ★★★

devote

[divóut]

(동) ~에 헌신하다, (시간 · 노력 등을) 쏟다 (파) devotion 헌신, 전념

A: Your dog is really well-trained. What's the secret? My dog never listens to me.
너네 강아지 진짜 훈련 잘 됐네. 비결이 뭐야? 우리 집 강아지는 내 말 절대 안 들어.

B: I devote at least two hours every day to playing with her.
하루에 적어도 두 시간은 같이 놀아주는 데 쏟고 있지.

1730 ★★

rare

[rɛər]

(형) 드문, 진귀한 (반) uncommon 흔하지 않은, 드문

A: Wow, where did you get these shoes? They're so rare.
우와, 이 신발 어디서 구했어? 그거 완전 희귀한 건데.

B: I got these from uBay. They were an arm and a leg.
유베이에서 구했지. 돈 진짜 엄청 썼다.

Episode **174** ● 지피지기 백전백승

태훈: 우리 어떻게 하면 좀 이길 수 있을까?

대건: 늘 우리만 만나면 **prevail**하는 상대 팀의 승리 요인을 **deduce**해 봤어. 화나서 **fume**하기만 할 건 아닌 것 같아서. 걔네는 뭐든지 참 **discreet**한 판단을 내리더라고. 우린 솔직히 전술도 **crude**하게 짜서 움직여 왔잖아. 그리고 **core** 하나, 실질적인 경험이 **integral**한데, 우린 그 점에 취약하다는 거야. 이젠 주장인 나를 **include**해서 **glacier**를 녹일 만한 열정을 갖고 다시 해 보자고!

태훈: 맞다! **footwear**곤 단디 묶고 다 같이 한번 해 보자고!

1731 ★★
prevail
[privéil]

ⓢ 승리하다, 이기다, 만연하다 ⓤ triumph 승리를 거두다

A: Our new manager is just bossy and oppressive.
새로 오신 부장님 너무 이래라 저래라 하시고 억압하시는 스타일이야.

B: We should fight against him. Justice will **prevail** in the end.
맞서 싸워야지. 결국 정의는 승리할 테니까.

1732 ★
deduce
[didjúːs]

ⓢ 추론하다, 연역하다 ⓟ deduction 추론, 연역 ⓢ deduce from ~에서 추론하다

A: You read a lot of history books no matter how hard they are. But why?
니 얼마나 어렵건 간에 역사책 엄청 많이 읽네. 그런데 왜?

B: Basically I learn a lot. Especially I can **deduce** what our ancestors thought or how they lived from those books.
기본적으로 배우는 게 많거든. 특히 우리 조상들이 어떤 생각을 했었는지 아니면 어떻게 살았었는지도 추론해 볼 수도 있구.

1733 ★★
fume
[fjuːm]

ⓢ (화가 나서) 씩씩대다, 매연을 내뿜다 ⓢ fume at ~에게 화를 내다

DAY **58**

A: Look what you've done in the kitchen. Mom will **fume** at this when she finds out.
부엌에다가 뭔 짓을 한 거냐. 엄마 이거 아시면 완전 화내실 텐데.

B: My hands and legs are already shaking now. When will Mom be home tonight?
팔다리가 벌써 후들거린다. 엄마 오늘 밤에 언제 오시지?

1734 ★
discreet
[diskríːt]

ⓗ 신중한, 조심스러운

A: I understand it's going to be very hard for you, but you really have to be **discreet** in the meeting today.
참 힘들 거란 건 알지만 오늘 회의에선 진짜 조심스럽게 행동해야 된다.

B: I know how important this meeting is. I'll be as discreet as I can.
이번 회의가 얼마나 중요한 건지 나도 알아. 최대한 신중하게 대처할게.

1735 ★★
crude
[kru:d]

형 대충의, 대강의 명 원유 파 crudity 조잡함

A: You've prepared way more ingredients than I expected.
내가 예상했던 것보다 재료를 훨씬 더 많이 준비했네.

B: I told you I was going to treat you to genuine Italian food. You don't want me to be **crude**, do you?
내가 제대로 된 이탈리아 음식 맛보게 해 준다 그랬잖아. 내가 대충 하길 바라는 건 아니잖아, 그렇지?

1736 ★
core
[kɔ:r]

명 핵심 형 핵심적인 숙 to the core 속속들이, 철저히

A: All right. Let's just talk about something else. This is pretty complex. 좋아, 알았어. 다른 내용 얘기하자. 이건 너무 복잡해.

B: No, we shouldn't overlook this part. It's the very **core** of the matter. 아니, 이 부분 간과하면 안 돼. 문제의 핵심이 되는 바로 그 부분이란 말야.

1737 ★
integral
[íntigrəl]

형 필수적인, 내장된 유 fundamental 근본적인, 필수적인

A: Can you just not go there? You've become an **integral** part of my life. I can't breathe without you.
너 그냥 거기 안 가면 안 돼? 넌 내 삶에 필수적인 부분이 되어 버렸다. 너 없인 숨조차 쉴 수가 없다 내가.

B: Oh, that's so sweet of you. But you know I have to go.
야, 달콤한 말이긴 하네. 그래도 나 가야되는 거 알잖아.

1738 ★★★
include
[inklú:d]

동 포함시키다, 포함하다 유 contain ~이 함유되어 있다

A: I can't wait to attend the World Knowledge Forum.
아 빨리 세계 지식 포럼 가고 싶다.

B: I've heard that the speakers will **include** a lot of renowned intellects on different subjects.
내가 들었는데 다양한 주제에 대한 알아주는 지식인들이 연사에 여럿 포함되어 있대.

1739 ★
glacier
[gléiʃər]

명 빙하

A: What are your plans in Canada? 캐나다 가면 뭐 할라고?

B: At the top of my list is going to **Glacier** Skywalk. They say that it's an experience like no other.
무엇보다도 난 빙하 길 위로 걸을 수 있는 Glacier Skywalk에 갈 거야. 그런 경험이 또 없다 그러드라고.

1740 ★
footwear
[fútwɛər]

명 신발

A: What does ABC Mart sell? Do they sell ABC chocolates?
ABC 마트 저긴 도대체 뭘 파는 곳이야? ABC 초콜렛 이런 거 파는가?

B: No, they mostly carry **footwear**. They don't sell chocolates at all.
뭐래, 주로 신발 취급하는 가게야. 초콜렛 같은 거 파는 데가 아니고.

1 다음 단어에 맞도록 우리말 또는 영어로 바꿔 쓰시오.

01 account ＿＿＿＿＿＿＿＿

02 bind ＿＿＿＿＿＿＿＿

03 passed ＿＿＿＿＿＿＿＿

04 distress ＿＿＿＿＿＿＿＿

05 escalate ＿＿＿＿＿＿＿＿

06 crude ＿＿＿＿＿＿＿＿

07 discreet ＿＿＿＿＿＿＿＿

08 fume ＿＿＿＿＿＿＿＿

09 integral ＿＿＿＿＿＿＿＿

10 prevail ＿＿＿＿＿＿＿＿

11 흔한, 공동의 ＿＿＿＿＿＿＿＿

12 직접적인, 지휘하다 ＿＿＿＿＿＿＿＿

13 빚, 부채 ＿＿＿＿＿＿＿＿

14 서문, 서문을 쓰다 ＿＿＿＿＿＿＿＿

15 거대 기업, 제국 ＿＿＿＿＿＿＿＿

16 ~에 헌신하다 ＿＿＿＿＿＿＿＿

17 교육 과정 ＿＿＿＿＿＿＿＿

18 추론하다, 연역하다 ＿＿＿＿＿＿＿＿

19 핵심, 핵심적인 ＿＿＿＿＿＿＿＿

20 빙하 ＿＿＿＿＿＿＿＿

2 다음 빈칸에 알맞은 단어를 넣어서 문장을 완성하시오.

01 Is it ＿＿＿＿＿＿ for me to wear a uniform?
제가 유니폼 입는 게 의무적인 사항인가요?

02 I'm afraid we're not able to ＿＿＿＿＿＿ as planned.
우리가 계획했던 것처럼 진행할 수 없다는 점이 참 유감스럽네요.

03 You can enjoy ＿＿＿＿＿＿ if you register quickly.
빨리 등록하시면 여러 가지 특권을 누리실 수 있습니다.

04 This time last year, I was dealing with a financial ＿＿＿＿＿＿.
작년 이맘 때 저는 재정적인 위기에 대처하고 있었어요.

05 My duties ＿＿＿＿＿＿ cleaning the living room and taking care of babies.
제가 할 일에는 거실 청소하는 것 그리고 애기들 돌보는 게 포함되어 있습니다.

• 이길 수만 있다면 뭔들 못 하리!

태훈: 우리 상대팀 전력은 어떻노?

대건: 전반적으로 **presume**해 보면, 엄청 강하다는 거? 네 글자로 **portray**하자면 '완전 잘함, 적수 없음' 정도? 솔직한 말로 거의 우리가 졌다고 보는 게··· 실력 차를 **deny**할 수가 없다. 불길하게도, **sneer** 거리가 될 거 같은 예감이. **furthermore**하게, **current** 그 팀을 지원해 주고 있는 **foundation**에서 이번에 엄청나게 후원해서 유명 선수들도 스카우트 해왔다고 하더라.

태훈: 우리가 정말 승리를 **crave**하고 있으니 뭔가 나른 방법을 심각하게 **deliberate**해 봐야 하지 않을까 싶다.

대건: 상대팀 코치 한 명을 몰래 접촉해서 우리 팀 감독으로 **appoint**해서 경기 준비를 해 보는 건 어떨까?

1741 ★★
presume
[prizúːm]

(동) 추정하다, 간주하다　(파) presumption 추정　(유) suppose 추정하다, 생각하다

A: Is Daegun still at the library?
대건이 아직도 도서관에 있어?

B: I **presume** so, since he's not in the house right now.
그런 거 같아, 지금 집에 없잖아.

1742 ★
portray
[pɔːrtréi]

(동) (그림·글로) 묘사하다, 연기하다　(숙) portray as ～로서 묘사하다

A: Hmm... do you have any ideas on what this piece of work is trying to say to us?
음, 이 작품이 우리에게 말하고자 하는 바가 뭔지 아는 거 있냐?

B: It **portrays** the beauty of human beings.
이거 인간의 아름다움에 대해서 묘사하고 있는 거잖아.

1743 ★★★
deny
[dinái]

(동) 부인하다, 거부하다　(파) denial 부인, 부정

A: Does your roommate still **deny** that he ate our side dishes?
니 룸메이트는 아직도 우리 반찬 먹은 거 부인하고 있나?

B: He's taking a really strong stance because he knows that there's no clear evidence.
완전 강경한 태도를 고수하더라니깐, 왜냐면 자기도 뚜렷한 물증이 없는 걸 알고 있거든.

1744 ★
sneer
[sniər]

(명) 비웃음, 경멸　(동) 비웃다　(숙) have a sneer at ～을 비웃다, 냉소하다

A: You really think you can be a famous writer? You are not even good at Korean.
넌 정말 니가 유명한 작가가 될 수 있을 거라 생각하나? 너 한국말도 잘 못하잖아.

B: Whoa, did you just **sneer** at me? 워워, 너 방금 나 비웃었나?

1745 ★★
furthermore
[fə́:rðərmɔ̀:r]

(부) 게다가　(유) additionally 게다가

A: Have you heard from Daegun recently?

최근에 대건이 소식 뭐 들은 거 있어?

B: A month ago? He said that he doesn't want to hang out with us any more. **Furthermore**, he defriended me on Pacebook.

한 달 전? 우리랑 더 이상 어울리기 싫대. 게다가 걔 나 Pacebook 친구 끊었던데.

 furthermore와 비슷한 의미를 전해 주는 moreover(게다가, 더욱이) 그리고 in addition(게다가)도 묶어서 챙겨 두세요.

1746 ★★★
current
[kə́:rənt]

(형) 현재의, 통용되는　(명) 해류

A: Can you please stop using words that are no longer **current**? It makes you look stupid.

이제 더 이상 통용되지도 않는 그런 단어들은 좀 그만 쓰면 안 되겠냐? 니 멍청해 보인다니깐.

B: Chill out, man!

긴장 풀으시게!

1747 ★★
foundation
[faundéiʃən]

(명) 재단, 토대(근거), 설립　(숙) lay a foundation 기초를 놓다

A: You heard the rumor about us? It's just ridiculous.

우리에 대한 소문 들었나? 완전 어이없어.

B: Never mind. You know people like to gossip. It just has no **foundation** at all.

신경 쓸 거 없다. 사람들 원래 뒷담화 좋아하잖아. 그 소문 뭐 아무런 근거도 없더만.

1748 ★
crave
[kreiv]

(동) 갈망하다, ～을 간절히 청하다　(유) long for 열망하다, 갈망하다

A: Don't you **crave** freshly made French fries right now?

갓 만든 감자튀김 완전 간절하지 않냐?

B: Oh, look. There's a McRonald's right there! Pull over.

야 저기 봐. McRonald's 있네! 차 세워 봐.

1749 ★
deliberate
[dilíbərət]

(동) 숙고하다　(형) 고의적인, 신중한　(유) intentional 의도적인, 고의로

A: I'm really sorry that I broke your TV. Really sorry.

니 텔레비전 고장 내서 미안하다. 진짜 미안해.

B: But what you did was obviously **deliberate**.

근데 니가 한 짓 진짜 누가 봐도 고의적이던데.

1750 ★★★
appoint
[əpɔ́int]

(동) 임명하다, 지명하다　(파) appointment 임명, 지명

A: So, the position is vacant right now. Who do you think we should **appoint** as our new assistant?

음, 자리 하나가 공석이구만. 우리 새로운 보조원은 누굴 임명해야 되려나?

B: I have someone in my mind who's very diligent and loyal.

지금 딱 마음 속에 생각나는 사람이 있긴 해요. 굉장히 부지런하고 충성심 있는 그런 사람.

Episode 176 • 죄 짓고는 못 살겠다.

대건: 너 이번에 여행 다녀올 때 홍콩에서 진땀 뺐다메?

우식: 어, **customs** 안 내려고, 해외에서 산 물건들, 특히 값이 좀 쎈 **craft** 제품들은 한국에서 가지고 나간 것처럼 내가 입고, 차고 들어왔거든? 완전 예전에 샀던 물건들인 것처럼 **pretend** 했지. 세관 지나가려는 그때 딱! **halt** 하더라. 와, 마치 **prey**를 **enclose** 하는 하이에나들처럼 오더니만 이것저것 묻더라고.

대건: 완전 **emergency** 였겠네.

우식: 내가 진짜 한국이었으면 뒤도 안보고 뛰었을 텐데. 그런 행동은 **forbear** 하고 서 있는데…. 그 순간엔 진짜 날 **defense** 해 줄 변호사 **fetch** 하고 싶더라.

1751 ★
customs
[cʌ́stəmz]

명 관세, 세관(정부 기관), (공항 · 항구의) 세관

A: Is it really true that we have to take off our shoes when going through **customs**?
세관 통과할 때 신발도 벗어야 된다는 거 진짜야?

B: Yes, based on my experience. I think I took my shoes off.
응, 내 기억이 맞다면. 나도 신발 벗었던 거 같은데.

 customs와 진짜 한 끗 차이 인데요, custom은 완전 별개의 뜻이 된답니다. '관습' 혹은 '풍습'이라는 의미를 전해 준다는 거! 꼭 구분해 두어야겠죠?

1752 ★★
craft
[kræft]

명 수공예, 기술(기교) 통 공예품을 만들다 파 crafty 술수가 뛰어난, 교활한

A: Look at all the furniture. Everything looks perfect.
여기 가구들 봐요. 모두 훌륭하네요.

B: You have an eye for beautiful furniture. Everything at our store is **crafted** from natural materials.
가구 보는 눈이 있으시네요. 저희 가게에 있는 모든 건 천연 소재 수공예로 만든 제품들입니다.

1753 ★★
pretend
[priténd]

통 ~인 척하다, ~라 가장하다

A: Hey, hey. Our teacher's coming back. **Pretend** that we're studying really hard.
야야. 선생님 다시 오신다. 우리 진짜 열심히 공부하고 있는 척 하자.

B: That's what I'm good at.
그런 건 또 내 전문이지.

1754 ★★
halt
[hɔːlt]

통 세우다, 중단시키다 명 간이역 숙 grind to a halt 서서히 (가다가) 멈추다

A: Why did you shout all of a sudden? What's going on?
갑자기 소리는 왜 지른 거야? 뭔 일 있어?

B: So that I could make you **halt** and look back.
너 멈춰 세운 다음에 뒤돌아 보게 만들려고 소리 지른 거야.

1755 ★★
prey
[prei]

㉱ 먹이, 희생자　㉠ quarry 사냥감

A: Why are those eagles circling above our heads?
독수리들이 왜 우리 머리 위에서 빙글빙글 도는 걸까?

B: They are looking for **prey**.
먹잇감 구하고 있는 거지.

1756 ★★
enclose
[inklóuz]

㉤ 둘러싸다, 동봉하다

A: Hey, come over here. Mom **enclosed** a family photo with the card.
이리 와 봐. 엄마가 카드에다가 가족사진도 동봉하셨네.

B: Oh, that was very sweet. I miss her and dad so much.
아, 진짜네. 좋다. 엄마랑 아빠 진짜 보고 싶다.

 be enclosed with '~로 둘러싸여 있다' 비슷한 의미를 전하는 동사로 surround도 있습니다.

1757 ★★
emergency
[imə́ːrdʒənsi]

㉱ 비상사태　㉛ declare a state of emergency 비상사태를 선포하다

A: I didn't know that there was a door here.
여기에 문이 있는 줄은 또 몰랐네.

B: It leads directly to the outside. It's supposed to be used only in an **emergency**.
그거 열면 바로 밖으로 나갈 수 있어. 비상사태 때만 쓰라고 만들어 놓은 거지.

1758 ★★★
forbear
[fɔːrbéər]

㉤ (하고 싶은 말·행동을) 참다, 삼가하다　㉠ forbearance 관용, 관대

A: Well, his presentation was not so good. What do you think?
그 애가 한 발표 진짜 별로였어. 넌 어땠는데?

B: It was really hard to **forbear** from commenting on it. He has a long, long way to go.
내 진짜 이것저것 평가하고 싶은 거 참느라 고생했네. 걔 아직 갈 길이 멀었더라.

1759 ★★★
defense
[diféns]

㉱ 방어, 변호, 피고측

A: How could you not remember it was my birthday today? You haven't even called or texted me all day long.
어떻게 오늘이 내 생일이었던 걸 기억 못할 수 있어? 하루 종일 전화도 문자도 안 하더만.

B: Sorry, but in my **defense**, I was really busy escorting my general manager.
진짜 미안해. 근데 나도 변호를 하자면, 우리 부장님 호위하느라 하루 종일 바빴다고.

1760 ★★
fetch
[fetʃ]

㉤ 데리고 오다, 가지고 오다, (특정 가격에) 팔리다　㉦ pick up ~을 태우러 가다

A: Son, can you **fetch** your sister on your way back home? I don't think I can make it to her school today.
아들, 오늘 집에 오는 길에 니 여동생 좀 데리고 올래? 내가 오늘은 데리러 못 갈 거 같다.

B: All right, Mom.
알았어요, 엄마.

Episode 177 ● 그때가 참 좋았드랬지.

대건: 이번에 **minister**가 나와서 발표하는데 무슨 관세에 대한 새로운 법률을 **legislate**했다드라. 얼마드라? 암튼 그 금액 이상 개인의 해외구매를 **forbid**한다고 하든데. 만약 이를 어길시 중범죄로 **classify**할 거래. 이건 무슨 해외직구 여건이 나아지긴 커녕 **degenerate**하게 생겼네.

태훈: **bygone**의 방식이 좋았지. 그땐 해외직구 엄청 **dependent**하는, 그런 나였는데. 이건 뭐 누구의 **charge**는 아니지만 좀 아쉽네.

대건: 그렇지. 이젠 국내에서 구입하는 거랑 비교해 봤을 때 **merit**가 없네. 글쎄, 내가 국회의원이었으면 이 법안에 대해 완전 **object**했을 거야.

1761 ★★★
minister
[mínəstər]

(명) 장관, 성직자

A: I've always wanted to become the Minister of Education so that I can help students achieve their dreams.
난 항상 교육부장관이 되어서 학생들이 꿈을 실현시킬 수 있게 도와주고 싶었어.

B: Really? That is really interesting. I mean, I can't even imagine you being in that position. You know, you never study.
진짜? 와, 신기한데. 아니 내 말은 니가 그 직책을 맡는 게 상상이 안 된다. 넌 공부 자체를 안 하잖아.

1762 ★
legislate
[lédʒislèit]

(동) 법률을 제정하다

(파) legislation 제정법, 법률 제정 (숙) legislate for ~의 법을 제정하다

A: What are you writing down for notes? Let me see. Oh, so you want to legislate these changes.
공책에다가 뭘 적고 있는 거야? 어디 보자. 음, 그니까 이러한 변화들을 법률로 제정하고 싶다는 거네.

B: Yes, but I doubt any of them will be legislated, though.
응. 뭐 당연히 이런 게 법률로 제정될 리는 없다만 말이지.

1763 ★★
forbid
[fərbíd]

(동) 금지하다 (유) prohibit (특히 법으로) 금지하다

A: Why are you not eating this cheese cake? It's so sweet and creamy, come on.
이 치즈케이크 왜 안 먹어? 완전 달콤하고 크림도 많이 들었는데. 어서.

B: I wish I could eat it, but my doctor has forbidden sugary stuff.
마음 같아선 나도 먹고 싶은데. 의사가 설탕류 금지령 내렸어.

1764 ★★
classify
[klǽsəfài]

(동) 분류(구별)하다 (유) categorize 분류하다

A: You know you're not supposed to play video games right now.
지금 비디오게임 하면 안 되는 거 너도 잘 알고 있을 텐데.

B: Mom, it's not a game. I want to classify this as investment for my future.
엄마, 이건 게임이 아니에요. 음, 전 이걸 제 미래를 위한 투자 정도로 분류하고 싶어요.

1765 ★
degenerate
[didʒénərèit]

ⓢ 악화되다, 퇴화(퇴보)하다 ⓗ 퇴화한, 타락한 ⓟ degeneration 악화, 타락

A: My joints hurt a lot, especially on rainy days. Is it only me?
관절이 엄청 아프네. 특히 비 오는 날. 나만 그런가?

B: No. It's a sign that we're getting old. Our joints naturally **degenerate** over time.
아니야. 나이 들고 있다는 신호지 뭐. 관절은 시간이 지나면 자연스레 퇴화되니깐.

1766 ★
bygone
[báigɔ(ː)n]

ⓗ 지나간, 옛날의

A: We've finally come here again. Look at that tree. It brings back a lot of good memories of **bygone** days.
드디어 여기 다시 찾아 왔네. 저 나무 좀 봐. 옛날의 좋았던 기억들 참 많이 떠오르네.

B: How long has it been since the last time we were here? Like ten years? 우리 여기 마지막에 온 게 언제였더라? 10년 전인가?

1767 ★★
dependent
[dipéndənt]

ⓗ 의존(의지)하는, ~에 달려있는

ⓟ dependence 의존, 의존성 ⓢ dependent on ~에게 의존하고 있는

A: Do you still live in your parents' house? Come on, are you just going to be **dependent** on them all of your life?
니 아직도 부모님 집에 사는 거야? 야, 뭐 평생 부모님한테 의존해서 살려는 거냐?

B: Hey, you'd better watch what you say. 야, 말조심해라.

1768 ★★★
charge
[tʃaːrdʒ]

ⓝ 책임, 요금 ⓢ 청구하다, 비난하다

A: Who's in **charge** of advertising? Oh, and of shipping?
광고 책임자 누구야? 아, 그리고 배송 담당은 또 누구고?

B: It's me, sir. I'm in charge of advertising. The person in charge of shipping called in sick today.
접니다. 제가 광고 책임자입니다. 배송 담당은 오늘 아파서 전화로 병가 냈구요.

1769 ★★
merit
[mérit]

ⓝ 가치, 요소 ⓢ 가치가 있다

A: So, is this what you think we should do for the next quarter? I like this, too.
그러니까 이게 니가 봤을 때 우리가 다음 분기 때 해야 할 일이라 이거지? 이것도 좋은데.

B: I think both of our ideas **merit** further consideration.
우리 아이디어 둘 다 좀 더 고려해 볼 가치가 있는 것 같애.

1770 ★★★
object
[ábdʒikt]

ⓢ 반대하다, ~라고 항의하다 ⓝ 물체, 목표

A: Well, I don't think doing this will be helpful for us.
글쎄, 이거 하는 게 우리한테 도움이 되지 않을 거 같아.

B: Are you kidding me? You were the one who came up with this idea, so you're not supposed to **object**.
장난하냐? 니가 이 의견 냈잖아 그러면 너는 반대하면 안 되지.

1 다음 단어에 맞도록 우리말 또는 영어로 바꿔 쓰시오.

01	presume	11	재단, 토대, 설립
02	sneer	12	현재의, 해류
03	furthermore	13	갈망하다
04	fetch	14	둘러싸다, 동봉하다
05	customs	15	먹이, 희생자
06	forbear	16	금지하다
07	bygone	17	장관, 성직자
08	degenerate	18	분류하다
09	charge	19	반대하다, 목표
10	merit	20	법률을 제정하다

2 다음 빈칸에 알맞은 단어를 넣어서 문장을 완성하시오.

01 I think we need to _____ on this matter.
우리는 이 일에 관해서 숙고할 필요가 있다고 생각합니다.

02 I was _____ as captain of my school baseball team.
저는 저희 학교 야구팀의 주장으로 임명되었습니다.

03 Let's just _____ it never happened.
우리 그냥 이런 일 없었던 것처럼 합시다.

04 It is a great idea to bring extra cash with you in case of an _____.
비상사태에 대비해 여분의 현금을 가지고 다니는 건 좋은 생각이에요.

05 I don't really want to be _____ on others.
저는 정말 남들에게 의존하고 싶지 않아요.

DAY 60 에피소드 178~180

Episode 178 ● 사람을 얻으려면 마음을 얻어야 하거늘

미정: 여기 앞에 광장에서 사람들이 **chant**하면서 누구누구 물러나라고 난리더라?

대건: 아, 시위하는 거, 그건 **democracy** 국가에선 자연스런 일이지. 그 회사 사장 퇴진하라고 그러는 건데, 권력 **desire**만 되게 강한 사람이래. 게다가 추진하는 것마다 **fallacy**투성이니 직원들이 뿔난 거지. 난 이럴 때 일수록 해당 사장이 직접 나서서 노사 협의회 같은 걸 **compose**해서 민주적으로 해결하는 게 맞다고 봐. 그 사람 성향도 엄청 **aggressive**해서 직원들 건의사항 같은 건 아예 **allude** 못하게 한대.

미정: 그래서 직원들이 **bay**하는 거네. 그러면 뭐 사장직에 새로운 **candidate**는 나왔대?

대건: 어, 두 명? 과반수 이상 표를 **gain**한 사람이 뽑히겠지 뭐.

1771 ★
chant
[tʃænt]

(동) 구호를 외치다, 성가를 부르다 (명) 구호

A: What are they chanting in Chinese?
저 사람들 지금 중국말로 뭐라고 구호 외치고 있는 거야?

B: They're just saying "Jiayou" which means "Way to go."
"찌아요우"라고 하고 있는 거야. "힘내"라는 뜻이지.

1772 ★★
democracy
[dimákrəsi]

(명) 민주주의, 민주 국가 (파) democratic 민주주의의, 민주적인

A: Why are you still home? Come on. In a democracy, everybody has to cast a vote.
너 왜 아직도 집에 있냐? 아 쫌. 민주주의 국가에선 모든 사람들이 투표 해야 해.

B: Okay, I'll go. I'll go now. 아 알았어, 간다. 지금 간다고.

1773 ★★★
desire
[dizáiər]

(명) 욕구, 갈망 (동) 바라다 (파) desirable 바람직한, 호감 가는

A: Did you hear that Daegun went for a singing audition?
대건이 가수 오디션 나갔다는 거 들었어?

B: Really? I'm not too surprised because I knew that he had a desire to be a singer.
아 진짜? 근데 뭐 걔 가수 되고 싶은 욕망 있는 건 알고 있어서 크게 놀랍지도 않네.

1774 ★
fallacy
[fǽləsi]

(명) 틀린 생각, 오류

A: Can you believe that nice actor we've seen a lot on TV has been arrested for theft?
우리 TV에서 많이 봤던 그 착했던 배우가 절도 혐의로 체포됐다는 게 믿겨지냐?

B: I told you that it would be a fallacy to believe someone's public image on TV is always true. 내가 말했잖아, TV에서 보이는 누군가의 대중적 이미지를 항상 사실이라고 믿는 것은 틀린 생각이라니깐.

1775 ★★
compose
[kəmpóuz]

동 구성하다, 작곡하다, (감정 · 표정 등을) 가다듬다

파 composition 구성 요소, 작곡

A: Why didn't you get the phone? Let's go out, hurry.
왜 전화 안 받았노? 빨리 나가자.

B: Can you just leave me alone? Something came up and I am so confused now that I need to **compose** myself.
나 그냥 혼자 좀 놔둘래? 일이 좀 생겼는데 너무 혼란스러워서 마음 좀 가다듬어야겠다.

1776 ★
aggressive
[əgrésiv]

형 공격적인, 적극적인   유 hostile 적대적인

A: Do you have any idea why he is being really **aggressive** right now?
쟤 왜 저리 공격적인 건데 지금?

B: He gets **aggressive** when he is busy. 바쁘면 애가 저렇게 되더라.

1777 ★
allude
[əlúːd]

동 언급하다, 넌지시 말하다   숙 allude to ~을 넌지시 언급하다

A: Is everything okay these days? I think I heard you **allude** to a problem a couple of days ago.
니 뭐 요새 다 괜찮나? 며칠 전에 무슨 문젯거리 넌지시 말하던 걸 들었던 거 같아서.

B: Oh, that one? Yeah, luckily I took care of it. Thanks for your concern.
아 그거? 응, 다행히 잘 처리했다. 신경 써 줘서 고마워.

1778 ★★★
bay
[bei]

동 강하게 항의하다, 으르렁거리다   형 만, 구역

A: Let's not go to BC Street right now. A friend of mine has texted me that a mob is **baying** for something there.
우리 지금은 BC가 쪽으로 가지 말자. 친구가 문자 보냈는데 방금 거기서 군중들이 막 뭐에 대해서 항의하고 난린가 봐.

B: Oh, really? Okay. 아 맞나? 그래 그럼.

1779 ★★
candidate
[kǽndidèit]

명 후보자, 지원자   유 contender (어떤 걸 두고 겨루는) 도전자, 경쟁자

A: How many **candidates** have applied for the job?
우리가 구하는 일자리에 지원자 몇 명이나 있어요?

B: It's way more than we expected. This is amazing.
저희가 예상했던 것보다 훨씬 많아요. 놀라운 일이죠.

 비슷한 류의 단어들을 묶어서 챙겨 둘게요. contestant(참가자), applicant(응모자, 지원자), competitor(경쟁자)

1780 ★★★
gain
[gein]

동 (노력해서) 얻다, 획득하다

A: We'd better hurry because there's nothing to be **gained** from delaying the process.
서두르는 게 좋겠어, 공정을 늦춘다고 해서 얻을 게 전혀 없거든.

B: You're right. But you know we are lack of capital now.
니 말도 맞지. 근데 알다시피 우리 지금 자본이 딸리잖아.

Episode 179 • 진정한 내 인생을 산다는 것

대건: 자 선물!

미정: 이거 뭐야? 예쁜 **envelope**네? 돈이야?

대건: 으이그! 꺼내 봐.

미정: 오, 무슨 나무에다가 뭘 **carve**한 거 같은데? 아, 내 얼굴을 **describe**해놨구나. 고마워! 아 그나저나 요즘 회사 운영하는 건 잘 돼? **stock** 거래소에 상장할 계획이라며?

대건: 아니, 관뒀어. 요즘 공방에 수업 들으러 다녀.

미정: 에? 그 **stable**한 회사를 왜? 뭐 먹고 살려고?

대건: 그냥 판에 박힌 **routine**에 염증을 느꼈어. 허무하다는 생각이 들어서, 사회에 **conduce**하는 보람도 없고. 일상에 **tame**된, 닭장 속에 갇혀 있는 듯한 그런 인생보다 난 지금이 좋아. 조각에서 큰 기쁨도 **derive**하고 말이지. 지금처럼, 마치 내가 구름인 듯 바람 따라 **float**하고 싶다 이젠.

1781 ★★★

envelope
[énvəlòup]

(명) 봉투

A: Hey, you've got mail. Come down and get it.
야 니 편지 왔다. 내려와서 갖고 가.

B: Wow, not an email but a real letter. I really wonder what's in this **envelope**.
와, 이메일이 아니라 진짜 편지네. 봉투 안에 뭐 들었을지 진짜 궁금하네.

1782 ★★

carve
[ka:rv]

(동) 조각하다, 새기다, ~를 이뤄내다

(유) sculpt 조각하다 (숙) carve in ~에 조각하다

A: Look, look at all these. They look beautiful. Where did you get them? 와, 이것들 좀 봐. 진짜 이쁘다. 어디서 산 거야?

B: No, I **carved** them. I'm learning how to carve stone and wood.
아니, 내가 조각한 거야. 요새 돌이랑 나무 조각하는 거 배우고 있거든.

1783 ★★★

describe
[diskráib]

(동) 묘사하다, 형성하다 (파) description 서술, 묘사

A: My puppy hasn't returned back home yet. What if somebody took him? 우리 집 강아지 아직도 집에 안 돌아왔어. 누가 데려간 거면 어쩌지?

B: Can you **describe** what he looks like? I'll call you if I see him on the street.
강아지 어떻게 생겼는지 좀 묘사해 볼래? 내가 길에서 발견하면 너한테 전화할게.

DAY 60

1784 ★★

stock
[stak]

(명) 주식, 재고, 가축, 육수 (숙) stock up on ~을 많이 사다(비축하다)

A: Hi, do you have this model in the store now?
저기요, 혹시 이 모델 매장에 있나요?

B: Let me check. Oh, sorry. That's temporarily out of **stock**.
확인 좀 해 볼게요. 아 죄송해요. 그 모델은 현재 재고가 없네요.

1785 ★★
stable
[stéibl]

(형) 안정적인, 안정된 (파) stabilize 안정되다, 안정시키다 (반) insecure 불안정한

A: Don't you think this table wobbles a little bit?
이 탁자 좀 달그락거리지 않냐?

B: Hold on. Let me put some cardboard under the table leg to keep it stable.
잠깐만. 내가 다리에다 판지 좀 깔면 좀 안정적일 거 같애.

 stable에는 '안정적인, 안정된'의 의미가 있죠? 이 형용사 앞에 부정 접두사 un-이 붙은 unstable이란 형용사도 있답니다. 얘는 당연히 '불안정한'이란 의미겠죠?

1786 ★★
routine
[ruːtíːn]

(명) 일상 (형) 일상적인, 판에 박힌

A: Where were you around six in the morning? I went to the bathroom at that time and you weren't in your room.
새벽 6시에 어디 있었노? 내 그때 화장실 가다 보니까 니 방에 없든데.

B: Oh, I went jogging early this morning. It's a part of my new morning routine.
아, 내 오늘 아침 일찍 조깅 나갔었지. 조깅하는 게 내 새로운 아침 일상의 한 부분이거든.

1787 ★
conduce
[kəndjúːs]

(동) 공헌하다, 이바지하다 (유) contribute 공헌하다, 기여하다

A: Did you see the results of the recent study on violence?
폭력에 대한 최근 연구 결과 봤어?

B: Yes, and I agree that anger conduces to violence.
어, 나도 분노가 폭력에 영향을 끼친다는 데에 동의해.

1788 ★★
tame
[teim]

(동) 길들이다, 다스리다 (형) 길들여진 (유) domesticate (동물을) 길들이다, 사육하다

A: Guess what I dreamed about last night? I was on a safari in Africa and tried to tame a lion. And I actually succeeded!
나 어젯밤에 무슨 꿈 꿨게? 아프리카 사파리 여행 중이었는데 사자를 길들이려 애쓰고 있었어. 그리곤 진짜로 성공했다!

B: What kind of dream is that?
도대체 그게 뭔 꿈인데?

1789 ★★
derive
[diráiv]

(동) (다른 물체·근원에서) 얻다, ~에서 비롯되다 (숙) derive from ~에서 유래하다

A: Since when have you been painting? I really didn't notice that.
너 언제부터 그림 그린거야? 진짜 눈치도 못 챘네.

B: Last month, I guess? I derive such a great pleasure from painting.
음, 지난 달? 그림 그리는 데에서 진짜 큰 기쁨을 얻는다니까.

1790 ★★★
float
[flout]

(동) (물 위·공중에) 떠가다, 뜨다

A: Is it only me? Why can't I float on my back?
나만 그래? 왜 누워서는 물에 뜨질 않는 거지?

B: It's really easy. Come over here. Let me teach you how to do that.
정말 쉬운데. 이리 와 봐. 내가 어떻게 하는지 가르쳐 줄게.

대건: 야, **destination**까지 아직 멀었어? 내 배고파서 **faint**할 지경인데 헉헉. 그리고 여긴 무슨 **polar** 지역이야? 왜 이리 춥노. 감기 기운 있는 거 같다. 머리에 **fever**도 있고, 으…

현실: 좀만 참아. 정상에 가면 먹을 거 **distribute**한다고 그랬어. 여기 **elevation**이 한라산 고도랑 **equivalent**한 걸로 알고 있어.

대건: 으… 꼭 여기로 와야만 했나?

현실: 내 **colleague**가 말해 줬는데 정상에 오르면 정말 **phenomenal**한 광경을 볼 수 있대. 그리고 거기에 큰 **column**도 있대. 거기서 인증샷 찍어 가기로 했어.

1791 ★★
destination
[dèstənéiʃən]

㉱ 목적지, 도착지

A: I'm so happy that our hometown has become a popular destination for travelers.
우리 고향 동네가 여행객들에게 인기 있는 목적지가 되어서 참 좋아.

B: Especially for backpackers.
특히 배낭여행객들에게 인기가 있대.

1792 ★★★
faint
[feint]

㉱ 실신할 것 같은, 희미한 ㉲ 실신하다

㉴ pass out 기절하다 ㉺ feel faint 현기증이 나다

A: Can we just go eat something right now? I feel faint from hunger.
우리 지금 뭐 좀 먹으러 가면 안 될까? 배고파서 실신할 거 같은데.

B: Okay. Oh, how about Jajangmyeon? There's a good place right there.
알았어. 아, 자장면 어때? 바로 저기 잘하는 데 있어.

1793 ★★
polar
[póulər]

㉱ 북극(남극)의, 극지의

A: What are you, a polar explorer? Don't you think you're wearing too much clothes now?
넌 뭐, 극지 탐험가라도 되냐? 지금 옷 너무 많이 입고 있다는 생각 안 드나?

B: I got a cold.
나 감기 걸렸거든.

1794 ★★
fever
[fí:vər]

㉱ 열, 흥분 ㉵ feverish 몹시 흥분한, 열이 나는 ㉺ have a fever 열이 있다

A: I got a high fever right now. Do you have any medicine?
나 지금 완전 고열이 나네. 약 좀 있나?

B: Here, take this aspirin. It will help reduce the fever.
여기, 이 아스피린 좀 먹어 봐. 열 내리는 데 도움이 될 거야.

1795 ★★
distribute
[distríbju:t]

(동) 나누어 주다, 분배하다, 유통시키다 (유) hand out 나누어 주다

A: I like this company's products and I wish these were imported to Korea. 이 회사 제품들 진짜 너무 좋은 거 같애, 한국에도 수입되면 참 좋을 텐데.

B: Speaking of which, how about we distribute their products here in Korea? 말이 나와서 말인데, 우리가 이 회사 제품들을 한국에서 유통시키면 어떨까?

 어근 tribute에는 '무언가를 주다(give)'라는 의미가 들어 있습니다. 접두사 dis-에는 '따로따로(apart)'라는 의미가 들어 있고요. 무언가를 따로따로 나누어 주는 것, distribute, 즉 '분배하다'라는 뜻이겠죠?

1796 ★
elevation
[èləvéiʃən]

(명) 해발 높이, 고도, 승진, 증가 (파) elevate 승진(승격)시키다, 들어 올리다

A: What are those herbs? Aren't those species only found at high elevations? 저 약초들은 뭐야? 해발 높이 높은 곳에서만 발견되는 종들 아니야?

B: Dad proudly brought these home. He must have found them on the mountain. 아빠가 자랑스럽게 집에 갖고 오시더라고. 산에서 구하신 게 분명해.

1797 ★
equivalent
[ikwívələnt]

(형) 맞먹는, 동등한 (명) ~에 상당하는 것 (숙) equivalent in ~이 동등한

A: You buy a lot of products from Daegun Electronics, and I'm not a big fan of theirs. 너 대건 전자 제품 많이 사네, 난 거기 제품들은 별로던데.

B: They manufacture and contribute products that are equivalent to famous brand goods. The point is they sell at cheaper prices. 거기서 생산되는 제품은 유명 브랜드 제품이랑 거의 동등해. 더 싸게 판다는 게 중요한 거지.

1798 ★
colleague
[káli:g]

(명) 동료 (유) fellow worker 직장 동료

A: Any chance that the guy sitting next to the window knows us? He looked at us and waved. 혹시 저기 창문 옆에 앉아 있는 남자가 우리 아는 사람인가? 우리 보고 손 흔들었는데.

B: Oh, he's a colleague of mine from the office. 아, 저 친구 내 회사 동료야.

1799 ★
phenomenal
[finámənl]

(형) 경이적인, 비범한 (파) phenomenally 경이적으로, 극도로

A: Congratulations on winning the competition! Your performance was absolutely phenomenal. 대회 우승한 거 축하해! 니 기량은 정말이지 경이롭더라.

B: Thanks. It's such a relief that it's over. 고마워. 그리고 끝났다는 게 큰 안도감을 주네.

1800 ★★
column
[káləm]

(명) 기념비, 기둥 (유) pillar 기둥

A: I want to take a picture in front of that column. 저 기념비 앞에서 사진 하나 찍을래.

B: Okay, give me the camera. Go over there and strike a pose. 그래, 카메라 줘. 저쪽에 가서 포즈 잡아.

1 다음 단어에 맞도록 우리말 또는 영어로 바꿔 쓰시오.

01	fallacy	_____	11	민주주의, 민주 국가 _____
02	allude	_____	12	구성하다, 작곡하다 _____
03	chant	_____	13	욕구, 갈망 _____
04	float	_____	14	일상, 일상적인 _____
05	conduce	_____	15	길들이다, 길들여진 _____
06	derive	_____	16	목적지, 도착지 _____
07	stock	_____	17	해발 높이, 고도, 승진 _____
08	colleague	_____	18	기념비, 기둥 _____
09	phenomenal	_____	19	북극(남극)의, 극지의 _____
10	equivalent	_____	20	열, 흥분 _____

2 다음 빈칸에 알맞은 단어를 넣어서 문장을 완성하시오.

01 I admit that I get _____ when someone touches my head.
누가 제 머리를 만질 때 제가 공격적인 상태가 된다는 점을 인정합니다.

02 I'm very surprised that there is no _____ for the position.
저는 그 일자리에 지원자가 한 명도 없어서 무척 놀랐어요.

03 There's no doubt that most people look for a _____ job.
대다수의 사람들이 안정적인 직업을 구한다는 데엔 의심의 여지가 없다.

04 I'm going to _____ my name on the back of this chair.
저는 이 의자 뒤에다 제 이름을 새길 거예요.

05 I love reading the newspapers _____ free on the street.
저는 길거리에서 무료로 나눠 주는 신문 읽는 걸 참 좋아해요.

DAY 61 에피소드 181~183

Episode 181 ● 믿고 읽는 책들

상근: 새로 나온 그 소설책 읽어봤냐?

대건: 어, 대박. 완전 **absorbing** 하던데?

상근: 응, 이번엔 뭔가 글투도 되게 **bold** 하고 지난번 책이랑 **dimension** 이 많이 다른데도 재밌어. 난 참 신기한 게, 어떻게 늘 **finite** 한 주제를 이용하는데도 저렇게 쓸 수 있지 싶더라니깐. 인터뷰 보니까 옛날에 **plight** 가 많았다더만. **affluent** 한 집에서 나고 자란 사람이랑은 다르게 뭔가 확고한 철학 같은 게 있는 거 같기도 해. 전달하고자 하는 바를 빙빙 돌려서 말하는 게 아니라 **clarify** 하지.

대건: 책 인기가 또 **plague** 처럼 쫙 퍼지겠구만. 이 작가 아저씨 인기가 **extension** 되니까 덩달아 나도 좋네.

상근: 그 작가 책들 다 모아서 소중히 **cherish** 해야지. 나중에 돈 될 거 같애, 흐흐.

대건: 에라이, 그걸 팔 생각부터 하냐?

1801 ★
absorbing
[æbsɔ́ːrbiŋ]

(형) 몰입하게 만드는 (파) absorb 흡수하다, (무언가에) 빠지게 만들다

A: Is there anything fun to do? I'm so bored these days.
뭐 재미있는 일 없나? 요즘 정말 지루하다.

B: Do you want me to recommend a video game that is really **absorbing**? You're going to thank me.
내가 진짜 몰입하게 만드는 비디오게임 하나 추천해 줄까? 내한테 감사해야 될걸.

1802 ★★
bold
[bould]

(형) 대담한, 굵은 (유) fearless 두려움 없는

A: It was such a **bold** move to fire our web designer.
우리 웹디자이너 해고시킨 건 정말 대담한 조치였어.

B: He didn't work hard for us. It served him right.
일도 열심히 안 했잖아. 해고 당해도 싸.

1803 ★
dimension
[diménʃən]

(명) 규모, 차원, 관점 (숙) in a dimension ~차원에서

A: What is wrong with my life? Was I just born to go through these difficulties?
내 인생은 왜 이런 걸까? 난 뭐 그냥 힘든 역경 같은 거만 헤쳐 나가기 위해 태어났나?

B: Hmm... how about you try to look at your problems in a new **dimension**? 음… 니 문제점들을 좀 다른 관점으로 보려 해보는 건 어떨까?

1804 ★
finite
[fáinait]

(형) 한정된, 유한한

A: Can I ask what your motto is? 니 좌우명이 뭔지 물어봐도 되나?

B: Life is **finite** so live it well. 삶이란 유한한 것이다 그러니 잘 살자.

 앞에 부정 접두사 in- 이 붙으면 infinite, '한정되지 않은'이라는 뜻이니까 '무한한'이라는 의미가 되겠죠?

1805 ★
plight
[plait]

명 역경, 곤경 유 predicament 곤경, 궁지

A: Why don't we donate some relief goods to the flood victims?
홍수 피해자들에게 구호물품 좀 기증하는 게 어떨까?

B: That's a good idea. They are in a desperate **plight** at this moment.
좋은 생각이야. 지금 완전 지독한 곤경에 처해있을 테니 말이야.

1806 ★
affluent
[æfluənt]

형 부유한 파 affluently 부유하게, 풍부하게 유 prosperous 번영한, 번창한

A: I wonder who lives in that house on the hill. It looks very big and gorgeous. 저기 언덕 위에 있는 집에 누가 사는지 궁금하다. 완전 크고 으리으리하네.

B: I know the owner of that house. He is the most **affluent** person in this town. 집 주인 내가 알아. 그분이 동네에서 제일 부유한 사람이야.

1807 ★
clarify
[klǽrəfài]

동 명확하게 하다, 분명히 말하다 파 clarification 해명, 설명

A: So what exactly is it that you're trying to say? It's still vague.
그러니까 니가 말하려는 게 뭔데? 아직 모호하다니깐.

B: Okay, let me **clarify** my point. 알았어. 내가 내 요점을 분명히 말해 주지.

1808 ★★
plague
[pleig]

명 전염병 동 성가시게 하다, 괴롭히다

A: What did you do on Sunday? 일요일 날 뭐했어?

B: Mom and I went and saw a movie about a **plague** that spread all around the world.
엄마랑 같이 영화 보러 갔었는데 전 세계에 퍼진 전염병에 관한 내용이었어.

1809 ★★
extension
[iksténʃən]

명 확대, 연장 숙 by extension 더 나아가

A: I'm going to throw a party on my birthday, but I haven't found a great place to do it late at night.
나 생일날 파티하려고 하는데 저녁 늦게 할 만한 마땅한 곳을 못 찾았네.

B: How about Daegun Pub? They have an **extension** this month.
대건 펍은 어때? 이집 이번 달에 연장 영업하는데.

1810 ★★
cherish
[tʃériʃ]

동 간직하다, 소중히 여기다 유 treasure 대단히 소중히 여기다

A: Well, I guess you really have to go now. You don't want to miss the flight. 야, 인제 진짜 너 가야겠다. 그러다 비행기 놓치겠어.

B: Thank you so much for everything while I was here. I will always **cherish** every single moment with you. 여기 있는 동안 이것저것 챙겨 줘서 진짜 고마워. 너와 함께 했던 매순간 늘 소중히 간직할게.

Episode 182 • 폐렴

대건: 나 최근에 **draft** 작업 때문에 저기 저 쪽에 **peninsula** 지역으로 **explore**했었잖아. 다녀와서 좀 아프길래 그냥 심각치 않은 **ailment**이겠거니 했더니만 웬걸, 병원 가 보니까 **pneumonia**란다. 아… 이럴 **purpose**로 답사 간 건 아닌데.

찬규: 그거 유행성 폐렴 아니야? **dreadful**하다던데. 최초 발생지역을 아예 통째로 **annihilate**했대. **casualty**도 엄청 많고.

대건: **conceive**하니 끔찍하다. 근데 난 약 먹으면 잘 낫는데.

1811 ★★
draft
[dræft]

몡 원고, 초안 통 선발하다 유 outline 개요를 서술하다, 개요

A: I've read your latest book! By the way, I think there have been several changes from your earlier drafts.
새로 나온 니 책 읽었어! 근데 초기 원고 내용이랑은 다른 부분이 제법 있는 거 같더라?

B: Wow, you noticed. Yup, I had to change some parts.
오, 그걸 알아채다니. 응, 몇 군데 바꿔야겠더라고.

1812 ★★
peninsula
[pənínsjulə]

몡 반도

A: Please don't say that I'm stupid because of the question that I'm going to ask. Geographically, where is Busan located?
지금 내가 하려는 질문 때문에 날 멍청히 여기진 말아 줘. 지리적으로, 부산의 위치는 어디야?

B: Okay, Busan is on the southern tip of the Korean Peninsula.
그래, 부산은 한반도의 남쪽 끝자락에 위치해 있단다.

1813 ★★
explore
[iksplɔ́:r]

통 답사(탐험)하다, 탐구하다

파 exploration 탐사, 탐구 숙 explore every avenue 모든 수단을 강구하다(모색하다)

A: Wow, I guess that's the cave that we've talked about. Are you nervous?
와, 저게 우리가 이야기 나누던 그 동굴인가 보다. 너 긴장되냐?

B: Why would I be nervous? I'm not you. Let's just go explore the inside.
긴장은 무슨? 내가 너냐. 그냥 빨리 안에 답사하러 가자고.

1814 ★
ailment
[éilmənt]

몡 (심각치 않은) 질병

A: Can we take a short break? I think I need to do some stretching right now.
우리 잠깐만 쉬었다 할까? 내 스트레칭 쫌 해야 될 거 같은데.

B: You still suffer from a back ailment, don't you?
니 아직도 허리 쪽에 질병이 안 나았구나, 그치?

1815 ★

pneumonia
[njumóunjə]

⒨ 폐렴　㊝ die of pneumonia 폐렴으로 죽다

A: I heard you caught **pneumonia**. Are you all right?
너 폐렴 걸렸다메? 개안나?

B: Actually I'm in the hospital being treated for it. It's been a week.
사실 지금 병원에서 폐렴치료 받으면서 지내고 있다. 일주일 됐네.

1816 ★★★

purpose
[pə́:rpəs]

⒨ 목적, 의도　㊅ purposely 고의로, 일부러

A: Oops, I spilled hot chocolate on your carpet. I'm sorry.
앗! 니 카페트에 코코아 쏟았다. 미안.

B: It's all right. I've got this general-**purpose** cleaning fluid.
개안타. 여기 다목적 액체세제가 있지.

1817 ★★

dreadful
[drédfəl]

⒩ 끔찍한, 무시무시한　㊠ awful 끔찍한, 지독한

A: Did you see my brother Changyu singing on the stage?
내 동생 찬규 무대에서 노래 부르는 거 봤나?

B: I did. It was just absolutely **dreadful**. I thought he was good at singing.
봤지. 와 진짜 완전히 끔찍하더만. 걔 노래 잘하는 줄 알았는데.

1818 ★

annihilate
[ənáiəlèit]

⒧ 전멸시키다, 완파하다　㊅ annihilation 전멸

A: You just **annihilated** your opponent! You're just perfect.
상대방을 아주 그냥 완파해 버리는구만! 진짜 잘했어.

B: Thanks. Well, I didn't even do my best.
고마워. 뭐, 전력을 다 하지도 않았는데 말이지.

1819 ★

casualty
[kǽʒuəlti]

⒨ 사상자, 피해자

A: I'm so sorry that you had to close your store.
가게 접었다며 안됐네.

B: It's been only a year. You know small stores like mine have been a **casualty** of the recession.
겨우 1년 됐는데 말이지. 우리처럼 작은 가게들이 이 불황에 피해자가 되는 거지 뭐.

DAY 61

1820 ★★

conceive
[kənsíːv]

⒧ 상상하다, 아이를 가지다　㊠ visualize 상상하다, 마음속에 그려보다

A: I've **conceived** a new idea for our project. This will be interesting.
우리 프로젝트를 위한 새로운 아이디어를 상상해 냈어. 재미있을 거야.

B: Great. I'm ready to listen. Please explain it in as much detail as possible.
좋아. 들을 준비 완료. 최대한 상세히 설명 좀 해 줘.

 어근 ceive에는 '잡다, 가지다'라는 의미가 들어 있답니다. 그리고 접두사 con- 에는 '함께(together)'의 의미가 들어있다는 거 챙겨 두세요. 무언가에 대해 함께 생각을 가지는 것, conceive, 즉 '상상하다'라는 의미가 되겠죠?

• 내 친구가 늘 새 옷을 입을 수 있는 이유 (부제: 양심적으로 살자.)

기범: 너 왜 자꾸 **clatter** 하냐. 잘못하다간 발목 접질리기 **prone** 해. 나도 접때 니처럼 걷다가 **rather** 심하게 접질렀었거든.

동현: 어, 이 슬리퍼 사실 새 건데 별로 맘에 안 들어서 오늘만 신고 **refund** 받을라고. 태그도 안 뗐어.

기범: 와, 아직도 그런 짓을 하나? 생활방식 쫌 **shift** 해. 지난번에 옷에 **stain** 하고선 원래부터 그랬다고 빡빡 우겨서 환불받더니만. 옷가게 주인도 아닌데 옆에서 보는 나도 **anger** 난다. 양심이라는 데에 **attach** 하고 살자, 응?

동현: 아 뭐래. 내가 니한테 돈을 한 번이라도 **borrow** 했냐? 왜 그러는데. 무슨 **bible** 말씀 읽듯이 훈계하네.

1821 ★★
clatter
[klǽtər]

(동) 달그락거리며 움직이다, 달가닥 소리를 내다

A: Did you just hear something from the kitchen?
방금 부엌에서 무슨 소리 들었지?

B: I think it was the dishes **clattering**. Okay, let me go check it out.
접시끼리 달그락거리는 소리였던 거 같은데. 음, 내가 가서 확인해 볼게.

 '달그락거리는 소리를 내다'라는 의미의 표제어입니다. 얘는 비슷한 의미를 전하는 동사 **rattle**(달그락거리다, 덜컹거리다)과 함께 묶어서 챙겨 두세요.

1822 ★
prone
[proun]

(형) (좋지 않은 일을) 당하기 쉬운, ~하기 쉬운 (유) liable ~하기 쉬운

A: Wow, you stayed up all night working on it? Come on, working without any break could make you more **prone** to error.
와, 니 그거 하면서 밤 샌 거라? 쉬지도 않고 일하면 실수하기도 더 쉬울 텐데.

B: I know but the deadline is just around the corner.
아는데 어쩔 수가 없네. 마감기한이 코앞이라서.

1823 ★★★
rather
[rǽðər]

(부) 꽤, 상당히, 오히려

(숙) rather than ~보다는(대신에) sooner rather than later 차라리 일찌감치

A: You haven't finished assembling that table?
아직도 테이블 조립하는 거 못 끝낸 거야?

B: I'm trying. The instructions are **rather** complicated for me to understand.
하는 중이야. 설명서가 내가 이해하기엔 꽤 복잡하네.

1824 ★
refund
[ríːfʌnd] (명)
[rifʌnd] (동)

(명) 환불 (동) 환불하다 (유) reimbursement 배상, 변상

A: Hi, can I get a **refund** for this cap?
안녕하세요, 이 모자 환불 좀 받을 수 있을까요?

B: Okay, can I see the receipt first?
네, 먼저 영수증 좀 볼 수 있을까요?

1825 ★★
shift
[ʃift]

(동) 바꾸다, 옮기다, 이동하다   (숙) shift for yourself 혼자 힘으로 하다

A: Can we just stop for a second? This bag is so heavy. I think I have to **shift** it to my other shoulder.
잠깐만 거기 멈춰 볼래? 이 가방 겁나 무겁네. 나 다른 어깨로 이것 좀 옮겨야겠다.

B: All right. 응.

1826 ★★
stain
[stein]

(동) 얼룩지게 하다, 착색하다   (명) 얼룩

(참) blemish (피부 등의) 티, 흠   (숙) a stain on ~의 오점

A: Was it you who stained my favorite carpet?
내가 제일 아끼는 카펫 얼룩지게 한 사람이 너야?

B: I have no idea what yo... you're talking about. What **stain**?
난 당최 니… 니가 무슨 말 하는지 모르겠는데. 무슨 얼룩?

1827 ★★★
anger
[ǽŋgər]

(명) 화   (동) 화나게 하다   (숙) prone to anger 화를 잘 내는

A: Oh, it was you! I thought it was someone else. Why did you not put on any make up?
아, 너였구나! 난 또 다른 사람인 줄 알았네. 왜 화장을 전혀 안한 거야?

B: I just want to be alone now. Do not fuel my **anger**.
나 지금 혼자 있고 싶거든. 괜히 화난 사람한테 기름 붓지 마라.

1828 ★★
attach
[ətǽtʃ]

(동) 중요도를 두다, 첨부하다, 연관 짓다   (파) attachment 애착, 부착

A: I just sent you an e-mail. I **attached** the file that you wanted.
나 방금 니한테 메일 보냈어. 니가 필요하다고 한 파일도 첨부했어.

B: Thank you. I'll check it out immediately.
고마워. 바로 확인할게.

1829 ★★★
borrow
[bárou]

(동) 빌리다, 차용하다

A: Did Daegun **borrow** money from you too?
대건이가 니한테도 돈 빌렸나?

B: He tried but I didn't lend him any. He never pays people back.
빌릴라 카는 거 내가 안 빌려줬지. 걔 사람들한테 돈 절대 안 갚는다.

1830 ★★★
bible
[báibl]

(명) 성경, 성서, (어떤 분야의) 가장 중요한 책   (파) biblical 성서의, 대규모의

A: What's that magazine that you're reading now?
지금 읽고 있는 그 잡지 뭔데?

B: How can you not recognize this? These days this magazine is considered the **bible** among cyclists.
어떻게 이게 뭔지도 못 알아보냐? 이 잡지로 말하자면 최근에 자전거 타는 사람들 사이에서 성서처럼 여겨지는 그런 것이지.

DAY 61 Review

1 다음 단어에 맞도록 우리말 또는 영어로 바꿔 쓰시오.

01	plight	_____	11 전염병, 성가시게 하다	_____
02	clarify	_____	12 규모, 차원, 관점	_____
03	affluent	_____	13 한정된, 유한한	_____
04	ailment	_____	14 끔찍한, 무시무시한	_____
05	conceive	_____	15 사상자, 피해자	_____
06	annihilate	_____	16 폐렴	_____
07	rather	_____	17 성경, 가장 중요한 책	_____
08	clatter	_____	18 화, 화나게 하다	_____
09	shift	_____	19 얼룩지게 하다, 착색하다	_____
10	prone	_____	20 빌리다, 차용하다	_____

2 다음 빈칸에 알맞은 단어를 넣어서 문장을 완성하시오.

01 I guarantee you that this is an _____ mobile game.
내가 너한테 장담하는데 이거 정말 몰입하게 만드는 모바일 게임이야.

02 I want you to _____ all your memories in Korea.
난 네가 한국에서 있었던 모든 기억들을 마음속에 간직해 줬으면 좋겠어.

03 I think we need to _____ the site first before we make a reservation.
우리 예약하기 전에 그 장소 먼저 답사부터 가야 된다고 생각해요.

04 The _____ of having modern amenities here is to attract more tourists.
여기에 현대적인 편의시설을 갖추는 목적은 더 많은 관광객들을 끌기 위함이지요.

05 I forgot to tell you that I _____ a note to the document.
그 서류에다가 메모 하나 첨부했다는 거 말하는 걸 깜빡했네요.

DAY 62 에피소드 184~186

Episode 184 • 삶의 터전을 건들다니!

대건: 우리가 배낭여행 갔던 그 곳 근처에 **border** 경계선 있었잖아. 거기서 최근에 인접국가 간에 **dispute**가 오고가다가 결국엔 **engage**했드라.

우식: 길게 뻗은 마을이 참 이쁘고 그 나라의 **artery**와 같은 존재였는데 단지 **statesman**에 의해 이리저리 **roast**되다가 살던 곳에서 **displace**하게 생겼는데 나 같아도 **convention**이고 나발이고 무시하고 싸울거 같아.

대건: **statistics** 보니까 지난 50년간 한 번도 이런 일이 없었다고 나오드라.

우식: 관련 정치인들이 얼른 나서서 손을 써야지. 그리고 나서 **resign**해야 된다고 본다.

1831 ★★★
border
[bɔ́ːrdər]

몡 국경 통 (국경·경계를) 접하다 유 frontier 국경

A: The two countries share a border right there.
두 국가가 바로 저기 국경을 맞대고 있네.

B: Do you know what it reminds me of? The border between South Korea and North Korea.
저거 보니까 뭐 떠오르는 줄 아나? 남한이랑 북한 사이에 있는 국경선.

1832 ★★
dispute
[dispjúːt]

몡 분쟁 통 분쟁을 벌이다, 이의를 제기하다 파 disputation (합의가 불가능한) 논쟁

A: Which came first, the chicken or the egg? I really want to know the answer. 도대체 닭이 먼저인 거냐 아니면 달걀이 먼저인 거냐? 진짜 궁금하다.

B: Hmm.. that issue still remains disputed.
그 사안이라면 뭐 아직도 여전히 분쟁이 벌어지고 있는 부분이지.

1833 ★★★
engage
[ingéidʒ]

통 교전을 시작하다, (주의·관심을) 사로잡다, 고용하다

파 engagement 교전, 약혼 숙 engage in ~에 관여하다, 참여하다

A: I really enjoyed the movie. How about you? 영화 진짜 재밌었다. 넌 어땠어?

B: For sure. It was a movie that engaged both my mind and the eyes.
완전 재밌었지. 진짜 그냥 뭐 마음과 눈을 모두 사로잡은 그런 영화였어.

DAY 62

1834 ★
artery
[áːrtəri]

몡 동맥, (사회의) 동맥(도로·강·철도 등)

A: I never knew that there was this main artery between Seoul and Busan. 서울 부산 사이에 이런 대동맥 격의 도로가 있는 줄은 전혀 몰랐네.

B: That's because you barely drive. Anyway, we've almost arrived.
그야 니가 거의 운전을 안 하니깐 모를 수 밖에. 암튼, 우리 거의 도착했데이.

 동맥을 익혔다면 정맥 정도는 익혀 둬야겠죠? 동맥은 artery! 정맥은 vein!

1835 ★★
statesman
[stéitsmən]

명 정치인, 정치가 　파 statesmanship 정치력

A: You know what? You are a businessman, but to me, you look more like a **statesman**.

있잖아? 넌 사업가잖아. 근데 내한테는 정치인에 좀 더 가까워 보인다고나 할까.

B: Really? Interesting. I have no interest in politics at all.

맞나? 희한하네. 나 정치에는 전혀 관심 없는디.

1836 ★★
roast
[roust]

동 볶다, 굽다

A: Where is this delicious smell coming from?

이 맛있는 냄새는 어디서 나는 거지?

B: It's from right here in the kitchen. I'm **roasting** marinated chicken.

바로 여기 부엌에서 나는 거지. 양념된 닭 굽고 있어.

1837 ★
displace
[displéis]

동 (살던 곳에서) 쫓아내다, 대체하다

파 displacement (원래 자리에서 쫓겨난) 이동

A: The entire town is in ruins. Is it because of the recent hurricane?
마을 전체가 그냥 폐허가 돼버렸네. 최근에 닥친 허리케인 때문인가?

B: Yes. The hurricane **displaced** more than half of the town's residents. 어. 허리케인 때문에 여기 거주자들 중 절반 이상이 쫓겨났지.

1838 ★★★
convention
[kənvénʃən]

명 조약, 협약, 관습 　파 convene (회의 등을) 소집하다 　숙 by convention 관례상

A: Wow, everything looks yummy. Can I start eating right now?

와우, 전부 맛있어 보여요. 지금 먹어도 돼요?

B: Well, as a matter of **convention**, the oldest eats first and then we can eat.

음, 관습상으로 따지자면, 제일 연장자 분이 드시고 나면 우리가 먹는 거야.

1839 ★★
statistics
[stətístiks]

명 통계자료, 통계학 　파 statistical 통계에 근거한

A: You're just being ridiculous now. Do you know what the **statistics** say? They say that...

니 지금 완전 어처구니 없어. 통계자료에 뭐라 나와 있는지 알아? 뭐라냐면 말이지…

B: I don't want to be a part of it. I am just who I am!

난 그깟 통계자료의 일부가 되고 싶지 않다고. 난 그냥 나야!

1840 ★★
resign
[rizáin]

동 사임하다, 물러나다

유 step down (요직 등에서) 물러나다 　숙 resign oneself to (체념하여) ~를 받아들이다

A: It's Teachers' Day this Wednesday. How about we go to school and meet our homeroom teacher?

이번 주 수요일 스승의 날이네. 우리 학교 가서 담임선생님 뵙고 올까?

B: You mean, Mr. Baek? I heard that he **resigned** due to his bad health.

백 선생님 말하는 거라? 건강 안 좋으셔가지고 직에서 물러나셨다 카던데.

Episode 185 · 정신줄 놓았다간 눈 뜨고 코 베일라.

대건: 이번에 건의된 안건 들어 봤나? 무슨 이상한 단체를 하나 **coordinate**한다며? 뭐 자기네들 말로 이 단체는 우리가 다양한 것들을 **enable**하게 한다던데. 그건 자기네들이 **prefer**하는 거겠지. 우리한테 좋다고? 글쎄, **distinct**한 논지도 없는 그런 말을 우리더러 믿으라는 건가. 암튼 난 **resistance**할 거야.

미정: 나도 그 안건에는 **dissent**할라고. '거기엔 **immense**한 이점이 있다.'라고만 하면 '나는 천재다.'라고 하는 거랑 뭐가 다르냐고.

대건: 그래, 잘못 투표했다가 우리한테 괴로움만 **inflict**할 거야.

미정: 그래도 윗사람들은 어떻게든 이 안건을 통과시키고 **protect**하려고 할 거야. 정신 바짝 차리고 우리부터 **restrain**하자고.

1841 ★
coordinate
[kouɔ́ːrdənət]

(통) 조직화하다, 잘 어울리다, 조정하다

A: I'm so glad that we teamed up for this interesting project.
이 재밌는 프로젝트에 같이 협력하게 되어서 너무 좋아요.

B: So am I. Um, so I think we need to coordinate our schedules first.
저도요. 음, 그럼 우리 일정부터 먼저 조정해 봐야 될 것 같아요.

1842 ★★
enable
[inéibl]

(통) ~가 …를 할 수 있게 하다, 가능케 하다 (유) permit 허용하다, (어떤 일을) 가능하게 하다

A: Wow, you eventually got that expensive coffee machine.
와, 니 결국엔 그 비싼 커피머신 샀네.

B: It enables me to enjoy freshly brewed coffee every morning.
이거 덕분에 내가 매일 갓 내린 커피를 마실 수 있게 되었잖냐.

 여기서 잠깐! enable+somebody+to do something, '누군가가 ~할 수 있게 하다' 이 구조 자체를 머릿속에 입력해 주세요.

1843 ★★
prefer
[prifə́ːr]

(통) 선호하다 (파) preference 선호도 (숙) prefer A to B B보다는 A를 선호하다

A: What are you going to order? I'll go with everyone's no.1 favorite, hot chocolate.
니 뭐 주문할 건데? 난 모두가 제일 좋아하는 코코아로 하겠어.

B: Well, that's what others like. I prefer caramel mocha.
음, 그건 다른 사람들이 좋아하는 거고. 난 캐러멜 모카를 더 선호해.

DAY **62**

1844 ★★
distinct
[distíŋkt]

(형) 뚜렷한, 별개의, 확실한

(파) distinction (뚜렷한) 차이, 탁월함, 특별함 (숙) be distinct from ~와는 완전히 다르다

A: Can we just use one of these herbs? I can't even tell the difference.
우리 그냥 허브 여기 있는 것 중에 하나만 쓰면 안 되나? 난 뭐 차이도 모르겠구만.

B: No way. Each herb has its distinct flavor. We have to use all of these evenly.
어허 되도 않는 소리를. 각 허브마다 뚜렷한 풍미가 있어. 이거 전부 다 골고루 써야 돼.

1845 ★★
resistance
[rizístəns]

(명) 저항, 저항 운동 (파) resistant 저항력 있는, ~에 잘 견디는

A: Is this paint a good one? It has to have good weather **resistance**.
이거 페인트 좋은 거라? 날씨에 대한 저항력, 그러니까 내후성이 좋은 거라야 되는데.

B: Of course. I bought the most expensive one at the store.
당연하지. 가게에서 제일로 비싼 걸로 샀어.

1846 ★
dissent
[disént]

(동) 반대하다, 의견을 달리하다 (명) 반대 (숙) dissent from ~와 의견을 달리하다

A: You know what? I really don't think that is a good idea.
있잖아, 난 진짜로 저건 좋은 생각이 아니라고 봐.

B: If you **dissent** from what others think, you should be bold and speak out.
다른 사람들 생각에 반대한다면, 대담하게 니 의견을 공개적으로 한번 말해 봐.

1847 ★★
immense
[iméns]

(형) 엄청난, 어마어마한

(파) immensely 엄청나게, 대단히 (숙) an immense number of 무수의 ~

A: Are you done with what I asked you to do?
내가 부탁한 거 다 됐나?

B: I'm sorry but there's still an **immense** amount of work to be done. You got to be patient.
미안한테 아직 해야 할 게 엄청나게 남아 있다. 인내심을 가지고 기다려 주라.

1848 ★★
inflict
[inflíkt]

(동) (괴로움 등을) 가하다, 안기다 (유) impose 폐를 끼치다, (힘들거나 불쾌한 걸) 부과하다

A: How was my singing?
내 노래 어땠어?

B: Do you really have to **inflict** that terrible song on us?
꼭 그런 끔찍한 노래로 우리한테 괴로움을 안겨 줘야만 하냐?

1849 ★★★
protect
[prətékt]

(동) 지키다, 보호하다 (숙) protect against ~로부터 지키다(보호하다)

A: Dad, I'll go out and play with friends.
아빠, 나 나가서 애들이랑 놀게요.

B: Wait. You should put on some sunscreen. It will help to **protect** against sunburn.
잠깐만. 선크림 좀 바르고 가. 햇볕에 타지 않게 보호해 줄 거야.

1850 ★★
restrain
[ristréin]

(동) 저지하다, 억제하다, 억누르다

A: I can barely **restrain** my anger recently. What do you think I should do?
진짜 요새 내 화를 억누르는 게 너무 힘들어. 어쩌면 좋을까?

B: Well, why don't you consider psychotherapy?
음, 심리치료를 한번 고려해 보는 건 어때?

Episode 186 • 스파르따!

미정: 우와, 니 이번 하계훈련 때 완전 고생했는갑다? 피부 **coarse**한 거 봐라. 근데 몸은 완전 **stout**해졌겠는데?

대건: 어, 우리 코치님 완전 **rigid**한 분이신 거 알잖아. 게다가 훈련법에도 완전 **resolute**한 편이셔서, 흠… 고생을 쫌 마이 했지. **proportion**으로 따지자면 훈련 7에 훈계 3?

미정: 혼은 많이 안 났고?

대건: 말도 마라, 근데 그게 **spur**가 된 것 같애. 덕분에 마지막 평가전 때 제대로 한 골 넣어서 **prestige**는 세웠지. 아 그나저나 엄마가 폐활량에 좋다고 무슨 약초 **extract**한 물을 한가득 보내주셨었는데, 엄청 쓰다라는 것 **except**하고 **inactive**하드라. 아… 암튼 훈련 끝나기만을 간절히 바랬는데 끝나서 넘 홀가분하다잉.

1851 ★★

coarse
[kɔːrs]

ⓗ (피부·천이) 거친, 굵은 ⓨ rough (표면이) 거친

A: Wow, this fabric is kind of coarse. Is this linen?
오, 이건 직물이 꽤나 거치네요. 마섬유인가요?

B: Yes. We have various fabrics.
맞아요. 우리는 여러가지 직물을 취급합니다.

1852 ★★

stout
[staut]

ⓗ 튼튼한, 용감한 ⓜ 흑맥주

A: Hey, don't forget that we're going hiking tomorrow, okay? Oh, and make sure you prepare a stout pair of shoes this time.
야, 내일 우리 등산 가는 거 잊지 말고, 알았지? 아, 그리고 이번에는 튼튼한 신발로 잘 준비하고.

B: Can I just wear sneakers? That's all I have.
나 그냥 운동화 신으면 안 되나? 그거밖에 없는데.

1853 ★

rigid
[rídʒid]

ⓗ 엄격한, 융통성 없는 ⓢ rigid in ~에 관해 엄격한

A: What classes are you going to enroll in this semester?
이번 학기 때 무슨 수업 들을 거야?

B: Honestly, I don't like any classes. The curriculum is just too narrow and rigid. Nothing's appealing. Um, what should I take?
솔직히 맘에 드는 게 없다. 커리큘럼도 너무 폭이 좁은데다가 융통성이 없어. 땡기는 게 없는데, 흠… 뭘 들어야 되지?

DAY 62

1854 ★

resolute
[rézəlùːt]

ⓗ 단호한, 확고한

ⓟ resolution 결의안, 결단력, (화면 등의) 해상도 ⓢ resolute in ~에 결의가 확고한

A: So, what did our opponent say?
그래서, 상대방 측에선 뭐래요?

B: They're still resolute on their side. I don't think they're going to accept our opinions.
여전히 자기네들 입장에 꽤나 단호하더라고요. 우리 의견을 받아들일 것 같진 않네요.

1855 ★★★

proportion
[prəpɔ́ːrʃən]

ⓝ 비율, 균형   ⓢ out of all proportion to ∼와 전혀 균형이 안 맞는(어울리지 않는)

A: Wow, I like the sauce that you have for these side dishes. Can I make the same sauce at home?
와, 반찬에 넣은 소스 맛있는데. 나도 집에서 이렇게 만들 수 있을까?

B: Sure, it's easy. The basic ingredients for the sauce are soy sauce and sugar in the **proportion** 1:1.
당연하지, 쉬워. 소스 기본 재료는 간장이랑 설탕 1:1 비율이야.

1856 ★★

spur
[spəːr]

ⓝ 자극제, 박차   ⓥ 원동력이 되다

A: Oh, you got this done already. I thought you weren't willing to do this. 오, 니 이거 벌써 다 끝냈네. 니 이거 안 하려고 했던 거 같은데.

B: What you said to me the other day was a **spur** to action. Thanks.
저번에 니가 나한테 말해 줬던 게 행동을 하게 만드는 자극제가 되더라구. 고마워.

1857 ★

prestige
[prestíːʒ]

ⓝ 위신   ⓐ 위신 있는   ⓟ prestigious 명망 높은, 일류의   ⓨ reputation 평판, 명성

A: Didn't Daegun say that he lives in a studio and pays a monthly rent? He's driving a very expensive car.
대건이 원룸에 월세 내고 산다 그러지 않았어? 엄청 비싼 차 타던데.

B: Well, according to what he says, it's for his personal **prestige**.
음, 뭐 지 말에 의하면 자기 개인적인 위신을 위해서 그러는 거래.

1858 ★★

extract
[ikstrǽkt]

ⓥ 추출하다, 발췌하다   ⓟ extraction 추출, (이) 발치   ⓢ extract a tooth 이를 뽑다

A: What is this machine for? I've never seen this before.
이 기계 어디다가 쓰는 거야? 이런 건 첨 봤는데.

B: Oh, that's a machine that **extracts** the juice from fruits like apples or peaches. 아 그거 사과나 배 같은 과일 즙 추출하는 기계야.

1859 ★★★

except
[iksépt]

ⓟ ∼을 제외하고는   ⓒ ∼라는 것 외에는   ⓟ exceptional 특출한, 극히 예외적인

A: It's time to have lunch. Hmm.. how about we go to that hamburger joint where we went last Friday?
점심 먹을 시간이네. 음… 우리 지난번 금요일 날 갔었던 그 햄버거 집 갈까?

B: They are open daily **except** Sundays. 매일 열긴 하는데 일요일은 제외다.

 진짜 별거 아닌 거 같은데 expect와 많이 헷갈려 하더라고요. expect는 '예상하다, 기대하다'라는 의미를 지닌 동사입니다!

1860 ★

inactive
[inǽktiv]

ⓐ 효력이 없는, 활동하지 않는, 사용되지 않는   ⓟ inactivate 비활성화하다

A: Look! There's a snake right over there! 야! 저기, 뱀 있다 뱀!

B: It's all right. I heard that snakes are **inactive** early in the morning. Let's just act naturally.
개안타. 뱀은 이른 아침에 활동하지 않는다 그랬어. 그냥 자연스럽게 행동하자.

1 다음 단어에 맞도록 우리말 또는 영어로 바꿔 쓰시오.

01	engage	_____	11	비율, 균형 _____
02	statistics	_____	12	정치인, 정치가 _____
03	border	_____	13	(살던 곳에서) 쫓아내다 _____
04	dispute	_____	14	동맥 _____
05	coordinate	_____	15	(괴로움 등을) 가하다 _____
06	restrain	_____	16	저항, 저항 운동 _____
07	immense	_____	17	위신, 위신 있는 _____
08	coarse	_____	18	~을 제외하고는 _____
09	resolute	_____	19	자극제, 원동력이 되다 _____
10	inactive	_____	20	엄격한, 융통성 없는 _____

2 다음 빈칸에 알맞은 단어를 넣어서 문장을 완성하시오.

01 Is it true that you were forced to _____ from your position?
지금 직책에서 사임하라고 압박 받으셨다는 게 사실인가요?

02 It's important to embrace social _____ in different countries.
다른 국가의 사회적인 관습을 받아들이는 것은 중요합니다.

03 Mobile phones _____ us to do online banking.
휴대폰은 우리가 온라인 뱅킹하는 걸 가능하게 합니다.

04 I love growing herbs at home because they have their own _____ flavors.
저는 집에서 허브 키우는 걸 참 좋아하는데요 허브는 각각 뚜렷한 향미를 지니고 있기 때문이죠.

05 My mom always uses oil _____ from olives.
우리 엄마는 늘 올리브에서 추출된 기름을 사용하세요.

DAY 63

에피소드 187~189

Episode 187 • 블랙 프라이데이 세일

영수: 야, 이제 곧 있으면 꽃나무가 **bud**할 날씬데 무슨 오리털 점퍼야? 그거 **retail** 가격도 엄청 비싼 건데.

태훈: 우리 형이 여기서 **deputy** 점장으로 일하잖아. 그 **advantage**를 내가 톡톡히 봤지. 직원들한테만 허용된 80% 세일 행사에 다녀왔거든, 음하하. 거기 행사장 완전 **anarchy**었어. 내 여기 가려고 영화표도 **cancel**했다니깐.

영수: 와, 니네 형 짱이다. 옷 완전 **comfort**해 보이네. 게다가 유행도 안 타게 생겨서 한 **decade**는 거뜬히 입겠다.

태훈: 야야, 됐어. 뭘 그리 **gaze**하고 있냐. 다음번에 형이 행사 또 **host**하면 그땐 같이 가자.

1861 ★★

bud
[bʌd]

[동] 싹을 틔우다 [명] 싹

[유] sprout 싹이 나다, 발아하다 [숙] nip in the bud ~의 싹을 없애다(미연에 방지하다)

A: Wow, forsythias **budded** early this year. You know they're the symbol of spring.
와, 올해는 개나리가 일찍 싹을 틔웠네. 이게 또 봄의 상징이잖아.

B: Then why is it still freezing cold? Let's just go to a cafe and drink something hot.
근데 왜 아직도 이리 추운 건데? 그냥 카페 가서 뜨신 거 좀 마시자.

1862 ★

retail
[ríːteil]

[명] 소매 [동] (특정 가격에) 팔리다 [숙] sell goods by retail 상품을 소매로 판매하다

A: Hey, look. The recommended **retail** price for this shirt is $142 but now it's only $42!
야, 이거 좀 봐. 이 셔츠 권장소비자가가 142달러인데 지금은 겨우 42달러야!

B: That's what a clearance sale is for. That looks good on you.
이런 게 재고정리 세일의 묘미지. 니한테 그거 잘 어울리네.

> 어떤 가격 따위가 '소매'일 때 쓰이는 표제어입니다. 소매의 반대는 '도매'가 되겠죠? 그럼, wholesale이라는 단어 챙겨 두시길 바래요.

1863 ★

deputy
[dépjuti]

[명] 대리인, 대리자 [유] delegate 대표, 위임하다

A: Hi, I'd like to talk with Mr. Jeon. Is he at his desk right now?
안녕하세요. 전 부장님이랑 이야기 좀 나눌까 하는데요. 지금 자리에 계신가요?

B: Sorry, he's on a business trip. I'm acting as **deputy** until he gets back. What can I do for you?
죄송합니다만 지금 출장 중이십니다. 제가 부장님 오실 때까지 대행을 맡고 있습니다. 무슨 일이시죠?

1864 ★★★

advantage
[ædvǽntidʒ]

영 이점 동 ~에게 유리하다

파 advantageous 이로운, 유리한 유 benefit 혜택, 이득 숙 to advantage 유리하게(돋보이게)

A: It's already 8 in the morning. Get ready to go out. Hurry!
벌써 아침 8시다. 나갈 준비해. 얼른!

B: There is not any advantage in leaving early. The event starts at two in the afternoon.
빨리 출발해봐야 아무 이점도 없어. 행사 오후 2시 시작이잖아.

1865 ★

anarchy
[ǽnərki]

영 난장판, 무정부 상태

A: You came home early today. So, how was school today?
오늘은 집에 일찍 왔네. 그래, 학교 수업은 어땠어?

B: There was just anarchy in the classroom because our teacher was absent today. 오늘 우리 선생님 안 계셔서 완전 난장판이었어요.

1866 ★★

cancel
[kǽnsəl]

동 취소하다, 무효화하다 유 call off ~을 취소하다

A: Why are you home? Aren't you supposed to be on a flight to Hong Kong?
니 왜 집에 있냐? 홍콩으로 날아가는 비행기 안에 있어야 되는 거 아냐?

B: Well, my flight got canceled due to the storm.
비행기 편이 폭풍우 때문에 취소됐어.

1867 ★★★

comfort
[kʌ́mfərt]

영 편안, 위로 동 위로하다 유 console 위로하다, 위안을 주다

A: Do you have any digestive aid in the house? I think I ate too fast.
집에 소화제 좀 있냐? 너무 빨리 먹었나 본데.

B: I told you to eat slowly. Here, take this. It will give you some comfort. 내가 천천히 먹으라 그랬지. 자, 이거 먹어. 먹으면 좀 편안해질 거다.

1868 ★

decade
[dékeid]

영 10년, 10년간

A: So, what is it like to return to your hometown after a decade?
그래, 10년 만에 고향에 돌아오니 어때?

B: Well, I can notice that there have been a lot of changes in ten years. Everything seems new.
음, 지난 10년 동안 많은 변화가 있었구나 싶네. 모든 게 새롭네.

1869 ★★★

gaze
[geiz]

동 가만히 응시하다 영 응시

A: You just gazed at me, didn't you? I can't concentrate!
니 지금 또 나 가만히 응시했지. 그치? 집중이 안 되잖아!

B: What are you talking about? I gazed at the clock, not you!
뭐라는 건데 도대체? 나 시계 본 거야, 니가 아니라!

1870 ★★

host
[houst]

동 주최하다, 진행하다, 관리하다

A: Congratulations! You're finally going to host your own radio show from next month.
축하해! 드디어 니 다음 달부터 라디오 쇼를 진행하게 되었구만.

B: I can't believe what's happening to me right now. I'm so excited!
진짜 뭔 일인가 싶기도 하다. 완전 신나!

DAY **63**

Episode 188 ● 꿈에 (feat. 귀신)

대건: 어 왜 안자고 **aisle**에 나와 있노?

미정: 야, 이 집 뭔가 이상해. 밤에 잘 때 꿈에 자꾸 **haunt**해! 아, 나 방을 빼든가 아니면 고스트 헌터? 영적인 화가? 뭐 이런 사람한테 귀신 쫓는 그림 같은 것 좀 **commission**해야 될 거 같애.

대건: 귀신? 섬뜩하다! 뭔가 안 좋은 일이 **imminent**했다, 뭐 이런 거 **herald**하는 거 아냐? 도대체 평소에 무슨 **sin**을 지은 거여?

미정: 니는 **mate**로서 그게 할 말이라? 무서워 죽겠고만. **momentous**한 발표도 곧 있는데 이사를 가야만 하는 건가.

대건: 니 요즘 약 같은 거 **plethora** 복용하드만. 그 부작용 아니야? 약에 **poisonous**한 성분들이 알게 모르게 많다 카드라고.

1871 ★
aisle
[ail]

ⓝ 통로 ⓢ sit on the aisle 통로 쪽 자리에 앉다

A: How was the concert? Did you enjoy it?
콘서트 어땠어? 재밌었나?

B: I had so much fun! Everybody in the theater danced in the aisles at the end of the concert. I wish you had gone with me.
완전 재밌었지! 콘서트 끝 무렵에는 관객들 전부 통로 쪽에서 춤추고 막 그랬는데. 너도 같이 갔으면 좋았을걸.

1872 ★★
haunt
[hɔːnt]

ⓥ 귀신이 나타나다, 뇌리에서 떠나질 않다, 계속 문제가 되다

A: Ugh, this is too complicated. I'll just ignore it.
으. 이거 너무 복잡해. 그냥 무시할래.

B: If you just ignore this problem, I'm sure that it will come back and haunt you.
이 문제 해결 안 하고 그냥 무시하면 장담컨대 다시 떠올라서 너 괴롭힐걸.

1873 ★★★
commission
[kəmíʃən]

ⓥ (미술 · 음악 작품 등을) 의뢰하다 ⓝ 위원회, 수수료 ⓤ committee 위원회

A: You're still working. It's Saturday afternoon.
아직도 일하고 있네. 토요일 오후인데 말이여.

B: I wish I could just do nothing but the magazine commissioned an article about my latest work.
나도 그냥 아무것도 안 하고 쉬고 싶은데 잡지사에서 내 최신 작품에 대한 기사를 의뢰해서 말이지.

1874 ★
imminent
[ímənənt]

ⓐ 임박한, 금방이라도 닥칠 듯한 ⓤ impending (주로 안 좋은 일이) 임박한, 곧 닥칠

A: Do you know what happened all night long here in Daegu? It poured like crazy. I thought the end of the world was imminent.
대구에서 어젯밤 내내 뭔 일 있었는 줄 아나? 무슨 폭우가 미친 듯이 쏟아졌다니깐. 난 진짜 세상의 끝이 임박한 줄 알았어.

B: Really? It didn't rain at all last night in Seoul.
진짜? 서울엔 어젯밤 비 아예 안 왔는데.

1875 ★★
herald
[hérəld]

(동) (앞으로 있을 일을) 예고하다, 알리다 (유) presage (불길한 일의) 전조가 되다

A: Hey, come and look outside. It's the first rain of this year.

야, 일루 와서 밖에 좀 봐. 올해 첫 비가 내리고 있어.

B: You're right. It **heralds** the arrival of spring. I can't wait to see the cherry blossoms.

맞네. 봄의 도착을 예고하는 비로세. 빨리 벚꽃 보고 싶다.

1876 ★★★
sin
[sin]

(명) 죄, 죄악 (동) (종교, 도덕상의) 죄를 짓다 (숙) commit a sin 죄를 범하다

A: I'm so full right now that I'm not able to have another bite.

너무 배불러서 더 이상은 못 먹겠다.

B: What? Are you going to leave that chocolate cake? Come on, it's considered a **sin** not to finish up your desert.

뭐? 그럼 그 초콜릿 케이크 남기겠다는 거야? 야, 디저트 남기고 그러는 건 죄악이야 죄악.

1877 ★★
mate
[meit]

(명) 친구, 짝 (유) companion 동반자, 친구

A: Wait a minute. How do you know that guy?

잠깐만. 니 저 사람 어떻게 아노?

B: We've been close **mates** for 10 years so far. How do you know him?

우리 지금까지 10년째 가까운 친구사이야. 니는 저 사람 어떻게 아는 건데?

1878 ★
momentous
[mouméntəs]

(형) 중대한 (유) critical 대단히 중요한

A: Today is a **momentous** day for me and my girlfriend. We've decided to spend the rest of our lives together.

오늘은 나랑 내 여자 친구에게 굉장히 중대한 날이야. 우리 남은 일생동안 함께 하기로 했어.

B: Oh, I'm so happy for both of you guys!

오, 너희 둘 정말 잘 되었다!

1879 ★
plethora
[pléθərə]

(명) 과다, 과잉

A: This is insane. I've got a **plethora** of problems but don't know how to deal with them.

진짜 이건 말도 안 돼. 문젯거리는 과잉상태인데 어떻게 대처해야 할지도 도통 모르겠고.

B: You don't have to take care of all of them at once. What seems to be the most difficult one? Let me help you solve it.

한꺼번에 전부 다 해결하려 할 필요 없어. 뭐가 제일 힘든 건데? 내가 해결하도록 도와줄게.

DAY 63

1880 ★
poisonous
[pɔ́izənəs]

(형) 유독한, 불쾌한 (유) toxic 유독성의 (숙) exhale a poisonous gas 유독가스를 발산하다

A: Hey, are you giving chocolate to your dogs? They can be very **poisonous** to them.

야, 초콜릿을 지금 강아지한테 주는 거야? 그거 강아지한테 독이 될 수 있어.

B: Oh, really? I thought it was okay.

아, 진짜? 난 괜찮을 줄 알았지.

대건: **hydrogen** 아이스크림 많이 먹으면 **acid** 성분 때문에 이가 얼어서 미세하게 금이 간다메?

영수: 그 **groundless** 한 이야기는 또 어디서 들은 거여?

대건: 아니야, 과학자들이 **identify** 했다고 그랬어.

영수: 아, 니 꿈에서? 니 그렇게 헛소리 할 땐 진짜 우리 스터디 모임에서 **expel** 하고 싶다. 넌 **ancestor** 님이 왕 이셨니? 헛소리 대마왕?

대건: 와, 뭔 말에 **blade** 가 잔뜩 서있네. 그래, 이제 그만 너와 나 사이에 **boundary** 를 긋자.

영수: 야, 뭘 또 말을 그래 하나? 난 그저 **concerned** 한 마음에서 그칸 거지. 암만 그래도 우리 스터디 모임에 있어 니는 없어선 안 될 **component** 이지.

1881 ★★
hydrogen
[háidrədʒən]

몡 수소

A: Isn't it amazing that when hydrogen and oxygen combine, it forms water?

수소랑 산소가 결합하면 물이 된다. 진짜 신기하지 않나?

B: Um, sorry. I'm not good at chemistry.

어, 미안한데. 나 화학 잘 못해.

수소 친구들 함께 묶어서 정리하고 갈게요. oxygen(산소), nitrogen(질소), carbon(탄소), carbon dioxide(이산화탄소), atom(원자) 아시겠죠?

1882 ★★
acid
[ǽsid]

몡 산 혱 산성의, 신 윤 sour (맛이) 신, (우유가) 상한

A: Mom, I'm home. What are you doing in the kitchen?

엄마 저 왔어요. 부엌에서 뭐하고 계세요?

B: I was cleaning the gas stove with a dilute acid solution.

희석된 산 용액 가지고 가스레인지 닦고 있었어.

1883 ★
groundless
[gráundlis]

혱 근거 없는

A: You should throw your tooth on the roof. Then a swallow will bring you a new one.

이 빠진 거 지붕 위에다가 던져야지. 그러면 제비가 나중에 새 이 가져다 줄 거야.

B: Dad, I don't believe that. It's just a groundless superstition.

아빠, 그런 거 안 믿어요. 그저 근거 없는 미신이잖아요.

1884 ★★
identify
[aidéntəfài]

동 찾다, 발견하다, 확인하다 숙 identify with ~와 동일시하다(동질감을 갖다)

A: How do I look? Can you tell what's different?

나 어때? 뭔가 다른 점 알아보겠어?

B: Well... can you just give me a hint? Then I can identify it easily.

음… 힌트 좀 주면 안 되나? 그러면 쉽게 발견할 수 있을 텐데.

1885 ★

expel

[ikspél]

(동) 추방하다, 방출하다, 퇴학시키다　(유) deport (불법체류자 등을 국외로) 강제 추방하다

(숙) be expelled from ～로부터 추방당하다, 제명되다

A: Daegun, you should follow the rules to be a part of this club.
대건, 이 클럽에서 활동을 하려면 따라야 할 규칙들이 있어.

B: I don't care if you guys expel me or not.
너네들이 날 방출하건 말건 난 신경 안 써.

1886 ★★

ancestor

[ǽnsestər]

(명) 조상, 전신　(유) forefather, forebear 조상, 선조　(반) descendant 자손, 후예

A: Don't you think this and that rabbit look very similar?
이 토끼랑 저 토끼 되게 닮은 거 같지 않나?

B: They do. Maybe the two species share a common ancestor.
그르네. 아마 요 다른 두 종 조상이 같은가 보다.

1887 ★★

blade

[bleid]

(명) (칼 · 도구 등의) 날, 날개깃

A: I think the blades of these sickles are too blunt.
낫의 날이 너무 무딘 거 같지 않냐?

B: You think? Then sharpen them before we go cut the grass around our ancestor's graves. 그래? 그러면 조상님 묘에 벌초하러 가기 전에 좀 갈아.

1888 ★★

boundary

[báundəri]

(명) 경계선　(숙) a boundary between ～ 사이의 경계선

A: Why didn't you get the phone last night? I must have called you like ten times. 어젯밤에 왜 내 전화 안 받았어? 10번은 한 거 같구만.

B: Okay, let's define a boundary right here. You're just a friend, not my girlfriend.
야, 여기서 확실하게 경계선을 구분 짓자. 니는 그냥 내 친구야, 여자 친구가 아니라고.

1889 ★★

concerned

[kənsə́:rnd]

(형) 염려(걱정)하는, 관심이 있는　(숙) be concerned with ～에 관심이 있다, 관계가 있다

A: Has your puppy not come back home yet?
너네 강아지 아직 집에 안 들어왔어?

B: Not yet. I'm concerned for her safety. She'll be okay, won't she?
아직. 강아지 안전 때문에 완전 염려되네. 우리 강아지 괜찮을 거야, 그치?

DAY 63

1890 ★

component

[kəmpóunənt]

(명) 요소, 부품　(숙) vital component of ～에서 없어서는 안 될 요소

A: My laptop won't turn on quite often. Is it because it's too old?
노트북 부팅이 자주 안 된다. 너무 오래 돼서 그런가?

B: My older brother sells computer components. Why don't we go ask him? 우리 형이 컴퓨터 부품 파는데. 가서 물어보는 건 어떨까?

1 다음 단어에 맞도록 우리말 또는 영어로 바꿔 쓰시오.

01	retail	_____	11 이점, ~에게 유리하다	_____
02	decade	_____	12 대리인, 대리자	_____
03	gaze	_____	13 죄, 죄악, 죄를 짓다	_____
04	anarchy	_____	14 과다, 과잉	_____
05	mate	_____	15 통로	_____
06	imminent	_____	16 염려하는, 관심이 있는	_____
07	momentous	_____	17 경계선	_____
08	haunt	_____	18 요소, 부품	_____
09	identify	_____	19 추방, 방출하다, 퇴학시키다	_____
10	groundless	_____	20 수소	_____

2 다음 빈칸에 알맞은 단어를 넣어서 문장을 완성하시오.

01 I bought a secondhand sofa so that I could take a rest in _____.
저는 제가 편안하게 쉴 수 있는 중고 소파를 하나 구매했답니다.

02 I'm very happy that the trees in my garden _____ early this year.
올해에는 우리 정원에 있는 나무들이 일찍 싹을 틔워서 참 행복하네요.

03 I didn't really know that these mushrooms were _____.
전 정말 이게 독성이 있는 버섯들이란 걸 몰랐어요.

04 My dad has been _____ to write a series of novels.
우리 아빠는 연작소설을 써달라는 의뢰를 받으셨어요.

05 I'm sure that one of your _____ must have been a blacksmith.
너희 조상님들 중에서 대장장이 하셨던 분이 계셨던 게 틀림없어.

DAY 64

에피소드 190~192

Episode **190** • 집중 좀 하자, 응?

대건: 야, 이제 나 그만 좀 **mock**하고 일로 와서 내 이거 **anchor**하는 것 좀 도와줘. 이번에 들어오는 **commodity**들도 다 저렴하게 들어왔지. 싸게 가져오느라 **exertion** 좀 했어.

찬규: 오, 이건 과일 비타민 **concentrate**한 거네. 복숭아랑 사과 추출물로 만들었구나. 이거 한국에선 엄청 비싼데. 한국의 **fertile**한 땅에서 재배해도 될 텐데. 흠… 아, 이거 보니까 배고프다.

대건: **distract**하지 말고 얼른 끝내자.

찬규: 오, 이건 자동차 실내 **deck**하는 거네. 이런 거 한국에서도 자체생산 할 수 있게 진짜 법 **amend**해야 된다. 그러면 역수출도 가능하잖아, 그자?

대건: 법이란 게 그리 쉽게 **enforce**되는 게 아녀.

1891 ★★
mock
[mak]

[동] (흉내 내며) 조롱하다 [형] 모의의 [명] 모의고사

[파] mockery 조롱, 조소 [유] ridicule 비웃다, 조롱하다 [숙] mock up ~의 실물 크기 모형을 만들다

A: Can you just stop **mocking** my English accent? It's not even my first language. 내 영어 어투 좀 그만 놀리지? 영어는 내 모국어도 아니라고.

B: It's not my first language. Oh, sorry. You were serious.
영어는 내 모국어도 아니라고. 아, 미안. 너 진지하구나.

1892 ★★
anchor
[ǽŋkər]

[동] 고정시키다, 닻을 내리다, ~에게 단단히 기반을 두다 [파] anchorage 정박지, 묶는 곳

A: Wow, look at that luxury cruise ship **anchored** in the bay.
우와 저기 만에 닻 내려놓은 호화 유람선 좀 봐.

B: It is really huge! How many people does it accommodate? More than 1,000 I guess. 진짜 크네! 몇 명이나 수용하려나? 1000명은 넘을 것 같은데.

1893 ★
commodity
[kəmɑ́dəti]

[명] 물품, 상품, 유용한 것

A: You didn't wear a helmet again. Life is not a **commodity** that can be bought and sold. You only live once.
니 또 헬멧 안 썼네. 삶이란 건 사고 팔 수 있는 상품 같은 게 아니야. 한 번 밖에 못 산다고.

B: All right, I got your point. I will definitely wear a helmet from now on. 알겠어. 이해했다. 지금부턴 꼭 헬멧 쓸게.

DAY 64

1894 ★
exertion
[igzə́ːrʃən]

[명] 노력, 분투, (권력, 영향력) 행사 [파] exert (권력, 영향력을) 가하다, 분투하다

A: I wasn't expecting the hill to be this steep.
여기 언덕 이렇게 가파를 줄 몰랐네.

B: It's going to require a lot of **exertion** until we get to the top. Watch your step. 정상 올라갈 때까지 엄청 분투해야 될 거야. 걸을 때 조심하고.

1895 ★★

concentrate
[kánsəntrèit]

ⓢ 농축시키다, 집중하다, 집중시키다 ⓢ concentrate on ~에 집중하다

A: Can you just turn the music off? All the noise from your radio makes it hard for me to concentrate.
음악 좀 꺼 줄래? 니 라디오에서 나오는 소리 때문에 내가 집중하기가 힘들다.

B: But you said it was okay at first. 처음에는 괜찮다고 했었잖아.

1896 ★★★

fertile
[fə́:rtl]

ⓗ 비옥한, 가임의, 풍부한 ⓟ fertilize 비료를 주다

A: What do you think about this land? 이 땅 보니까 어때?

B: You chose the right one. This land is fertile enough to grow tomatoes, corn and even watermelons.
제대로 잘 골랐네. 토마토, 옥수수 아니면 수박 같은 거 키우기에도 충분히 비옥한 땅이야.

1897 ★★★

distract
[distrǽkt]

ⓢ 집중 안 되게 하다, 산만하게 하다

ⓢ distract the attention of ~의 주의를 산만하게 하다

A: How was he able to drive his father's car?
그가 어떻게 아버지 차를 운전할 수 있었던 거냐?

B: He got the key while his brother distracted his dad.
남동생이 아빠를 산만하게 하는 동안에 차 열쇠를 가져갔대.

1898 ★★★

deck
[dek]

ⓢ 꾸미다, 장식하다 ⓜ 갑판, 층 ⓢ all hands on deck 모두 손을 모아 돕다

A: Where have you been? I thought you would be home so I came an hour ago. 어디 갔었노? 집에 있을 줄 알고 한 시간 전에 왔구만.

B: I was decking our guest room with balloons and flowers. Why didn't you call my name?
우리 손님방을 풍선이랑 꽃 이런 걸로 꾸미고 있었지. 내 이름 부르지 그랬어?

1899 ★★

amend
[əménd]

ⓢ (법 등을) 개정(수정)하다, (행실 등을) 고치다 ⓟ amendment (법 등의) 개정, 수정

A: I'm sorry about what happened the other day. I was just...
저번에 있었던 일 미안해. 난 그저…

B: Okay, I'll forget about the matter. But you need to amend your way.
좋아, 그 일은 없던 일로 할게. 하지만 넌 행실을 고칠 필요가 있어.

1900 ★★

enforce
[infɔ́:rs]

ⓢ (법을) 집행하다, 시행하다, 강요하다 ⓟ enforcement (법률의) 시행, 집행

A: Why do you want to be a police officer?
넌 왜 경찰관이 되고 싶어 하는 거야?

B: Well, I want to make this world a better place. To do that, we need the law and the duty of the police is to enforce the law.
음, 난 이 세상이 좀 더 나은 곳이 되었으면 해. 그러려면 법이 필요할 테고 경찰의 의무는 이 법을 집행하는 것이지.

---

force라는 단어에는 '~을 강요하다'라는 의미가 들어있지요. 앞에 접두사 en-이 붙었는데요. 여기서 en-은 in의 역할을 해요. 어떤 조직 안에서(en) 뭔가를 하라고 강요하다(force). enforce, 즉 '(법을) 집행하다, 시행하다'라는 의미가 되는 거지요.

Episode 191 • 매너 좀 지킵시다. (부제: 그런 이기주의는 안 돼!)

찬규: 우리 학교는 큰 **auditorium**이 없어서 넘 아쉬워.
대건: 맞아. **architecture**를 공부하는 내 관점에서 봤을 때, **fancy**하게 하나 지어놓으면 신입생 유치에도 굉장히 도움이 될 텐데. 딴 건 몰라도 우리 학교 봄에 개나리 같은 꽃 **blossom**하면 정말 이쁜 거 같애. 저번에 한 **bunch** 따다가 엄마 갖다 드렸더니 완전 좋아하심.
찬규: 어이쿠, 무슨 꽃을 한 다발이나 꺾냐? 개념 보소. 아예 나무 뿌리째 도끼로 **chop**해서 가져가지 그랬노? 꽃가지 많이 꺾으면 다음 해에 잘 안 커. 성장에 문제를 **cause**한다고. 올해 학교 뒷뜰 **area**에 꽃이 좀 늦게 핀다 싶더니만. 니가 우리 꽃들 개화시기를 **delay**했구만! 니가 **effect**를 끼쳤다구.

1901 ★★
auditorium
[ɔ̀:ditɔ́:riəm]

[명] 강당, 객석

A: Are you sure that you're in the **auditorium**? I cannot find you here.
너 강당 안에 있는 거 확실해? 못 찾겠는데.

B: What floor are you on? I'm on the third floor.
니 몇 층인데? 난 3층에 있어.

1902 ★★
architecture
[á:rkɪtèkʧər]

[명] 건축학, 건축양식 [파] architect 건축가 [숙] study architecture 건축학을 공부하다

A: I got a present for you. I remember you told me that you're interested in **architecture**. This book is considered a bible for someone like you.
여기 니 선물이야. 건축학에 관심 있다고 그랬지. 이 책은 너 같은 사람한테 딱 필독서 같은 책이란다.

B: Where did you get this book? This is really hard to find. Thank you!
너 이거 어디서 구했어? 진짜 구하기 어려운건데. 고마워!

1903 ★★★
fancy
[fǽnsi]

[형] 고급의 [동] 원하다 [명] 공상

A: Why is this pork cutlet here much more expensive than at other places? It doesn't even taste better.
여기 돈가스 왜 우리가 다른데서 먹던 거보다 훨씬 더 비싼 거야? 더 맛있지도 않구만.

B: That's because we came to a **fancy** restaurant tonight.
그야 우리가 오늘 밤에 고급스런 식당에 왔으니까 그런 거지.

1904 ★★
blossom
[blásəm]

[동] 꽃을 피우다 [명] (관목의) 꽃 [숙] in full blossom (꽃이) 만발한

A: Your hair smells like cherry **blossoms**.
니 머리에서 벚꽃 향기가 솔솔 나는데.

B: I used the shampoo that you gave me for the first time. It smells so good!
니가 준 샴푸 처음 썼어. 냄새 완전 좋아!

1905 ★★
bunch
[bʌntʃ]

⒨ 다발, 묶음, (사람의) 무리

A: Many competitors have come to fight with you. It's going to be tough for you.
많은 참가자들이 오늘 한번 겨뤄보겠다고 출전하셨습니다. 힘든 하루가 예상되는데요.

B: No, they're just a **bunch** of amateurs. I can beat them in the blink of an eye. I'm a professional!
아니요, 그들은 뭐 아마추어 한 무리일 뿐입니다. 눈 깜짝할 사이에 다 이길 수 있습니다. 전 프로니까요!

 '(무언가의) 다발'이란 의미를 전할 때 쓰이는 표제어입니다. 주로 a bunch of의 형태로 쓰이고 '～ 한 묶음, 한 다발' 등으로 해석되겠죠?

1906 ★★
chop
[tʃɑp]

⒧ (나무를) 패다, 삭감하다

A: Mom, what do you want me to do while you're preparing dinner?
엄마, 저녁 준비하시는 동안 저 뭐 할까요?

B: Well, go help your dad **chop** logs for firewood.
가서 아빠가 장작용 나무를 패는 것 좀 도와드려라.

1907 ★★★
cause
[kɔːz]

⒧ ～을 야기하다, 초래하다 ⒨ 원인 ⒮ cause a panic 공황을 불러일으키다

A: I'm sorry that I have been absent for the last three days. Something came up. 지난 3일 동안 못 나와서 죄송해요. 일이 좀 생겨서요.

B: It's okay. It just **caused** us a lot of extra work.
괜찮아. 우리한테 일거리만 추가적으로 더 야기되기밖에 더 했나 뭐.

1908 ★★★
area
[έəriə]

⒨ 구역, 지역, 부분 ⒰ region 지역, 지방

A: Wow, you look stunning today. I love how you wear clothes.
와, 니 오늘 진짜 이쁘다. 옷 입은 거 너무 맘에 들어.

B: I am living in a fashionable **area** of the city. I'm not even dressed up today.
내가 유행에 민감한 지역에서 살고 있잖니. 오늘 뭐 딱히 차려입지도 않은건데.

1909 ★★★
delay
[diléi]

⒧ 연기하다, 지연시키다

⒰ put off 연기시키다 suspend (공식적으로) 연기하다 ⒮ a delay in ～의 지연

A: You cannot **delay** any more. Just tell us now. Are you coming with us or not?
이제 더이상 지연은 안돼. 그냥 지금 말해. 같이 가는 거야 마는 거야?

B: Can you just give me thirty minutes? I promise that I'll decide by then. 30분만 주면 안 될까? 그때까지는 꼭 결정할게.

1910 ★★★
effect
[ifékt]

⒨ 영향, 효과, 느낌

A: Why do I feel so dizzy now? I can't keep my balance.
왜 이렇게 어지럽지? 중심도 잘 못 잡겠네.

B: That's because of the medicine you just took. The **effects** of the drug will wear off soon. Don't worry.
니가 먹은 약 때문에 그래. 약 효과 곧 없어질 거야. 걱정 하지 마.

Episode 192 • 벼는 익을수록 고개를 숙인다.

대건: 축하해! 니 우승은 정말 너의 노력의 **attribute**로 보는 게 맞겠지.

용호: 아니에요. 팀 서포터들의 **aid**가 없었다면 정말 아무것도 못했을 텐데요.

대건: 아이고 겸손키도… 암튼 중간 중간에 추월도 당했지만 정말 **dramatic**한 결과를 얻었네. 그치?

용호: 네, 중간 지점 넘어서는 '아, 올해 경기는 **doom**하겠구나.' 이런 생각이었거든요. 길에 떨어진 **bough** 못 피하고 밟아서 한 번 넘어지기도 했고. 또, **chill**도 살짝살짝 왔구요. 그래도 당황하지 않고 효율적으로 체력 배분했던 게 도움이 되었나 봐요. 게다가 팀 멤버들이랑 **cohesion**도 잘 되었구요.

대건: 그야 팀 내 주장인 니가 잘 **command**해서 그런 게지. 아 정말이지 이번 경기 우승은 **pious**한 바람이라 생각했는데. 인제는 안도감이 든다! 팀원들 다 모이라 그래. 저기 **pier** 앞에서 기념사진 하나 찍자.

1911 ★★
attribute
[ətríbjuːt] 동
[ǽtrəbjuːt] 명

동 (~을 …의) 결과로 보다, ~탓이라고 보다 명 자질, 속성

유 ascribe ~탓으로 돌리다 숙 attribute importance to ~에 중요성을 두다

A: Wow, I can't believe your grandma turns 100 next year. She's so healthy!
우와, 너네 할머니 내년에 100세 되신다며. 완전 건강하시던데!

B: My grandma **attributes** her long life to her diet. She never eats a lot.
할머니께서 장수의 비결은 식습관이라 그러시더라. 절대 많이 안 드시거든.

1912 ★★★
aid
[eid]

명 원조(지원), 도움 동 돕다 반 hindrance 방해

A: This is amazing! Are you really sure you drew this by yourself?
이거 완전 멋진데! 이거 진짜 니가 그린 거라고?

B: Technically, I was able to finish it with the **aid** of a computer.
엄밀히 따지자면 컴퓨터의 도움도 받았지.

1913 ★★
dramatic
[drəmǽtik]

형 극적인, 감격적인 파 dramatically 극적으로

A: Did you say something to your brother? I noticed there's been a **dramatic** change in his recent behavior.
너 동생한테 뭐라 그랬나? 애 요즘 행동에 완전 극적인 변화가 생겼어.

B: Nothing. Oh, I just told him to be nice to Mom and Dad.
별 말 안했어요. 아, 그냥 엄마 아빠한테 잘 좀 하라 그랬죠.

1914 ★★
doom
[duːm]

동 불행한 운명(결말)을 맞다 명 비운 숙 doom and gloom 완전히 비관적임(암울함)

A: Isn't it a shame that our plan failed in the end?
우리 계획이 결국 수포로 돌아가서 참 유감스럽지 않나?

B: To tell you the truth, I knew it was **doomed** from the start.
솔직히 말하자면, 처음부터 불행한 결말을 맞이할 거란 걸 알고 있었어.

DAY 64

1915 ★★
bough
[bau]

⊗ (나무의) 큰 가지

A: What happened to your car? The windshield is entirely cracked.
차에 뭔 일이 생겼던 건데? 차 앞 유리가 완전 금 갔네?

B: A tree **bough** fell on it while I was on my way to work.
회사 가는 길에 큰 나뭇가지 하나가 앞 유리로 떨어졌어.

1916 ★★
chill
[ʧil]

⊗ 오한, 냉기 ⊗ 느긋한 시간을 보내다

⊗ cast a chill upon ~에 찬물을 끼얹다(흥을 깨다)

A: Can you turn on the heater for a while? I've got the **chills** and a high fever.
히터 좀 켜 주면 안되나? 오한에다가 열도 심하게 나네.

B: Oh, really? Okay. Why don't you go lie down in your room?
아 맞나? 알았어. 방에 가서 좀 눕지 그라노?

1917 ★
cohesion
[kouhíːʒən]

⊗ 화합, 응집력

A: Why can't our family members get along well? What seems to be the problem?
왜 우리 가족은 친하게 어울리질 못하는 걸까? 뭐가 문제인 거지?

B: Most of all, there is a lack of **cohesion** among us. We should hold a family rally or something.
무엇보다 우리 사이에 응집력이 부족한 거 같아요. 우리 뭐 가족 단합회 같은 거 해요.

1918 ★★
command
[kəmǽnd]

⊗ 지휘하다, 명령하다, 지시하다

⊗ be at somebody's command 누군가에게 복종할 준비가 되어 있다

A: Why did you come home late again? I thought you would be back earlier.
왜 오늘도 집에 늦게 온 건데? 더 일찍 올 줄 알았디만.

B: My boss **commanded** me to do some extra work. I had no choice.
부장님이 잔업 지시하셨어. 나한텐 선택의 여지가 없었지 뭐.

한 끗 차이로 다르게 생긴 commend라는 동사와 구분해서 챙겨 두세요. commend는 '(공개적으로) 칭찬하다, 추천하다'라는 의미를 전하는 동사랍니다.

1919 ★★
pious
[páiəs]

⊗ 비현실적인, 경건한 ⊗ piety 경건함, 독실함

A: You really think that's going to happen? Don't have such a **pious** hope.
넌 진짜 그런 일이 일어날 거라 생각하는 거야? 그냥 비현실적인 희망은 품지도 마라.

B: Why? They say that it ain't over till it's over.
왜? 끝날 때까지 끝난 게 아니라 그랬단 말야.

1920 ★★
pier
[piər]

⊗ 부두, 잔교 ⊗ quay 부두, 선창

A: I love this photo of you. Where is this exactly?
너의 이 사진 완전 맘에 들어. 여기 정확히 어딘데?

B: Let me see that again. Well, it must be at a **pier** in Yeongdeok.
다시 한 번 보자. 음, 여기 영덕에 있던 부두였어.

1 다음 단어에 맞도록 우리말 또는 영어로 바꿔 쓰시오.

01	mock _____	11	(법을) 집행하다, 시행하다 _____
02	commodity _____	12	비옥한, 가임의, 풍부한 _____
03	exertion _____	13	(법 등을) 개정(수정)하다 _____
04	anchor _____	14	연기하다, 지연시키다 _____
05	auditorium _____	15	꽃을 피우다, (관목의) 꽃 _____
06	cause _____	16	부두, 잔교 _____
07	effect _____	17	지휘하다, 명령하다 _____
08	attribute _____	18	비현실적인, 경건한 _____
09	doom _____	19	(나무의) 큰 가지 _____
10	cohesion _____	20	원조, 지원, 돕다 _____

2 다음 빈칸에 알맞은 단어를 넣어서 문장을 완성하시오.

01 I don't want you to _____ me while I'm studying in my room.
내 방에서 공부하는 동안 집중 안 되게 하지 않았으면 해.

02 You have to simmer the soup for five minutes to _____ its flavors.
국물의 풍미를 농축시키기 위해서 5분 동안 국을 계속 끓여야 해요.

03 I have a lot of difficulties majoring in _____.
건축학을 전공하는 데 있어 어려운 부분이 참 많네요.

04 My girlfriend and I celebrated our anniversary at a _____ restaurant.
제 여자 친구랑 저는 고급스런 레스토랑에서 우리 기념일을 축하했습니다.

05 It's a miracle that our baseball team had a _____ victory last night.
어젯밤 우리 야구팀이 감격적인 승리를 거둔 건 정말 기적이에요.

DAY 64

DAY 65

에피소드 193~195

Episode 193 • 진심은 통하는 법

대건: 우리 새로운 거래처 사장님 참 성격 좋으시고 **polite** 하시죠?

찬희: 그렇쥬. 원래 음청 잘 나가셨던 분이었는디 그걸 시샘하던 무리들이 **alliance**를 맺고 어떤 **widow**랑 이런 저런 **affair**에 연루되어 있다고 거짓 소문내서 얼마 동안 신용을 완전히 잃었드래요. 근디 아무리 **doubt**해 봐도 뭔가 잘못한 게 있어야지. 그 사건에 **relevant**한 증거가 전혀 없는 거지. 일에도 엄청 **zealous**한 분이라서 결국 실력으로 인정받고 다시 **rebuild** 하셨지라. 곧 대박 한 번 터뜨리실 **denote** 하시구요. 암튼, 그 힘든 시기 어떻게 버티셨나 물어 보니 공책 한 권을 보여 주시면서 말씀하시길, '여기 적혀있는 내 가치관들을 곱씹으며 **soothe**했지.' 이카시드라구요.

1921 ★★
polite
[pəláit]

[형] 예의 바른, 공손한 [유] mannerly 예절 바른

A: Kevin, it's not **polite** to shake your legs while you're talking with the elderly.
케빈, 나이 많은 분이랑 이야기 나눌 때에 다리 떠는 건 예의 바른 게 아니야.

B: Really? I'm sorry but I didn't know. 그래요? 죄송해요 몰랐어요.

'예의 바른, 공손한'이란 의미를 전하는 형용사랍니다. 이 단어 앞에 부정 접두사 im-이 붙은 단어 impolite가 있는데요. '예의 바르지 않은' 즉, '무례한, 실례되는'이라는 의미를 전달합니다.

1922 ★
alliance
[əláiəns]

[명] 동맹, 연합체

[숙] form an alliance with ~와 동맹하다 in alliance with ~와 연합하여

A: I really want to win this competition but I can't make it happen alone. 이번 대회 정말 우승하고 싶은데 혼자서는 도저히 어떻게 할 수가 없다.

B: Then let's form an **alliance** together. I'll be your great supporter.
그면 우리 같이 동맹 맺자. 내가 지원 팍팍 해 줄게.

1923 ★★
widow
[wídou]

[명] 과부 [동] 남편을 잃다

A: Did I mention that my older sister is a **widow**? My brother-in-law died in a car accident a few years ago.
우리 누나 과부라고 얘기했었나? 몇 년 전에 매형이 차사고 당하셔서 그만.

B: Really? I'm so sorry to hear that. 아 맞나? 듣고 보니 안됐네.

1924 ★★★
affair
[əféər]

[명] 사건, 일, 업무 [유] matter 일, 사안

A: Sometimes you spend money so meaninglessly.
가끔 보면 닌 참 돈을 무의미하게 쓰는 것 같애.

B: Hey, how I spend my money is my **affair**, not yours.
야, 내 돈 내가 어떻게 쓰느냐는 내 일이야, 니 문제가 아니고.

1925 ★★★
doubt
[daut]

(동) 의문을 갖다 (명) 의심, 의혹

(유) uncertainty 불확실성 (숙) if in doubt 확신이 안 서면 no doubt 틀림없는

A: You really think I ate your chocolate cookies without telling you?
진짜로 내가 말을 안하고 니 초콜릿 쿠키를 먹었다고 생각하는 거야?

B: I don't want to doubt you but I can see the crumbs around your mouth. 널 의심하긴 싫은데 니 입가에 쿠키 부스러기가 있다.

1926 ★
relevant
[rélәvәnt]

(형) 관련 있는, 의의가 있는 (숙) relevant to ~에 관련된

A: All right. From now on, I'll receive questions. But they have to be relevant to today's subject.
아 좋습니다. 지금부터는 질문 받을게요. 오늘 주제랑 관련 있는 것이어야 해요.

B: I can see the ring on your finger. Are you married?
손가락에 반지 끼셨네요. 결혼하셨나요?

1927 ★★
zealous
[zélәs]

(형) 열성적인 (숙) zealous in ~에 열심인

A: Are you sure that you really don't have to take medicine?
니 진짜 약 좀 안 먹어도 되겠나?

B: I'm a zealous believer in sleep. I'll just go lie on the bed. I'll be okay.
난 뭣보다도 수면이 약이라는 것을 열성적으로 믿지. 가서 좀 누울게. 괜찮아질 거야.

1928 ★
rebuild
[rìːbíld]

(동) 재건하다, 다시 세우다

A: What was it like to rebuild your life after losing literally everything?
말 그대로 모든 걸 잃은 후에 다시 삶을 재건해야 할 때 어떤 기분이었나요?

B: At first, it was like a disaster but as time went by, I became thankful for things that I used to take for granted.
처음엔 정말 재앙 같았습니다. 근데 시간이 차츰 지나자 늘 당연시 여기던 것들에 대해서도 감사하게 되더라구요.

 무너진 건물 따위를 다시(re) 짓다(build). 즉, '다시 세우다, 재건하다'라는 의미를 전달한다는 거 챙겨 두세요.

1929 ★
denote
[dinóut]

(동) 조짐을 보여주다, 의미하다 (유) indicate (조짐, 가능성을) 나타내다, 보여주다

A: Why are you breaking out in a cold sweat? It's not even hot today.
니 왜 식은 땀을 흘리고 그래? 오늘 덥지도 않은데.

B: I don't know. I just hope it doesn't denote a serious illness.
모르겠어. 그냥 이게 심각한 질병의 조짐을 보여주는 게 아니었으면 좋겠는데.

1930 ★★
soothe
[suːð]

(동) (마음을) 달래다, (통증을) 누그러뜨리다 (유) lull 달래다, 안심시키다

A: Are you all right? My whole body still aches.
넌 괜찮아? 난 아직도 온 몸이 쑤시는데.

B: It still does? How about taking a warm bath? It will help soothe your aching muscles.
아직도? 따뜻한 물에 목욕을 좀 해 보는 게 어떻노? 근육통 누그러뜨리는 데 도움이 좀 될 거야.

> 찬규: 이제 곧 **autograph** 행사가 **commence**하겠다.
> 대건: 누군데?
> 찬규: 저기 종업원처럼 옷 입은 여자 보이지? 저 사람 원래 배우야. 나에겐 참 **delight**하는 그런 사람이지.
> 대건: 그래? 난 모르는 사람인데.
> 찬규: 야, 그때 저 사람이 사인한 의자를 팬이 경매에 **bid**했는데 얼마였는지 아냐? 200만원 나왔어. 정말 **fairy**처럼 예쁘지 않냐? 한번 빠지니까 **escape**할 수가 없다. 하… 암튼! 미리 앞쪽에 가 있자. 곧 시작하니깐.
> 대건: 그건 **justice**에 어긋나잖아. 대기줄은 저쪽에 있는데.
> 찬규: 아, 그렇구나. 오늘 이 순간 비록 돈은 없지만 진짜 **memorial**이라도 세우고 싶다. 흐~ 오늘 내가 챙겨 온 **cotton** 티셔츠에다 사인 받고 액자에 넣어서 벽에 **mount**해야지.

1931 ★
autograph
[ɔ́:tougræf]

(명) 사인, 서명 (동) 서명하다

A: I'm a big fan of yours. Can I take a picture with you? Oh! And.. and... can I also get your autograph?

저 진짜 팬이에요. 사진 좀 같이 찍어도 되나요? 아 그리고… 그리고… 사인도 좀 해 주실래요?

B: Sure. Come closer. I'll pretend that we're close.

네 그러세요. 가까이 와요. 제가 친한 척 할게요.

1932 ★★
commence
[kəméns]

(동) 시작하다 (유) embark on ~에 착수하다

A: When is the meeting scheduled to commence?

우리 회의 언제 시작하지?

B: Um, at three in the afternoon? We have about an hour to kill.

음, 오후 3시? 한 시간쯤 시간 때워야 된다.

1933 ★★★
delight
[diláit]

(동) 많은 기쁨을 주다 (명) 큰 즐거움 (파) delightful 정말 기분 좋은(마음에 드는)

A: Congratulations on your new baby! I'm pretty sure it will delight your mom and dad.

애기 낳은 거 축하해! 어머니 아버지께 기쁨을 드리겠구나.

B: Thank you. I'm happy that it's a baby girl this time.

고마워. 이번엔 딸이라서 좋네.

1934 ★★★
bid
[bid]

(동) 입찰하다, 값을 부르다 (숙) a bid on ~에 대한 입찰

A: Look at the antique chair. I want to get it.

고풍스런 저 의자 좀 봐. 나 저거 맘에 들어.

B: All right. Then we'll bid $200 for it but that's it. If we don't get it with that money, let's just forget about it.

그래. 그럼 200달러에 한번 입찰해 보자고. 하지만 거기까지. 만약에 그 돈으로 안 되면 그냥 잊어버리자고.

1935 ★★
fairy
[féəri]

[명] 요정 [유] elf 요정

A: I'm confused. Where did the pumpkin coach come from all of a sudden?
갑자기 혼란스럽네. 갑자기 호박마차가 어디서 나온 건데?

B: You never read Cinderella? The **fairy** turned a pumpkin into a coach.
니 신데렐라 이야기도 안 읽어 봤나? 요정이 호박을 마차로 바꿔 주잖아.

1936 ★★★
escape
[iskéip]

[동] 달아나다, 탈출하다

[유] flee 달아나다, 도망가다 [숙] make a near escape 겨우 도망치다

A: We really have to keep an eye on that prisoner. Don't let him **escape** again.
우리 저 재소자 특별히 주시해야 하네. 다시는 달아나게 해선 안 돼.

B: Don't worry. That will not happen again. We're going to monitor him around the clock.
걱정 마십시오. 다신 그런 일은 없을 겁니다. 24시간 내내 감시할 예정입니다.

1937 ★★★
justice
[dʒʌ́stis]

[명] 공평성, 정의, 정당성

[유] equity 공평 fairness 공정성 [숙] do justice to ~를 제대로 다루다(처리하다)

A: I'm afraid I can't accept the result. I'm demanding **justice**. The evaluation was just unfair.
유감이지만 전 이 결과를 받아들일 수 없습니다. 공평성을 요구하는 바에요. 평가 자체가 불공평했다고요.

B: Excuse me? It was you who broke the regulations.
뭐라고요? 규율을 어긴 건 그쪽인데요.

1938 ★★
memorial
[məmɔ́:riəl]

[명] 기념비 [형] 추모의 [파] memorialize 기념하다, 추모하다

A: Wait a minute. Was there a **memorial** in the park? It seems new to me.
잠깐만. 공원 안에 기념비가 있었나? 생소한데.

B: It was raised last year to honor the flood victims.
홍수로 돌아가신 분들 기리기 위해서 작년에 세운 거야.

1939 ★★★
cotton
[kátn]

[명] 면직물, 목화 [숙] cotton on to ~를 알아채다

A: Wow, these pajamas must be new. Much more comfortable than the old ones.
우와, 이거 잠옷 새 건가 본데. 전에 꺼보다 훨씬 더 편하구만.

B: They are made of 100% fine **cotton**.
질 좋은 면직물만 100% 사용했다더라고.

DAY 65

1940 ★★★
mount
[maunt]

[동] 고정시키다, 시작하다, 올라가다

A: I **mounted** the frames in the living room while you were out.
너 외출한 동안에 내가 액자 거실에다가 고정시켰지.

B: Wow, they are beautifully mounted on the wall. You did a great job! 오, 이쁘게 벽에 잘 고정됐네. 잘했어!

Episode 195 ● 너란 놈은 참…

미정: 야, 돈 많냐? 요즘 **afford** 하지 않는데 큰 맘 먹고 사줬디만 무슨 그 비싼 과일을 **flesh** 도 제대로 안 먹고 버리노.

대건: 어짜피 **mortal** 한 인생인데 뭘 그리 과민반응이여. 요즘엔 살아가는 데 무슨 동기가 없고 우울하다.

미정: 그럴 때일수록 제대로 **behave** 해야지. **otherwise**…

대건: 자 됐고, 다음 **agenda**!

미정: 하, 안되겠다. 나 인제 **determine** 했다. **ecology** 적으로 봤을 때도 니랑 나랑은 인제 여기까진갑다. 그만 만나자.

대건: 뭐라고? 그만 만나? 이 무슨 자다가 종이 **fold** 하는 소리, 아니, 고요한 **reservoir** 에 돌 던지는 소리여?

1941 ★★★
afford
[əfɔ́ːrd]

동 여유가 되다, 제공하다 파 affordable 감당할 수 있는

A: What are your plans for this winter? I'm going to spend a week in Cebu. 이번 겨울에 계획이 어떻게 되느뇨? 난 세부에서 한 주 보내려고.

B: Wow, I'm really jealous of you. I can't **afford** to go abroad this winter. 와, 진심 부럽다. 난 이번 겨울엔 해외 나갈 여유가 안 된다.

1942 ★★★
flesh
[fleʃ]

명 과육, 살, 피부

숙 flesh out ~에 살을 붙이다(더 구체화하다) in the flesh 실물로(직접)

A: Aren't you guys craving something cold? You know, like an ice cream or something.
뭐 좀 차가운 거 땡기지 않아? 있잖아, 아이스크림이라던가 뭐 그런 거.

B: It's quite late at night. I'll make you guys fruit punch, instead. Let me go cut the watermelon in half and scoop out the **flesh**.
시간 많이 늦었다. 내가 대신 과일화채 만들어 줄게. 가서 수박 자른 다음에 안에 과육 좀 파내야겠다.

1943 ★★
mortal
[mɔ́ːrtl]

형 영원히 살 수 없는, 언젠가는 죽게 되는

A: I'm concerned about everything around me. Even about the things that haven't happened to me yet. 난 내 주변에 있는 모든 것들에 대해서 걱정하는 것 같애. 심지어 아직 벌어지지도 않은 일들에 대해서도 말야.

B: Every living creature including us is **mortal**. The way you face life is not good. 우리를 포함해서 살아있는 모든 것들은 언젠가는 죽게 마련이야. 니가 삶을 대하는 그 방식 좋지 않아.

1945 ★★
behave
[bihéiv]

동 처신하다, 예의바르게 행동하다, 반응을 보이다

파 behavior 행동, 태도 숙 behave yourself 얌전히 굴다

A: I'm sorry about what I did last night. 어젯밤 일은 정말 미안해.

B: You should have **behaved** with dignity. You really let me down this time. 좀 더 품위 있게 처신했었어야지. 이번엔 정말 실망했다.

1945 ★★★

otherwise
[ʌ́ðərwàiz]

(부) 그렇지 않으면, 그 외에는

A: You'd better close all the windows in your room. Otherwise, it will get too cold. It's minus ten degrees Celsius now.
방에 창문 다 닫으레이. 안 그러면 너무 추워진다. 지금 영하 10도야.

B: Let me just open them for five minutes. I need to ventilate my room.
5분만 열어 둘게요. 방 환기 좀 시켜야 돼요.

 이 단어는 비슷한 의미를 전하는 or else, if not 이렇게 두 가지 표현과 같이 묶어서 챙겨 두세요.

1946 ★

agenda
[ədʒéndə]

(명) 안건, 의제

A: Is Daegun going to join in a meeting? He's just really stubborn.
대건 씨도 회의에 참석하나요? 그분 진짜 고집 센데.

B: I know. He always pushes his agenda and doesn't listen to other people. 그러니까요. 항상 자기 의제만 밀어붙이고 다른 사람의 말은 듣지 않는다니까요.

1947 ★★★

determine
[ditə́:rmin]

(동) 결정하다, 확정하다

(파) determination 결정, 투지 (숙) be determined by ~에 의해 결정되다(정해지다)

A: Am I living the right life for me? Should I just take my mom or dad's advice?
난 정말 제대로 살고 있는 걸까? 그냥 엄마나 아빠 조언을 들어야만 하는 걸까?

B: Nobody can determine your future. So be strong and make your own decisions no matter what others say.
그 어느 누구도 니 미래를 결정할 순 없어. 그니까 좀 굳세게 마음먹고 다른 사람이 뭐라 하건 니 결정은 니가 내려.

1948 ★

ecology
[ikálədʒi]

(명) 생태학, 생태계 (파) ecologist 생태학자

A: Don't kill spiders in your house. They play a vital role in our ecology.
집에 있는 거미 좀 잡지 마. 우리 생태계에서 중요한 역할을 한다고.

B: But I get goose bumps whenever I see them crawl.
근데 난 거미가 기어가는 거 볼 때마다 소름 돋는단 말야.

1949 ★★★

fold
[fould]

(동) 접다(개다), 감싸다

A: You're not satisfied with the way I folded the clothes, are you?
니 지금 내가 옷 개어 놓은 방식 맘에 안 들지, 그치?

B: Well, you kind of did a good job. But how about this way? Let me show you. 음, 뭐 나름 잘하긴 했네. 근데 이렇게 해 보면 어떨까? 내가 보여 줄게.

DAY 65

1950 ★

reservoir
[rézərvwà:r]

(명) 저수지, 급수장, 비축

A: See? I told you there's a reservoir here.
봤지? 내가 여기 저수지 있다고 그랬잖아.

B: You were right. The water is so clear and transparent. Are there any fish in it?
니 말이 맞았네. 물도 완전 깨끗하고 투명하구만. 안에 물고기 좀 살고 있으려나?

DAY 65 Review

1 다음 단어에 맞도록 우리말 또는 영어로 바꿔 쓰시오.

01 zealous _____

02 rebuild _____

03 polite _____

04 escape _____

05 mount _____

06 justice _____

07 commence _____

08 determine _____

09 agenda _____

10 flesh _____

11 의문을 갖다, 의심 _____

12 동맹, 연합체 _____

13 조짐을 보여주다 _____

14 면직물, 목화 _____

15 입찰하다, 값을 부르다 _____

16 저수지, 급수장, 비축 _____

17 생태학, 생태계 _____

18 여유가 되다, 제공하다 _____

19 영원히 살 수 없는 _____

20 그렇지 않으면 _____

2 다음 빈칸에 알맞은 단어를 넣어서 문장을 완성하시오.

01 I'm afraid your question is not _____ to our topic today.
유감스럽지만 당신의 질문은 오늘 우리 주제랑은 관련이 없군요.

02 I'm looking for an ointment that can _____ aching muscles.
아픈 근육 통증 좀 누그러뜨려줄 수 있는 연고를 찾고 있어요.

03 My friends and I went to a war _____ to pay respect to victims.
제 친구들이랑 저는 희생자들에게 경의를 표하려고 전쟁 기념비에 다녀왔어요.

04 I'm pretty sure that this news will _____ your family.
확신컨대 이 소식은 너네 가족을 기쁘게 할 거야.

05 You have to _____ yourself if you want to come with me.
나랑 같이 가고 싶으면 예의바르게 행동해야 해.

Episode 196 · 친구끼리는 꼬투리를 좀 잡아야 제 맛

대건: 야, 넌 우리 바비큐 해 먹는 거 알면서도 그런 옷 입고 온겨? 그거 엄청 **combustible** 재질이잖아. 옷에 라벨 같은 거 안 읽어? **literacy**가 없는 거야? **inalienable**한 너만의 능력을 도대체 누구한테 줘 버린 건데? 여기 비닐하우스 말고 저기 **lodge**에 가서 수박이나 썰어 봐. 아니면 **flour** 반죽해서 칼국수 면발 만들던지. 아 그나저나 요즘 물가가 **fluctuate**하네. 식자재 값이 엄청 올랐어.

찬규: 아 왜 또 시비 거는데. 내가 니 **customer**이었어도 이렇게 대했을까? 내가 무슨 **commit**한 것도 아니고. 나도 정말 **afresh** 태어나고 싶다. 허당끼 전혀 없이 말이야. 근데 밖에 바람 엄청 **blow**하는데.

1951 ★
combustible
[kəmbʌ́stəbl]

(형) 불이 잘 붙는, 가연성인 (유) flammable 불에 잘 타는, 인화성의

A: Don't bring that stuff around the fire. It's not only **combustible** but also could explode.
그거 여기 불쪽으로 가지고 오지 마. 그거 불도 잘 붙는데다가 터질 수도 있어.

B: All right. Then, I'll just stay indoors. 그래. 그러면 난 그냥 안에 있을게.

1952 ★
literacy
[lítərəsi]

(명) 글을 읽고 쓸 줄 아는 능력 (파) literate 글을 읽고 쓸 줄 아는

A: You really don't know how to write down what I'm saying?
너 진짜 내가 지금 말하는 걸 못 받아 적는다고?

B: I hate to admit it but my **literacy** must be terrible.
인정하긴 싫지만 내 글 읽고 쓰는 능력은 정말 최악인갑다.

1953 ★
inalienable
[inéiljənəbl]

(형) 빼앗을 수 없는, 양도할 수 없는 (반) transferable 양도할 수 있는

A: I don't know what to do after I graduate. Any ideas?
졸업하고 나서 뭐할지 모르겠어. 뭐 생각 좀 있어?

B: Well, I can give you advice but you have the **inalienable** right to make your own decisions. It's your life.
음, 내가 뭐 조언이야 할 수 있지만, 니한테는 누군가한테 양도할 수 없는 권리가 있다. 니 스스로 결정할 수 있는 권리 말이지. 니 인생이잖아.

 반대 의미의 alienable과 같이 외워 보세요. 표제어에서 부정 접두사 in-만 빠졌으니 뜻은 당연히 '양도할 수 있는'이겠죠?

DAY 66

1954 ★★
lodge
[ladʒ]

(명) 오두막, 수위실

A: How did you celebrate your birthday? 생일 어떻게 보냈노?

B: My family and I had dinner at the **lodge**. It might not sound fancy but I loved it.
가족들이랑 나랑 오두막에서 저녁식사 했어. 뭐 화려하게 들리진 않겠지만 진짜 좋았어.

1955 ★★★
flour
[fláuər]

ⓜ 밀가루 ⓔ 밀가루를 바르다 ⓢ make flour into bread 밀가루로 빵을 만들다

A: Do you want me to get you anything? I'm going to the grocery store. 뭐 좀 사다 줄까? 나 식료품점 가는데.

B: Oh, I'm going to bake bread tomorrow. Get me some flour please.
아, 나 내일 빵 만들 건데. 밀가루 좀 사다 줘.

1956 ★
fluctuate
[flʌ́ktʃuèit]

ⓔ 변동을 거듭하다 ⓟ fluctuation 변동

A: Are you really going to sell that jacket? You really love it.
니 진짜 그 재킷 팔려고? 그거 엄청 좋아하잖아.

B: I wish I could keep it but I need some extra cash. Anyway, the value fluctuates with its demand. I'm waiting for a good time to sell. 나도 계속 가지고 있고 싶은데 돈이 좀 필요해서. 뭐 어찌됐건 간에, 이거 가치가 수요에 따라서 막 계속 변동되거든. 팔기 좋은 시기를 기다리고 있어.

1957 ★
customer
[kʌ́stəmər]

ⓜ 고객, 손님 ⓤ regular 단골손님

A: How can you know all the beverages here so well?
넌 어떻게 이 가게 음료들에 대해서 전부 다 잘 알아?

B: Because I'm a regular customer. I come here at least four times a week.
내가 여기 단골손님이라서. 여기 적어도 한 주에 네 번은 온다.

1958 ★★
commit
[kəmít]

ⓔ (범죄를) 저지르다, 약속하다 ⓢ commit suicide 자살하다

A: You guys also do not believe what I say? I did not commit the crime.
너희들도 내가 하는 말 못 믿는 거라? 난 그 범죄를 저지르지 않았다고.

B: I know you're innocent so let's just go to the police together, just in case.
나도 니가 결백하다는 거 알아. 그러니까 같이 경찰서에 가 보자는 거지 혹시 모르니깐.

1959 ★
afresh
[əfréʃ]

ⓐ 새롭게, 다시 ⓢ start afresh 다시 시작하다

A: I messed up everything. I blew our golden chance!
내가 다 망쳤어. 우리 황금기회를 날려먹었다고!

B: Don't blame yourself for that. We're a team. We can start afresh, you know.
너무 그렇게 자책하지 마라. 우린 팀이잖아. 새롭게 다시 시작할 수 있는데 뭐.

1960 ★★★
blow
[blou]

ⓔ (바람에) 날리다, 날려 보내다, (폭탄으로) 날려버리다, 폭파하다

A: The wind is blowing like crazy outside. My favorite cap just blew off.
밖에 바람 미친 듯이 분다. 내가 제일 좋아하는 모자도 바람에 완전 날아갔어.

B: Really? Well, I'd better wear a hat and a scarf when I go out later.
아 맞나? 음, 카면 나 있다 나갈 때 모자랑 스카프 좀 하고 나가야겠다.

Episode 197 · 눈 가리고 아웅

호준: **article** 읽어 봤나? 포장은 그럴싸한데 중산층이나 저소득층의 **aspect**보다는 오히려 부자들을 위한 법안을 **implement**한다고 시민들뿐만 아니라 각종 단체들도 **join**해서 시위하고 난리도 아니드라만.

기범: 그럴 만하지. **justify**하지 않은 채 일단 법안 통과 시켜놓고 그대로 따르라고 **compel**하는 건 좀 아니지 않나? 이게 무슨 **compensation** 얼마 던져 주고 끝낼 그런 문젠 아니니깐.

호준: 그렇지. 그럼 완전 **deplore**할게 불 보듯 뻔하지. 지금 원가 해결한다 해도 이미 시민들 마음은 **frost**한 걸. 안타깝다.

기범: 나는 **head-on**하는 시민들도 대단하다고 생각해.

1961 ★★★
article
[áːrtikl]

ⓜ 기사, 글, 조항 ⓤ feature 특집기사, 방송

A: I just read an interesting **article** about an anti-aging pill.
내가 방금 노화방지 약에 대한 재밌는 기사 하나를 읽었다는 거 아니냐.

B: What does it say? Did they start manufacturing those pills? I'd definitely buy them! 뭐라 적혀있던데? 그 약 제조 들어갔다나? 난 무조건 살 거야!

1962 ★★
aspect
[ǽspekt]

ⓜ 측면, 양상

A: I was really shocked when Daegun yelled at the guy next to our table last night.
어제 대건이가 우리 옆 테이블에 앉은 아저씨한테 소리 지르는 거 보고 완전 놀랐잖아.

B: That might be just one **aspect** of his character that you haven't seen before.
그건 그저 전에 니가 접해 보지 못한 그의 성격의 한 측면에 불과할 수도 있어.

1963 ★
implement
[ímpləmənt]

ⓥ 시행하다 ⓜ 도구(기구) ⓤ carry out ~을 수행하다

A: What do you think about the idea? 그 아이디어 어떤 거 같아요?

B: The idea is really good. But due to high costs, I'm not sure if it can be **implemented** or not. 아이디어는 진짜 좋아. 근데 비용이 많이 들 거 같아서, 이 아이디어가 시행될 수 있을지 말지는 확실치 않네.

1964 ★★★
join
[dʒɔin]

ⓥ 합류하다, 가입하다 ⓢ join up with ~와 연합하다

A: I'm starving to death but there's nobody but me in the office today.
진짜 배고파 죽을 거 같은데 사무실에 나 밖에 없다.

B: Then why don't you **join** us? We're going out for lunch now.
그럼 우리랑 같이 갈래? 우리 지금 점심 먹으러 나갈 건데.

1965 ★★★
justify
[dʒʎstəfài]

ⓥ 정당화하다, 해명하다 ⓟ justification 타당한 이유

A: Where were you yesterday afternoon? Just tell me the truth because it's going to be the only way you can **justify** yourself.
어제 오후에 어디 있었는데? 진실만 말해라. 이게 니 스스로를 해명할 수 있는 유일한 기회일테니깐.

B: Are you suspecting me? I can't believe this!
너 지금 나 의심하는 거냐? 와 어이가 없네!

DAY 66

1966 ★★★
compel
[kəmpél]

동 강요하다, 강제하다, ~하게 만들다

A: Can you just stop spinning your book? If you don't stop now, I'll **compel** you to stop.
책 좀 그만 돌리지? 지금 안 멈추면, 내가 강제로 멈추게 하는 수밖에.

B: I'm practicing this for the school talent show. I really want to show it off there.
저 이거 학교 장기자랑에서 하려고 연습하는 거예요. 진짜 이 기술 뽐내고 싶단 말이에요.

 어근 pel에는 '몰아내다(drive)'의 의미가 내재되어 있답니다. 이 앞에 접두사 com- 이 붙어있는 구조군요. 앞에서도 여러 번 다뤘듯이 '함께'의 의미가 있죠? 여럿이서 함께(com) 누군가를 몰아내다(pel). compel, 즉 '강요하다, 강제하다'라는 의미입니다.

1967 ★★
compensation
[kàmpənséiʃən]

명 보상금, 보상   파 compensate 보상하다   유 reparation (국가가 지불하는) 배상금
숙 in compensation for ~의 보상으로서

A: Have you received **compensation** from work? You were worried about it. 회사에서 보상금 받았나? 너 되게 걱정했었잖아.

B: I got $1,400 in compensation on Tuesday.
화요일에 1,400달러 받았어.

1968 ★
deplore
[diplɔ́ːr]

동 (공개적으로) 규탄하다, 개탄하다   유 condemn 규탄하다, 비난하다
숙 deplore the death of somebody 누군가의 죽음을 애도하다

A: What do our clients say about the changes in our products?
우리 제품 변화에 대해서 고객들 반응은 어때?

B: It varies but most clients have **deplored** the changes, saying that the previous ones were better. 다양하긴 하지만요. 대부분의 고객들은 기존 제품이 훨씬 더 나았다면서 변화에 대해 굉장히 규탄하고 있는 실정입니다.

1969 ★★★
frost
[frɔːst]

동 성에가 끼다   명 서리   파 frosty 서리가 내리는, 서리로 뒤덮인

A: Mom, the windshield is covered in **frost** again. What should I do?
엄마, 앞 유리 또 성에가 꼈어요. 어쩐데요?

B: Just defrost it. You'd better hurry if you don't want to be late for school. 그냥 성에를 녹여 없애야지. 학교 늦기 싫으면 서두르는 게 좋을 거 같은데.

1970 ★
head-on
[hed-ɔ́ːn]

형 정면으로 대응하는

A: Hey, the front bumper of your car is totally dented.
야, 니 차 앞 범퍼 완전히 찌그러졌는데.

B: There was a **head-on** crash between my car and a truck.
내 차량 트럭이랑 정면충돌 사고가 있었거든.

미정: 우와~! 니가 준 약 덕분인가? 아픈 곳이 많이 **dull**해졌어.

대건: 어쩔씨구? **fuss**하지 마. 언젠 아픈 걸 나한테 **ascribe**하더만?

미정: 에헤이, 내가 또 말 안 할라 캤는데…. 내가 **inward**하게 니한테 늘 고마워한다니깐. 또 이렇게 표현하게 맹그네.

대건: 됐고, 니 요즘 외국 꽃씨 같은 거 **collect**하고 기른다며? 집 안에서도 **flourish**하는 거야?

미정: 응! 근데 화분 같은 거 **material**을 좋은 거 써야 돼. 첨엔 **petty**한 거만 관심 가져 주면 될 줄 알았더만 신경 쓸 부분이 많아서 나 요새 완전 **nursery** 교사된 것 같다니까.

대건: 근데 너 무슨 손톱이 그리 길어? 고양이 **paw**인 줄 알았네.

1971 ★★
dull
[dʌl]

(동) 둔해지다, 누그러지다 (형) 따분한 (유) tedious 지루한

A: Wow, people are cutting bamboo with a chain saw.
와, 사람들이 전기톱으로 대나무를 자르고 있네.

B: You find it very noisy, don't you? Wear these special earplugs. It will **dull** the sound of the chain saws.
이 소리 굉장히 시끄럽다, 그치? 이 특수 귀마개 껴라. 전기톱 소리 좀 누그러뜨릴 거야

1972 ★★
fuss
[fʌs]

(동) 호들갑을 떨다 (명) 야단법석 (숙) make a fuss 소란을 피우다

A: Wouldn't it be nice to decorate our Christmas tree earlier this year? Oh, how about now?
올해엔 크리스마스트리 일찍 장식하면 더 좋지 않을까? 오, 지금은 어때?

B: Hey, stop **fussing** around and get back to work.
야, 호들갑 떨지 말고 빨리 다시 일해.

1973 ★
ascribe
[əskráib]

(동) ~의 탓으로 돌리다

A: I was not lucky enough to achieve my goal this time. It was so close, though.
이번에 내 목표를 달성하기에는 충분히 운이 따라주질 못했어. 뭐 아슬아슬하게 안 됐지만 말이지.

B: Don't **ascribe** your failure to bad luck. You didn't make any effort.
니 실패를 불운 탓으로 돌리지 좀 말자. 넌 노력도 안 했잖아.

1974 ★★
inward
[ínwərd]

(부) 안으로, 마음속으로 (형) 마음속의, 내부의

A: You did such a great job on the stage. You didn't seem nervous at all.
무대에서 완전 멋졌어. 전혀 긴장 안 한 거 같더라.

B: Are you kidding me? I had difficulty hiding my **inward** panic while singing 장난하나? 노래하는 동안에 마음속의 공포 감추느라 힘들었구만.

DAY 66

---

outward라는 단어와 함께 챙겨 둘게요. 당연히 뜻은 inward와는 반대로 '표면상의, 밖으로 향하는, 외형의' 이런 의미를 지니고 있답니다.

1975 ★★★
collect
[kálekt]

(동) 수집하다, 모으다   (숙) collect oneself 마음을 가다듬다

A: Oh my. How many plates do you have in the cupboard? I can't even count them.
세상에, 도대체 찬장에 접시가 몇 개나 있는 거냐? 다 셀 수도 없네.

B: Well, I have more in the utility room. Anyway, I enjoy collecting plates.
음, 다용도실에 더 있는데. 암튼, 나 접시 모으는 거 너무 좋아.

1976 ★★
flourish
[flə́:riʃ]

(동) 번창하다, 잘 자라다   (유) thrive 번창하다, 잘 자라다   (숙) with a flourish 성대하게

A: There are more people than I expected here at the festival.
예상했던 것보다 축제에 사람들이 더 많이 왔네.

B: Yes. Local festivals like this have flourished in recent years.
맞아. 요런 지역축제가 최근에 많이 번창하고 있지.

1977 ★★★
material
[mətíəriəl]

(명) 재료, 소재   (형) (재산, 돈 등의) 물질적인   (유) substance 물질

A: Make sure not to touch the stuff in the backyard. They're materials for your desk and chair.
뒤뜰에 있는 거 건들지 말아라. 니 책상이랑 의자 만들 재료들이란다.

B: Wow, I love you, Dad!
우와, 사랑해요, 아빠!

1978 ★★
petty
[péti]

(형) 사소한, 하찮은   (유) trivial 사소한, 하찮은

A: Is everything okay with you and your sister? She seemed kind of mad at you.
니 여동생이랑 개안나? 애 보니까 니한테 쫌 화난 거 같은데.

B: She'll be all right. We had a petty squabble this morning.
괜찮을 거야. 우리 그냥 오늘 아침에 사소한 말다툼 했그든.

1979 ★★
nursery
[nə́:rsəri]

(명) 어린이방, 놀이방

A: How old is your youngest child?
너네 막내 몇 살이지?

B: She's already four. She began going to a nursery last month.
네 살. 지난달부터 어린이집에 가기 시작했어.

1980 ★★
paw
[pɔ:]

(명) (발톱이 달린 동물의) 발   (동) (동물이) 발로 긁다

A: Oh, look at your cat's paws. They're just so cute.
우와, 니네 고양이 발 좀 봐. 완전 귀여워.

B: Yeah, and those cute paws left me a big scar around my chest. She scratched me.
그래, 그 완전 귀여운 발 덕분에 내 가슴팍에 큰 상처가 생겼지. 날 할퀴었다니깐.

1 다음 단어에 맞도록 우리말 또는 영어로 바꿔 쓰시오.

01 head-on　　＿＿＿＿＿＿＿

02 blow　　＿＿＿＿＿＿＿

03 commit　　＿＿＿＿＿＿＿

04 fluctuate　　＿＿＿＿＿＿＿

05 deplore　　＿＿＿＿＿＿＿

06 compel　　＿＿＿＿＿＿＿

07 article　　＿＿＿＿＿＿＿

08 nursery　　＿＿＿＿＿＿＿

09 inward　　＿＿＿＿＿＿＿

10 ascribe　　＿＿＿＿＿＿＿

11 새롭게, 다시　　＿＿＿＿＿＿＿

12 오두막, 수위실　　＿＿＿＿＿＿＿

13 밀가루, 밀가루를 바르다　　＿＿＿＿＿＿＿

14 측면, 양상　　＿＿＿＿＿＿＿

15 시행하다, 도구　　＿＿＿＿＿＿＿

16 성에가 끼다, 서리　　＿＿＿＿＿＿＿

17 재료, 소재, 물질적인　　＿＿＿＿＿＿＿

18 수집하다, 모으다　　＿＿＿＿＿＿＿

19 둔해지다, 누그러지다　　＿＿＿＿＿＿＿

20 호들갑을 떨다, 야단법석　　＿＿＿＿＿＿＿

2 다음 빈칸에 알맞은 단어를 넣어서 문장을 완성하시오.

01 You'd better not keep ＿＿＿＿＿＿ materials around your stove.
너 가스레인지 근처에 가연성 물질을 보관하지 않는 게 좋을 것 같아.

02 Keep in mind that everybody has an ＿＿＿＿＿＿ right to liberty.
모든 이는 자유에 대해 양도할 수 없는 권리를 지니고 있음을 명심하세요.

03 I want to pay for lunch today as ＿＿＿＿＿＿ for making you wait.
너를 기다리게 만든 거에 대한 보상으로 오늘 점심 값은 내가 내고 싶어.

04 I'm not saying that I'll ＿＿＿＿＿＿ what I did.
제가 한 일을 정당화하겠다는 말이 아닙니다.

05 I want to grow plants that can ＿＿＿＿＿＿ in a cold climate.
저는 추운 기후에서도 잘 자라는 식물들을 좀 길러보고 싶어요.

DAY 66

DAY 67

에피소드 199~201

Episode 199 ● 쇼핑광의 흔한 자기합리화 (부제: 장비 욕심에는 약이 없다.)

대건: 넌 아주 **occasional**하게 가는 하이킹에 **compass**를 최상급 모델로 가져왔냐?

태훈: 이거? **aircraft**에서도 쓰는 거야. 조종사들의 마음을 **capture**한 제품이란 거지.

대건: 그렇게 비싼 게 우리가 하는 동네 하이킹에 **accord**하다고 생각 하냐?

태훈: 아니, 이건 **destiny**처럼 내게 다가온 거지. 이 멋진 물건의 가치를 **detract**하는 발언을 자제하도록 해. 여기에 **earthquake** 감지기능도 있어. 내가 니 목숨을 살릴 수도 있단 뜻이지.

대건: 야, 헛소리 그만하고 다리가 너무 아파서 그러는데 통증 같은 거 좀 **ease**하는 거 없냐?

태훈: 빌려주면 **fee** 얼마?

대건: 아 뭐래. 쫌 빌려줘!

1981 ★★
occasional
[əkéiʒənəl]

형 가끔의

유 infrequent 잦지 않은, 드문 숙 make occasional visits to ~를 종종 찾아가다

A: All of your students love your class. What's the secret? Can you share it with me?
니 학생들은 전부 다 니 수업 좋아하드라. 비결이 뭔데? 공유 좀 할 수 있나?

B: Well, I make an occasional joke to keep my students interested. And I care about them so much.
음, 난 애들이 계속 흥미를 느낄 수 있게 가끔 농담 같은 거 툭툭 던지곤 하지. 그리고 애들한테 많이 신경 써 주고.

1982 ★★
compass
[kʌ́mpəs]

명 나침반, 범위

A: I'm so into hiking through the forest these days. Every time I go, I feel refreshed.
내 요새 숲속으로 하이킹 가는 데 푹 빠져 있다. 갈 때마다 참 상쾌하단 말이지.

B: Good for you. Make sure you carry a compass in case you get lost in the woods.
잘됐네. 숲속에서 길 잃을 수도 있으니까 나침반 꼭 챙겨 다니고.

1983 ★
aircraft
[ɛ́ərkræ̀ft]

명 항공기 유 aviation 항공

A: Is it true that your dad works in a company that manufactures aircraft?
너네 아부지 항공기 제조하는 회사에서 근무하시는 거 진짜야?

B: It is. How cool is that? I'm so proud of my dad.
진짜지. 멋지지 않나? 난 우리 아빠가 너무 자랑스러워.

1984 ★★
capture
[kǽptʃər]

[동] (~의 마음을) 사로잡다, 포획하다, 점유하다 [숙] be captured by ~에 사로잡히다

A: Your older brother is so good-looking.
너네 형 진짜 잘생겼다.

B: It's obvious that he **captures** the hearts of a lot of girls.
형이 많은 여인들의 마음을 사로잡는다는 건 확실해.

1985 ★★
accord
[əkɔ́:rd]

[동] 부합하다, (권위 · 지위 등을) 부여하다 [명] 합의

[숙] in accord with ~에 부합하는

A: What do you think about the results? I think they turned out well.
결과에 대해서 어찌 생각해? 난 결과 되게 잘 나온 거 같은데.

B: The results **accord** exactly with what we predicted. Don't you think? 우리가 예측했던 거랑 완전히 부합하네. 안 그래?

1986 ★★
destiny
[déstəni]

[명] 운명

A: Are you really going to India again? What about your life here in Korea? 니 진짜 다시 인도 갈라고? 한국에서의 삶은 어쩌고?

B: I found my true **destiny** in India. I want to spend my life serving the poor. 나의 진짜 운명을 인도에서 찾았어. 가난한 사람들을 위해 봉사하면서 살 거야.

1987 ★
detract
[ditrǽkt]

[동] (가치, 중요성, 명성 등을) 손상시키다, 비방하다

A: Can you just wear light makeup? Your heavy makeup **detracts** from your original beauty.
화장 좀 가볍게 하면 안 되나? 화장 두텁게 하니까 니 원래 미모가 손상되잖아.

B: Really? Okay, I'll take your advice. 진짜? 알았어. 그 조언 받아들이지.

1988 ★★
earthquake
[ə́:rθkwèik]

[명] 지진

A: Did you just feel that? The floor shook a little. Isn't that a sign of an **earthquake**? 방금 느꼈어? 바닥이 쪼끔 흔들렸는데. 설마 지진 징조 아니겠지?

B: Sorry, I just farted hard. 미안, 내가 방금 방귀 세게 뀌었다.

1989 ★★★
ease
[i:z]

[동] 편하게 하다, 덜어주다, 수월케하다 [숙] ease off 완화되다, 완화시키다

A: What tea was it that you just offered me? My pain immediately **eased**. 니가 줬던 차 뭔데? 통증이 바로 덜해지는데.

B: It's a wild herb tea. 야생초로 만든 차야.

1990 ★★
fee
[fi:]

[명] 수수료, 요금

A: I think I have to get a credit card for the first time in my life. Any suggestions?
나도 인제 난생 처음 신용카드 좀 발급받아야 될 거 같은데. 뭐가 좋을까?

B: How about Daegun Card? It has no annual **fee**.
대건카드 어때? 연회비도 없어.

DAY 67

요금을 나타내는 단어에는 charge나 fare도 있습니다. charge는 어떤 상품이나 서비스에 대한 요금을, fare는 교통수단에 대한 요금을 의미하니까 구분해서 챙겨 두어야겠죠?

Episode 200 • 내 친구는 간디

미정: 넌 앞으로도 계속 NGO같은 **charity**에서 일 할 거여? 아예 **occupation**으로 굳힌 건감?
찬규: 당연하지. 인류의 기술이 발달할수록 더 많은 사람들을 **alienate**할 거야. 내가 지금 일하는 단체, 국가로 부터 **charter**도 받았고 앞으로 더 꾸준히 도움이 필요한 사람들에게 **bridge**하는 게 **aim**이야. 저쪽 나라엔 **diaper**도 없어서 엉덩이 짓무르고 하는 애기들도 엄청 많다구.
미정: 암튼 널 보면 대단해. 의지도 아주 **firm**하고 말이지. 본인들 자식 양육도 **ditch**하는 사람들이 수두룩한 세상인데. 넌 완전 간디인 듯. 요즘 세대에 **extraordinary**한 인재여.

1991 ★★
charity
[tʃǽrəti]

[명] 자선단체, 자선, 관용 [숙] out of charity 불쌍히 여겨

A: Thank you guys so much for coming out tonight. The money you've donated will all go to charity after the show.
오늘 밤 참석해 주셔서 다들 감사드립니다. 기부하신 돈은 공연 후에 전부 자선단체로 보내집니다.

B: The performances tonight were awesome.
오늘 밤 공연들 너무 좋았어요.

1992 ★★
occupation
[ɑ̀kjupéiʃən]

[명] 직업, 점령 [파] occupy (공간, 지역, 시간을) 차지하다, 점령하다
[숙] out of occupation 실업 중인, 직업이 없는

A: What do you do for a living?
직업이 무엇이죠?

B: I'm a police officer but I'm thinking of changing my occupation.
경찰관입니다만 직업을 변경할까 생각 중입니다.

1993 ★
alienate
[éiljənèit]

[동] 소원하게(멀어지게) 만들다, 소외감을 느끼게 하다

A: Why do you not hang out with Daegun these days?
니 왜 요새 대건이랑 안 어울려?

B: He has alienated most of his friends with his quick temper. I just can't stand it any more.
걔 급한 성미 때문에 친구들 대부분이 멀어졌잖아. 나도 더 이상 그 성질 못 참겠고.

1994 ★★★
charter
[tʃɑ́:rtər]

[명] 인가서, 헌장 [동] (항공기 · 배를) 전세 내다

A: Are you sure you're going to act like this? You realize that it is against the charter.
진짜 이렇게 행동하실 겁니까? 헌장에 어긋난다는 것도 알고 계시겠지요.

B: I don't care. It's just something stupid and it's all written for the company, not for us.
신경 안 써요. 말도 안 되는 거, 그건 회사 좋으라고 쓰여진 거지 우리 좋으라고 쓰여진 건 아니잖아요.

1995 ★★★

bridge
[bridʒ]

(동) 다리를 놓다(형성하다) (명) 가교, 다리

A: Hmm.. Where's a great place to take group photos around here?
음… 이 근처에서 단체사진 찍을만한 데 어디 없을까요?

B: How about that wooden bridge over the river? That's really beautiful. 저기 강 위에 있는 나무다리 어때요? 되게 멋지죠.

1996 ★★★

aim
[eim]

(명) 목적, 목표 (동) ~을 목표로 하다, ~을 대상으로 하다

(파) aimless 목적이 없는, 방향을 잃은 (숙) take aim at ~를 비판하다(겨냥하다)

A: What's that brochure that you're reading now?
읽고 있는 그 책자 뭐야?

B: It's about calligraphy classes in my town. They say that it is particularly aimed at beginners.
우리 동네에서 하는 글씨 수업에 대한 거. 특히 초보자들을 대상으로 한다네.

1997 ★

diaper
[dáiəpər]

(명) 기저귀 (동) ~에게 기저귀를 채우다 (숙) change a diaper 애기 기저귀를 갈다

A: Why does my baby keep crying? I really don't know what to do now. 애기가 왜 자꾸 울지? 뭘 어떻게 해야 될지 모르겠네.

B: She must be hungry or a diaper needs changing.
지금 배가 고픈 거거나 아니면 기저귀 갈아야 될 때인 거지.

1998 ★★★

firm
[fə:rm]

(형) 단단한, 확고한 (명) 회사

(파) firmly 단호히, 확고히 (숙) hold firm to ~를 고수하다

A: You really think your husband will win the competition? He's quite old now.
진짜로 너네 남편이 경기 우승할 거라 생각하는 거야? 이제 나이도 꽤 있잖아.

B: No doubt. I have firm beliefs in his ability.
의심의 여지가 없다. 그 사람 능력에 대한 확고한 믿음이 있어.

1999 ★★

ditch
[ditʃ]

(동) (원치 않거나 불필요한 걸) 버리다 (명) 배수로 (유) gutter (도로의) 배수로

A: Why is this car always parked here? It doesn't seem to have moved at all.
왜 이 차는 항상 여기에 주차되어 있는 거지? 전혀 움직인 것 같지도 않고 말야.

B: I guess someone just ditched the car here.
누가 여기다가 그 차 버린 거 같은데.

2000 ★★

extraordinary
[ikstrɔ́:rdəneri]

(형) 보기 드문, 놀라운 (유) outstanding 뛰어난, 두드러진 remarkable 놀랄 만한

A: How was the cooking show at the KOEX mall?
KOEX에서 있었던 요리쇼 어땠어?

B: It was such an extraordinary event. I had a chance to taste one of my favorite chef's food and it tasted like heaven!
진짜 보기 드문 그런 행사였어. 내가 제일 좋아하는 요리사 중 한 분의 요리를 맛 볼 기회가 있었는데 와 진짜 장난 아니더라!

DAY **67**

접두사 extra-에는 '(무언가) 범위 밖에(beyond)'라는 의미가 있어요. 원가 평범하거나 보통인(ordinary) 상태의 범위 밖에(extra) 있는 게 extraordinary겠죠?

Episode 201 • 천국이 따로 있나 뭐.

대건: 와, 여기 완전 절경이네. 무슨 오른쪽은 **cemetery**들로 **amid**하고. 또 왼쪽으로 고개를 돌리면 **cliff**가 있고 말이지. 뭔가 **alien**한 경치인 것 같지 않냐? 여기 표지판에 안내 문구들 좀 봐. 다 **smudge**했네, 근데도 뭔가 멋있어. 와, 저쪽 뒤에는 **oak**들이 빽빽하게 들어차 있네. 내가 여기 올 때 **divine**했지. 경치가 정말 멋질 거라는 걸.

미정: 그러게. **ecosystem** 파괴도 여긴 거의 없는 거 같은데. 여기서 '야호' 하면 **echo** 장난 아니겠다.

대건: 그쟈? 암튼 이번 여행 오길 참 잘했어. 지친 내 몸과 마음에 **fuel**을 공급해 주네.

2001 ★★
cemetery
[sémətèri]

ⓜ 묘지 ⓢ be buried in a cemetery 묘지에 매장되다

A: What comes to mind when you hear the word "cemetery"?
넌 '묘지'라는 단어를 들으면 뭐가 떠올라?

B: Hmm.. that's interesting. I think of a word like tragedy.
음… 재밌는 질문이구만. 난 뭐 비극 같은 단어가 떠오르는데.

'묘지'라는 의미의 표제어입니다. 이 밖에도 burial ground 혹은 graveyard라는 단어도 비슷한 의미지요. graveyard는 교회 근처에 있는 묘지라는 의미에 더 가깝다는 점, 챙겨 두세요.

2002 ★★
amid
[əmíd]

ⓟ ~로 에워싸인, ~가운데에 ⓢ amid cheer 갈채 속에

A: What did you say at the event hall a while ago? I couldn't hear you well amid all the noise from the audience.
좀 전에 행사장에서 뭐라 그랬어? 관중들 소리에 에워싸여서 잘 듣질 못했어.

B: Oh, I asked how about sweet and sour pork for dinner.
아, 저녁으로 탕수육 어떤지라고 물어봤었어.

2003 ★★
cliff
[klif]

ⓜ 절벽 ⓤ rock face 암벽

A: Look at that man sitting on the ledge of the cliff.
와, 절벽 바위 위에 앉아 있는 저 남자 좀 봐.

B: Please don't ask me to go there and strike a pose like him. I won't do it.
제발 또 나보고 저기 가서 저 남자처럼 포즈 잡으라고 하지 마. 나 안 한다.

2004 ★
alien
[éiljən]

ⓟ 외국의, 이질적인 ⓟ alienate 소외감을 느끼게 하다

A: It's been more than five months since you moved to France. What is it like to live in a totally alien culture?
너 프랑스로 이사 간 뒤로 한 5개월 넘은 거 같네. 완전히 다른 외국 문화권에서 살아 보니 어때?

B: At first, it was hard to get used to it but now I love living in a different culture.
처음에는 적응하기 정말 어려웠는데 이제는 이 다른 문화 내에서 산다는 게 너무 좋아.

2005 ★

smudge
[smʌdʒ]

동 (더러운) 자국(얼룩)을 남기다, 번지다 명 자국, 얼룩 유 smear 얼룩, 자국

A: Wow, is this the painting that you got from the auction? Looks very cool.
오, 이게 니가 그 경매에서 낙찰 받은 그림이야? 완전 멋지네.

B: Look how dirty your hands are right now. Don't smudge it with them.
니 지금 손 더러운 것 좀 봐라. 손으로 자국 남기지 마셔.

2006 ★★★

oak
[ouk]

명 오크나무

A: How do you like your new studio? Oh, and I didn't know that you have a wardrobe here.
새 원룸으로 이사 오니까 어때? 어라, 여기 옷장도 있었는지 몰랐네.

B: I just got this yesterday. It's made of oak.
어제 새걸로 샀지. 이거 오크나무로 만든 거다.

2007 ★★

divine
[diváin]

동 (직감으로) 알다, 예측하다 형 신의, 신성한 파 divinity 신성, 신학

A: Thanks for bringing me something to drink. How did you know that I'm thirsty?
마실 거 갖다 줘서 고맙다야. 근데 나 목마른 건 어떻게 알았대?

B: I can divine what you're thinking just by looking at you.
너를 보기만 해도 무슨 생각 하고 있는지 다 알 수 있지.

2008 ★

ecosystem
[ékousìstəm]

명 생태계

A: I don't understand those people who eat something like shark's fin or snails.
난 상어 지느러미라던가 달팽이 같은 거 먹는 사람들 이해를 못 하겠어.

B: They don't realize that they are threatening the ecosystem.
생태계를 위협하고 있단 사실을 인지 못하는 거지.

2009 ★★

echo
[ékou]

명 울림, 메아리 동 ~ 소리로 가득하다

유 reverberate 소리가 울리다 숙 applaud somebody to the echo 누군가를 극구 칭찬하다

A: We've finally made it to the top. Isn't it so refreshing?
드디어 정상에 올라왔구만. 완전 상쾌하지 않나?

B: It is. Oh, we should shout into the canyon and listen to the echo of our voices.
응 맞어. 아, 우리 협곡 쪽으로 야호 하고 우리 목소리 울리는 거 들어 봐야지.

2010 ★★

fuel
[fjúːəl]

명 연료 동 연료를 공급하다, (감정 등을) 부채질하다

DAY **67**

A: How can it be possible for airplanes to be fueled in midair?
어떻게 비행기가 공중에서 연료를 공급 받을 수 있는 걸까?

B: That's modern technology.
그게 바로 현대기술이란 거지.

DAY 67 Review

1 다음 단어에 맞도록 우리말 또는 영어로 바꿔 쓰시오.

01 aim _____
02 ditch _____
03 occasional _____
04 accord _____
05 ease _____
06 fee _____
07 firm _____
08 bridge _____
09 smudge _____
10 divine _____

11 운명 _____
12 나침반, 범위 _____
13 기저귀, 기저귀를 채우다 _____
14 직업, 점령 _____
15 인가서, 전세 내다 _____
16 절벽 _____
17 ~로 에워싸인, ~가운데에 _____
18 울림, 메아리 _____
19 외국의, 이질적인 _____
20 묘지 _____

2 다음 빈칸에 알맞은 단어를 넣어서 문장을 완성하시오.

01 An ad has recently _____ the hearts of people around the world.
광고 한 편이 최근 전세계 사람들의 마음을 사로잡았다.

02 I used to have a dream to become a captain of an _____.
나도 한때엔 항공기 기장이 되는 꿈을 꾸곤 했었는데 말이지.

03 I'm surprised that you've been raising money for _____.
나는 네가 자선기금을 계속 모금하고 있다는 데에 굉장히 놀랐다.

04 There's no doubt that you are an _____ woman.
네가 참 보기 드문 여성이라는 데엔 의심의 여지가 없지.

05 We have to preserve the _____ for our next generations.
우리는 다음 세대를 위해서 꼭 생태계를 보존해야 합니다.

DAY 68 에피소드 202~204

Episode 202 · 여기까지가 끝인가 보오.

대건: 와, 너 TV 인터뷰 봤냐? 당대 **foremost** 과학자가 집행한 실험이 이렇게 허무하게 끝날 줄은 몰랐네.

미정: 그르게. 그 분야에선 **pearl**같은 분이셨는데…. 이게 뭔가 보이는 결과를 내야 되니까 답답한 마음에 실험군들을 **imprison**하고 약 **dose**를 늘리라고 명령했다잖아. 결국 사람들 **organ**에 무리가 오고, 그러니 당국에서 실험 자체를 **cease**한 거지. 인터뷰 중간에 막 **sob**하는 데 나름 딱하드라.

대건: 그게 다 한 분야를 더 **further**하기 위해서라는 건 이해가 되지만 그 점 말고는 좀 **obscure**한 부분이 많드라. 암튼 법률 조항 어긴 게 한두 개가 아니라고 하니 인제 뭐 거의 끝났다고 봐야할 듯. 영원할 것만 같았던 한 과학자의 **realm**은 여기까지가 끝인가 보오.

2011 ★★
foremost
[fɔ́:rmoust]

⟨형⟩ 가장 중요한(유명한) ⟨숙⟩ first and foremost 다른 무엇보다도 더

A: I love this singer's latest album. You know, all the lyrics and the melodies are beautiful.
이 가수 최신 앨범 너무 마음에 들어. 가사 하나하나며 멜로디까지 너무 예뻐.

B: No doubt that he's one of the **foremost** singer-songwriters in this century.
이번 세기에 가장 유명한 가수이자 작곡가 중 한 사람임에는 정말 의심의 여지가 없다.

2012 ★★★
pearl
[pə:rl]

⟨명⟩ 진주, 귀중한 것

A: I love your accessories today. Especially your **pearl** necklace.
오늘 니가 한 장신구들 다 맘에 드네. 특히 니 진주 목걸이.

B: Isn't it pretty? My dad got me this when he came back from his recent business trip. 예쁘지 않나? 아빠가 최근에 출장 다녀오실 때 사다 주셨어.

2013 ★★
imprison
[imprízn]

⟨동⟩ 투옥하다, 감금하다

⟨유⟩ incarcerate 투옥하다, 감금하다 ⟨숙⟩ be imprisoned for ~때문에(이유로) 투옥되다

A: What is it like to live in a dorm? 기숙사에서 살아 보니 어때?

B: I feel like I'm **imprisoned** in a nest. Let me get out of here. I want freedom! 둥지 안에 감금되어 있는 기분이야. 여기서 나가게 해 줘. 자유를 원해!

2014 ★
dose
[dous]

⟨명⟩ (약의) 복용량, 투여량 ⟨동⟩ 약을 먹이다(먹다)

⟨파⟩ dosage (약의) 정량, 복용량 ⟨숙⟩ take a fatal dose of ~의 치사량을 복용하다

A: Are you okay now? I thought you caught a cold yesterday.
니 괜찮나? 니 어제 감기 걸렸던 거 같은데.

B: I took a large **dose** of vitamin C and warm water yesterday and now I'm over it.
어제 비타민 C 다량으로 복용하고 따신 물마시고 했더니만 지금은 말끔하네.

DAY **68**

2015 ★★★

organ
[ɔ́ːrgən]

[명] 신체장기, 기관 [파] organic 장기기관의, 유기적인

A: Dinner is almost ready. Come taste the soup. I don't think it's salty enough. 저녁 준비 거의 다 됐다. 와서 국 간 좀 봐. 좀 싱거운 거 같기도 한데.

B: You really don't? It's super salty right now. There must be something wrong with your sense **organs**.
이게 안 짜다고? 완전 짜구만 지금. 니 감각기관에 뭔가 문제가 있는가 봐.

2016 ★★★

cease
[siːs]

[동] 중지하다, 끝내다 [유] discontinue (정기적으로 계속하던 걸) 중단하다, (생산을) 중단하다

[숙] cease fire 사격을 중지시키다

A: Mom, I can't take care of Daegun anymore. He never **ceases** his constant whining. 엄마 나 더 이상 대건이 못 돌보겠어요. 애가 계속 징징대요.

B: But you promised. Don't say that you're going to break your word.
그치만 니가 약속한 거잖니. 약속한 걸 어기겠다는 말은 하지 마라.

2017 ★★

sob
[sab]

[동] 흐느껴 울다, 흐느끼며 말하다 [유] weep 울다, 눈물을 흘리다

A: Is your friend originally so emotional? I told him about a sad story and then all of a sudden...
니 친구 원래 그렇게 감정이 풍부한 사람이니? 쫌 슬픈 이야기 하나 했더니만 갑자기…

B: He began to **sob**, didn't he? 흐느끼면서 울기 시작했지, 그치?

2018 ★★★

further
[fə́ːrðər]

[동] 발전시키다, 촉진하다 [부] (거리 · 공간 등이) 더 멀리, 게다가

[숙] take something further 무언가에 더 심각한 조치를 취하다 go further 더 오래가다

A: Thank you so much for your donation. All the money will be used to **further** the public good.
기부 정말 감사드려요. 기부해 주신 돈은 공익을 발전시키는 데 사용될 거예요.

B: OK. Please make good use of it. 네. 유용하게 사용해 주세요.

2019 ★★

obscure
[əbskjúər]

[형] 이해하기 힘든, 무명의, 모호한 [유] obscurity 무명, 모호함

A: Did you enjoy the movie? I don't even know what it was all about.
영화 재밌드나? 난 영화 내용이 뭐였는 줄도 모르겠다.

B: It was just a movie full of **obscure** terms that only youngsters would understand.
그냥 청소년들만 알아들을 수 있는 이해하기 힘든 용어들로 가득한 그런 영화였어.

2020 ★★

realm
[relm]

[명] 왕국, 영역

A: I never lose interest when I read this author's novels.
난 이 작가 소설류들은 읽을 때 절대로 흥미를 잃거나 그러질 않아.

B: I believe that author is just a god in the **realm** of modern literature.
그 작가는 뭐 완전 현대문학 영역 내에서는 신이라고 볼 수 있지.

Episode
203 • 내 밥그릇은 내가 챙긴다.

> 대건: 여럿이서 **cluster**하고 뭐 하고들 있는 거야?
> 미정: 어 왔나? 우리 이사 온 곳이 **furnish** 한 사무실이 아니어서 말이야. 가져 온 우리 예전 집기들 어디 놓을지 의논하고 있었어. 우리 책장들은 이쪽에 두면 어떨까? 아 그리고 **chamber**는 저기 저쪽으로 하고.
> 대건: 흠… 그렇게 되면 단점이 장점보다 **outweigh** 하지 않나? 공간 낭비가 심한 거 같은데.
> 미정: 이것저것 **reconcile** 하는 게 쉽질 않네.
> 대건: 그렇고말고. 회의에서 업무 효율성에 초점을 맞춰 배치하자고 **relate**했으니 신중해야지. 근데 우리 각자 개인 공간 **allocate** 하는 것도 아직 덜 하지 않았나?
> 미정: 니 자리를 이상한 데 줄까봐 **anxious** 하는구나.
> 대건: 나의 이 화려한 **diplomacy**를 이용해서 **means** 가리지 않고 제일 좋은 자릴 선점할 거야.

2021 ★★
cluster
[klʌstər]

� 무리를 이루다, (소규모로) 모이다

A: Why did the kids **cluster** together over there a while ago?
아까 애들 왜 저쪽에 모였던 거야?

B: There's a magician who often visits our kindergarten to play with kids. He came by at that time.
애들이랑 놀아주러 오는 마술사 아저씨가 한 분 계시거든. 그때 잠깐 들리셨어.

2022 ★★★
furnish
[fə́ːrniʃ]

� (가구를) 비치하다, (필요한 것을) 제공하다   ㉴ provision 공급, 제공

A: Wow, you **furnished** your room nicely. I especially love that bookshelf.
오, 니 방 가구 비치 이쁘게 잘 해놨네. 특히 저 책장이 맘에 든다.

B: Thanks. I made that myself referring to a blueprint that I downloaded online.
고마워. 저 책장 인터넷으로 다운 받은 설계도 참고해서 내가 직접 만든 거야.

2023 ★★★
chamber
[tʃéimbər]

㉲ 회의실, −실

A: Did you just fart again? Come on. It feels like I'm in a gas **chamber** right now!
니 또 방귀 뀌었나? 아 쯤. 내 뭐 지금 가스실에 있는 거 같다!

B: My farts are so deadly.
내 방귀가 좀 치명적이지.

2024 ★
outweigh
[áutwéi]

� ~보다 더 크다(대단하다)

A: Do you really think that we should take their offer? It's obvious that the disadvantages **outweigh** the advantages.
정말로 우리가 저 사람들 제안을 받아들여야 된다고 생각해? 단점이 장점보다 더 큰 게 뻔히 보이는데.

B: But there are no other options. That is the best option that we have. 근데 뭐 다른 방도가 없잖아. 그게 우리가 가진 최고의 선택이라고.

DAY 68

2025 ★★
reconcile
[rékənsàil]

(동) 조화시키다, 화해시키다, 받아들이다   (파) reconciliation 화해, 조화

A: Why is it so hard to **reconcile** my ideals and reality?
내 이상과 현실을 조화시키는 게 왜 이리 힘이 드는 걸까?

B: That's what life is all about. 그게 우리 인생 아니겠니.

2026 ★★
relate
[riléit]

(동) 이야기하다, 관련시키다   (숙) be related to ～와 관련이 있다

A: I can totally sense how hard the artist's life has been through these works.
여기 작품들 보니까 작가의 삶이 얼마나 힘들었는지 느낄 수 있겠어.

B: You're right. All these works **relate** somehow to his struggle and agony.
맞아. 여기 작품들이 전부 다 그의 투쟁 그리고 고뇌 뭐 이런 것과 관련되었네.

2027 ★
allocate
[æləkèit]

(동) 할당하다   (유) assign 배정하다, 맡기다

A: I'm glad a bigger budget will be **allocated** to our department next year. 내년에 우리 부서에 더 큰 예산이 할당되게 되어 너무 좋아요.

B: It's all thanks to you guys. How about we have a staff dinner tonight? 다 여러분들 덕분이지요! 오늘 저녁에 회식 어때요?

2028 ★★
anxious
[æŋkʃəs]

(형) 불안해하는, 열망하는

(파) anxiously 근심(걱정)하여, 열망하여   (숙) anxious for ～를 열망하는

A: You seem pretty **anxious** about something. What's going on?
니 뭐 불안해하는 것처럼 보인다. 뭔 일 있나?

B: I forgot my English textbook again. I'm going to be scolded.
영어 교과서 또 깜박했다. 혼나겠네.

anxious 외에도 worried, concerned, nervous 모두 걱정하는 마음, 불안한 마음을 표현할 수 있는 단어들입니다.
가장 일반적인 것은 worried이고 좀 더 격식이 있고 강한 느낌을 전할 때에는 anxious가 주로 쓰인답니다.

2029 ★
diplomacy
[diplóuməsi]

(명) 외교(술), 사교능력   (파) diplomat 외교관

A: I'm really impressed by your great **diplomacy** that you showed at the event.
행사 때 자네가 보여 준 사교능력에 정말 감탄했다네.

B: Thank you. This isn't something that can be taught. It's just my talent. 감사합니다. 이건 뭐 누구에게 배울 수 있는 게 아니거든요. 다분히 재능이랄까.

2030 ★★
means
[mi:nz]

(명) 수단, 방법, 재산   (숙) by fair means or foul 수단 방법 가리지 않고

A: Can you just put your phone down? We're having dinner now.
전화기는 그만 좀 내려놓지? 저녁 먹고 있잖아?

B: I was just having a conversation with my brother on the phone. It is just an effective **means** of communication.
그냥 형이랑 폰으로 이야기 하고 있었어요. 효과적인 의사전달 수단이라구요.

Episode 204 ● 음악으로 성공하겠다는 독기

대건: 가만 있어 봐. 내 악기 가방 어딨더라? 아이, 이번에 큰맘 먹고 새 기타 샀는데 어딨지?

미정: 너 또 **misplace**했구나. 근데 너 같은 **miser**가 웬 새 기타?

대건: 내 사촌동생 알지? 난 걔가 늘 **rebel**스럽고 해서 안 좋게 봤는데. 이번 명절 때 가족 **annual**모임에서 자기는 대학교 가는 대신 음악 하겠다고 향후 5년 계획을 **outline**하는데, 와~ 나도 그간 쉬고 있었던 기타 연주를 다시 하고 싶게 만들드라고. 암튼 얘 음악 연주 연습뿐만 아니라 **notate**도 엄청 해두었더라고. 눈이 반짝반짝하면서 설명하는데 무슨 **epic**을 보는 느낌이었달까.

미정: 근데 음악하려면 진짜 노력을 많이 **require**할 텐데. 성공할 확률도 **almost** 절반 이하이고 말야.

대건: 실패하면 **bucket** 들고 거리로 나가서라도 노래해서 꼭 성공할 거라든데?

2031 ★
misplace
[mispléis]

동 제자리에 두지 않다

A: What are you looking for right now? Well, it seems that you have misplaced your keys again.
지금 뭐 찾고 있는 건데? 음, 보아하니 또 열쇠 제자리에 안 뒀구만.

B: I'm already late for school! Help me find them.
나 벌써 학교 늦었어. 찾는 것좀 도와줘.

 place라는 단어에는 '(물건 등을) 두다'라는 의미가 있지요. 접두사 mis- 에는 잘못된(wrong)의 의미가 있고요. 물건을 잘못된(mis) 곳에 두다(place). misplace, 즉 '제자리에 두지 않다'라는 의미입니다.

2032 ★★
miser
[máizər]

명 구두쇠

A: Hey, thanks for dinner. It was really good.
야 저녁 잘 먹었다. 맛있었어.

B: Can't you just pay at least once? You never spend money. Ugh, such a miser.
적어도 한 번이라도 니가 좀 사면 안 되냐? 돈은 절대 안 쓰는구먼. 으, 구두쇠.

2033 ★★
rebel
[rebál]

명 반항아, 반역자 동 반항하다 파 rebellion 반란

A: I'm so happy that you're graduating from university tomorrow.
내일 니가 대학교 졸업하게 돼서 너무 기쁘다.

B: I know. I used to be the rebel of the family and now I feel like I've become a different person.
그러게. 늘 집안에서 반항아 역할만 하던 나였는데. 이제는 완전히 다른 사람이 된 것 같은 기분이 들어.

2034 ★★
annual
[ǽnjuəl]

형 연례의, 매년의 유 yearly 해마다 있는

A: You're already using a credit card? Isn't there an annual fee?
너 이미 신용카드 쓰고 있냐? 그거 뭐 연회비 같은 거 내야 되지 않냐?

B: Mine has no annual fee. 내꺼는 연회비 없어.

DAY 68

2035 ★★
outline
[áutlain]

ⓢ 개요를 서술하다 ⓔ 윤곽 ⓢ a broad outline of ~의 대체적인 윤곽

A: Fall is a great season to read a book. Are you reading anything these days?
가을은 역시 책 읽기 좋은 계절이야. 요새 뭐 읽고 있는 책 있어?

B: I'm reading a history book. What I love about it is that it **outlines** the major events of the Joseon Dynasty period very easily.
역사책 하나 읽고 있어. 이 책이 참 좋은 게 뭐냐면 조선시대 때 있었던 주요 사건들 개요를 아주 쉽게 서술하고 있다는 거지.

2036 ★
notate
[nóuteit]

ⓢ 기록하다, 적어두다, 악보에 기보하다 ⓟ notation 표기법

A: I like how you **notate** what you're listening to.
니가 하듯이 듣고 있는 거 기록해 두고 그러는 거 좋은 거지.

B: Oh, I didn't know you were here. It's just become a habit of mine to do this.
니 여기 있었는지 몰랐네. 그냥 이렇게 하는 게 습관이 되어서.

2037 ★
epic
[épik]

ⓔ 서사시, 장대한 일 ⓔ 서사시적인, 장대한

A: Did you see the World Baseball Classic final game yesterday?
어제 월드 베이스볼 클래식 결승전 봤어?

B: I did! It was an **epic** game. I totally lost track of time.
봤고말고. 한편의 서사시같은 경기였지. 시간 가는 줄 모르고 봤다니깐.

2038 ★★
require
[rikwáiər]

ⓢ 요구하다, 필요로 하다

ⓟ requirement 필요조건, 요건 ⓢ be required for ~를 위해 요구되다

A: Thanks for giving me this wireless mouse.
무선 마우스 고마워.

B: It's nothing. Oh, it **requires** two batteries, which are not included.
뭐 그런 걸 가지고. 아 맞아. 그거 배터리 두 개 필요한데, 지금 안 들어 있어.

2039 ★★★
almost
[ɔ́:lmoust]

ⓑ 거의

A: What does Daegun like to eat? I still haven't decided what to cook since I don't know his taste.
대건이가 뭐 잘 먹는데? 그 애 취향을 모르니까 뭐 요리해야 될지 아직 정하질 못했어.

B: I'm sure that he will eat **almost** anything. Don't worry.
장담컨대 뭐 거의 안 가리고 다 먹을 걸. 걱정하지 마.

2040 ★★
bucket
[bʌ́kit]

ⓔ 양동이, 많은 양 ⓢ bucket down 비가 억수같이 오다

A: Hey, can you go get two more **buckets** of water? This is not enough.
저기, 가서 물 두 양동이만 더 가져다 줄래? 이거 모자란다.

B: Okay, I'll be right back. 알았어. 잠깐만.

1 다음 단어에 맞도록 우리말 또는 영어로 바꿔 쓰시오.

01 dose _____

02 foremost _____

03 sob _____

04 further _____

05 relate _____

06 outweigh _____

07 cluster _____

08 outline _____

09 notate _____

10 epic _____

11 투옥하다, 감금하다 _____

12 왕국, 영역 _____

13 회의실, ─실 _____

14 수단, 방법, 재산 _____

15 조화시키다, 화해시키다 _____

16 제자리에 두지 않다 _____

17 양동이, 많은 양 _____

18 구두쇠 _____

19 반항아, 반역자, 반항하다 _____

20 요구하다, 필요로 하다 _____

2 다음 빈칸에 알맞은 단어를 넣어서 문장을 완성하시오.

01 There are so many _____ terms and sentences in this novel.
이 소설책에는 이해하기 힘든 용어들과 문장들이 너무 많아요.

02 I'm so sad that the chocolate factory in my hometown _____
operations this spring.
제 고향에 있던 초콜릿 공장이 올 봄에 조업을 중단했다는 게 너무 슬퍼요.

03 I don't know why my parents are still _____ about my future.
저희 부모님께서 저의 장래에 대해 여전히 왜 불안해하시는지 참 모를 일이네요.

04 My grandpa is an old hand at _____.
우리 할아버지는 노련한 외교 기술의 소유자이세요.

05 I didn't really know that I have to pay an _____ fee.
연간 회비를 지불해야 된다는 걸 전 정말 모르고 있었어요.

DAY 69 에피소드 205~207

Episode 205 • 닭 가슴살만 먹으면 살 빠질 줄 알았는데.

대건: 닭 가슴살도 **bulk**로 사서 먹고 다이어트를 하는 사람들이 **revere**하는 **multiple**한 사이트에서 얻은 정보에 맞게 운동도 했는데 왜 살이 안 빠지지? 이거 완전 **misfire**했네.

우식: 음… 아마 **extrinsic**한 요인보다는 **inner**한 문제인 것 같은데? 너무 스트레스나 압박감을 느끼면 몸에서 지방을 쥐고 있을라 해서 살이 잘 안 빠진대. 넌 보기에 **fit**하고 좋은데 왜 살 뺄라 하는 건데?

대건: 요새 **formal**한 복장을 해야 할 자리가 늘었는데 예전에 산 정장들이 안 맞아. 어우, 온 몸이 지방 **mass**가 되어가고 있나 봐. 아이고, 이제 닭 가슴실 **remainder** 못 먹겠다. 니 가져 갈래?

2041 ★★
bulk
[bʌlk]

⊕ (큰) 규모, 부피, 용적 ⊕ bulky 부피가 큰, (사람) 덩치가 큰

A: You've got so many packages of wet wipes in your utility room.
다용도실에 물티슈 엄청나게 많이 있네.

B: Wet wipes are one of my necessities so it's way cheaper to buy them in **bulk**.
물티슈가 또 내 필수품 중의 하나인데, 대량으로 사는 게 더 싸.

2042 ★★
revere
[rivíər]

⊕ 숭배하다, 존경하다 ⊕ reverence 숭배

A: Why did you bow down before that old-looking statue?
왜 저 오래되어 보이는 동상 앞에서 절을 해?

B: Well, this is my family's ritual that we do before conducting something important. We **revere** that statue. 음, 뭔가 중요한 일 시행하기 전에 우리 가족이 하는 의례 같은 거야. 저 동상을 숭배하는 거지.

2043 ★
multiple
[mʌ́ltəpl]

⊕ 많은, 다수의 ⊕ 배수 ⊕ multiply 곱하다, 증식하다(번식하다)

A: I think I'm addicted to social media. Last night, I was really tired but I couldn't help but check out my timeline.
난 진짜 소셜미디어에 중독되었나 봐. 어젯밤에도 진짜 피곤했는데 계속 내 타임라인 확인했다니깐.

B: You do it **multiple** times a day. Stop wasting your precious time.
하루에도 여러 번 하잖아. 소중한 시간 좀 그만 낭비해라.

2044 ★
misfire
[mìsfáiər] ⊛
[mísfaiər] ⊛

⊕ 의도하던 효과를 못 얻다, 불발하다 ⊕ 불발

A: Did your plan work out well? Tell me how it went.
니 계획 잘 된 거야? 어떻게 됐는지 말 좀 해 봐.

B: I don't want to talk about it. My whole plan totally **misfired** and now I don't know what to do next. 말도 꺼내기 싫다. 계획 전체가 그냥 의도하던 효과를 못 얻었고 인제 뭘 해야 될지도 모르겠다.

2045 ★

extrinsic
[ikstrínsik]

ⓗ 외적인, 외부의　ⓑ intrinsic 고유한, 본질적인　ⓢ extrinsic to ~와 관계없는

A: I thought I would definitely win the game today. I wasn't ready to lose like this.
오늘은 무조건 이길 줄 알았는데 말이지. 이렇게 지게 될 줄이야.

B: Sorry but you have to know that there's always **extrinsic** factors in competition. You did well today.
아쉽지만 시합 같은 데엔 늘 외적인 요소도 있다는 걸 알아 두라고. 오늘 잘했어.

2046 ★★

inner
[ínər]

ⓗ 내부의, 내면의

A: I didn't know that you're suffering from melancholy.
니가 우울증 겪고 있는 줄은 몰랐다야.

B: It's all right. How could you know? I didn't reveal much of my **inner** self.
괜찮다. 니가 어떻게 알 수 있었겠노? 내가 내 내면의 자아를 잘 드러내질 않았으니.

2047 ★★★

fit
[fit]

ⓗ 건강한　ⓥ 맞다, 적절하다　ⓢ fit in with ~와 어울리다

A: Are you sure this is the right key? It doesn't **fit** the lock.
이거 진짜 맞는 열쇠야? 자물쇠에 안 맞는데.

B: No way. Try it again. 그럴 리가. 다시 해 봐라.

2048 ★★

formal
[fɔ́:rməl]

ⓗ 격식을 차린, 공식적인, 정규적인　ⓟ formalize 공식화하다

A: Mom, can I dress casually for dinner tonight?
엄마, 나 오늘 저녁식사 때 캐주얼하게 옷 입어도 괜찮아요?

B: I'm afraid you can't. It's a very **formal** affair so you should dress formally.
안타깝지만 안 된단다. 오늘 저녁식사 굉장히 격식을 차리는 자리라서 너도 차려입어야 돼.

 이 표제어 앞에 부정 접두사 in-이 붙으면 informal이란 형용사가 완성되는데요, 전달하는 의미는 '격식에 얽매이지 않는, 일상적인' 이러한 뜻입니다.

2049 ★★★

mass
[mæs]

ⓝ 덩어리　ⓗ 대량의　ⓥ 모으다(모이다)

ⓟ massive 거대한, 엄청나게 큰　ⓢ be a mass of ~로 가득하다

A: Hey, did they say that it's going to rain during the day? Look up at the sky. 야, 오늘 일기예보에서 낮에 비 온다 그랬나? 하늘 좀 봐.

B: No, they didn't. But the sky is full of dark **masses** of clouds. We'd better hurry.
아니, 비 온다는 말 없었는데. 하늘은 완전 시커먼 구름 덩어리로 가득하구만. 서둘러야겠다.

2050 ★

remainder
[riméindər]

ⓝ 나머지, 재고품　ⓟ remains 남은 것, 유적

A: You still have all the textbooks that we used in high school. I kept just a couple of them and gave away the **remainder**.
우와, 니 아직도 고등학교 때 썼던 교과서 다 가지고 있네. 난 몇 권만 남겨두고 나머지는 다 처리했는데.

B: Really? I can't get rid of them. 맞나? 난 없애지를 못하겠더라고.

Episode 206 • 배은망덕

대건: 와, 나 좀 **calm**해주라. 이거 무슨 증거도 없이 우리가 잘못한 것처럼 **allege**해서 내쫓기 있나? 도둑 취급하면서 말야. 우리가 무슨 불법 **emigrant**도 아니고.

용호: 지금은 어쩔 수가 없다. 우리가 **defiance**하려고 해도 뭔가 있어야 그나마 가능할 테니까. 그냥 작전상 **retreat**한다고 생각하자.

대건: 아니, **chore**하는 거 도와 달라고 부를 땐 언제고 말야.

용호: 냅둬. **likewise**, 하는 짓이 지네 형처럼 탐욕스럽지. 자기는 늘 **minimal**한 피해만 보려고 하는 거 알잖아.

대건: 지금 기분 같아서는 진짜 **mill**에서 고춧가루 사다가 뿌려 버리고 싶다. 정말 **nerve** 거슬리게 하네.

2051 ★★★
calm
[kɑːm]

통 진정시키다　형 침착한　파 calmly 침착하게, 고요히

A: You must have been really frightened. Come over here and have some tea. It will **calm** your nerves.
　진짜 무서웠겠다. 일로 와서 차 좀 마셔. 마음 좀 진정될 거야.

B: Thanks. That dog running towards me was really scary.
　고마워. 날 보고 개가 막 달려드는데 너무 무서웠어.

2052 ★★
allege
[əlédʒ]

통 (증거 없이) 혐의를 제기하다, 주장하다　숙 it is alleged that ~ ~라 주장되다(전해지다)

A: So, you **allege** that a friend of yours broke into your house and stole your piggy bank. Do you have any proof?
　그러니까 친구 분이 댁에 몰래 들어가서 그쪽 돼지저금통을 훔쳤다고 주장하는 거지요? 증거 있습니까?

B: Sure, I've got a picture of him carrying my pink piggy bank!
　있죠, 제 분홍색 돼지저금통 들고 가는 사진을 찍어뒀어요!

2053 ★
emigrant
[émigrənt]

명 이민자, 이주민

A: Do you really want to move to America? I can't believe you're going to be an **emigrant**.
　니 진짜로 미국으로 이사하고 싶은 거니? 니가 곧 이민자가 될 거라니 믿기질 않는군.

B: Well, I do want to move. Come on, it's not like I'm going there to die.
　음, 진짜 이사하고 싶어. 왜 그래. 내가 뭐 거기 죽으러 가냐.

2054 ★
defiance
[difáiəns]

명 반항, 저항　파 defy 반항(저항)하다, 도전하다

A: Why do you always act in **defiance** of your parents?
　넌 왜 늘 부모님한테 반항하는 행동을 하는 거야?

B: I don't know. Maybe it's because I'm going through puberty.
　몰라. 지금 사춘기라서 그런가 보지.

2055 ★★

retreat
[ritríːt]

(동) 후퇴하다, 물러서다

(유) withdraw 물러나다, 철수하다　(숙) retreat from the front 전선에서 퇴각하다

A: Who released that crazy dog? It's coming at us, it's coming at us!
누가 저 미친개를 풀어 둔 거야? 우리 쪽으로 온다, 우리 쪽으로 온다!

B: Let's retreat behind the trees on the hill.
언덕 위에 있는 나무 뒤로 후퇴하자!

2056 ★

chore
[ʧɔːr]

(명) 잡일, 따분한 일　(숙) do chores 집안일을 하다

A: How about going shopping? I'll pick you up if you want to go.
쇼핑가는 거 어때? 간다면 내가 데리러 갈게.

B: I'll just stay home. To me, shopping is a real chore.
난 그냥 집에 있을래. 나한테 쇼핑은 진짜 따분한 일이다.

2057 ★★

likewise
[láikwàiz]

(부) 똑같이, 또한, 마찬가지로　(유) similarly 비슷하게, 유사하게

A: Why does that guy keep coming in and out of the bakery's kitchen?
저 남자 왜 자꾸 빵집 주방에 들락날락 하는 거지?

B: Don't you know that he's the owner of the ice-cream store next door and likewise the owner of this bakery?
저 아저씨가 옆에 아이스크림 가게 사장님이자 또한 이 빵집 사장님인 거 몰랐어?

2058 ★

minimal
[mínəməl]

(형) 최소의, 아주 적은　(유) least 가장 적은, 최소의

A: I heard you had a car accident this morning. Are you okay now?
오늘 아침에 차사고 났다메. 몸은 개안나?

B: I'm okay. It was just a fender bender. There was only minimal damage to the car. 개안타. 그냥 접촉사고였어. 차에도 뭐 아주 적은 손상만 있었고.

2059 ★★★

mill
[mil]

(명) 방앗간, 공장, 가는 기구　(동) 갈다　(유) grind 갈다

A: It's really cold outside, huh? On a day like today, a cup of coffee would hit the spot. 밖에 엄청 춥다, 그치? 이런 날엔 커피 한 잔이 딱이지.

B: Wow, you got that coffee mill! You must have spent a lot of money.
오, 니 그 커피 가는 기구 샀구나. 돈 많이 썼겠는데.

 이 mill에는 '돌아가다(회전하다)'라는 뉘앙스가 있답니다. 바람에 의해 돌아가는 windmill(풍차), 돌려가면서 곡물을 가는 millstone(맷돌), 그리고 헬스장에서 우리가 걷거나 뛸 때 쓰는 treadmill 등. mill이 어떤 느낌인지 아시겠죠?

2060 ★★

nerve
[nəːrv]

(명) 신경, 긴장, 용기

(파) nervine 신경 진정제, 신경을 진정시키는　(숙) hit a nerve 남 아픈 데(신경)를 건드리다

A: I'm sorry to hear that you got nerve damage in your back.
유감스럽게도 니 등 쪽에 신경 손상 되었다메.

B: It's really killing me. I'm receiving treatment twice a week.
진짜 아프다. 일주일에 두 번씩 치료 받고 있어.

DAY **69**

Episode 207 ● 고백(Go Back)

태훈: 이번에 집에서 쓰던 옛날 가구 **restore** 하러 갔었는데 자세히 보니 우리 옛날에 키우던 고양이가 **claw** 해서 깊게 파인 상처가 있드라. **clumsy** 한 주인 만나 누리지도 못하고 살다가 **perish** 해서 그런지 참 **mourn** 해지더라고. 시간을 **reverse** 할 수만 있다면 다시 돌아가서 더 잘 챙겨 주고 싶어.

대건: 그래. 그 정도 **repent** 했으면 됐어. 많이 그립나보네.

태훈: 그땐 그저 얘가 **nuisance** 라고만 생각했거든. 아무래도 **lone** 한 자취생이었으니까. 하, 근데 이제 생각하면 뭔가 얘한테 크게 **owe** 한 그런 느낌이다.

2061 ★★
restore
[ristɔ́ːr]

(통) 복원하다, 부활시키다, 되찾다

(유) reinstate (직장 등으로) 복귀시키다, (원래 상태로) 회복시키다

A: Wasn't that movie that you're watching now made and released in the 1950s? How can you be watching it with your computer?
니가 지금 보고 있는 영화 1950년대 작품 아니라? 어떻게 컴퓨터로 보고 있노?

B: The film has been digitally **restored**. Classics never die.
이 영화 디지털 방식으로 복원되었거든. 고전은 절대 사라지지 않는다.

2062 ★★
claw
[klɔ:]

(통) 할퀴다, 긁다 (명) 집게발

(유) talon (맹금류의 갈고리 모양) 발톱 (숙) red in tooth and claw 인정사정 봐주지 않는

A: What happened to your face? You're bleeding now.
얼굴 왜 그래? 피 나는데 지금.

B: My cat has just **clawed** my face. It really hurts.
고양이가 방금 내 얼굴 할퀴었어. 완전 아픈데.

2063 ★
clumsy
[klʌ́mzi]

(형) 어설픈, 서투른

A: Give me a hand. I can't move these dishes alone. It's too heavy.
나 좀 도와줘. 이 접시들 혼자 못 옮기겠어. 너무 무겁다.

B: Are you sure about this? You know I have **clumsy** hands and tend to drop things.
괜찮겠나? 알다시피 나 완전 손놀림도 서투르고 물건 같은 거 잘 떨어뜨리는데.

2064 ★★★
perish
[périʃ]

(통) (갑자기) 죽다, 소멸하다, 사라지다 (숙) perish in ~로 죽다

A: I really don't understand the ending of the movie. Why was there a fire at the end?
나 그 영화 결말 부분이 진짜 이해가 안 돼. 마지막에 불은 왜 났던 건데?

B: It implies that the whole family **perished** in the fire.
가족 전부 화재로 죽게 되는 거 암시하는 거잖아.

 이 단어 외에도 죽음을 순화해서 사용하는 **pass away**(돌아가시다)라는 표현을 통해서 유사한 의미를 전달할 수 있습니다.

2065 ★★

mourn
[mɔːrn]

(동) 애석해하다, 애도하다 (유) lament 애통하다, 한탄하다

A: I wonder how she is doing these days. Is she all right?
그녀는 요즘 어떻게 지내는지 궁금하네. 괜찮나?

B: She still mourns her boyfriend who died in an accident last year.
여전히 지난해 사고로 죽은 지 남자 친구 애도하면서 살고 있지.

2066 ★★

reverse
[rivə́ːrs]

(동) 뒤집다, 뒤바꾸다, 후진하다

(파) reversely 거꾸로, 반대로 (숙) go into reverse 반전되다, 반전시키다

A: We can't just give up on a chance like this. This is an opportunity that we will never have again.
우리 이런 기회를 그냥 포기할 순 없어. 이건 우리가 다시는 가지지 못할 그런 기회라고.

B: All right. Then let's come up with an idea to reverse the current situation.
알았어. 그럼 지금 현 상황을 뒤집을 수 있는 아이디어를 한번 생각해 보자.

2067 ★★

repent
[ripént]

(동) 뉘우치다, 회개(후회)하다 (파) repentance 뉘우침, 회개

A: Dad, I repent what I did to you this morning. I won't talk back to you again.
아빠, 오늘 아침에 제가 한 짓 뉘우치고 있어요. 다시는 말대꾸 안 할게요.

B: All right. I'll let it slide this time.
그래. 이번엔 그냥 넘어가마.

2068 ★★

nuisance
[njúːsns]

(명) 골칫거리, 성가신 사람(것), 소란행위

A: It's me, Daegun. Can I come by your house now? Oh, just tell me if you want to be alone now. I really don't want to be a nuisance.
내 대건인데. 지금 너네 집 들러도 되나? 아, 혼자 있고 싶으면 말해 줘. 성가신 놈 되긴 싫으니깐.

B: Oh, how thoughtful of you. You're always welcome.
배려심 보소. 넌 언제든 와도 된다.

2069 ★

lone
[loun]

(형) 혼자인, 고독한, 동반자가 없는

A: Don't you want to travel with me? I don't want to be a lone traveler.
나랑 같이 여행 가고 싶지 않나? 난 고독한 여행자가 되고 싶지 않다.

B: Hmm... then how about next month? I really can't make time this month.
음… 그러면 다음 달은 어떤데? 이번 달엔 정말 시간이 안 돼.

2070 ★★

owe
[ou]

(동) 빚지다, 신세를 지다

A: Thank you so much for picking me up. I couldn't have come back home without your help.
데리러 와 줘서 정말 고마워. 너 아니었으면 집에 못 왔을 뻔했어.

B: You owe me big time. Just kidding. What are friends for?
이번에 나한테 큰 빚진 거야. 농담이야. 친구 좋다는 게 뭐냐?

1 다음 단어에 맞도록 우리말 또는 영어로 바꿔 쓰시오.

01	revere	_____	11	빚지다, 신세를 지다	_____
02	multiple	_____	12	(큰) 규모, 부피, 용적	_____
03	formal	_____	13	방앗간, 공장, 갈다	_____
04	extrinsic	_____	14	똑같이, 마찬가지로	_____
05	misfire	_____	15	이민자, 이주민	_____
06	retreat	_____	16	뒤집다, 뒤바꾸다, 후진하다	_____
07	calm	_____	17	골칫거리, 성가신 사람	_____
08	allege	_____	18	(갑자기) 죽다, 소멸하다	_____
09	clumsy	_____	19	뉘우치다, 회개하다	_____
10	restore	_____	20	할퀴다, 긁다, 집게발	_____

2 다음 빈칸에 알맞은 단어를 넣어서 문장을 완성하시오.

01 You should try to listen to your _____ voice sometimes.
당신은 가끔씩 내면의 소리를 들으려고 노력해야 한다.

02 Make sure you save the _____ for another use.
다른 데 쓸 수 있게 나머지는 꼭 남겨 두세요.

03 Cleaning my room is a real _____ for me.
방 청소하는 건 저한테 정말이지 따분한 일이에요.

04 It's fortunate that the damage to our roof was _____.
우리 지붕에 가해진 피해가 아주 적어서 다행이에요.

05 I'm sad to see my younger brother still _____ his cat's death.
제 동생이 아직도 키우던 고양이가 죽은 걸 애석해하는 것을 보고 있으면 참 슬퍼요.

DAY 70

에피소드 208~210

Episode 208 • 그대는 마이너스의 손

대건: 니가 사준 화분 많이 시들한 게 약간 **disease** 걸린 거 같았는데 물에 담그니까 곧 **revive**하드라.

미정: 뭐야, 죽일 뻔 한 거야? 난 니가 준 거랑 내가 산 거랑 쭉 잘 크고 있는데. 니가 사준 거 창가에 **dispose**했더니 내꺼보다 **outgrow**했어. **pole**을 하나 **erect**해서 안 구부러지고 잘 자라게 신경 쓰고 있지. 왜 이런 **phrase**도 있잖아. 내가 잠시 **cite**하자면, '식물 이쁘게 잘 키우면 시집을 잘 간다.'

대건: 응? 그건 만두 아니었나? 암튼 니가 사준 '소중한 화분'에 이런 일이 **recur**하지 않도록 각별히 신경 쓸게. 아 근데 나랑 꽃이랑 서로 **chemistry**가 안 맞는 거 같기도 하고.

2071 ★★★
disease
[dizíːz]

몡 질병, 병폐

A: I thought you were not supposed to eat sweets. So now you're eating them secretly.
너 단 거 먹으면 안 되는 걸로 알고 있는데. 지금 보니 몰래 먹고 있네.

B: I can't help it. I must have some type of disease that can't be cured.
어떻게 안 되는 걸 어떡해. 치료가 안 되는 그런 질병인 게 분명해.

2072 ★★
revive
[riváiv]

통 활기를 되찾다, 소생하다, 부활시키다   파 revival 회복, 부활

A: Hey, look! The flowers in the vase have revived!
야 이거 봐. 화분 안에 꽃들이 다시 생기를 되찾았어!

B: I can't believe you never watered them since I gave you that.
내가 니한테 준 날부터 한 번도 물을 안 줬다니 참….

2073 ★★
dispose
[dispóuz]

통 배치하다, 처리하다

유 place 설치하다, 배치하다   숙 dispose of ~를 없애다, 처리하다

A: What are you doing in your bare feet?
맨발로 뭐하고 있는 겨?

B: I've been looking for the right spot to dispose my new desk and chair.
내 책상이랑 의자 배치할 장소 좀 보고 있는 중이야.

2074 ★
outgrow
[àutgróu]

통 ~보다 더 커지다, ~에 흥미를 잃다

A: Oh my! You've already outgrown your clothes.
아이고야! 벌써 니 옷보다 더 덩치가 커졌네.

B: Yes, Mom. Everything is really tight and uncomfortable. Get me new clothes.
네 엄마. 전부 다 너무 꽉 끼고 불편해요. 새 옷 사주세요.

DAY 70

2075 ★★★
pole
[poul]

[명] 막대기, 기둥, 극 [유] rod 막대, 회초리

A: Wow, how many fishing **poles** does your dad have? There are more than I can count with my fingers.
우와, 너네 아부지 낚싯대 얼마나 가지고 계신 건데? 손가락으로 셀라니까 부족하다.

B: I'm not sure but more than twenty poles, I guess.
확실치는 않은데 20개는 넘을 걸.

2076 ★★
erect
[irékt]

[동] 세우다, 건립하다, 건설하다 [숙] stand erect 똑바로 서다

A: Don't you think something's missing in the front yard?
앞마당에 뭔가 좀 부족해 보이지 않니?

B: Hmm... how about we **erect** a fence around the house?
음… 집 주변으로 울타리를 쭉 세우는 건 어떨까?

2077 ★★
phrase
[freiz]

[명] 구절, 관용구

[파] phrasal 구로 된 [숙] to coin a phrase 옛말에도 있듯이, 좀 재밌게 표현해 보자면

A: How was the special lecture today? Was it informative?
오늘 특강 어땠어? 유용했나?

B: Not really. The speaker used the **phrase** "I guarantee you this" too much in his speech. It made him less trustworthy.
그다지. 연설자 분이 "이 부분은 보장해드립니다."라는 구절을 너무 많이 썼어. 그게 신뢰가 덜 가게 하더라고.

2078 ★
cite
[sait]

[동] 인용하다, 이유를 들다, ~을 언급하다

A: Professor, why did you give me a C? I can't accept this.
교수님, 왜 저한테 C점수를 주신 건지요? 받아들일 수가 없습니다.

B: Well, your final report did not **cite** any sources. That's the reason.
음, 자네 보고서를 보니 어떠한 출처도 언급하지 않았더군. 그래서 그 점수를 준 걸세.

무언가를 '인용하다'라는 의미로 쓰일 경우엔 이 단어 외에도 quote라는 단어도 자주 활용되니까 같이 챙겨 두세요. cite는 격식적인 상황 및 이유나 예를 들 때 많이 쓰이며 quote는 예를 들 때에만 사용됩니다.

2079 ★
recur
[rikə́:r]

[동] 재발하다, 회상하다, 다시 제기되다 [파] recurring 되풀이되는, 순환하는

A: Be sure to follow all the instructions from the hospital, okay?
병원에서 들은 지시사항 다 잘 지켜야 돼. 알았지?

B: I will. I don't want my disease to **recur**.
응. 이런 질병 다시 재발되길 바라진 않으니깐.

2080 ★★
chemistry
[kéməstri]

[명] 화학적 성질, 화학반응, (다른 사람과의) 공감대

[파] chemical 화학의, 화학적인 [숙] the chemistry between ~ 사이의 궁합(공감대)

A: What was it like to work with the new guy in your department?
너네 부서에 새로 온 남자랑 일해 보니까 어떻디?

B: Well, it was just not that good. The **chemistry** between us wasn't right.
뭐, 그냥 그래. 그 사람이랑 나랑 잘 안 맞더라.

• 내 동심, 아니 솜사탕 같이 부푼 꿈을 짓밟다니.

미정: 니 손에 쥐고 있는 그건 뭔데?

대건: 이거? 화산이 **erupt**하면 용암이 흘러나오잖아. 그거 굳은 거야. 이번에 수입 **policy**가 변해서 온갖 노력 끝에 드디어 **obtain**했지. 이거 조각해서 여러 가지 모양으로 만든 다음에 팔 거야. 곧 겨울, 크리스마스니까 **reindeer** 모양도 좋겠다. 만들어서 **polish**하면 진짜 멋있다니까!

미정: 야 근데, 수요랑 공급이 균형이 맞아야지. 그걸 살려는 사람은 있는 거야? 그 용암 덩어린지 뭔지 계속 구할 수는 있고? 없잖아. 한 가지 더, 그거 공급하는 사람이 마음먹고 가짜를 너한테 팔려고 한다 쳐 봐. 진짜랑 **differentiate**할 수 있나? 힘들 걸? 어디 **refute**해 보시든가. 그냥 이번 일만 하고 그만둬. 암튼, 난 그 일에 대해선 **against**야.

대건: 맙소사. 내 편인 줄만 알았던 니가 내 사업에 **barrier**가 되다니. 다시 보니 너 엄청 **cynic**이었구나!

2081 ★
erupt
[irápt]

ⓢ (화산이) 분출하다, (감정 따위가) 폭발하다 ⓨ explode 폭발하다, 폭발시키다

A: The volcano is known to **erupt** every ten years.
그 화산은 매 10년마다 분출하는 것으로 알려져 있어.

B: That's quite often.
꽤 자주 일어나네.

2082 ★★
policy
[páləsi]

ⓜ 정책, 방침

A: Did you hear that some intellectuals have criticized our university for its admission **policy**?
우리 대학교 입학 정책에 대해서 일부 지식인들이 비판했다는 거 들었어?

B: I did. I also think that the policy needs to be revised.
응. 근데 나 또한 이 정책은 수정될 필요가 있다고 생각해.

2083 ★★★
obtain
[əbtéin]

ⓢ (특히 노력 끝에) 얻다, 입수하다, 존재하다

ⓟ obtainable 얻을 수 있는, 구할 수 있는 ⓨ acquire 습득하다, 획득하다

A: Isn't this the limited edition action figure that we talked about?
이거 우리가 얘기 나눴던 그 한정판 피규어 아니야?

B: It is. It was really hard to **obtain**. How beautiful is this baby!
맞지. 이거 입수하기 정말 힘들었다. 이 아이 얼마나 이쁘노!

2084 ★
reindeer
[réindìər]

ⓜ 순록

A: Wow, look! A large herd of **reindeer** is right over there.
우와, 저기 봐! 순록이 어마어마하게 무리지어 있구만.

B: That reminds me. Which reindeer pulls Santa's sleigh?
저거 보니 생각나네. 어떤 순록이 산타 할아버지 썰매를 끄는 녀석일까?

DAY 70

2085 ★★
polish
[pɑ́liʃ]

(동) 광을 내다, 다듬다 (숙) polish off (특히 음식을) 재빨리 해치우다

A: Isn't it bothersome to maintain those leather shoes that you're wearing now? 니가 지금 신고 있는 거 같은 가죽신발 유지하기 귀찮지 않니?

B: It is, sometimes. I have to **polish** these regularly to protect the leather. 가끔은 그렇지. 가죽 보호해야 되니까 정기적으로 광을 내야 되거든.

2086 ★
differentiate
[dìfərénʃièit]

(동) 구별하다, 구분 짓다 (유) discriminate 식별하다, 차별하다

A: Wow, so you guys are twins, right? How can people **differentiate** you guys? I mean I can't. 와, 그러니까 너네 쌍둥이라 이거지? 사람들은 너네 어떻게 구분하는 거야? 난 못하겠다야.

B: Well, the only thing that differentiates us is the color of our eyes. 우리 구분할 수 있는 유일한 방법은 눈 색깔 보는 거야.

2087 ★
refute
[rifjúːt]

(동) 논박하다, 반박하다

(파) refutable 논박할 수 있는 (숙) refute a statement 진술에 반박하다

A: You know what's funny? Even if you try to **refute** what I insist, you can't. 웃긴 게 뭔지 아세요? 당신이 심지어 내가 주장하는 바에 대해 반박하려 한다 해도 당신은 그러지 못할 거라는 거.

B: I won't give up on this. Let's see who's going to win in the end. 나는 포기하지 않을 거에요. 결국 누가 이기는지 어디 한번 봅시다.

2088 ★★★
against
[əgénst]

(전) ~에 반대하여, ~에게 불리한 (숙) go against ~에 저항하다(반대하다)

A: I may be busy around two in the afternoon on Saturday so... 나 토요일 오후 2시 즈음에는 바쁠 수도 있을 것 같은데 그니까….

B: So? Are you for or **against** going hiking on that day? 그니까 뭐? 그 날 하이킹 가는 데 찬성이야 아니면 반대야?

2089 ★★
barrier
[bǽriər]

(명) 장벽, 장애물 (숙) build a barrier 방벽을 쌓다

A: Are there any difficulties having a relationship with a foreign girlfriend? 외국인 여자 친구 사귀는 데 힘든 점이 있어?

B: A lot. The language **barrier** is the hardest part. 많아. 언어장벽이 가장 힘든 부분이야.

 '장애물'이라는 의미로 쓰이는 단어들로 **barricade**(바리케이드)라던가 **obstacle**(방해, 장애물)도 있으니 같이 챙겨 두세요.

2090 ★
cynic
[sínik]

(명) 냉소적인 사람, 비꼬는 사람, 부정적인 사람

(파) cynical 냉소적인, 부정적인 (유) pessimist 비관주의자

A: I really don't want to be a **cynic**, but your idea makes no sense at all. I can't be supportive this time. 내가 진짜 부정적인 사람이 된 싫은데, 니 아이디어는 말조차 안 되는 거야. 이번엔 협조해 줄 수가 없다.

B: Why do you think this makes no sense? Tell me. 왜 이 아이디어가 말이 안 된다는 건데? 말해 봐.

Episode 210 ● 만약에 말야…

대건: 이번에 **autobiography** 책 하나 두툼한 거 사서 읽고 있는데 그 어느 **era**였드라… 아… 어제 읽었는데 **recollect**하기 왜이래 힘드노. 이 책 저자가 진짜 그 당시 **regime**에 대해서 **astounding**한 수준으로 비판하더라고. 썩은 정권이었다는 둥 막 이카면서 말야. 그리고 그 당시 **biochemistry** 연구와 **clone** 연구에 엄청 투자했대. 이게 다 나중에 화학무기 만들고 전쟁 준비할라고 그랬다 카드라고. 저자가 직접 여러 연구원들을 **chase**해 발견해 낸 사실이래.

미정: 와, 그런 **detail**까지 책에 나와 있다고?

대건: 그때 만약 그 정권에서 몰래 준비했던 모든 일들이 실제로 일어났다면…. 완전히 **epoch**를 열었겠네. 물론 안좋은 쪽으로였겠지만.

2091 ★
autobiography
[ɔ:toubaiágrəfi]

ⓝ 자서전 ⓟ autobiographer 자서전 작가

A: What would you want to do if you were really famous?
네가 정말 유명하다면 무엇을 하고 싶어?

B: I'd want to do a lot, but most of all I'd write my autobiography.
많은 것을 하고 싶은데, 무엇보다 내 자서전을 쓰고 싶어.

2092 ★★
era
[íərə]

ⓝ 시대, 대 ⓨ generation 세대

A: What if there were no such thing as the Internet?
인터넷 같은 게 전혀 없었다면 어땠을까?

B: I can't even imagine it. The advent of the Internet certainly opened a whole new era.
상상 조차 안 되는데. 확실한 건 인터넷의 도래가 완전 새로운 시대를 열었다는 거지.

2093 ★★
recollect
[rèkəlékt]

ⓥ (애를 써서) 기억해 내다 ⓨ evoke (감정, 기억 등을) 떠올려 주다, 환기시키다

A: You really don't know what happened last night?
어젯밤에 진짜 무슨 일 있었는지 모르겠다고?

B: I've tried to recollect what happened really hard but nothing pops up in my head.
내가 진짜 무슨 일이 있었는지 기억해 내려고 엄청 애를 써봤는데도 아무 것도 떠오르질 않아.

2094 ★
regime
[rəʒí:m]

ⓝ 정권, 제도 ⓨ government 정권, 정부

A: The new regime is about to start today. I hope they will not fail the public any more.
오늘 새로운 정권이 시작되는 구나. 이제 더 이상 우리 국민들을 실망시키지 않으면.

B: I feel the same way. Let's just pray for that.
같은 생각이야. 그러길 기도해 보자고.

DAY 70

2095 ★
astounding
[əstáundiŋ]

형 믿기 어려운, 놀라운　유 astonishing 정말 놀라운, 믿기 힘든

A: You've just eaten a whole pizza and two hamburgers! That is an **astounding** amount of food.
피자 한 판에다가 햄버거 두 개를 먹어 치운 거야! 믿기 어려울 정도의 양인데.

B: It was a little greasy. Can I eat some ice cream now?
기름기가 좀 많더만. 아이스크림 좀 먹어도 될까?

2096 ★
biochemistry
[bàioukémistri]

명 생화학

A: My grade in **biochemistry** this semester is terrible. I think I'm going to retake the course next year.
이번 학기 생화학 성적 최악이다. 내년에 재수강 해야겠어.

B: Are you serious? I'd rather flunk biochemistry.
진심이야? 난 그냥 생화학 낙제하고 말란다.

 bio에 '생물(학)'이라는 의미가 들어있답니다. 그래서 biochemistry는 '생화학'이라는 뜻이겠죠? 그 밖에도 microbiology(미생물학), physiology(생리학), anatomy(해부학) 이 단어들도 같이 정리해 둘게요.

2097 ★
clone
[kloun]

명 복제　동 복제하다

A: What would the world be like if scientists found a way to **clone** humans?
과학자들이 인간을 복제할 수 있는 방법을 발견해 낸다면 세상은 어떻게 될까?

B: I just don't want it to happen while I'm alive.
난 내가 살아있는 동안에는 그런 일이 안 생겼으면 좋겠다.

2098 ★★★
chase
[tʃeis]

동 추적하다, 뒤쫓다

숙 give chase 뒤쫓기 시작하다　chase somebody up 누군가를 재촉하다

A: This is our last semester in university. Don't you think you should prepare for the job market?
대학교 마지막 학기구나. 취업 준비 하고 그래야 되는 거 아니야?

B: I'm not going to **chase** jobs. I'll make them chase me and then finally pick me.
난 일자리 따윈 뒤쫓지 않을 거야. 오히려 날 뒤쫓아 와서 뽑아 가게 만들 거지.

2099 ★★
detail
[ditéil]

명 세부사항　동 상세히 알리다　유 specific 구체적인

A: So listen. Every **detail** of this project should be planned carefully.
잘 들으세요. 이번 프로젝트의 모든 세부사항들은 신중하게 기획되어야 됩니다.

B: Don't worry! That's what we're good at.
걱정 마십쇼! 그게 또 우리가 잘하는 분야 아닙니까.

2100 ★★
epoch
[épək]

명 신시대, 신기원, 획기적인 일

A: We've finally succeeded in developing a new technology. It's been almost ten years since we started this project with research.
드디어 새로운 기술 개발에 성공했구만. 조사하며 이 프로젝트를 시작한 지도 근 10년째고 말야.

B: We're going to mark an **epoch** in the industry.
이제 저희는 업계에서 새로운 시대를 열게 되겠네요.

1 다음 단어에 맞도록 우리말 또는 영어로 바꿔 쓰시오.

01 outgrow	_____	11 구절, 관용구	_____
02 recur	_____	12 인용하다, 이유를 들다	_____
03 dispose	_____	13 세우다, 건립하다	_____
04 erupt	_____	14 냉소적인 사람	_____
05 refute	_____	15 정책, 방침	_____
06 differentiate	_____	16 순록	_____
07 chase	_____	17 복제, 복제하다	_____
08 epoch	_____	18 세부사항, 상세히 알리다	_____
09 regime	_____	19 (애를 써서) 기억해 내다	_____
10 astounding	_____	20 생화학	_____

2 다음 빈칸에 알맞은 단어를 넣어서 문장을 완성하시오.

01 I'm so happy that my family business is beginning to _____.
우리 가업이 다시 활기를 되찾기 시작해서 난 너무 좋아요.

02 I'm afraid that the _____ between us is not right.
우리 사이의 공감대가 안 맞는 거 같아 유감스럽네요.

03 I'm glad that we finally _____ a copy of the original letter.
드디어 우리가 그 원본 편지의 복사본 한 부를 입수해서 정말 기쁩니다.

04 One of my morning routines is to _____ my shoes.
제가 아침마다 하는 일과 중 하나는 제 신발에 광을 내는 거예요.

05 I think Gandhi's _____ is worth reading more than twice.
간디의 자서전은 두 번 이상 읽어 볼 만한 가치가 있다고 생각해요.

DAY 70

팟캐스트 영어 학습 부문 1위 전대건의

단디 해라!!
수능VOCA

Answers

Answers

Review DAY 01~70

DAY 01

1

01. (국가) 유산　02. 이식하다, 옮겨 심다　03. 흉내 내다
04. (장비·가구) 설치하다　05. 실현하다, 성취하다
06. 겁쟁이　07. (신장시키는) 힘, 격려, 북돋우다
08. 보충(제)　09. 거주하다, 살다　10. 단백질
11. nutrition　12. hover　13. few　14. inspiration
15. mop　16. juvenile　17. express　18. cooperation
19. pale　20. transplant

2

01. comprehend　02. swallowed　03. deficient
04. matter　05. miserable

DAY 02

1

01. 신입생, 신참자　02. 전시회, 전람회　03. 줄이다, 줄다
04. 어른스러운, 숙성된　05. 주요 도시　06. 회의, 학회
07. 예산, 예산을 세우다　08. 속수무책인, 무력한
09. 통일(통합)하다　10. 부족, 결핍, ~이 없다, 부족하다
11. renovation　12. plenty　13. facility　14. adjacent
15. despite　16. dormitory　17. discount　18. chef
19. 이기적인, 제멋대로의　20. 규정, 규제

2

01. accommodate　02. overlooked　03. informed
04. impulse　05. flexible

DAY 03

1

01. 혁신, 쇄신　02. 침입(침략)하다　03. 즐겁게 해주다
04. 공식, 화학식, 제조법　05. 무관한, 상관없는
06. 사기, 의욕　07. 버릇없는, 무례한　08. 장례식
09. 황제　10. 간지럼을 태우다, 간지러움
11. fable　12. uncertain　13. moral　14. abroad
15. struggle　16. bankrupt　17. critical　18. shepherd
19. territory　20. mercy

DAY 04

2

01. neglected　02. encountered　03. stroll
04. objective　05. starvation

DAY 04

1

01. 교습, 수업　02. 모음, 모음자　03. 최근에
04. 여성스러운, 여자의　05. 필수적인, 근본적인
06. 환경, 상황　07. 거의 ~아니게, 간신히
08. 흡수하다, 받아들이다　09. 우주　10. 장식하다, 꾸미다
11. proverb　12. period　13. patient　14. disharmony
15. dusty　16. fragrant　17. criminal　18. bloom
19. beverage　20. florist

2

01. pronounced　02. fluent　03. vain
04. regret　05. attempt

DAY 05

1

01. 간격, 음정, 중간 휴식 시간　02. 반짝이다, 빛남
03. 나무라다, 꾸짖다, 책망하다　04. 산꼭대기, 정상 회담
05. (앞으로) 나아가다, 진전을 보이다
06. 무자비한, 가치 없는　07. 표면, 수면으로 올라오다
08. 마녀　09. 감지하다, 인지하다　10. (액체를) 증발시키다
11. roam　12. conclusion　13. fragile　14. drift
15. web　16. overwhelm　17. parachute　18. radiation
19. shabby　20. flame

2

01. deaf　02. illusion　03. recently
04. treasure　05. vanity

DAY 06

1

01. 장담하다, 보장하다　02. 귀족, 상류 계급의 사람
03. 날것의, 가공되지 않은
04. 시대에 뒤떨어진, 더 이상 쓸모없는
05. 꺼리는, 마지못한　06. 얽히다, 헝클어지다, 엉킨 것
07. 혼란, 혼돈
08. 영양분을 공급하다, (감정·생각 등을) 키우다
09. (몸을) 씻다, 세척하다　10. 무게를 재다, 따져 보다

11. philosopher   12. past   13. beside   14. moisture
15. nap   16. volcano   17. auditory   18. wound
19. maintain   20. intake

2

01. incurable   02. meditate   03. blame
04. questionnaire   05. satisfy

DAY 07

1

01. 항복하다, 투항하다, 포기하다   02. 무모한, 난폭한
03. 고문, 고문하다   04. 자존심, 자부심
05. 피로, 피곤, 약화   06. 유전학
07. 의무적인, 법에 정해진
08. 미끄러지듯 가다, (새 · 비행기가) 활공하다
09. 마비시키다, ~을 무능하게 만들다
10. 숨다, 잠복하다
11. enthusiasm   12. flee   13. reed   14. evil
15. harbor   16. jellyfish   17. landscape   18. bush
19. sprain   20. vision

2

01. offend   02. bruise   03. fascinated
04. exaggerate   05. surround

DAY 08

1

01. 오염시키다   02. 전성기, 한창때   03. 실험실
04. 자유   05. 간   06. 헤매다, 방랑하다, (눈을) 두리번거리다
07. 한탄(애통)하다   08. 철수하다, 인출하다
09. (꼬리 · 머리 등을) 흔들다   10. 엄청난, 굉장한
11. biology   12. brutal   13. catastrophe   14. ideal
15. mirage   16. workload   17. triple   18. surpass
19. sumptuous   20. rigorous

2

01. participate   02. volunteers   03. bustled
04. measure   05. isolate

DAY 09

1

01. 황홀(감), 환희   02. 무관심한, 그저 그런

03. (지나가는 차를) 얻어 타다, (밧줄 등으로) ~을 묶다
04. 숨이 턱 막히다, 헐떡거림   05. 고백(인정)하다, 자백하다
06. (자동차 등의) 앞 유리   07. 맥박, 맥박이 뛰다
08. 창고   09. 용인하다, 참다   10. 부족
11. penetrate   12. modesty   13. lifelong   14. crack
15. typhoon   16. replace   17. perspective
18. wrinkle   19. annexation   20. segregate

2

01. prejudice   02. representative   03. suspicious
04. supervise   05. hospitality

DAY 10

1

01. 꽉 잡다, 움켜잡다   02. 호의적인, (무역이) 수출 초과의
03. 여러 가지, 다양성, 품종   04. 불가사리   05. 심부름
06. 완전히, 철저히   07. 급증하다, (허공으로) 솟구치다
08. 성격, 개성, 특성   09. 바꿀 수 없는, 변하지 않는
10. 졸업식, 졸업
11. historic   12. discipline   13. geology
14. headquarters   15. skip   16. toxic   17. shellfish
18. ridiculous   19. hostile   20. hesitate

2

01. confidential   02. encourage   03. respond
04. eliminate   05. vulnerable

DAY 11

1

01. 착각하게 하다, 속이다   02. 매우 아름다운, 정교한
03. 빽빽한, 자욱한, 밀집한   04. 지적 능력, 지식인
05. 토하다, 구토   06. 턱수염   07. (규칙 등이) 엄격한
08. 유전(적 특징)   09. 저작권, ~의 저작권을 취득하다
10. 불행, 불운
11. geography   12. interest   13. auction   14. attic
15. urban   16. frigid   17. upset   18. razor
19. artillery   20. vivid

2

01. inherited   02. worth   03. bragging
04. release   05. exotic

DAY 12

1

01. 버릇없는, 말을 안 듣는   02. 자랑하다, 자랑
03. 근육   04. 뉴스 단신, 고시, 공고
05. 반란을 일으키다, 반항하다   06. 존경하다, 칭찬하다
07. 훌륭한, 뛰어난   08. 흉터, 흉터를 남기다
09. 잔디밭, 잔디   10. 가시나무, 가시
11. closely   12. disgust   13. operate   14. laundry
15. bomb   16. assistance   17. chivalry   18. harsh
19. horn   20. scream

2

01. detergent   02. discard   03. advertise
04. consequences   05. insect

DAY 13

1

01. 유감, 측은함   02. (도덕적으로) 비난하다, 규탄하다
03. 사악한, 짓궂은   04. 다듬다, 손질하다
05. 벌거벗은, 무방비로 노출된   06. 콧수염
07. 공산주의, 공산주의 체제   08. 일반적인, 전형적인
09. 타고난, 재능이 있는   10. 유명브랜드의
11. content   12. stab   13. politician   14. psychology
15. unique   16. punish   17. vicious   18. purchase
19. stimulus   20. quality

2

01. generalize   02. hardship   03. sanitary
04. grateful   05. ultraviolet

DAY 14

1

01. 위선   02. 방해하다, 중단시키다
03. 참다, 견디다, (아이를) 낳다
04. 사막, (어떤 장소를) 버리다, 떠나다
05. 끔찍한, 굉장히 많은   06. 조각품, 조소
07. 간절한, 필사적인   08. 바늘땀, 바느질하다, 봉합하다
09. 어지러운   10. 숨이 턱 막히는, 숨 막히게 아름다운
11. insane   12. conquer   13. Confucius   14. breathe
15. lease   16. breeze   17. canyon   18. sniff
19. duplicate   20. memorable

2

01. appropriate   02. applauded   03. steep
04. previous   05. instinct

DAY 15

1

01. 똘똘 말린, 곱슬곱슬한   02. 남극의, 남극 지방
03. 고용하다, (단기간) 빌리다, 쓰다   04. 요즘에는
05. 착수하다, 발사하다   06. 초원, 목초지
07. 여명, 동이 틀 무렵   08. (배의) 객실, 오두막
09. 이슬비가 내리다, (액체를) 조금 붓다   10. 분노, 격분
11. resent   12. moth   13. exterminate   14. accuracy
15. bait   16. loyal   17. electronic   18. room
19. accomplish   20. general

2

01. hibernate   02. contagion   03. slogan
04. shovel   05. abandon

DAY 16

1

01. 여성의, 암컷의   02. 거수경례를 하다, 인사
03. 세입자, 소작인   04. 짐을 싣다, 짐, 작업량
05. 교활한, 엉큼한   06. 다리를 절다, 축 처진
07. 진공, 진공의   08. 복잡한
09. 알고 있는, 자각하고 있는   10. 불쾌한, 더러운, 고약한
11. effort   12. sigh   13. ritual   14. astronaut
15. client   16. innocent   17. fare   18. modern
19. attractive   20. trifle

2

01. conservative   02. anticipate   03. obstacle
04. faith   05. renowned

DAY 17

1

01. 분점, 가지, 갈라지다   02. 분위기, 대기
03. 우울감   04. 불길한   05. 절연(단열·방음) 처리를 하다
06. 방화하다, 횃불, 손전등   07. (불가사의하게) 사라지다
08. 추정(가정)하다, (권력·책임을) 맡다
09. 심하게, 몹시   10. 기가 막히게 좋은, 멋진

11. literal   12. nationwide   13. mineral   14. orchard
15. quantity   16. sprint   17. omen   18. threaten
19. crane   20. decrease

2

01. numb   02. mushroom   03. blink
04. recognize   05. abnormal

DAY 18

1

01. 망치다, 폐허로 만들다   02. 순전한, 몹시 가파른
03. 청소년기   04. 솔직한, 노골적인   05. 노동, 노동하다
06. 썩히다, 부식시키다   07. 경고하다   08. 비어 있는
09. 상냥한, 음식이 연한, 제출하다   10. 성지
11. appetite   12. salmon   13. insurance   14. veteran
15. forefather   16. sash   17. legal   18. dialect
19. skid   20. tow

2

01. secondhand   02. treatment   03. temporary
04. guarantees   05. overcome

DAY 19

1

01. 해충   02. 상표를 붙이다, 라벨, 상표
03. 뿌리, 기원, 파헤치다   04. 시골의, 지방의
05. 그저, 한낱, 단지   06. 껍질을 벗기다, 껍질
07. 친밀한, 밀접한   08. 야유회, 여행   09. 목장
10. 갱신하다, 최근의 것으로 하다
11. imperial   12. jar   13. astonishing   14. banquet
15. deadly   16. mention   17. fusion   18. wheat
19. tragic   20. obey

2

01. seasoned   02. scrub   03. texture
04. complimentary   05. shattered

DAY 20

1

01. 정서, 감정   02. 재개하다, 다시 시작하다
03. 열의, 보온성이 좋은   04. 능숙한, 능한
05. 유사함, 닮음   06. 익은, 숙성한, (시기가) 무르익은

07. 장비를 갖추다, 갖추게 하다   08. 짜다, 짜내다
09. 향이 좋은   10. 모임, 동창회
11. traitor   12. resume   13. virtually   14. trigger
15. withstand   16. ventilation   17. script
18. quote   19. heartfelt   20. misunderstand

2

01. worn-out   02. visible   03. distort
04. considering   05. conduct

DAY 21

1

01. 수리하다, 해결하다   02. 거만한
03. 형편없는 것, 쓰레기
04. 구매(사용·참여)를 거부하다, 거부운동
05. 성급한, 서두른   06. 전문적으로 다루다, ~을 전공하다
07. 폭동, 폭동을 일으키다   08. 강압적인, 고압적인
09. 거리, (~에) 관여하지 않다
10. 합병하다, 융합되다
11. chronic   12. decent   13. joint   14. oath
15. conspire   16. endure   17. arrange   18. will
19. personnel   20. carefree

2

01. outdated   02. disorder   03. contain
04. skeptical   05. divide

DAY 22

1

01. 대포, 세게 부딪히다   02. 피가 나다
03. 안개, 부옇게 되다   04. 울부짖다, 통곡하다
05. 방목하다, 까지게 하다, 상처, 찰과상
06. 은연중에 풍기다, 시사하다   07. 피해, 손해, 해를 끼치다
08. 위치, 장소, 위치시키다   09. 무시하다, 기각하다
10. 사심 없는, 객관적인, 무관심한
11. astray   12. motto   13. bulky   14. welfare
15. famine   16. mostly   17. mobile   18. browse
19. feed   20. grant

2

01. alley   02. dragonflies   03. vegetarian
04. inspect   05. refused

DAY 23

1

01. (힘들여) 끌고 가다, (일이) 느릿느릿 진행되다
02. 분자, 미립자   03. 범위, 다양성   04. 중독자
05. 자산   06. (지불·반납) 기한이 지난, 벌써 행해졌어야 할
07. 중급의, 중간의   08. 유행
09. 줄어들다, 오그라지다   10. 출판물, 발행
11. worship   12. pulp   13. oval   14. region
15. domestic   16. share   17. reduce   18. poverty
19. rash   20. accumulate

2

01. priceless   02. reject   03. beneficial
04. unlikely   05. preserve

DAY 24

1

01. 당국, 권위   02. 동의, 허락, 합의, 동의하다
03. 득점, 득점하다, 점수를 받다   04. 대략적인, 거친
05. 자세, 가식적으로 행동하다   06. 경쟁, 대회
07. 망치다, 상하다   08. 실험, 재판, 시험하다
09. 해외의, 해외로
10. 생기를 불어넣다, 만화 영화로 만들다, 살아있는
11. passage   12. access   13. twig   14. raft
15. united   16. wastebasket   17. timely   18. punctual
19. beforehand   20. postpone

2

01. simplify   02. petals   03. urgent
04. prospect   05. adjust

DAY 25

1

01. 텅 빈, 벌거벗은, 드러내다   02. 요리법, 요리
03. 탐욕, 식탐   04. 대출, 대여   05. 수입, 소득
06. 약해지다, 줄어들다, 시들해지다   07. 피난(처), 도피(처)
08. 유지비, 유지   09. 획득하다, 습득하다
10. ~보다 오래 가다
11. depict   12. establish   13. illegal   14. lay
15. property   16. certificate   17. passion
18. violent   19. seldom   20. bend

2

01. crucial   02. elaborate   03. expenditure
04. similar   05. scolded

DAY 26

1

01. 흠모(사모)하다   02. 상대방, 대응 관계에 있는 사람
03. 재채기, 재채기하다   04. 편의, 편리
05. 해결책, 용해, 용액   06. 순찰(대), 순찰을 돌다
07. 격분, 격분하다   08. 먼, 외딴, 외진, 원격의
09. 처방하다, 규정하다
10. (떠나는 것을) 허락하다, 해고하다, 방출하다
11. offspring   12. opportunity   13. shield
14. marvel   15. prosecute   16. apprehend
17. rub   18. severe   19. drown   20. shudder

2

01. disturb   02. potential   03. manipulate
04. obvious   05. rely

DAY 27

1

01. 따돌림 받는 사람   02. (형을) 선고하다, 형벌
03. 변호하다, 애원하다   04. 묻다, 질문하다, 조사하다
05. 고수하다, 부착하다   06. 추산(추정)하다, 추산, 견적서
07. 실용적인, 다용도의, 유용성, 공공 시설   08. 가정용 기기
09. 유효한, 타당한
10. 현재의, 존재하는, 보여주다, 제시하다
11. adversity   12. jury   13. specimen   14. frugal
15. contemporary   16. prosper   17. transaction
18. slender   19. translate   20. concise

2

01. rehabilitate   02. convicted   03. outspoken
04. expand   05. portable

DAY 28

1

01. 금지하다, ~하지 못하게 하다
02. 추방하다, 사라지게 만들다   03. 무기
04. 비축하다, 비축량   05. 급진적인, 근본적인

06. 매혹하다, 마법을 걸다
07. 벽장, 드러나지 않은   08. 새다, 유출하다, 누출
09. 고장, 실패, 붕괴   10. 재앙, 재난
11. profound   12. volume   13. legacy   14. carbon
15. skylark   16. devise   17. yawn   18. optimal
19. nearsighted   20. monitor

2

01. possesses   02. ponder   03. religious
04. whispering   05. ashamed

DAY 29

1

01. 잠시 멈추다, 멈춤   02. 최고의, 극도의, 최대한도
03. 참석, 참석자수   04. 활기 넘치는, 색깔이 선명한
05. 지루한, 쓸쓸한   06. (고개를) 끄덕이다, 꾸벅꾸벅 졸다
07. 탄압하다, 압박감을 주다   08. 초급의, 초보의, 기본적인
09. 의무적으로 ~하게 하다   10. 긴장감, 팽팽함, 장력
11. mindless   12. pile   13. grin   14. gossip
15. flaw   16. childlike   17. befall   18. sewage
19. principle   20. humble

2

01. blunder   02. demonstrate   03. sensible
04. frustrates   05. responsibility

DAY 30

1

01. (굳은) 약속, 맹세   02. 사기꾼, 사기
03. (계속) 남다, 오래 머물다
04. (앞장서서) 안내하다, 인솔하다
05. 투덜거리다, 불평하다, 신음하다
06. 발명하다, (사실이 아닌 것을) 지어내다
07. 조직, 단체   08. (옷감 등을) 짜다, 엮어서 만들다
09. 누더기, 해진 천   10. 탄력 있는, 고무 밴드
11. glance   12. flash   13. ornament   14. silly
15. reflect   16. repel   17. mischance   18. contract
19. skeleton   20. fiber

2

01. frighten   02. enhance   03. manufactures
04. numerous   05. thrift

DAY 31

1

01. 증발하다, 증기   02. 고독, 외로움   03. (대형) 선박, 용기
04. 살다, 거주하다   05. (비교적 긴) 항해, 여행
06. 절정, 최고조, 절정에 달하다   07. 사망
08. (불을) 덮어 끄다, 숨막히게 하다   09. 악취, 냄새가 나다
10. (짧은 시간에 이뤄지는) 빠른, 민첩한
11. confront   12. radioactive   13. province   14. cozy
15. sound   16. invest   17. vote   18. satellite
19. expedition   20. reasonable

2

01. decision   02. pedals   03. tranquil
04. stumbled   05. durable

DAY 32

1

01. 유성, 별똥별   02. 무릎을 꿇다
03. 회상하다, 회상, 상기   04. 영향, 충돌, 충격
05. 승인, 허락   06. 생계 수단   07. 개척자, 선구자
08. 동일시하다   09. (둘 중의) 후자, 후자의
10. 차별하다, 식별하다
11. promising   12. integrate   13. heavily   14. proper
15. signature   16. manual   17. differ   18. election
19. baggage   20. hinder

2

01. prominent   02. interact   03. generate
04. imports   05. adapt

DAY 33

1

01. 홍수, 물에 잠기다   02. 배관공   03. 거의 ~ 아니다
04. 대신에   05. 약국, 약제학   06. 의복, 옷
07. 반응하다, 반응을 보이다   08. 말기의, 터미널, 말단
09. 경고하다, 주의를 주다   10. 짜증을 내는, 화가 난
11. stubborn   12. perspiration   13. ladder
14. informal   15. greet   16. drop   17. respire
18. vine   19. seal   20. wipe

2

01. innate   02. secure   03. passive
04. feast   05. genuine

DAY 34

1

01. 가정부　02. 층, 막, 겹, 층층이 쌓다　03. 곡물, 알갱이
04. 전염병, 감염　05. 법적 책임이 있는, ~할 것 같은
06. 화초, 녹색 나뭇잎　07. 들어 올리다, (기분이) 고무됨
08. 구체적인, 명확한, 특정한　09. 초원, 목초지
10. ~보다 더 빨리 달리다, 웃돌다
11. itch　12. misspell　13. nonetheless　14. micro
15. intuition　16. obsolete　17. gear　18. excel
19. fruitless　20. face

2

01. nationality　02. omitted　03. likely
04. homage　05 outstanding

DAY 35

1

01. (길 등을) 포장하다　02. 차단하다, 막다
03. (잘 안 보여서) 유심히 보다, 응시하다, 또래
04. 치명적인, 죽음을 초래하는
05. 군중, 사람들, 모이다　06. 문학의, 문학적인
07. 맹렬한, 야만적인　08. 부정행위를 하다, 속이다
09. 일치하다, 부합하다　10. 불쾌한, 끔찍한
11. correct　12. bewilder　13. affect　14. diabetes
15. condense　16. embark　17. adequate
18. familiar　19. attitude　20. elsewhere

2

01. curious　02. exploded　03. depresses
04. entire　05. barley

DAY 36

1

01. 시련, 고난　02. 변덕스러운, 잘 변하는　03. 방법, 구조
04. 폐지하다　05. 개최하다, 보유하다
06. 직접, 직접 얻은
07. 노력하다, 시도하다, 노력
08. 잠그다, 고정시키다, 채우다　09. 게다가, ~ 외에
10. 상담하다, 상의하다
11. livestock　12. mindful　13. hatch　14. lend
15. inaudible　16. ongoing　17. murmur
18. loose　19. strenuous　20. myth

2

01. negotiate　02. inhabit　03. optimist
04. impair　05. ordinary

DAY 37

1

01. 요인, 요소, 원인　02. 공모자, 연합한
03. 가설, 추측　04. 갑작스러운, 퉁명스러운
05. 절도, 빈집털이　06. 불안, 염려　07. 필요성, 필수품
08. 애국자　09. 솔직한, 분명한, 명백한
10. 판사, 심사위원, 판단하다
11. admonish　12. gravity　13. investigate　14. knot
15. execute　16. persevere　17. evacuate
18. admiral　19. monument　20. notion

2

01. oppose　02. contemplated　03. apparent
04. fierce　05. migrate

DAY 38

1

01. 실험, 실험하다　02. 성가시게(짜증나게) 하다
03. 온전한, 손상되지 않은　04. 광신자, 열광자
05. 만료되다, 끝나다　06. 인질
07. 엄선된, 선택하다　08. 생기를 되찾게 하다
09. ~를 매우 좋아하는, 부분적인
10. 기름기가 적은, 기울다, 숙이다
11. namely　12. outlandish　13. lore　14. forearm
15. inborn　16. expert　17. input　18. tremble
19. regardless　20. generation

2

01. extinct　02. fundamental　03. inevitable
04. emphasizes　05. temper

DAY 39

1

01. 물물교환하다　02. 엄청나게 큰, 거대한
03. 대머리의, 단조로운　04. 오르다, 올라가다
05. 아첨　06. 소질, 적성　07. 혜성
08. 터무니없는, 우스꽝스런　09. 기념하다, 축하하다

10. 여과하다, 거르다, 필터
11. audible　12. last　13. address　14. emit
15. festive　16. bias　17. accelerate　18. compatible
19. inhibit　20. major

2

01. matches　02. complain　03. dominate
04. combination　05. innumerable

DAY 40

1

01. 말 잘하는, 유창한　02. 언쟁을 하다, 주장하다
03. 유제품, 유제품의　04. 척박한, 황량한
05. 충분한, 풍부한　06. 거의　07. 열심인, 열렬한
08. 뛰다, 뛰어넘다　09. (배, 항공기) 운항, 항해
10. 불구로 만들다, 심각한 손상을 주다
11. bliss　12. cunning　13. insert　14. common-sense
15. deposit　16. mean　17. enterprise　18. insult
19. epidemic　20. notice

2

01. compromise　02. dumped　03. merchandise
04. ensure　05. mammals

DAY 41

1

01. 특징, 특집, 특징으로 삼다
02. 용인되는, 받아들일 수 있는　03. 독백
04. 현지인, 토착민, 태어난 곳의　05. 경작하다, 재배하다
06. 결과　07. 기부, 기증　08. 자음, 자음글자
09. 궤도를 돌다, 궤도　10. 기부, 기증
11. counsel　12. barbaric　13. accentuate　14. drain
15. monotonous　16. legitimate　17. economical
18. constitution　19. barometer　20. burst

2

01. odd　02. despair　03. declined
04. evaluated　05. modify

DAY 42

1

01. 급습하다, 습격　02. 접착시키다, 유대, 채권

03. 멍하니, 무심코　04. 무단침입하다, 무단침입
05. 나아가게 하다, 몰고 가다　06. 관찰하다, 목격하다
07. 물을 대다, 관개하다　08. 가뭄
09. 마구 쏟아지다, 붓다
10. 기부하다, 기여하다, 기증하다
11. soak　12. mistrust　13. avenge　14. due
15. aspire　16. transport　17. calligraphy
18. intervene　19. nurture　20. arbitrary

2

01. mutual　02. contact　03. automated
04. permitted　05. antibiotics

DAY 43

1

01. 표범　02. 전자장치를 쓰지 않는, 음향의, 소리의
03. 탄원서, 탄원, 청원하다　04. 서식지　05. 비열한
06. 돌아다니다, 거닐다　07. 배신하다, (정보를) 넘겨주다
08. (입으로) 소리를 내다, 완전한　09. 간섭하다, 참견하다
10. 대폭 감소시키다, 격감시키다
11. herd　12. indispensable　13. plausible
14. testimony　15. interrogate　16. noble　17. insist
18. official　19. accustom　20. standpoint

2

01. trivial　02. occur　03. persuade
04. abstract　05. minimum

DAY 44

1

01. 번창하다, 잘 자라다　02. 이혼하다, 이혼
03. 오래 살던 곳에서 떠나다, 근절하다　04. 식물학
05. 경멸하는, 업신여기는　06. 신음 소리를 내다, 신음
07. 해결하다, 정착하다　08. 기저를 이루다
09. 부담을 지우다, 부담, 짐　10. 기구, 계기
11. inscribe　12. foretell　13. evergreen　14. tongue
15. caution　16. awkward　17. generous
18. influence　19. undergo　20. transfer

2

01. deserve　02. abundant　03. conscience
04. stir　05. functioning

DAY 45

1

01. 힘들고 단조로운 일, 고역　02. 돌풍, 바람이 몰아치다
03. (하고 싶은 걸) 삼가다　04. 증거, 증명
05. 박다, 끼워 넣다　06. 손으로 더듬다, 말을 더듬다
07. 구체적인, 콘크리트(로 된)　08. 계획, 책략을 꾸미다
09. 신경 쓰다, 신경 쓰이게 하다, 귀찮게 하다
10. 모집하다, 신입 사원
11. sensation　12. foe　13. continent　14. friction
15. dough　16. scarce　17. appease　18. achieve
19. roar　20. board

2

01. practical　02. fortunate　03. evade
04. apologize　05. tempted

DAY 46

1

01. 전기 장치의, 열광적인　02. 다양한　03. 사심 없는
04. 변기 물을 내리다, 붉어지다
05. (집요하게) 계속하다, 지속되다　06. 경악, 실망
07. 먹다, 마시다, 소모하다　08. 교리, 신조
09. 의미하다, 나타내다
10. 모두 뜻이 같은, 만장일치의
11. vigor　12. confine　13. perform　14. overall
15. strain　16. clue　17. transmit　18. seizure
19. vital　20. dispel

2

01. overtake　02. Contrary　03. separate
04. enormous　05. digestion

DAY 47

1

01. 소심한, 용기가 없는　02. 떠맡기다, 느릿느릿 움직이다
03. 불러 일으키다　04. 내재하는
05. 전하다, 운반하다
06. 상징(구현)하다, 포함하다　07. 느긋한, 한가한
08. 짓궂은, 해를 끼치는　09. 불을 붙이다, 불붙다
10. 소유지, 영역
11. instance　12. velocity　13. entrance　14. diameter
15. initial　16. antipathy　17. nectar　18. congestion
19. disaster　20. meantime

2

01. distinguish　02. approach　03. embrace
04. approve　05. convert

DAY 48

1

01. 반복연습 시키다, 훈련　02. 깔끔한, 정돈된
03. ~이 전혀 없는　04. (회의 등을) 소집하다
05. 기관, 도입하다　06. 장애를 가진, 장애인들
07. 확인해 주다, 확정하다　08. 중립적인
09. 악행, 비행　10. 극심한, 열정적인
11. breed　12. moss　13. intend　14. converse
15. entitle　16. degree　17. accompany　18. insight
19. administer　20. outer

2

01. conflict　02. artificial　03. embarrass
04. intelligence　05. motivate

DAY 49

1

01. 어떻게든 ~하다, 성사시키다
02. 부딪치다, 혹, 충돌　03. 도래, 출현
04. 상의하다, 수여하다　05. 수도승, 수도자
06. 구경꾼, 행인
07. (학교 등의 기관에) 기부하다, (능력 · 자질 등을) 부여하다
08. 받아쓰기, 받아쓰기 시험　09. 말(언어)의, 혀의
10. 문명, 전 세계 (사람들)
11. outbreak　12. detach　13. capacity　14. dispatch
15. avalanche　16. diminish　17. minor　18. dismiss
19. capital　20. fiction

2

01. eminent　02. advocate　03. avoid
04. blend　05. exchange

DAY 50

1

01. 계속되는, 지속적인　02. 겹치다, 중복되다, 공통부분
03. 적당히, 중간 정도로　04. 중재하다, 조정하다
05. (언쟁 중에) 주장하다, (~을 얻으려고) 다투다
06. 업적, 승리, 승리를 거두다

07. (엄청난) 규모, 지진 규모, (별의) 광도   08. 원자력의, 핵의
09. 나환자   10. (해명할) 책임이 있는
11. sequence   12. usher   13. backward   14. logic
15. trait   16. spear   17. magnify   18. coverage
19. council   20. initiate

2

01. lofty   02. particular   03. undertake
04. sprouting   05. souvenir

DAY 51

1

01. 소포, 구획, 소포를 싸다
02. 사기꾼, (손가락·팔을) 구부리다
03. 끝나다, 끝내다, 종료하다   04. 제한하다, 방해하다
05. (법정에서) 증언(진술)하다   06. 괴상한, 기묘한
07. 애정, 애착   08. 연루시키다, 수반(포함)하다
09. 단언하다   10. (비밀을) 밝히다, 폭로하다
11. dew   12. reptile   13. decay   14. blacksmith
15. sermon   16. persecution   17. textile
18. foster   19. inject   20. grumble

2

01. smeared   02. accused   03. abused
04. reveals   05. dignity

DAY 52

1

01. 정의하다, 분명히 밝히다
02. 예견하다, ~일 거라 생각하다
03. (질병·문제 등을) 진단하다   04. 황혼, 땅거미, 황혼기
05. 결함, (정당·국가를) 버리다   06. 호황을 맞다, 호황
07. 보증서, 영장   08. (협박해서) 강압하다, 강제하다
09. 할당하다, 배당하다
10. 빈둥거리다, 공회전하다, 실직상태인
11. anatomy   12. brief   13. whim
14. counterclockwise   15. reputation   16. confuse
17. sensitive   18. alumni   19. complex   20. adopt

2

01. conscious   02. analyze   03. ambiguous
04. alternative   05. belief

DAY 53

1

01. 엮다, 편집(편찬)하다   02. 입증(증명)하다
03. 구조하다, 인양하다   04. 울부짖다, (바람이) 윙윙거리다
05. 불순물이 낀, 순수하지 못한   06. 통근하다, 통근
07. 일, 사건, 분쟁   08. (체면에) 먹칠하다, 망신
09. 비관주의자   10. 조명, 불빛, 깨달음
11. race   12. biography   13. collision   14. esteem
15. fossil   16. eternal   17. collapse   18. relationship
19. commonplace   20. eventually

2

01. belongs   02. despise   03. immune
04. pine   05. disguise

DAY 54

1

01. 비교하다, 비유하다   02. 수취인, 수령인
03. 한 모금, 홀짝거리다   04. 인물, 수치, 중요하다
05. (분명치 않은 걸) 알아차리다, 파악하다
06. 폐하, 왕권, 장엄함   07. 엄숙한, 근엄한
08. 즉각적인   09. 감히 ~하다, ~할 엄두를 내다
10. 일관성 있는, 논리 정연한
11. dim   12. evolve   13. detect   14. register
15. medieval   16. relative   17. rehearsal
18. contradict   19. debate   20. thesis

2

01. conceal   02. exhausted   03. reinforced
04. exclude   05. refine

DAY 55

1

01. 큰 구멍, 분화구   02. (앞일에 대한) 두려움, 공포
03. 경계하는, 조심하는   04. 폭넓은, 개괄적인
05. (불을) 끄다, 없애다   06. 표를 던지다, 캐스팅을 하다
07. (권한·업무 등을) 위임하다, 대표자
08. 일시적인, 단기 체류의   09. (모험하듯) 가다, 사업
10. 섬세한, 연약한, 은은한
11. tyrannical   12. dictator   13. vein   14. virtue
15. deploy   16. degrade   17. burial   18. credible
19. absence   20. bundle

2

01. worthwhile 02. damp 03. categorize
04. merchants 05. capable

DAY 56

1

01. 화기애애한, 다정한 02. ~로 되어있다(이루어져 있다)
03. 성큼성큼 걷다, 진전 04. 처리, 처분, 배치
05. 거두다, 수확하다 06. 통일, 통합, 통일성
07. 파괴, 말살 08. 신중한 09. 피해를 입히다, 괴롭히다
10. 모습을 드러내다, 부각되다, 나오다
11. futile 12. ratio 13. tense 14. vegetation
15. rage 16. provide 17. stare 18. diploma
19. cling 20. prose

2

01. drenched 02. squash 03. publishes
04. ambitious 05. imitate

DAY 57

1

01. 분만을 유도하다, 설득하다, 유도하다 02. 장식품, 꾸미기
03. 무례한 04. 부패한, 타락한, 오염시키다
05. 극도의 고통, 괴로움 06. 형편없는, 음울한
07. 자격을 주다, 자격을 얻다
08. 초과하다, 넘어서다
09. 즉흥적으로 하다, 즉석에서 하다
10. 완화하다, 안도하게 하다
11. even 12. ethics 13. dynasty 14. altitude
15. rein 16. declare 17. costly 18. procedure
19. pursue 20. rechargeable

2

01. individual 02. crop 03. expose
04. immediate 05. predict

DAY 58

1

01. 계좌, 회계, 간주하다 02. 결속시키다, 묶다
03. (시험에) 합격한, 지나가 버린 04. 곤경, 고통, 괴롭히다
05. 확대되다, 악화되다 06. 대충의, 대강의, 원유
07. 신중한, 조심스러운
08. 씩씩대다, 매연을 내뿜다
09. 필수적인, 내장된 10. 승리하다, 이기다
11. common 12. direct 13. debt 14. preface
15. empire 16. devote 17. curriculum 18. deduce
19. core 20. glacier

2

01. compulsory 02. proceed 03. privileges
04. crisis 05. include

DAY 59

1

01. 추정하다, 간주하다 02. 비웃음, 경멸, 비웃다
03. 게다가 04. 데리고 오다, 가지고 오다
05. 관세, 세관 06. 참다, 삼가다
07. 지나간, 옛날의 08. 악화되다, 퇴화한
09. 책임, 요금, 청구하다 10. 가치, 요소, 가치가 있다
11. foundation 12. current 13. crave 14. enclose
15. prey 16. forbid 17. minister 18. classify
19. object 20. legislate

2

01. deliberate 02. appointed 03. pretend
04. emergency 05. dependent

DAY 60

1

01. 틀린 생각, 오류 02. 언급하다, 넌지시 말하다
03. 구호를 외치다, 구호
04. 떠가다, 뜨다 05. 공헌하다, 이바지하다
05. 얻다, ~에서 비롯되다 07. 주식, 재고, 가축, 육수
08. 동료 09. 경이적인, 비범한
10. 맞먹는, 동등한, ~에 상당하는 것
11. democracy 12. compose 13. desire 14. routine
15. tame 16. destination 17. elevation 18. column
19. polar 20. fever

2

01. aggressive 02. candidate 03. stable
04. carve 05. distributed

DAY 61

1

01. 역경, 곤경   02. 명확히 하다, 분명히 말하다
03. 부유한   04. (심각치 않은) 질병
05. 상상하다, 아이를 가지다   06. 전멸시키다, 완파하다
07. 꽤, 상당히, 오히려
08. 달그닥거리며 움직이다   09. 바꾸다, 옮기다, 이동하다
10. (좋지 않은 일을) 당하기 쉬운, ~하기 쉬운
11. plague   12. dimension   13. finite   14. dreadful
15. casualty   16. pneumonia   17. bible   18. anger
19. stain   20. borrow

2

01. absorbing   02. cherish   03. explore
04. purpose   05. attached

DAY 62

1

01. 교전을 시작하다, (주의·관심을) 사로잡다, 고용하다
02. 통계자료, 통계학   03. 국경, (국경·경계를) 접하다
04. 분쟁, 분쟁을 벌이다   05. 조직화하다, 조정하다
06. 저지하다, 억제하다   07. 엄청난, 어마어마한
08. (피부·천이) 거친, 굵은   09. 단호한, 확고한
10. 효력이 없는, 활동하지 않는
11. proportion   12. statesman   13. displace
14. artery   15. inflict   16. resistance   17. prestige
18. except   19. spur   20. rigid

2

01. resign   02. conventions   03. enable
04. distinct   05. extracted

DAY 63

1

01. 소매, (특정 가격에) 팔리다   02. 10년
03. 가만히 응시하다, 응시   04. 난장판, 무정부 상태
05. 친구, 짝   06. 임박한   07. 중대한
08. 귀신이 나타나다, 뇌리에서 떠나질 않다
09. 찾다, 발견하다, 확인하다   10. 근거 없는
11. advantage   12. deputy   13. sin   14. plethora
15. aisle   16. concerned   17. boundary
18. component   19. expel   20. hydrogen

2

01. comfort   02. budded   03. poisonous

04. commissioned   05. ancestors

DAY 64

1

01. 조롱하다, 모의의, 모의고사   02. 물품, 상품, 유용한 것
03. 노력, 분투   04. 고정시키다, 닻을 내리다
05. 강당, 객석   06. ~를 야기하다, 초래하다, 원인
07. 영향, 효과, 느낌   08. (~을 …의) 결과로 보다
09. 불행한 운명(결말)을 맞다, 비운   10. 화합, 응집력
11. enforce   12. fertile   13. amend   14. delay
15. blossom   16. pier   17. command   18. pious
19. bough   20. aid

2

01. distract   02. concentrate   03. architecture
04. fancy   05. dramatic

DAY 65

1

01. 열성적인   02. 재건하다, 다시 세우다
03. 예의바른, 공손한   04. 달아나다, 탈출하다
05. 고정시키다, 시작하다   06. 공평성, 정의
07. 시작하다   08. 결정하다, 확정하다
09. 안건, 의제   10. 과육, 살, 피부
11. doubt   12. alliance   13. denote   14. cotton
15. bid   16. reservoir   17. ecology   18. afford
19. mortal   20. otherwise

2

01. relevant   02. soothe   03. memorial
04. delight   05. behave

DAY 66

1

01. 정면으로 대응하는
02. (바람에) 날리다, 날려 보내다, 폭파하다
03. (범죄를) 저지르다, 약속하다   04. 변동을 거듭하다
05. (공개적으로) 규탄하다, 개탄하다
06. 강요, 강제하다   07. 기사, 글, 조항
08. 어린이방, 놀이방   09. 마음속의, 내부로 향한
10. ~의 탓으로 돌리다
11. afresh   12. lodge   13. flour   14. aspect

15. implement   16. frost   17. material   18. collect
19. dull   20. fuss

2 _____

01. combustible   02. inalienable   03. compensation
04. justify   05. flourish

DAY 67

1 _____

01. 목표, 목적 ~을 목표로 하다   02. 배수로, 버리다
03. 가끔의   04. 부합하다, 부여하다, 합의
05. 편하게 하다, 덜어주다   06. 수수료, 요금
07. 단단한, 확고한, 회사   08. 다리를 놓다(형성하다), 가교
09. 얼룩을 남기다, 번지다, 자국
10. (직감으로) 알다, 예측하다, 신성한
11. destiny   12. compass   13. diaper   14. occupation
15. charter   16. cliff   17. amid   18. echo
19. alien   20. cemetery

2 _____

01. captured   02. aircraft   03. charity
04. extraordinary   05. ecosystem

DAY 68

1 _____

01. (약의) 복용량, 투여량   02. 가장 중요한(유명한)
03. 흐느껴 울다, 흐느끼며 말하다
04. 발전시키다, 촉진하다, 더 멀리
05. ~에 대해 이야기하다, 관련시키다
06. ~보다 더 크다(대단하다)   07. 무리를 이루다, 모이다
08. 개요를 서술하다, 윤곽   09. 기록하다, 적어두다
10. 서사시, 서사시적인, 장대한
11. imprison   12. realm   13. chamber   14. means
15. reconcile   16. misplace   17. bucket   18. miser
19. rebel   20. require

2 _____

01. obscure   02. ceased   03. anxious
04. diplomacy   05. annual

DAY 69

1 _____

01. 숭배하다, 존경하다   02. 많은, 다수의, 배수
03. 격식을 차린, 공식적인   04. 외적인, 외부의
05. 의도하던 효과를 못 얻다   06. 후퇴하다, 물러서다
07. 진정시키다, 침착한
08. (증거 없이) 혐의를 제기하다, 주장하다
09. 어설픈, 서투른   10. 복원하다, 부활시키다
11. owe   12. bulk   13. mill   14. likewise
15. emigrant   16. reverse   17. nuisance   18. perish
19. repent   20. claw

2 _____

01. inner   02. remainder   03. chore
04. minimal   05. mourning

DAY 70

1 _____

01. ~보다 더 커지다   02. 재발하다, 회상하다
03. 배치하다, 처리하다   04. (화산이) 분출하다, 폭발하다
05. 논박하다, 반박하다   06. 구별하다, 구분 짓다
07. 추적하다, 뒤쫓다   08. 신시대, 신기원
09. 정권, 제도   10. 믿기 어려운, 놀라운
11. phrase   12. cite   13. erect   13. cynic
15. policy   16. reindeer   17. clone   18. detail
19. recollect   20. biochemistry

2 _____

01. revive   02. chemistry   03. obtained
04. polish   05. autobiography

Index

Index

S

sacrifice	120
sage	318
salmon	137
salute	119
salvage	379
sanitary	101
sash	136
satellite	229
satire	327
satisfy	53
savage	254
scar	96
scarce	324
scent	113
scheme	326
scholar	225
scold	187
score	178
scorn	215
scream	96
script	148
scrub	141
sculpture	107
seal	243
seasoned	140
secondhand	134
sector	180
secure	239
seek	173
segregate	71
seize	310
seizure	334
seldom	186
select	278
selfish	25
selfless	330

sensation	323
sensible	212
sensitive	375
sentence	197
sentiment	150
separate	331
sequence	358
serious	93
sermon	366
settle	320
several	390
severe	194
sewage	211
shabby	44
shade	382
shame	378
share	170
shatter	145
sheer	133
shellfish	79
shepherd	31
shield	192
shift	439
shine	358
shortage	71
shovel	115
shrine	137
shrink	172
shrug	54
shudder	194
sigh	120
sight	206
signature	234
signify	333
silly	220
similar	184
simplify	176
sin	451

sip	385
site	166
skeleton	222
skeptical	157
skid	133
skip	80
skylark	203
slam	386
slang	212
slender	201
slogan	114
sly	122
smash	322
smear	364
smother	224
smudge	481
snatch	318
sneer	420
sneeze	190
sniff	109
soak	302
soar	82
sob	484
solemn	387
solitude	226
solution	191
soothe	463
sophisticated	222
sound	226
souvenir	361
spank	26
sparrow	149
spear	359
specialize	156
specific	250
specimen	196
spoil	179
spontaneous	32

trim	100	utmost	210	vision	57
triple	63	utter	312	vital	334
triumph	360			vitamin	108
trivial	308			vivid	88
trouble	74	**V**		vocal	327
tuition	35			vogue	172
twig	176	vacant	137	volcano	52
twilight	371	vacuum	123	volume	205
twin	19	vague	71	volunteer	63
typhoon	72	vain	38	vomit	87
typical	102	valid	201	vote	229
tyrannical	392	value	306	vowel	35
		vanish	130	voyage	227
		vanity	47	vulnerable	82
		vapor	225		
U		variety	80		
		vegetarian	164	**W**	
ultraviolet	102	vegetation	400		
unanimous	334	vehicle	88	wag	66
uncertain	29	vein	393	wail	164
unchangeable	82	velocity	337	wander	310
undergo	319	ventilation	148	wane	185
undergraduate	134	venture	397	warehouse	72
underlie	320	versus	178	warn	138
undertake	360	vertical	239	warrant	373
uniform	396	vessel	227	warrior	60
unify	25	veteran	136	wary	395
unique	99	veterinarian	30	waste	36
united	177	vex	274	wastebasket	177
unity	401	vicious	101	wax	187
unlikely	173	victim	304	weapon	130
unlock	336	vigor	330	weave	222
update	145	vine	242	web	45
uproot	315	violation	82	weigh	49
upset	87	violent	187	weird	84
urban	87	virtually	149	welfare	164
urgent	177	virtue	393	well-earned	399
usher	358	visible	147	wheat	143
utility	201				

Z

숨마쿰라우데®

굿비

美來路

실시간
기출모의고사

미래를 생각하는 (주)이룸이앤비

인터넷 서비스
www.erumenb.com

Internet Service
- **이룸이앤비**의 모든 교재에 대한 자세한 정보
- 각 교재에 필요한 **듣기 MP3 파일**
- 교재 관련 내용 문의 및 오류에 대한 **수정 파일**

우편엽서

보내는 사람

주소

이름 　　　　　(남/여) 전화

학교 　　　　　고등학교 　　　학년 　　반 (인문/자연)

E-mail

받는 사람

서울시 강남구 논현로 16길 4-3 이룸빌딩
(주)이룸이앤비 기획팀

0 6 3 1 2

Stamp

about your future.

내용을 정성껏
여 보내 주시는
추첨을 통해
교재를
립니다.

이룸이앤비
Education & Books
www.erumenb.com

이룸이앤비 교재는 수험생 여러분의
"부족한 2%"를 채워드립니다.

누구나 자신의 꿈에 대해 깊게 생각하고 그 꿈을 실현하기 위해서는 꾸준한 실천이 필요합니다.
이룸이앤비의 책은 여러분이 꿈을 이루어 나가는 데 힘이 되고자 합니다.

수능 영어 영역 고득점을 위한 영어 교재 시리즈

내신·수능 대비 기본서

▶ 숨마쿰라우데 MANUAL 시리즈

누구나 이해하기 쉬운 개념 설명과 실전에 바로 적용 가능하며 다양한
유형의 문제로 구성된 고교 영어 학습의 기본서

고교 전학년

WORD MANUAL
READING MANUAL
독해 기본 MANUAL(출간예정)
독해 실전 MANUAL(출간예정)

영어 입문 MANUAL
어법 MANUAL(개정판)
구문 독해 MANUAL

수능 대비 기출문제집

▶ 美來路 수능 기출문제집 시리즈

최근 5개년 수능, 평가원, 교육청
연도별 시험을 듣기 파트와 독해
파트로 나누어 구성한 기출문제집

고2·3

영어 듣기
영어 독해

▶ 美來路 실시간 기출모의고사 시리즈

실제 기출 시험지를 그대로!
실전처럼 제한 시간 안에 문제를
풀고 등급컷을 확인해 보는 기출
문제집

고1

고1 영어

고2·3

고3 영어

단디 예비고1 수능VOCA

■ 이 책을 구입한 곳은?

■ 이 책을 구입한 동기는?
○ 학교, 학원의 교재 ○ 선생님의 소개 ○ 선배나 친구들의 소개 ○ 광고를 보고
○ [○디자인이 ○내용이 ○전체적으로] 좋아서 스스로 선택 ○ 기타

■ 이 책으로 어떻게 공부하고 있습니까?
○ 독학 ○ 학교 수업 ○ 학원 수업

■ 이 책에 대한 이전 및 책에서 좋았던 점은?

■ 이 책에서 개선되었으면 하는 점은?

공부하면서 '이런 책이 있었으면 좋겠다' 하고 생각한 것이 있다면? '여, 뻐 혐몸께 샘정봄에게 자세하게 꿈꿈하게

■ 앞으로 읽고 싶은 책은 무엇입니까?

엽서의 내용을 정성껏 정성껏 기재하여 보내 주시는 분께는 추첨을 통해 원하는 교재를 보내드립니다.

美來路 **수능 기출문제집** 시리즈 (총 26종)

" 기출문제 완벽 분석으로 수능을 완벽 대비하자! "

최고의 학습 효과가 증명된 美來路 시리즈의 특장점

01 〈대학수학능력시험〉, 〈평가원 모의고사〉, 〈교육청 학력평가〉를 총망라하였습니다.

– 최신 유형과 동떨어진 오래된 문제는 배제하고, 최근에 출제된 기출 시험 중 양질의 문제만을 선별 수록하였습니다.
– 수능의 경향과 흐름을 한눈에 쉽게 파악할 수 있도록 하였습니다.

02 과목의 특성에 따라 기출 문항을 재분류하였습니다.

– 단원별, 연도별, 제재별로 문항을 분류하여 학습의 효율성을 높였습니다.
– 단원별·제재별 핵심 개념 및 유형 학습이 가능하도록 하였습니다.

03 수능 시험지와 유사한 스타일의 본문 디자인으로 실전 감각을 유지하게 하였습니다.

– 실제 수능 시험지와 유사한 디자인으로 구성하여 실전 적응력을 높일 수 있으며,
  스스로 분석하고 메모하는 학습법으로 실전 능력을 배양할 수 있습니다.

04 차원이 다른 정답 및 해설, 서브노트가 있습니다.

– 핵심을 찌르는 정답 해설과 오답 거르기, 그리고 문제와 관련된 핵심 배경지식까지 짚고 넘어가는
  이 책의 서브노트는 수험생들이 가장 만족하는 부분입니다.

BONUS! **05** 한국사, 사회·과학탐구 영역 단권화 노트 제공!

– 세상에 단 하나뿐인 나만의 요약 정리 노트를 만들어 활용할 수 있습니다.

▲ 국어
- 국어 화법·작문·문법
- 국어 독서
- 국어 문학

▲ 영어
- 영어 듣기
- 영어 독해

▲ 수학
- 수학II [나형]
- 미적분I [나형]
- 확률과 통계 [가·나 공통]
- 미적분II [가형]
- 기하와 벡터 [가형]

▲ 한국사
- 한국사

▲ 과학탐구
- 물리I
- 화학I
- 생명과학I
- 지구과학I
- 화학II
- 생명과학II

▲ 사회탐구
- 생활과 윤리
- 윤리와 사상
- 한국지리
- 세계지리
- 동아시아사
- 세계사
- 법과 정치
- 경제
- 사회·문화

잠깐!

실제 시험 문제를 제한 시간 내에 풀어 보고
    등급컷도 확인해 보고 싶다면!'

美來路 **실시간** 기출모의고사 **시리즈로~**

실시간 기출문제집이 꼭 필요한 이유!!

첫째, 실제 시험에 출제된 **기출문제를 통해 난이도를 파악하고 출제 경향을 분석**할 수
  있기 때문입니다.

둘째, 실제 시험과 똑같은 상태로 풀고 **OMR 답지도 작성**해 봄으로써
  시간 안배 연습을 할 수 있어 시험 시간을 잘 활용할 수 있기 때문입니다.

셋째, 자주 출제되는 문제 유형은 물론 새롭게 출제되는 **신유형, 고난도 유형 문제**를
  접해 봄으로써 다음 시험에 보다 친숙하게 다가갈 수 있기 때문입니다.

넷째, **등급컷**을 참고하여 현재 **자신의 수준을 가늠**하고, 문제 해결에 있어
  취약한 부분을 파악함으로써 보다 집중적인 학습을 할 수 있기 때문입니다.

실 제 시 험 그 대 로 간 추 린

▲ 고1
• 국어
• 영어
• 수학

▲ 고3
• 국어
• 영어
• 수학(가형)
• 수학(나형)